PALABRA EN EL TIEMPO

BIBLIOTECA ROMÁNICA HISPÁNICA

DIRIGIDA POR DÁMASO ALONSO

II. ESTUDIOS Y ENSAYOS, 237

P. CEREZO GALÁN

PALABRA EN EL TIEMPO

POESÍA Y FILOSOFÍA EN ANTONIO MACHADO

BIBLIOTECA ROMÁNICA HISPÁNICA
EDITORIAL GREDOS
MADRID

de la palabra esencial, que escruta signos y descifra mensajes, la que es voz o clamor del ser en las raíces de la vida, la voz que sólo se escucha en el silencio y al borde de lo misterioso.

Esto nos permite entender la obra de M. como un vasto universo simbólico, en el que las voces de las cosas se dejan articular en textura abierta, apuntando hacia un centro inexpreso de significación inobjetiva, que no es otro que el destino misterioso, esto es, insondable e ineliminable, de la vida del hombre. Signos son el golpe del ataúd en la tierra y el crimen de los hijos de Alvargonzález, los borrachos de sombra negra y las buenas gentes, la pobreza de Castilla y la mediocridad del ambiente andaluz; y signos son también el estanque de agua muerta, el huerto de niño, el vaso de sombra, el camino... Todo un universo de signos, de voces apremiantes, que es preciso descifrar, arrancar de la trivial interpretación ordinaria para devolverles su sentido originario. En verdad, no es que el poeta cree símbolos, como quien dispone arbitrariamente de un arsenal de significaciones, sino que más bien ha de descubrir el valor simbólico de la misma realidad, la capacidad referencial de lo dado (la estela en el mar, la lluvia, el reloj, las moscas de todas las horas, la tarde de soledad y hastío...) para remitirnos al universo humano de sentido que, como su cara oculta, yace tras ellos. Otro tanto ocurre con los signos del mundo social —el loco del pueblo, el viejo hospicio provinciano, la envidia cainita, la fiebre del niño herido, el amor y la guerra con su amargo sabor a muerte...—, signos para el sentido y para el sinsentido, motivos de esperanza o desesperación según los casos, pero siempre elementos que el poeta ha de interpretar y valorar a la luz de las exigencias humanas. Voz de la realidad es pues esta que escucha el poeta, y también indisociablemente, voz del pueblo, de una comunidad que

EDITORIAL GREDOS, S. A.

Sánchez Pacheco, 81, Madrid. España.

Depósito Legal: M. 38661-1975.

ISBN 84-249-0661-6. Rústica.
ISBN 84-249-0662-4. Tela.

Gráficas Cóndor, S. A., Sánchez Pacheco, 81, Madrid, 1975. — 4499.

A mi esposa, a quien debo la inspiración de este libro.

«Aprende a dudar, hijo, y acabarás dudando de tu propia duda. De este modo premia Dios al escéptico y confunde al creyente».

(Antonio Machado, *Juan de Mairena*, II, cap. I, 60.)

«Una filosofía que se ocupa del destino humano, debe, no sólo confesar sus imágenes, sino adaptarse a ellas, continuar su movimiento. Debe ser, francamente, lenguaje vivo. Debe estudiar francamente al *hombre literario*, porque el hombre literario es una suma de la meditación y la expresión, una suma del pensamiento y del sueño.»

(Gaston Bachelard, *El aire y los sueños*, México, F. C. E., 1958, pág. 327.)

PRÓLOGO

Desde el lejano día de su muerte en el exilio de Collioure
la voz de Antonio Machado no ha dejado de interpelar a la
conciencia española. Podría decirse, sin asomo de exagera-
ción, que su obra ha constituido un centro gravitatorio
decisivo en la reflexión intelectual de la España contemporánea: lugar de cita, a veces, para el encuentro y la comunicación; de contraste y discordancia, otras, entre posturas
ideológicas irreductibles. Buena prueba de ello son las diversas lecturas que acerca del sentido de su obra se han venido
sucediendo entre nosotros. Sin pretensión de exhaustividad
quisiera aludir tan sólo a las fundamentales. De un lado la
histórico-evolutiva, que inició un mañanero artículo de J. M.
Valverde sobre la «Evolución del sentido espiritual de la obra
de A. Machado», en el que se indicaban con aguda sensibilidad crítica, no sólo las etapas de su itinerario, sino la tragedia interior de su obra, el naufragio de su palabra, resba-
lando cada vez más desde su primitiva potencia constructiva hacia el silencio, e incapaz de explorar la nueva sentimentalidad colectiva, a cuyo umbral había quedado retenida,
como Moisés ante la tierra de promisión. Fruto de aquel
lejano artículo, su reciente libro sobre «Antonio Machado»,
pese a la modestia de presentarse como un «companion

book», representa a mi juicio una ampliación y corrobora-
ción de aquella tesis, al desgranar, al filo de su vida, la íntima tragedia de su obra, disputada entre creencias de signo
opuesto —el escepticismo y la fe cordial y solidaria—, a
las que el bueno de don Antonio supo acunar sin crispa-
ciones ni dogmatismos.

En esta misma línea histórico-evolu-
tiva, de fuerte inspiración humanista, cabe clasificar las diversas aportaciones de Aurora de Albornoz, estudiosa dili-
gente y aguda de la obra machadiana, autora de una es-
pléndida antología de sus prosas, que por sí sola constituye
el mejor homenaje a su memoria, y de un bello libro, entre
otros, en el que rastrea minuciosamente las influencias de
Miguel de Unamuno en la obra de nuestro poeta.

La lectura filosófica cuenta, a su vez, con distintas infle-
xiones y variantes. Desde el punto de vista existencial, hay
que destacar un brioso contrapunto entre las interpretaciones de signo agnóstico, más que propiamente ateo, tal por
ejemplo la de Serrano Poncela, y aquellas otras, de inspiración personalista —J. L. Aranguren, Pedro Laín, Julián Marías, etc.—, que han querido encontrar en don Antonio, una
especie de «anima naturaliter christiana», una nostalgia de
Dios, que negativamente se convertía también, a su modo,
en un testimonio indirecto y oblicuo de su existencia. A su
vez, desde una perspectiva metafísica, las aportaciones de
Eugenio Frutos, P. A. Cobos, J. L. Abellán y, sobre todo,
A. Sánchez-Barbudo, definen adecuadamente el lugar propio
de la reflexión filosófica machadiana y la significación que
hay que concederle en la economía total de su obra.

Cabría hablar también de una lectura crítico-cultural, en
la que habría que clasificar —de nuevo en contrapunto—,
desde las primeras reducciones hermenéuticas de A. Machado en la España nacional (baste con citar el prólogo de Dio-
nisio Ridruejo, tan sensible y bien intencionado por otra

parte, a la edición de las «Poesías completas» (?) de don
Antonio, cuyo título —«el poeta rescatado»—, habla por sí
solo), hasta las interpretaciones más o menos sociológicas y
de inspiración crítico-radical. Frente a la lectura nacionalista,
que creía ver en la obra de Machado, por debajo de su «jacobinismo de sangre y de educación, de decoro externo y de
pedantería seductora de las instituciones izquierdistas», el
claro sueño del resurgir de la nueva España, han florecido,
en los últimos tiempos, aquellas otras de signo social —pienso,
por ejemplo, en las interpretaciones de Blanco Aguinaga
y Tuñón de Lara—, que subrayan, por el contrario, la íntima
conexión de la obra de don Antonio con los avatares sociopolíticos de su pueblo y su cálida orientación hacia la «gran
esperanza del socialismo».

Por último, hay que aludir a la lectura literaria, en sentido estricto (¿es acaso posible una lectura semejante?), interminable en la lista de sus nombres, y preclara en sus figuras, tales como Dámaso Alonso —su indiscutible patriarca—,
C. Bousoño, J. L. Cano, L. F. Vivanco, L. Rosales, R. Gullón,
R. de Zubiría, C. Beceiro, R. Gutiérrez-Girardot, J. M. Aguirre, y tantos y tantos otros, que han contribuido eficazmente
a una valoración crítica de la obra de Machado en la totalidad de sus géneros y estilos. La clave de estas lecturas, confesada o no, me parece ser siempre la misma: el milagro
de una voz lírica, ingenua y grave a la vez, florecida en el
simbolismo neorromántico y madurada por su hondura cordial, que desfallece más tarde, por el peso de la cavilación
filosófica, o por la exigencia ineludible de autoobjetivación,
o por Dios sabe qué, y hasta se transustancializa y enmascara en la prosa reflexiva y burlona de Abel Martín y Juan
de Mairena.

Cito estas lecturas, sin entrar a discutirlas de momento,
como un testimonio irrefutable de la vigencia de la obra de

A. Machado. Una vigencia, por supuesto, muy lejos de la abstracta intemporalidad de lo que pretende valer para siempre, sino más bien en la concreta y viviente eficacia de lo que, por ser fiel a su tiempo, da siempre qué pensar y se convierte en un motivo permanente de requerimiento y suscitación. Éste es el prodigio de la palabra integral, el ser un «universal-concreto», que nos revela los «universales del sentimiento» y lo «elemental» de la condición humana, a la luz de lo histórico-individual, como el diamante lleva en su corazón, por utilizar una metáfora de Machado, una lumbre de siglos.

La vigencia de la obra de Machado se debe, a mi entender, al hecho de haber sabido conjugar el doble imperativo de la temporalidad y la esencialidad, que él mismo prescribió a la palabra lírica. Si la fidelidad a su tiempo hizo de su obra la conciencia estremecida de la sociedad española y el documento más impresionante de la crisis de la voz lírica del subjetivismo ante una nueva tarea comunitaria, la fidelidad a su corazón y a su instinto metafísico le dio a su verso el tono grave y melancólico, el sentir hondo, y la intuición certera y profética del que sondea los abismos.

A la lectura presente de la obra de Machado, de llamarla de alguna manera, me atrevería a calificarla de «humanista», por estar basada sobre la fe en el valor de la palabra, como punto de apoyo de la existencia, frente al asalto del nihilismo. De ahí que el título de «palabra en el tiempo» trascienda el área específica en que lo usó el poeta, para referirse al sentido último de su obra —la aspiración a conciencia integral y la vocación a la palabra en enfrentamiento con el misterio y el silencio—. Esta tensión dialéctica básica genera aquella otra, estrictamente temporal, de presencias y ausencias, en que se resuelve, en última instancia, una lírica del alma.

Palabra en el tiempo es, pues, la lírica como el estremecimiento de un hondo corazón, herido por el paso irremediable de las cosas; pero lo es también la misma vida humana, que tiene que realizar su camino, emitir su verbo existencial, en el soplo evanescente de un poco de tiempo, como una andadura soñadora, circuida siempre de sombras. Y cabe llamar así a la misma conciencia cultural del poeta, hija de su tiempo, ligada a su aquí y a su ahora por el doble voto de la autenticidad personal y la solidaridad humana, en un compromiso de últimas consecuencias. La clave humanista de lectura, que aquí propongo, permite además entender a una, la doble luz del verso de Machado, el doble valor de su palabra, «canto y meditación» de su tiempo, del suyo personal y del social y colectivo, confundidos en un mismo acorde.

Quisiera añadir, por último, que no me he propuesto en modo alguno desmitificar a Machado. Las más de las veces, el mito destruido se venga de nuestro propósito generando el anti-mito, como su figura invertida. Y es que los mitos no se vienen abajo polémicamente, sino por simple efecto de proximidad, acercando el autor a nuestra circunstancia para medir el alcance de sus registros. No. Mi lectura sólo aspira a comprender, a dejar hablar al poeta en sus mismos textos y a hacer hablar al lector con él, encarándolo con el destino existencial y poético de esta grave y melancólica voz, reciamente española, que se llamó Antonio Machado.

Granada, septiembre de 1975.

INTRODUCCIÓN

Capítulo I

POESÍA Y FILOSOFÍA

En su claro verso
se canta y medita
sin grito ni ceño.
(«Soledades a un maestro»,
núm. 4.)

NO ECO, SINO VOZ

Está fuera de toda duda que la obra de M., lejos de ser un fenómeno típico y extraño, se fragua en la matriz estético-cultural del simbolismo. Tras tantos análisis «in vitro», o bien desde los más desaforados prejuicios ideológicos, las investigaciones de los últimos años, en especial la de R. Gutiérrez-Girardot (1969) y J. M. Aguirre (1973), han contribuido decisivamente a darnos una imagen interna de M., «haciendo hablar a su propia obra», en una lectura contextual con las coordenadas espirituales de las postrimerías del romanticismo. Desde el punto de vista formal expresivo, a la obra de M., por su pretensión, aunque frustrada, de dejar un solo libro unitario y total —aspecto al que apuntó ya Oreste Macrí—, se le puede aplicar, plenamente, como ha advertido Gutiérrez-Girardot, la caracterización schlegeliana del romanticismo:

La poesía romántica es —según Friedrich Schlegel— una poesía universal progresiva. Su determinación no es sólo la de
volver a unir todos los géneros separados de la poesía y la de
poner en contacto la poesía con la filosofía y la retórica. Quiere y debe ser también poesía y prosa, genialidad y crítica, debe
mezclar la poesía artística con la poesía de la naturaleza o
fusionarlas, hacer a la poesía vivaz y social, y a la vida y a
la sociedad, poéticas... [1].

Difícilmente podría encontrarse una definición más ceñi-
da y justa del empeño machadiano. Pero otro tanto ocurre
si se la considera en su vertiente temática y estilística. El
carácter simbólico-sugestivo de la palabra, el estado musical
del alma, a partir de un vago sentimiento de raíces subconscientes, el primado de la intuición, y la polisemia o textura
abierta del sentido, sin univocación posible, constituyen, como ha mostrado de modo irrefutable J. M. Aguirre, otros tantos rasgos del simbolismo, directamente emparentado, por
otra parte, con la metafísica bergsoniana, en cuyas fuentes,
como es sabido, bebió el propio Machado [2]. De ahí le vienen
también sus temas poéticos fundamentales: la preocupación
tan obsesiva por el tiempo, el interés por los aspectos vagos
y misteriosos de la realidad, y en fin, ese «cántico de amor y
muerte» (Aguirre), al que el bordón de la guitarra andaluza
ha teñido de una melancolía insuperable.

Suele olvidarse, sin embargo, en tales interpretaciones que
actúa también en M. un principio de autentificación existencial, una voluntad de conciencia, y por tanto, en última instancia, de realidad que va produciendo a lo largo de su
obra, según la certera indicación de Oreste Macrí, una trans-

---

[1] R. Gutiérrez-Girardot, *Poesía y Prosa en Antonio Machado*, Madrid, Guadarrama, 1969, pág. 79.
[2] J. M. Aguirre, *A. Machado, poeta simbolista*, Madrid, Taurus, 1973,
págs. 49-68.

formación ético-metafísica de los temas simbolistas [3]. Se explican así, el gran calado existencial de su temática, que convierte a M. en uno de los grandes poetas-metafísicos de todos los tiempos, y su búsqueda de una palabra primigenia, integral, sin las escisiones técnicas entre la imaginación poética pura y la reflexión filosófica, con pretensión de «hacerse voz» que nombra las cosas y que convoca, a la vez, al otro, a los otros, a un mundo que ha de ser habitado en común. A esta misma luz, con sencillez y sin arrogancias, se había visto el mismo poeta en su Autorretrato:

> A distinguir me paro las voces de los ecos,
> y escucho solamente, entre las voces, una.
>
> (XCVII.)

Se han solido interpretar estos versos como un rechazo, un poco tardío (1912), de los postulados estéticos modernistas, al menos en su versión más tópica y de «pastiche», sin advertir que, más allá de esta intención inmediata, hay una profunda revelación del talante poético machadiano; o dicho de otro modo, de su actitud ante la palabra. Esta deja de ser mero eco de lo ya dicho y acuñado, mero reflejo de un mundo público «inauténtico», para convertirse en una experiencia única de sondeo de las profundidades del propio yo, como una vía místico-poética hacia el misterio de lo real. Esa «única voz» que escucha el poeta en su autoinspección interior, nos resulta perfectamente identificable. Es, sí, una voz íntima, que resuena en el corazón, como la llamada silente del sentimiento, anterior a la clara luz de la conciencia; pero no es la voz del corazón, sino la de la realidad; entre otras cosas, porque el sentimiento no es más que

---

[3] Oreste Macrí, *Studi introduttivi a «Poesie di A. Machado»*, Milano, Lerici, 1961, pág. 89.

afección del mundo; él no construye ni determina apriorísticamente lo dado; se limita a padecerlo, a dejarse invadir por la buena nueva de las cosas, en su primer estremecimiento, casi como el murmurio del hontanar de las primeras palabras. He aquí, pues, una poesía con vocación metafísica desde su raíz. El verso tiene la doble luz poético-filosófica de un alumbramiento concreto de sentido, anterior a toda reflexión conceptual. La palabra se esfuerza por alcanzar aquella dimensión primera del milagro de la transparencia. La gravedad de lo real la ahonda y adelgaza hasta convertirla en un medio de presencia de la cosa misma, fundida ya con la íntima palpitación del alma; es lo que llamará Heidegger más tarde, pero obedeciendo a la misma inspiración romántica, «casa del ser, en cuya morada habita el hombre. Pensadores y poetas son los guardianes de esta morada y su vela consiste en consumar la revelación del ser, en tanto que ellos, mediante su decir, la traen a la palabra y la custodian en el lenguaje»[4]. El ideal machadiano, quizá sin proponérselo, porque en él era conjuntamente vocación y destino, se orientó siempre hacia esta palabra integral, en la que concuerdan, según el texto heideggeriano, pensadores y poetas. Y nunca le faltó este profundo sentido de lo real, de «inmersión» —como diría él mismo— en las mismas aguas de la vida, no ya como puro testimonio de lo objetivo-inmediato, sino como batalla de expresión frente a la realidad enigmática e inagotable.

Creo que el enfrentamiento de la conciencia con el misterio, por llamarlo de algún modo —a la manera romántica—, constituye no sólo la actitud básica de M., sino la dialéctica más radical e interior que atraviesa su obra. Su

---

[4] M. Heidegger, *Brief über den Humanismus*, Bern, Francke, 1954, pág. 53.

lema podría ser un par de versos de un lejano poemilla de
Soledades:

El alma del poeta
se orienta hacia el misterio.
(LXI.)

Por supuesto, la expresión no es nueva, sino del más
auténtico cuño romántico y hasta becqueriano: «Donde haya
un misterio para el hombre / habrá poesía» (rima IV)[5].
Pero de nuevo aquí, la vocación de autenticidad le lleva
a una conversión metafísico-existencial de lo misterioso; no
se trata tanto de usarlo retóricamente, o de mencionarlo
simplemente al modo de Bécquer, como de ejercerlo; quiero
decir, no dejarse vencer por la sugestión de lo indefinible,
en una especie de estado comatoso, sino buscar a toda
costa su penetración poética. De ahí que, muy tempranamente, caminen de la mano en su obra la llamada de lo misterioso con aquella otra, mucho más apremiante y decisiva,
de la conciencia. Fiel reflejo de esta genuina posición espiritual machadiana es un fragmento epistolar de 1904, casi
con valor de consigna o de credo estético existencial: «Todos
nuestros esfuerzos deben tender hacia la luz, hacia la conciencia... La belleza no está tanto en el misterio, sino en el
deseo de penetrarlo» (Unamuno, O. C., I, 1156-7). A partir de
esta sencilla declaración, se aclara y unifica toda su obra
en su centro de inspiración. El «misterio», como el «mar»
—su doble metafórico más constante en la simbología machadiana—, designa el carácter enigmático e inexhaurible

---

[5] Un desarrollo más completo, aunque típicamente retórico, de esta
pasión romántico-simbolista por lo vago, misterioso e indefinido, puede verse en la rima V de Gustavo A. Bécquer: «Espíritu sin nombre, /
indefinible esencia, / yo vivo con la vida / sin formas de la idea / ... Yo,
en fin, soy ese espíritu, / desconocida esencia, / perfume misterioso /
de que es vaso el poeta».

de la realidad, que el poeta tiene que desvelar, elevando a palabra la voz velada e inexpresa del mundo. Misteriosa es la realidad por su dimensión inobjetiva, esto es, no cosista e inmediata —tanto en la doble relación del yo con el mundo como del yo con el tú—, es decir, por la constitutiva referencia del yo a todo lo otro; y misteriosa lo es también por la imposibilidad de controlar o dominar este mundo ajeno de la diferencia absoluta, que escapa a toda previsión y cálculo. Misterio es, en definitiva, el mismo destino del hombre, puesto entre límites constitutivos infranqueables —su extravío en el mundo y su condena a la muerte— y sin poder consistir o hacer pie en su propia creación de sentido. Y frente a este misterio englobante, o mejor, en medio de él, la poesía no es un juego ocioso de adivinanzas sino que está penetrada por una clara actitud de conocimiento de una extraña especie místico-iluminativa. Se puede discutir el valor de esta vía romántica de participación, cordial e imaginativa, en el transfondo metafísico del mundo, pero no es posible devaluarla, al menos en M., como puro artificio. «Crear enigmas artificiales es algo tan imposible como alcanzar las verdades absolutas —piensa Machado—. Pueden, sí, fabricarse misteriosas baratijas, figurillas de bazar que llevan en el hueco vientre algo, que al agitarse, suene; pero los enigmas no son de confección humana; la realidad los pone y, allí donde están, los buscará la mente reflexiva con el ánimo de penetrarlos, no de recrearse en ellos» (C., 34). El apunte anterior, de 1916, enlaza, como se ve, con el fragmento de 1904, en una continuidad de actitud que bastaría por sí sola para disipar todos los equívocos.

Se comprende ahora, la significativa presencia en la obra machadiana, casi como un «leit motiv», de expresiones características de este enfrentamiento con lo misterioso: «Ver la cara a la esfinge», «ver tu rostro» o «descúbreme tu rostro»,

ya sean dirigidas a la muerte o a la soledad —que, en el
fondo, no son más que velos que nos ocultan la verdad del
mundo— o incluso al mismo principio metafísico del universo, como en la bellísima sugestión de «Iris de la noche»
—casi un vagido de luz en la tiniebla—,

> Y tú, Señor, por quien todos
> vemos y que ves las almas,
> dinos si todos, un día,
> hemos de verte la cara.
>
> (CLVIII, núm. 10.)

expresan inequívocamente la tensión dialéctica radical de la
obra de Machado. Quizá el símbolo más certero de la misma
sea el «del agua y la sed», que por debajo de su versión erótica, guarda un sentido más radical y originario, como si al
beber en las «mesmas aguas vivas» de la realidad, en lugar
de apagarse la sed con revelaciones absolutas, se renovara
siempre la pasión de búsqueda y conocimiento.

Desde esta perspectiva, resulta un centro de gravedad de
la autoconciencia estética machadiana, un breve poema de
Soledades, donde muy explícitamente se ha trascendido la
vaga ensoñación sonambulesca por una actitud vigil, y no
obstante, poético-imaginativa:

> No, mi corazón no duerme.
> Está despierto, despierto.
> Ni duerme ni sueña, mira,
> los claros ojos abiertos,
> señas lejanas y escucha
> a orillas del gran silencio.
>
> (LX.)

Si al poeta no le ha sido concedida la palabra creadora que
hace surgir el mundo, le cabe al menos la segunda creación

trabaja y sueña, que se afana y desvela, mientras habita en
el mundo mediante la palabra:

> Son buenas gentes que viven,
> laboran, pasan y sueñan,
> y en un día como tantos,
> descansan bajo la tierra.
>
> (II.)

Se ha señalado hasta la saciedad el profundo simbolismo
de la lírica de M.; la bisemia (Bousoño) y hasta polisemia
(Gutiérrez-Girardot) de sus imágenes poéticas, su carácter
progresivo y multirrelacional, «porque rescata grupos de significaciones de un contexto estrecho para llevarlos progresivamente hacia una totalidad de mayor amplitud» [6]. Se ha
querido ver en ello, por otra parte, un rasgo más del neorro-
manticismo simbolista, con un significado flotante, más sugerido que presentado, que avanza en espiral, enrollando sobre sí mismo otras perspectivas. Todo ello es verdad, sin
duda, pero más allá del estilo de época, más allá incluso del
carácter mismo de la lírica romántica, es preciso remitirse,
para entender este fenómeno en su raíz, a la índole metafí-
sico-imaginativa de su pensamiento, y a la necesidad de
articular éste en una estructura relacional de segundo grado, con primeros planos y trasfondos, en un juego múltiple
de referencias, que tratan de explorar un depósito de significación inagotable, o lo que es lo mismo, misteriosa, porque
se sustrae por principio a una manifestación directa y absoluta. De ahí que el poeta sea, por fuerza, un hermeneuta,
que trata de explorar la «arquitectura de sentido» que subyace a su propio simbolismo, según Ricoeur; y en esta misma medida, toda auténtica poesía incoa ya un pensamiento

---

[6] Gutiérrez-Girardot, *op. cit.*, pág. 42.

reflexivo, como el envés de su propia trama [7]. La obra de M. resulta ser, en esta perspectiva, un caso ejemplar. Nada está en ella dicho de una vez por todas; y todo, en cierta medida, se vuelve a decir, en un discurso abierto, lleno de latencias y de huecos, de silencios significativos, por donde irrumpe la potencia de lo innominado, con la que tiene que medirse la palabra. Quizá la expresión más justa de esta situación sea la de haberse perdido en un bosque innumerable, o en un mar arcano, en el que hubiera que ir abriendo caminos o estelas, o camino-estela, en la convicción de que de nuevo, tras de cada palabra, va a abrirse la espesura del silencio. Esta actitud espiritual se traduce en dos temas dominantes; uno, al que ha apuntado certeramente Gutiérrez-Girardot, la soledad, «como un estado incesante de pasmo y de extrañeza ante el hecho de que el mundo es como es, de que simplemente es mundo» [8]. El otro, la vuelta del viajero con el alma herida de desencantos, según la interpretación de J. M. Aguirre [9]. Por supuesto, los dos temas son oriundos del romanticismo y a los dos es preciso liberarlos de la estrecha interpretación psicológica, a la que los someten los autores citados. De nuevo la raíz que explica y unifica ambas temáticas no es otra que la del misterio ontológico. Soledad, no es, sin más, el pasmo del estupor, sino la experiencia de sentirse extraviado en el mundo, fuera de la

---

[7] Paul Ricoeur, *Freud, Una interpretación de la cultura*, Madrid, Siglo XXI, 1970, págs. 19-20 y 36-44.

[8] Gutiérrez-Girardot, *op. cit.*, 38.

[9] J. M. Aguirre, *op. cit.*, págs. 221-3. La interpretación de este autor reduce el sentido romántico del camino-viaje, que luego hemos de analizar en el capítulo III, al ceñirse básicamente al poema que abre *Soledades* —la vuelta del hermano con aire de frustración y en un clima de melancolía insuperable—, en lugar de atender al poema LXXVII, que determina, según nuestro criterio, la actitud poética subyacente a *Soledades*.

propia casa, como el niño en la noche de fiesta, y no obstante, henchido de asombro —«corazón de música y de pena» (LXXVII). Por eso, su soledad sólo puede ser la de un viajero, o mejor caminante, pero no como el «poema de una frustración», al decir de Aguirre, cuando renuncia a su aspiración y se sienta al borde del sendero, sino en la tensa expectativa del que pregunta y busca, del que duda poéticamente, «la duda humana, de hombre solitario y descaminado, entre caminos» (J. M., II, cap. III, 69). Pues aunque éstos «no conducen a ninguna parte» —como completa Mairena la frase anterior— merecen la pena por sí mismos, en la medida en que renuevan de continuo en el alma su sed de conocimiento.

La melancolía del viajero no es tanto la del que está de vuelta y se limita tan sólo a recordar sus experiencias, como la del que anda errante entre la niebla. Este «viajero solitario» en busca de compañía (del otro y de lo otro) camina, como ya se sabe, en la ensoñación. Buscador en sueños, persigue la orientación del alma en medio de su extravío. No cabe, pues, minimizar el valor de su ensoñación, como si sólo se tratara de una recreación espectral de lo ya vivido o de lo nunca vivido. Por encima de esta función, el sueño cumple otra de actualización de las experiencias pasadas, y hasta de reanimación del propio dinamismo de la búsqueda. Tal como recuerda Marcel Brion, refiriéndose a la poesía de Novalis,

> el sueño se mueve en dimensiones diferentes; es contemplación mística, intuición profética y revelación de verdades sublimes que no podrían ser enunciadas ni comunicadas en estado de vigilia [10].

---

[10] Marcel Brion, *La Alemania romántica*, Barcelona, Seix Barral, 1971, II, 93.

Incluso en M., como se mostrará en su lugar (cap. III), el sueño sufre la misma transformación ético-existencial que los restantes temas, penetrándose del resplandor de una vigilia iluminada de visiones imaginativas. Tanto la conciencia onírica como la imaginación poética —que M. tiende a confundir en una sola—, constituyen, según Paul Ricoeur, dos grandes «zonas de emergencia del significado simbólico» [11], es decir, como el hontanar de los mitos e imágenes poéticas que conciernen al destino humano. El buscador en sueños se busca, pues, a sí mismo; persigue su verdad, y a través de ella, la indagación del misterio y la reducción de su esencial lejanía.

> Sólo el poeta puede
> mirar lo que está lejos
> dentro del alma, en turbio
> y mago sol envuelto.
>
> (LXI.)

Pero no sólo es el misterio de la propia vida, como parece desprenderse del contexto del poema —las recónditas galerías del alma, sus tensas vigilias y sus sueños, sus expectativas y su destino, sus interrogantes casi en carne viva y clamor de conocimiento—. Es también el destino del mundo —el natural y el social—, el único e indivisible mundo humano, que se juega, y por tanto, se gana o se pierde, con la propia suerte del hombre. Lejanía, pues, del propio corazón cuyos horizontes se desfondan y abren en las cámaras del tiempo, que sólo pueden penetrar la memoria y la esperanza; pero también, lejanía de la realidad misma, insondable abismo del ser, que, como el mar bermejo, a cuya vera se para a meditar el gigante, es a la vez en su tenebroso misterio un signo equívoco de plenitud y muerte. ¿A dónde el

---

[11] Paul Ricoeur, *op. cit.*, 17.

camino irá?... El poeta interpreta, a veces pregunta; a veces muy de tarde en tarde, responde, pero siempre alcanza a ver una dimensión de trasfondo que se escapa a la simple mirada.

> Poetas, con el alma
> atenta al hondo cielo,
> en la cruel batalla
> o en el tranquilo huerto,
> la nueva miel labramos
> con los dolores viejos,
> la veste blanca y pura
> pacientemente hacemos,
> y bajo el sol bruñimos
> el fuerte arnés de hierro.
>
> (LXI.)

Los nuevos sueños no constituyen ahora el alto cielo del mundo irreal de la ensoñación libre, sino el «hondo cielo», que anida en el fondo mismo de la vida, como su verdad interior. Un cielo que espejea en todos sus momentos —la paz y la guerra, el dolor y la alegría—, pues la existencia entera es ahora materia para el laborar de las solícitas abejas de los sueños; motivo de admiración, esto es, de meditación y canto. Sobre el primer sentido del poeta como hermeneuta de un universo de signos y voces extrañas, se eleva pues este segundo del poeta-profeta, como llamó Unamuno a Antonio Machado. Y no porque tuviera el don ebrio del vaticinio, sino porque supo ver y se atrevió a decir, a revelar, lo que nunca se sabe o lo que siempre se calla, «porque profeta, en el rigor originario de su significación, no quiso decir el que predice lo que ocurrirá, sino que dice lo que los otros callan o no quieren ver, el que revela la verdad de hoy, el que dice las verdades del barquero, el que revela lo oculto en las honduras presentes, el poeta, en fin, el que con la palabra crea» [12].

---

[12] Apud Aurora de Albornoz, *La presencia de Miguel de Unamuno en Antonio Machado*, Madrid, Gredos, 1968, pág. 105.

La fijación de esta dialéctica básica entre la conciencia ensoñadora, esto es, intuitivo-imaginativa, y el misterio, nos lleva a la consideración de una segunda tensión dialéctica, levantada sobre la primera, entre la palabra y el silencio. La lucha entre el sentido y el sin-sentido (entendido aquí este segundo término fenomenológicamente, como aquello que se reserva en su esencia) introduce en la palabra un agudo estremecimiento, como si voltease sobre el vacío. Porque toda palabra genuina crece siempre, como una flor exótica, al borde de los abismos; ella no es más que la respuesta, tímida y balbuciente, a la interpelación o llamada de lo misterioso; no el eco de lo externo inmediato ni la expresión de los datos de la conciencia, en su contacto extrínseco con el mundo. Las mejores palabras no vienen de la superficie de la vida como un rumor de olas; crecen por el contrario, desde lo «grande-profundum» del destino humano, como vagidos de viento, o revelaciones de una voz que sólo se deja oír, según la certera expresión de Machado, «a orillas del gran silencio». Como escribirá más tarde Juan de Mairena, «sólo en el silencio, que es, como decía mi maestro, *el aspecto sonoro de la nada*, puede el poeta gozar plenamente del gran regalo que le hizo la divinidad, para que fuese cantor, descubridor de un mundo de armonías» (J. M., II, cap. I, 61).

A esta experiencia de búsqueda de la palabra original, en abierta confrontación con el poder de lo innominado, más allá de los simples ecos exteriores, se refiere, por otra parte, una aguda reflexión machadiana entre el proverbio y el cantar:

> No desdeñéis la palabra;
> el mundo es ruidoso y mudo;
> poetas, sólo Dios habla.
>
> (CLXI, núm. 44.)

en la que la expresa indicación de lo divino nos introduce en aquella dimensión de fundamentalidad de la existencia, donde se establece una fundación histórica de sentido, esto es, una casa o morada sobre el abismo de lo misterioso. De nuevo, desde las sugerencias del poeta andaluz, nos tienta el recuerdo de M. Heidegger en su magnífico comentario a un verso —todo un poema— de Hölderlin: «Voll Verdienst, doch dichterisch wohnet / der Mensch auf dieser Erde» («Lleno de méritos, y con todo poéticamente, habita el hombre sobre esta tierra»). «Morar poéticamente —comenta el filósofo— significa estar en presencia de los dioses y sobrecogido por la proximidad esencial de las cosas»[13]. La morada del hombre en la realidad está, pues, fundada sobre el acto poético, esto es, creador de las palabras esenciales; y son los poetas —hermeneutas y profetas a un tiempo, como hemos visto—, los que cuidan este depósito de significación sobre el que se sustenta la vida del hombre.

La continuidad machadiana sobre este punto es también sorprendente y digna por ello de mención. Una temprana rima, de neto sabor pitagórico, ya alude al tema de «las palabras esenciales», como un efluvio de la armonía recóndita del mundo, que de tarde en tarde, por azar o milagro, logra alcanzar al hombre:

> Tal vez la mano, en sueños,
> del sembrador de estrellas
> hizo sonar la música olvidada
> como una nota de la lira inmensa,
> y la ola humilde a nuestros labios vino
> de unas pocas palabras verdaderas.
>
> (LXXXVIII.)

---

[13] M. Heidegger, «Hölderlin und das Wesen der Dichtung», en *Erläuterungen zu Hölderlins Dichtung*, Frankfurt, Klostermann, 1955, pág. 39. Cfr. también de Heidegger, *Vorträge und Aufsätze*, Tübingen, Neske, 1959, págs. 187-204, dedicadas al comentario del verso de Hölderlin.

Más tarde, el profesor y sofista Juan de Mairena levantará el acta filosófica de esta misma intuición:

> Hemos de vivir en un mundo sustentado por unas cuantas palabras y si las destruimos tendremos que sustituirlas por otras. Ellas son los verdaderos atlas del mundo; si una de ellas nos falta antes de tiempo, nuestro universo se arruina (J. M., II, cap, XLIV, 27).

Machado y Mairena —el poeta y el filósofo— fundidos al fin de la obra en una misma personalidad vienen a reflejar en estas «pocas palabras verdaderas», la unidad originaria entre poesía y filosofía, antes de su disociación técnico-profesional como oficios. Los poetas no sólo interpretan signos y autentifican la voz del ser, también preguntan y pueden sutilizar las cuestiones hasta el más hondo de los escepticismos, el de las ganas de no-ser; los filósofos, no sólo construyen y razonan; crean también aquellas grandes metáforas (el río de Heráclito, la esfera de Parménides, la lira de Pitágoras, la caverna de Platón, la paloma de Kant, etc.), (J. M., I, cap. XXII, 101 y II, 186-7), que abren las grandes rutas del pensamiento. En este trueque, tan expresivo, de los papeles correspondientes al uno y al otro, Mairena, el sofista que juega a sorprendernos, quiere mostrarnos la íntima unidad de los dos oficios, lo que los filósofos tienen necesariamente de poetas, en la cantera de sus visiones, y lo que los poetas tienen de filósofos, en sus cavilaciones y sospechas, en sus asombros y preguntas. Y en suma, lo que los unos y los otros tienen de hombres en su necesidad de aunar el canto y la meditación «a la vera de la mar» o «a orillas del gran silencio» [14].

---

[14] Recuérdese el poema CLXXXIV: «A la hora de la tarde / viene un gigante a pensar. / Junto al mar, que mucho suena, / medita, sordo a la mar... / Él no ve ni el mar ni el cielo, / él sólo ve su pensar. / ¡Gigante meditabundo, / a la vera de la mar!» (OPP, 806).

En definitiva, las dos dialécticas ya mencionadas (con-
ciencia-misterio y palabra-silencio) vienen a expresar la íntima escisión del hombre entre dos creencias de signo opuesto, y no obstante, fecundas en su misma oposición, hasta el
punto de constituir la pasión y el dinamismo de la existencia. «Si ahondamos en estas dos creencias complementarias
—escribe M.—, tan fecundas en argumentos de toda laya,
nos topamos con la fe inapelable de la razón humana: la fe
en el vacío y en las palabras» (J. M., I, cap. XXX, 138).

LA DOBLE LUZ: EL CANTO Y LA MEDITACIÓN

«Canto y meditación». ¿Cómo expresar mejor la doble luz
del verso de Machado? La admiración del poeta canta de
asombro y medita sobrecogida a orillas del misterio —el
hombre, el mundo, Dios o la nada en su trasfondo—. No es
pues el arte por el arte, fórmula condenada por el poeta a
causa de su esterilidad, como había aprendido de su maestro
Unamuno; sino el arte por la vida, en función permanente
de conciencia y de humanización del mundo. Nuestra exége-
sis se orienta hacia la integridad de la obra de Machado, a
diferencia de aquellas lecturas que fragmentan la interna
unidad de su palabra. No hay a nuestro juicio un Machado
poeta, y tras éste y aun contra éste, un segundo Machado filósofo, herido ya su canto por una crisis insuperable. No fue
Machado de la lírica a la filosofía ni nunca estuvo, a decir
verdad, de vueltas de aquélla. «Don Antonio vino a la filosofía con retraso —escribe Pablo A. Cobos— cuando ya era
de manera irremediable poeta.» Dámaso Alonso preferirá
decirlo de otra manera, en sentido opuesto. Se trataría, para
él, de haber abandonado la poesía demasiado pronto, que-

brando su voz lírica con las cavilaciones del filósofo [15]. En todos estos planteamientos se parte de una concepción excesivamente rígida y estereotipada de «poesía» y «filosofía» como oficios intelectuales de signo contrapuesto. Se manejan así fechas en que, con la dedicación a la filosofía, comienzan los primeros bocetos o apuntes de reflexión, y se formulan las más diversas hipótesis acerca de las motivaciones que llevaron al poeta a la filosofía (¿búsqueda de consuelo ante lo ineluctable?, ¿inquietud por la experiencia de la angustia?, ¿recrudecimiento de su congénito escepticismo tras la muerte de Leonor?). Se separan, en fin, poesía y filosofía, como dos universos distintos, entre los que media la frontera insalvable de una profunda crisis espiritual. No pretendo, en modo alguno, restar valor a tal tipo de interpretaciones, pero creo que su atención obsesiva a los detalles biográficos externos, les impide ver la unidad originaria de la palabra poética machadiana.

Se suele olvidar, en efecto, que es la filosofía la que salva a la lírica de Machado de su perversión en puro esteticismo, y que, por su parte, este núcleo metafísico de creencias últimas, aspiraba ya desde su primitiva versión lírica, a la objetivación y autoconciencia que alcanzará más tarde en los «apócrifos». Y se pasa por alto también que esta auto-objetivación, jugando al «burla-veras» —que diría Cobos— no sólo hace surgir una poesía gnómica, burilada con el cincel de la reflexión, sino una lírica (cfr. por ejemplo «Los sueños dialogados» o las canciones populares o los «Recuerdos de sueño, fiebre y duermivela») que no cede en calidad a la mejor producción de primera hora.

---

[15] Pablo A. Cobos, *Humor y pensamiento de Antonio Machado en sus apócrifos*, Madrid, Ínsula, 1972, págs. 17 ss., y Dámaso Alonso, *Cuatro poetas españoles*, Madrid, Gredos, 1962, págs. 150-155.

En fin, se ha querido ver reflejada, autobiográficamente incluso, esta quiebra y mutación de la obra machadiana, en el poema XCV, que se hace valer como un documento expresivo de la citada crisis espiritual:

> Poeta ayer, hoy triste y pobre
> filósofo trasnochado,
> tengo en monedas de cobre
> el oro de ayer cambiado,

olvidando no sólo que es un poema anterior a los primeros contactos académicos con la filosofía por los años de Baeza, sino que, en verdad, arroja un sentido muy contrario al que pretende atribuírsele. El oro de ayer no alude a ningún filón lírico, trocado mágicamente en un oscuro metal filosófico; se refiere, por el contrario, como aclara el contexto, a la juventud pasada y perdida, el oro de un tiempo malgastado que ahora sólo puede reconstruirse en el recuerdo.

> Y hoy miro a las galerías
> del recuerdo, para hacer
> aleluyas de elegías
> desconsoladas de ayer.

En consecuencia, el «poeta de ayer» sólo puede mentar al ser humano en su primitiva potencia creadora prendido en la espontaneidad inocente y la indomable pasión de vivir: «¿Qué fue de aquel mi corazón sonoro?» —se preguntará en el poema XCI, antes de que la crispación dolorosa de la conciencia haga surgir las primeras sombras de la desilusión. En forma análoga se reproduce este planteamiento en unos versos muy mañaneros:

> Y en toda el alma hay una sola fiesta,
> tú lo sabrás, amor, sombra florida.

sueño de aroma, y luego... nada, andrajos,
rencor, filosofía [16].

Esta «fiesta de la vida», como el crepitar estruendoso de
una llama que no sabe de su propia pasión, es sin duda lo
que en estos contextos se llama «poesía», confundida con el
esplendor de una «edad de oro» inocente, espontánea y creadora, no turbada aún por el rencor de la cavilación, que sólo
cosecha las cenizas de su fuego. La filosofía, en cambio, es
la encargada de introducir en la espontaneidad de la vida,
el intervalo doloroso de la reflexión, y con ello «la distancia
y la ausencia» (lo que más tarde llamará M. «alma» y tomará como la fuente de la creación lírica) de un mundo,
que ya se ha perdido, o que tal vez no se ganó nunca, y que
sólo puede ser revivido o inventado en el ensueño.

Una situación análoga se encuentra documentada en *Soledades*, precisamente en una rima en la que, al pretender
objetivar la condición del poeta, se percibe el tránsito de
una lírica inocente a otra —la propiamente machadiana—,
cavilosa y ensoñadora:

> Y otra noche
> sintió la mala tristeza
> que enturbia la pura llama
> y el corazón que bosteza
> y el histrión que declama.
> Y dijo: las galerías
> del alma que espera están
> desiertas, mudas, vacías:
> las blancas sombras se van.
> Y el demonio de los sueños abrió el jardín encantado
> del ayer. ¡Cuán bello era!

---

[16] Antonio Machado, *Obras: Poesía y Prosa*, Buenos Aires, Losada,
1973, pág. 31. Esta edición, al cuidado de Aurora de Albornoz y Guillermo de Torre, será citada bajo la sigla OPP.

para acabar con aquella patética exclamación, en que se expresa el tono íntimo y quejumbroso, dolorido y meditabundo, que es el genuino registro de Machado:

> ¡Alma, que en vano quisiste ser más joven cada día,
> arranca tu flor, la humilde flor de la melancolía!
>
> (XVIII.)

Sin duda, es esta la posición espiritual predominante del lirismo machadiano, no la voz exultante que canta la lozanía de la vida en una embriaguez de sensaciones, sino aquella otra, herida ya de preguntas inesquivables y crispada de conciencia, que pinta sobre el gris de la fugacidad del mundo los pálidos colores de la ensoñación emotiva; una luz de atardecida entra así en escena con un juego de irisaciones sorprendentes entre el canto y la meditación, como la trémula palpitación de la vida antes del naufragio definitivo de la palabra.

> Hoy en mitad de la vida,
> me he parado a meditar...
> ¡Juventud nunca vivida,
> quién te volviera a soñar!
>
> (LXXXV.)

Desde esta melancólica actitud mana sin cesar la lírica de Machado y por eso en ella, a diferencia del cántico entusiasta del poeta de ayer, que a decir verdad nunca fue M., está ya la cavilación filosófica, no como oficio, sino como aspiración a la conciencia integral de sí mismo y del mundo, acuñando sus menudas monedas de cobre para la inteligencia y el sentimiento de lo común.

La actitud lírica de M. será por siempre la de aquel

> corazón maduro
> de sombra y de ciencia

que según le inspira la contemplación de la noria, como imagen del paso irremediable del tiempo humano en el girar incesante del tiempo cósmico,

> unió a la amargura
> de la eterna rueda
> la dulce armonía
> del agua que sueña.
>
> (XLVI.)

Pues, aunque el poema se refiere al «divino poeta» que ha creado un mundo entregado a la fugacidad, es precisamente este «mundo en el tiempo» el único tema obsesivo y hasta la última y definitiva inspiración de su obra literaria. Con razón ha podido escribir Luis Felipe Vivanco:

> desde un principio, desde los primeros poemas de *Soledades* —tan contrarias a las de Góngora— se nos aparece la voz de M. instalada en esa dimensión fundamental de la voz del poeta [17].

No. No se trata de un poeta que más tarde se contagia y hasta se malogra por la filosofía. Tampoco, de un filósofo, al estilo clásico, que por así decirlo vertiera en forma poética sus reflexiones y meditaciones. Ni la poesía ha entrado en crisis por obra de la filosofía, ni esta a su vez utiliza la poesía como un instrumento extrínseco de expresión. Machado no abandona lo uno por lo otro, sino que va de lo uno a lo otro constantemente, porque en este ir y venir, como se ha señalado, se cifra la condición humana, puesta entre estos dos altos montes [18].

---

[17] Luis Felipe Vivanco, «Comentario a unos pocos poemas de Antonio Machado», en *Cuadernos Hispanoamericanos*, núms. 11-12, Madrid, 1949, pág. 542.

[18] Ciertamente algunos críticos ya han apuntado en esta dirección. Como ha mostrado Ricardo Gullón frente a Allison Peers, hay un

Y es inevitable lo uno y lo otro, en el supuesto de aceptar la indivisibilidad y totalidad de la palabra.

Hay hombres —decía mi maestro— que van de la poética a la filosofía; otros, que van de la filosofía a la poética. Lo inevitable es ir de lo uno a lo otro, en esto como en todo (J. M., I, cap. XXIII, 104 y III, 152).

La unidad de poesía y filosofía se mantiene a lo largo de su obra. Años más tarde, en clara continuidad con estas intuiciones que hemos visto en S. G. O. P. (1907) y en C. C.

fondo filosófico evidente desde la primera hora, que tal vez no puede calificarse como sistema, pero que determina de un modo categórico la actitud ante la vida. Y no sólo una continuidad temática, centrada en sus tres ejes capitales: el tiempo, su humano cerco de limitación y su sed de trascendencia y alteridad, su combate entre el amor y la muerte, sino una actitud espiritual que garantiza, ya desde el comienzo, la unidad de inspiración de las múltiples irisaciones de la luz espiritual de Machado.

En la misma línea, pese a algunos equívocos y vacilaciones, se pronuncia Sánchez-Barbudo: «Pero lo cierto es que, en todo caso, poesía y filosofía respondían en él a una misma angustia y a un mismo anhelo, que tenían en él una misma raíz», y poco más adelante, más rotundamente todavía: «La metafísica de M. no es, en último término, sino una justificación de sus ideas sobre la poesía, un comentario a su mejor poesía». (*Estudios sobre Galdós, Unamuno y Machado*, Madrid, Guadarrama, 1968, pág. 414. Pueden verse también págs. 350-1, 387-8 y 408-9). Pero, sin duda, la rectificación más enérgica del punto de vista de la crisis interna, la ha formulado Pablo A. Cobos: «Se nos ha dicho alguna vez, nos lo han dicho autoridades, que el poeta Antonio Machado está en *Soledades*, o se alarga, debilitándose, hasta C. C. Se desestima la producción poética que podemos entender como metafísica, constitutiva de una etapa tercera. Y lo que nosotros afirmamos ahora es que esta desvalorización sólo es posible si se le malentiende a M. por lectura deficiente». «Sin lectura y entendimiento suficiente de las prosas de A. Machado tampoco es posible —concluye Pablo A. Cobos— una justa valoración de su poesía, cualquiera que sea la etapa, porque una característica de nuestro gran poeta, nunca desmentida, es su autenticidad, por lo que le encontramos enterito y total en cualquiera de los momentos. Así, pues, el intimismo y la metafísica, se han de entender como elementos integrantes, nunca excluyentes» (*op. cit.*, págs. 84-85. Cfr. también 23-4, 28, 115, 131, 139 y 199).

(1912), declara M. por boca de Juan de Mairena, que «todo poeta supone una metafísica; acaso cada poema debiera tener la suya —implícita—, claro está —nunca explícita—, y el poeta tiene el deber de exponerla, por separado, en conceptos claros. La posibilidad de hacerlo distingue al verdadero poeta del mero señorito que compone versos» (II, 148, 103). Si se tiene en cuenta el carácter parasitario y decadente que siempre asigna M. a la figura del señorito, se percibirá mejor la transcendencia de la palabra poética, una genuina fundación de la existencia, en la medida en que es capaz de sentir y formular los problemas fundamentales del hombre y poner a éste en vías de la indagación de su propio destino.

Se trata de una metafísica «implícita», en el preciso sentido en que, como más tarde se verá, el pensamiento poético —intuitivo y adivinador— se diferencia del pensamiento sistemático y metódico; así se explica que en otro momento precise Mairena que «el poeta debe apartarse respetuosamente ante el filósofo, hombre de pura reflexión, al cual compete la ponencia y explanación metódica de los grandes problemas del pensamiento»... (J. M., I, cap. XXXI, 141). Lo propio del poeta, por supuesto, no es razonar ni discurrir, ni siquiera reflexionar en el sentido técnico (acuñar conceptualmente la expresión de la vida), sino exponer a ésta en su íntima palpitación y en su intencionalidad primaria. En este preciso sentido la poesía es más «honda» que la filosofía. Ha realizado ya una apuesta «cordial» por un determinado tipo de creencias y desde él se apresta a la tarea de descubrirnos o significarnos el mundo. Como M. precisa con gran finura, la razón especulativa puede ser antinómica y jugar kantianamente al sí y al no, pero en cambio la «razón poética», si se me permite esta expresión, siempre está decidida y hasta comprometida en una creencia que determina toda una visión del mundo. «El poeta comprende que, por debajo de la antinomia lógica, el corazón ha tomado su partido. Una vez que esto sabe, le es lícito elegir la tesis o la antítesis, según que una u otra convengan o no con la orientación cordial, para hacer de la elegida el postulado de su metafísica» (C., 43)[19]. De donde concluía Mairena, que «el poeta tiene metafísica para andar por casa..., el poema inevitable de sus creencias últimas, todo él de raíces y de asombros» (J. M., I, cap. XXXI, 141 y III, 153). De nuevo aquí la modestia engaña a Antonio Machado, porque no se trata de una metafísica menor, sino de una forma especial de metafísica en que las preguntas radicales guardan aún el estremecimiento de la admiración originaria de que han surgido y las respuestas de que se dispone no gozan todavía del estatuto teórico de las «ideas», «sino aquel otro de las creencias», con que cuenta uno, al decir de Ortega, en que se apoya uno para vivir, o quizá —y este era el caso de M.—, el de las apuestas cordiales cuando no hay respuestas que se mantengan en pie ante el asalto de la duda.

Pero sin duda, lo más vigoroso del texto anterior radica en el énfasis con que caracteriza este núcleo metafísico como «el poema inevitable», es decir, el germen necesario de la creación, sin el cual la poesía carece de originalidad y autenticidad y se prostituye en el arte versificatorio del señorito.

En todo poema subyace, pues, como su núcleo el otro poema de las creencias últimas o de las preguntas últimas, que han de quedar tal vez por siempre sin respuesta. Así la poesía, si quiere ser creadora, se ahonda y agrava del sentido de la realidad; y el pensamiento, antes de ser reflexivo, ejerce su intencionalidad al filo mismo de la vida, confundido con

---

[19] Y más precisamente aún nos advierte en otro texto: «Por debajo de lo que se piensa está lo que se cree, como si dijéramos en una capa más honda de nuestro espíritu» (J. M., I, cap. XXXIII, 150)

el propio poema de la existencia; que «piense el sentimiento» y «sienta el pensamiento» según la feliz expresión de Unamuno.

EL VALOR INTEGRAL DE LA PALABRA

Si nos preguntamos ahora dónde radica el secreto de esta palabra integral y primigenia, sólo habría una respuesta posible: en su fidelidad a la condición humana. El «ir de lo uno a lo otro», en cualquiera de sus direcciones, se debe a la forzosidad para el hombre de «estar en lo uno y en lo otro» —en la esfera intuitiva y cordial de la poesía y en la categorial de la filosofía— si se toma en serio su propia condición de ser el dispuesto para la palabra. Así lo exige la fundación de sentido. Una palabra creadora, a diferencia de la palabra-tópica o mero papel-moneda ya acuñado en su valor, es un súbito esclarecimiento de la vida, como si ésta, en su ejercicio, se iluminase por dentro, en la medida en que la experiencia de lo vivido (*páthēma*) comienza a trascenderse en claridad de conciencia (*nóēma*). La palabra originaria no puede ser otra que el símbolo poético —intuición e imagen a la vez—, antes de su disociación abstractiva [20]. Aún no es idea, y, sin embargo, ya está transida «in nuce» de pensamiento. La intencionalidad espontánea, ejercida al filo mismo de la existencia, comienza a volver sobre sí, recobra su sentido en la plasmación material y sensible de su propio acto, sin consumarse, no obstante, como pensamiento

---

[20] «Desde este punto de vista —escribe Gaston Bachelard— las imágenes no serían ya simples metáforas, no se presentarían simplemente para suplir las insuficiencias del lenguaje conceptual. Las imágenes de la vida harían cuerpo con la vida misma. No podría conocerse la vida mejor que en la producción de sus imágenes. La imaginación sería entonces un terreno de elección para la meditación de la vida» (*El aire y los sueños*, México, F. C. E., 1958, pág. 314. Pueden verse también las págs. 29 y 327).

reflexivo. Se trata, más bien, de un pensamiento poético (o «poesía pensante», si se prefiere) [21], mañanero y anticipatorio, que nos abre la realidad, por así decirlo, en visiones figurativas y cordiales. Es, pues, la vida la que funde poesía y filosofía, como quien teje con un doble color o con una doble luz —la intuitiva del acontecimiento y la significativa de la categoría—, captada a una en el milagro de la palabra primigenia.

Pero esto supone, para decirlo con los propios términos de Machado, que trabaja en el seno de la existencia «una espontaneidad metafísica» (J. M., II, cap. XLIII, 23-24 y III, 192), la cual no debe sacrificarse a la tiranía de un pensamiento ya acuñado [22]. Es esta espontaneidad la que lleva al hombre a la zona abisal de la problemática última de la existencia y le hace trascender un nivel de significación ya constituido y reificado, para abrirle a la dimensión radical de la apertura misma del fenómeno del «mundo». El horizonte del sentido no se ofrece, pues, como algo dado, de una vez por todas, sino más bien como la tarea creadora de la existencia, en su empeño por habitar el mundo mediante la palabra.

Machado sabe muy bien que todas estas preocupaciones («filosóficas» —dirán algunos despectivamente) son inherentes a la condición misma de la palabra poética, y, por consiguiente, no pueden tomarse ingenuamente como fruto de un temperamento caviloso. Incluso sale al paso de una

---

[21] Esta terminología («das denkerische Dichten und das dichterische Denken») es, como ya se sabe, de acuñación heideggeriana. El desarrollo más explícito de estas distinciones, así como el paralelismo en este punto entre Machado, Unamuno, Bergson y Heidegger, serán tratados en el capítulo IX, dedicado a la poética de Machado.

[22] El tema guarda un profundo parentesco con el ensayo de Unamuno sobre «La ideocracia» (*Ensayos*, I, Madrid, Aguilar, 1966, páginas 249-60).

posible objeción a su poesía por contagio con tales interrogantes.

> Se nos dirá —habla Mairena— que nuestra posición de poetas debe ser la del hombre ingenuo, que no se plantea ningún problema metafísico. Lo que estaría muy bien dicho si no fuera nuestra ingenuidad de hombres la que nos plantea constantemente estos problemas (J. M., I, cap. XXX, 138 y III, 117).

Más aún: Este pensamiento es el específicamente humano pues se inscribe en el dinamismo constitutivo del hombre; hunde sus raíces en la inocencia de las preguntas radicales de la existencia y está por eso en la línea de la espontaneidad de la razón. El abandono de la metafísica tenía por fuerza que aparecer a M. como una recaída en el inmediatismo de la conciencia y por tanto como bloqueamiento de la experiencia humana.

> Con fútiles pretextos —comenta Machado—, hemos abandonado la metafísica, el pensar metafísico que es el específicamente humano, abierto a la espontaneidad intelectiva y a los cuestionarios infantiles, para seguir las líneas tortuosas del dandysmo delicuescente o de una madurez embrutecida por la fatiga y el alcohol (J. M., II, cap. XIV, 140 y III, 93).

El asombro del poeta no es pues un estático embeleso ante el mundo, sino la extrañeza originaria que renueva de continuo la problemática humana. El poeta vive en la admiración. Pero no es esta un pasmo estúpido ni un arrobo inconsciente. Lo que constituye la admiración es precisamente el carácter misterioso, abismático, del mundo. A orillas de este gran misterio, se estremece la lira del poeta, mientras interpreta los signos y escucha la voz que le viene de lo insondable. La admiración impide que la vida trivialice sus propias experiencias, reduzca el mundo a la positividad de lo inmediatamente dado y ciegue así la fuente soterrada de los sueños. Pero a su vez, la admiración levanta el velo de lo misterioso, para que no quede en su lejanía inaccesible; y trata de traducir la experiencia del hombre en el mundo, en el íntimo hervor de las preguntas radicales. Por eso, de la admiración vive también la filosofía. De ahí que el asombro poético sea esencialmente una pretensión de conciencia, el resorte secreto de su dinamismo. Y que la poesía, fiel a su destino, aspire a ser una conciencia integral del mundo (A. M., 27).

No. No es la filosofía una dimensión espúrea de la poesía, algo que viola la pureza del canto. Es que una poesía que cifre su dimensión en «inventar nuevos poemas de lo eterno humano», como dice de sí mismo en el Prólogo a *Campos de Castilla,* tiene por fuerza que llevar su admiración hasta las cuestiones radicales de la existencia, y convertirse así en un medio de auto-objetivación de la conciencia humana. «Por último —concluye aquel prólogo— algunas rimas revelan las muchas horas de mi vida gastadas —alguien dirá perdidas— en meditar sobre los enigmas del hombre y del mundo» (OPP, 52 y II, 108). Nunca ya se apartó M. de estas meditaciones. Muy por el contrario, su poesía se fue haciendo cada vez más honda —más fina de expresión y más desnuda y simple en pensamiento—.

A esta espontaneidad metafísico-antropológica, que es la almendra de la poesía machadiana, debe corresponder, en la línea comunitaria, el sentido de su trascendencia social. Son dos momentos inseparables de la palabra, cuando se constituye en voz que llama y convoca, que interpreta signos y requiere el acuerdo de inteligencias y voluntades; que abre, en definitiva, un mundo público que ha de ser habitado en común. La conciencia de esta función social del arte genuino —no ideológica, sino crítica, si ha de ser liberadora—, ha encontrado una expresión canónica en un fragmento de su Autorretrato:

> ¿Soy clásico o romántico? No sé. Dejar quisiera
> mi verso, como deja el capitán su espada:
> famosa por la mano viril que la blandiera,
> no por el docto oficio del forjador preciada.
>
> (XCVII.)

Pocos versos recusan más terminantemente la posición idealista del «arte por el arte». Este, como la cultura en general, no tiene más contenido que el propio de la vida, ni otra finalidad que su servicio a la causa del hombre. La condición humana vuelve a unir así, en la palabra original, su problemática metafísica y su destino comunitario. Porque sólo una poesía que esté animada secretamente por la filosofía, puede alcanzar la zona de gravedad de la existencia; y a la inversa, sólo una filosofía que brote de la admiración poética, puede aspirar a satisfacer las necesidades del corazón humano. En *Del sentimiento trágico de la vida*, ha expresado Unamuno esta misma problemática en una fórmula que me recuerda expresiones análogas de Feuerbach:

> Si un filósofo no es hombre, es todo menos un filósofo —dice don Miguel—; es sobre todo, un pedante, es decir, un remedo de hombre (*Ensayos*, II, 742).

Paralelamente podría acuñarse una fórmula gemela machadiana: «Si un poeta no es un hombre, es todo menos un poeta; es sobre todo un versificador, es decir, un señorito que compone versos.» Frente a todas las fragmentaciones y disociaciones, la divisa filosófico-literaria de M. nos urge hacia la plenitud de la palabra:

> Rehabilitemos la palabra en su valor integral. Con la palabra se hace música y pintura y mil cosas más; pero sobre

todo se habla. He aquí una verdad de Perogrullo que comenzábamos a olvidar (OPP, 893 y II, 114).

La fidelidad a lo humano restaña, pues, las alienaciones del discurso; vuelve a unir al filósofo y al poeta más acá de las especializaciones de oficio, y, en definitiva, nos devuelve, frente a los ecos inertes, la palabra-voz, que llama y convoca, que canta y medita, en la plenitud de sus funciones.

YA NUESTRA VIDA ES TIEMPO

Pero, ¿por qué canta y medita el poeta-filósofo? Ante el mar insondable, ante una realidad que siempre nos ofrece el rostro de la esfinge, a orillas del gran silencio, sólo es posible una existencia temporal. En la eternidad (?), todo estaría traspasado, de una vez por todas, por la luz de la conciencia.

> Pero al poeta —según precisa M. en la nota poética a Gerardo Diego— no le es dado pensar fuera del tiempo, porque piensa su propia vida que no es, fuera del tiempo, absolutamente nada... (OPP, 54-5 y II, 167-8).

La doble luz de su verso —canto y meditación— no es la certera y simple del mediodía de la visión eterna, sino la luz crepuscular, indecisa y ambigua, de la condición humana.

Tocamos así la tercera y definitiva dialéctica de la obra de Machado; más de superficie, en cuanto que aflora a cada instante y se levanta sobre las anteriores, pero también, desde otra perspectiva, la más inmediata e íntima, porque afecta al modo mismo de la existencia. El nuevo conflicto, de índole temporal ahora, se establece en la tensión de ausencia y presencia, que constituye la obra misma del alma. Hasta se podría decir que es el medio de operatividad y desarrollo de las otras tensiones («conciencia ensoñadora/ misterio» y «palabra/silencio»). Porque lo que la realidad tiene de misterio se lo debe a su refracción o presentación en un medio finito, circuido por un comienzo sin memoria y un futuro intrascendible de muerte. Aparece así y desaparece en el tiempo, sin poder retenerse nunca en una presencia absoluta. La «ausencia» nos arrojaría aquí el doble índice de lo ya sido y lo todavía no sido, y a la vez, lo nunca sido ni por ser, porque escapa a las posibilidades mismas temporales. El misterio del mundo se muestra a esta luz como el orden de lo indominable e inobjetivo, lo que se reserva y sustrae porque no está nunca dado en plenitud de su significación. Y, conjuntamente, lo que la palabra guarda de silencio, como su oquedad inmanente o sus límites constitutivos, se lo debe también al trasfondo de sin-sentido, sobre y contra el cual, erige su mensaje. Porque la palabra es tiempo, soplo de tiempo retenido en conciencia, pero condenado a perderse, como los caminos en el bosque o las estelas sobre el mar, en la espesura de lo sin-nombre.

¿Por qué canta el poeta? Para consolarse del paso del tiempo. ¿Cómo canta el poeta? Con palabras de tiempo y contra el tiempo, queriendo eternizar el instante.

> La inseguridad, la incertidumbre, la desconfianza, son, acaso, nuestras únicas verdades. Hay que aferrarse a ellas... —aconseja Mairena—. Si damos en poetas es porque, convencidos de esto, pensamos que hay algo que va con nosotros digno de cantarse. O si place mejor, porque sabemos qué males queremos espantar con nuestros cantos (J. M., II, cap. XLIV, 27 y III, 83-4. Cfr. también II, 173 y 187).

¿Cómo medita el filósofo? Con palabras de tiempo y contra el tiempo. No para huir del tiempo —la tentación filosófica de escaparse del mundo por el portón de las «ideas» y de soñar una falsa eternidad, al margen de lo finito— sino para arraigar en él (si posible fuera), por medio de la palabra.

Los que buscamos en la metafísica una cura de eternidad, de actividad lógica al margen del tiempo, nos vamos a encontrar —bueno es tener prejuicios sin los cuales no es posible pensar— definitiva y metafísicamente cercados por el tiempo. ¿Por una viva eternidad como una «durée» bergsoniana? Algo peor. El tiempo de Heidegger, su tiempo primordial, como en Bergson, ajeno a toda cantidad, esencialmente cualitativo, es no obstante, finito y limitado. No pierde el tiempo, en Heidegger, su carácter ontológico por su limitación y finitud; ¡antes lo afirma! No olvidemos que este ser en el tiempo y en el mundo, que es la existencia humana, es también el ser que se encuentra, al encontrarse con la muerte (J. M., II, cap. X, 121 y III, 203).

Pero no, A. Machado no lo ha aprendido de Heidegger. Muy joven, en la voz estremecida y melancólica de *Soledades*, se sentía ya «metafísicamente cercado por el tiempo». La canción del agua en sombra, en la tarde de julio —íntima melodía de su alma—, no es más que la sombría canción del tiempo (XIII). Y la conciencia del caminante, que se para a contemplar su sendero, no es otra cosa que el reconocimiento de la propia temporalidad, con la muerte al fondo, como una luz lívida que ilumina la andadura (XXXV).

Y más tarde, cuando se ahonda su meditación, según pasan los años, Abel Martín, con su metafísica poética vendrá a reconciliarse con el tiempo y Mairena se llamará a sí mismo «poeta del tiempo», reconociéndose en la voz más primitiva y originaria de Machado. Poesía y filosofía no son más que «palabra en el tiempo», porque la vida es tiempo que ha de resolverse en palabra.

El contrapunto de este nuevo combate deja sus huellas por doquier en un discurso poético que juega a la contradicción lírica, en un intento de captar el paso real del tiem-

po, su fluencia objetiva, más allá de posiciones absolutas
(afirmación o negación). El mismo M. ha definido esta dialéctica lírica, de la temporalidad, aun cuando refiriéndose
a Bécquer:

> En su discurso rige un principio de contradicción propia-
> mente dicho: sí, pero no; volverán, pero no volverán... (J. M.,
> II, cap. XLIII, 25).

Al expresarse así, acertaba oblicuamente a objetivar el
ritmo interior su propia palabra: un recuento aun superfi-
cial de la lírica machadiana reparará de inmediato en el
juego alternativo de los adverbios de afirmación y negación
(«sí, pero no», o bien en su versión afirmativa, «no, pero
sí»)[23], sustentado por otro aún más profundo de adverbios
temporales («nunca/todavía»; «ya no/aún sí») en un contrapunto permanente. Quizá la expresión más exacta de este
juego la ofrezca la rima, que lleva el nombre, muy significativo por cierto, de «Acaso»:

> —¡Cuán tarde ya para la dicha mía!—
> Y luego, al caminar, como quien siente
> alas de otra ilusión: Y todavía
> ¡yo alcanzaré mi juventud un día!
>
> (L.)

La nueva dialéctica está vivida, ejercida, en la obra de
Machado —y es muy importante subrayarlo—, no como
quien se pone al margen del tiempo, a verlo pasar, o a ver
cómo ha pasado (J. M. Aguirre), sino de una manera agónica

---

[23] Ejemplos de estas tensiones adverbiales internas a la poesía de
M. son los siguientes:

«Pasó por tu puerta; dos veces no pasa» (XLIII);
«¿Es ella? / No puede ser» (XV);
«no te verán mis ojos; / ¡mi corazón te aguarda!» (XII).

y creadora, en una permanente actitud de «reanimación», que como luego se ha de ver (cap. IV), pretende reconstruir la unidad del tiempo humano, salvándolo de sus lagunas y fragmentaciones empíricas. De ahí que la «presencia», el volver a vivir o el anticipar imaginativo sean fundamentalmente la obra del alma, el intento de conservar y retener en la palabra —en una forma de presencia lírica e interior— el vacío de ausencias de una realidad que se deshace en el tiempo y que siempre se guarda su secreto. Cuando se dice que la lírica de M. es una lírica del alma, se alude a algo más que al intimismo: el alma se constituye en ese punto de mediación entre la ausencia real y la presencia intencional, entre la experiencia del tiempo vivido y la recreación imaginativa de su sentido interior, entre el vacío de la nada y aquella otra plenitud de intención que sólo alcanza en sus momentos más creadores la obra del hombre.

Con esto quisiera aludir a la significación última de la obra de Machado. Todos los autores de la generación del 98 se sintieron tentados por el nihilismo y cada cual procuró superarlo, con fortuna o sin ella, de distinto modo. Unamuno con la fe quijotesca que apuesta trágicamente por la eternidad del sentido [24]; Azorín, en una sensibilidad reproductiva, tierna y menuda, como un espejo reciente, que sueña un falso universo; Baroja, en la aventura anticonvencionalista de sus héroes; Maeztu, en la afirmación metafísica de un nuevo horizonte de valor, al abrigo de cualquier sospecha. La opción de Machado fue, si cabe, más sencilla, y a la vez, más auténticamente humana: sólo estribó, paradójicamente, en la duda y la esperanza. La duda escéptica para disolver los falsos dogmatismos de la afirmación y la negación;

---

[24] P. Cerezo Galán, «El Quijotismo como humanismo trágico-heroico», en *Miscelánea de Estudios al Prof. Marín Ocete*, Granada, Prensas de la Universidad, 1974, págs. 205-236.

y la esperanza, sin demasiados fervores místicos, para no ceder cobardemente en el combate. La unidad paradójica de estas dos dimensiones produce esa impresión de ambigüedad tan obsesiva de su obra. Se diría que su poesía, con vocación de hermeneuta y profeta a la vez, supo realizar la doble voluntad de «sospecha y de escucha», el doble voto «de rigor y de obediencia», que Paul Ricoeur atribuye a la hermenéutica genuina[25]. La voluntad de sospecha tiene su más alta expresión en el fino escepticismo maireniano; la de escucha en la pasión machadiana por la búsqueda en medio del extravío. La unidad de la una y la otra, se llama en Machado, sencillamente, *alma*, esto es, «palabra en el tiempo».

---

[25] Paul Ricoeur, *op. cit.*, 28.

PRIMERA PARTE

FENOMENOLOGÍA DE LA TEMPORALIDAD

II

LOS SÍMBOLOS DE LA TEMPORALIDAD: EL CAMINO Y EL RÍO

> Todo pasa y todo queda,
> pero lo nuestro es pasar,
> pasar haciendo caminos,
> caminos sobre la mar.
>
> (CXXXVI, núm. 44.)

Si el poeta, como ya se ha indicado, crea en el tiempo y con palabra de tiempo, sus ideas, «no pueden ser categorías formales, cápsulas lógicas —como recordaba Machado a Gerardo Diego en nota poética de 1931—, sino directas intuiciones del ser que deviene», del propio existir. No se trata, sin embargo, de intuiciones intelectuales puras, sino sensibles e inmediatas, en las que el propio devenir de la existencia está dado, por así decirlo, figurativamente, ni en idea ni en puro sentimiento, sino en la imagen que, por su naturaleza mediatriz, participa de la una y del otro, y es a la vez el esquema generativo de un concepto y la expresión plástica e inmediata de una vivencia de realidad. La palabra esencial es así, conjuntamente, visión de poeta y metáfora originaria de filósofo, presencia de la imagen, intuida o construida, según los casos, y sugestión del sentido existencial, que en ella se actualiza.

En esto consiste precisamente la naturaleza bifronte del símbolo figurativo en Machado. En verdad el símbolo natural está siempre por virtud de otra cosa, en referencia a un horizonte implícito de sentido, pero a la vez en sí y por sí mismo. La referencia simbólica se produce por su propio contenido natural, según la sugestión significativa que evoca su figura. No hay, pues, en el símbolo la transparencia de sentido que encontramos en la palabra; y no sólo porque entre el significado y el significante se interpone siempre la naturaleza sensible de la imagen, sino porque su campo de alusión, de índole existencial, queda siempre borroso o difuminado. Como ha mostrado Carlos Bousoño,

> el plano real sobre el que se halla el símbolo instalado no es nunca un objeto material, como ocurre siempre en la imagen tradicional y la visionaria, sino un objeto de índole espiritual, y en consecuencia, los límites de éste serán borrosos, no determinables con absoluta nitidez; o mejor, sólo determinables de un modo genérico, no de un modo específico; el lector sabe el género a que esa realidad corresponde, pero desconoce la especie a que pertenece [1].

Subraya además Bousoño que la peculiaridad de los símbolos de Machado reside en su carácter bisémico, en la medida en que subsiste, junto a la significación directa y propia de la palabra, la nueva significación simbólica, sin que logre desplazar a la primera, como ocurre en el símbolo monosémico; sino que más bien queda como camuflada tras ella. Así por ejemplo, «agua muerta» en el poema XXXII de *Soledades* significa, no sólo aquello que describe en directo, «agua quieta del estanque», sino a la vez, «muerta». Con este

---

[1] *Teoría de la expresión poética*, Madrid, Gredos, 1952, pág. 102.

procedimiento logra M. una poesía aparentemente sencilla y sin artificio, «pues la bisemia del símbolo favorece el ocultamiento del recurso» y de una gran potencia de sugestión [2].

Sin duda es éste el secreto de Machado: ocultar los propios símbolos, o «enmascararlos», situándonos a primera vista en un nivel primario de realidad, e incluso de inmediatez de sentido (camino, mar, agua, estela, manantial, huerto cerrado...), y dejando adivinar conjuntamente, in oblicuo, una realidad más honda de otra índole. La primera es aquella sobre la que habla el poeta; la segunda, desde donde y hacia donde nos habla, como la intención oculta que atraviesa el verso, insertándolo en un nuevo horizonte.

Como ya se ha indicado, Machado tenía esto a la vista cuando aconsejaba:

> Da doble luz a tu verso
> para leído de frente
> y al sesgo.
>
> (CLXI, núm. 71.)

Si la primera es la luz temporal de la intuición sensible que nos describe el mundo en su riqueza cualitativa y en la plástica de sus figuras y acontecimientos, la segunda es la luz de la categoría que, abriéndose paso en la intuición, la esclarece en su verdadera dimensión de sentido. Por eso pude llamar antes a esta doble luz —poesía y filosofía—, pues la palabra integral se convierte en la llave del trasmundo de las visiones íntimas y de las metáforas originarias, donde se guardan las creencias metafísicas que subyacen a la poesía. Si M. admiraba en los filósofos su capacidad poética para brindarnos en una imagen todo un esquema del universo, hay que convenir que estamos ahora ante dos símbo-

---

[2] Carlos Bousoño, *op. cit.*, pág. 117.

los —camino y río— que tienen en M. una análoga pretensión metafísica, donde la realidad inmediata —del camino y
del agua que pasa—, aprehendidos como acontecimientos
singulares, con su lugar y hora, con su propia luz poética
de lo temporal irrepetible, nos lleva más allá de sí misma
hacia una nueva esfera de realidad, la existencial íntima o
bien la genérica universal, según los casos. La palabra esencial es, pues, un «universal concreto» en el que el tiempo del
acontecimiento abre el horizonte del sentido, o bien, éste
se encarna y actualiza en el propio transcurso del acontecimiento.

Reiteradamente se ha llamado la atención sobre la textura simbólica de la poesía de Machado. Baste por todas
las posibles citas, un texto de Emilio Orozco:

> Hay que reconocer que, después de la poesía de San Juan de
> la Cruz, ningún otro lírico ha logrado en nuestra lengua ese
> encuentro de la expresión clara y cálida con un sentido alegó-
> rico y simbólico [3].

Pero es preciso añadir, que, cuando esto ocurre, estamos
ante un caso de poeta-filósofo, no como un híbrido literario,
sino en aquella dimensión integral de la palabra, que canta
y medita a un tiempo. Y esto sólo ocurre allí donde el poema
tiene, detrás, o si se prefiere, dentro de él, su metafísica o
su metantrópica, como gustaba decir Unamuno, como fuente
soterrada de su sentido. Cuando falta esta carga, el poeta no
ha logrado trascender la inmediatez de su vivencia y se consume en ella, en el chisporroteo de la metáfora o en el juego
de conceptos, sin afectarnos hondamente en aquella esfera

---

[3] Emilio Orozco, «Antonio Machado en camino», en *Paisaje y sentimiento de la naturaleza en la poesía española*, Madrid, Ed. del Centro,
1974, pág. 208.

comunitaria del sentimiento, que es, según Machado, nuestra afección originaria de realidad.

Tras estos apuntes estamos en condiciones de hallar, en la poesía simbólica del camino y el río, el primer núcleo de una metafísica de la temporalidad, cuyo boceto dibujará más tarde el apócrifo Abel Martín.

EL SÍMBOLO DEL CAMINO

Estamos ante un símbolo casi paradigmático por su aparición en diferentes épocas y contextos culturales, y al que no obstante ha logrado dotar Machado de una peculiar carga expresiva. Para precisar su alcance, es obligado referirse, en necesario contrapunto, a otras acepciones del mismo. Sin pretensión de exhaustividad, creo que se han dado hasta cuatro versiones de este símbolo con sus correspondientes supuestos metafísico-antropológicos.

Una de ellas la bíblica-escatológica, en que el camino es entendido como éxodo de liberación. La expresión española más adecuada para este proceso es «ponerse en camino», con su doble dimensión de salida o abandono de una determinada posición de existencia y de encaminamiento progresivo hacia la tierra de la promesa, por medio de un presente de lucha y esperanza. Su personaje representativo es Abrahán, el caballero de la fe, peregrino en una tierra extraña, fiado en la Palabra de que su esperanza se verá cumplida. Tiene aquí el camino un sentido escatológico, pues el término o la llegada da sentido y dirección a la marcha, y a la vez, tras-ciende de continuo todas las realizaciones finitas de su trayectoria. Incluso, como camino de salvación, su andadura es un proceso de reconversión continua hacia el hombre nuevo, orillando las tentaciones de sedentarismo, que supondría un bloqueamiento en la finitud y con ello una ceguera de la dimensión de autotrascendimiento del hombre. Perder el camino es extraviarse por falta de fe en la promesa; recuperarlo es volver a la fidelidad; mantenerse en camino, renacer, día tras día, en el esfuerzo gozoso de la esperanza. Dentro de este contexto, cobra sentido la sentencia neotestamentaria: «yo soy el camino, la verdad y la vida», en que se personifica existencialmente el proceso de la liberación personal, de modo que el éxodo es ahora traducido en el camino interior de la autenticidad y la rectitud, que queda abierto para el creyente, en Jesús de Nazaret.

En definitiva, el tiempo aparece en este símbolo como una abertura lineal hacia lo infinito, en un movimiento constante de autotrascendimiento. Es un proceso en que nada se destruye, sino que todo se conserva trascendido, como elemento mismo del cambio y asumido en el apocalipsis final de un presente absoluto. Es ya bien conocido cómo este sentido escatológico del camino ha transido la cultura de Occidente desde San Agustín a Hegel-Marx, y le ha suministrado, como ha demostrado ampliamente Karl Löwith[4], su esquema básico de interpretación de la historia.

Junto a la versión bíblica, subsiste el sentido helénico del camino como método o constructividad, con excepcionales interpretaciones, pongo por caso, en la crítica de Parménides, en la dialéctica platónica del bien, o en la propia metodología aristotélica de la «inducción» como búsqueda de lo universal. Ulises es sin duda el arquetipo de este viajero infatigable, astuto, lleno de recursos y técnicas, con las que alcanza a sortear un mundo de dificultades y a dirigirse a otro, donde pueda vivir como en su propia casa. La expresión de este proceso es la de «abrirse camino» en medio de

---

4 Karl Löwith, *El sentido de la Historia*, Madrid, Aguilar, 1968, especialmente el capítulo XI y la Introducción.

los apuros (*aporiai*), traspasando de parte a parte la propia situación aporética (*dia-porein*) como enseñó Aristóteles, para encontrar en ella, en los mismos elementos que integran el problema, los hilos de su resolución (*eu-poria*). Se trata, pues, del enfrentamiento con la dificultad —cuya simbolización puede verse también en los trabajos de Hércules—, como forjador de un ideal de vida, tensa y ardua, en la que se fragua el carácter militante y productivo del hombre. Por eso he llamado «metodológico» al sentido de esta nueva andadura, en la medida en que el caminar mismo establece los pasos necesarios hasta llegar a una meta y el conjunto de los recursos precisos para alcanzarla. Responde a una experiencia de la vida que no tiene que ser salvada o justificada en su profunda razón de ser, sino simplemente asegurada en su función de apropiarse de un medio hostil y ponerlo a su servicio. Incluso puede decirse —tal como lo hizo la filosofía griega— que el hombre se realiza por la obra de sus manos, dominando el mundo y ejercitando sus potencias en la doma de lo real y la comprensión de su ley inmanente. Esto es lo que canta el coro de la *Antígona* de Sófocles cuando ensalza el trabajo del hombre y su poder terrorífico de subyugar a la naturaleza bajo el imperio de su voluntad [5]. Y esto es lo que lleva la filosofía a su expresión conceptual cuando cifra el sentido de la *areté* en la plenitud de ejercicio de las *héxis* o facultades, como principios de dominio objetivo y de realización personal. A diferencia de la escatología del tiempo bíblico de la promesa, aparece ahora la teleología o propuesta concreta de fines, en función

---

[5] Me aparto en este caso de la interpretación heideggeriana de este texto que lo toma como expresión, no tanto del poder del hombre, como de la *physis* que ha expuesto al hombre en el lugar crítico de la decisión y el desgarramiento (M. Heidegger, *Introducción a la Metafísica*, Buenos Aires, Nova, 1956, págs. 179-196).

de las necesidades del hombre. El tiempo es pues finito, en cuanto referido a objetivos específicos, y curvo o cerrado sobre sí mismo, pues en toda operación, la actividad (*enérgeia*) tiende a la consumación de sí misma o de su propio «télos» inmanente (*entelécheia*).

Hay un tercer sentido del camino, al que llamo «hispánico-heroico» por estar representado emblemáticamente por la figura de Don Quijote. La expresión que más cuadra en este caso es la de «echarse al camino», lo que han hecho, aunque con diferente propósito, los misioneros como los bandoleros, los pícaros, los conquistadores y los fundadores. El camino representa aquí la vida a la intemperie, al filo mismo, no ya de la dificultad, como en los griegos, sino de la adversidad, para convertirla mediante el esfuerzo heroico en el brillo de la fama o en el esplendor de la obra. Lo que se busca en el camino es ahora la aventura —estar a los cuatro vientos en todas las encrucijadas— y también, claro está, la hazaña —lo que sólo puede hacerse en el camino—, que es el campo de batalla, en que pueden medirse el arrojo y la fe del caballero con los poderes de la antifé y la positividad.

Salta a la vista la diferencia con los sentidos «escatológico» y «metódico» respectivamente. Echarse al camino no es ni encaminamiento hacia lo Trascendente ni constructividad hacia determinadas metas. Dicho de otro modo, el camino no tiene dirección. De ahí que muchas veces el caballero confíe las riendas al instinto de su caballo. Lo que se encuentra en el camino, no son ni tentaciones que vencer ni problemas objetivos que resolver, sino resistencias que superar y poderes ciegos que combatir. En fin, lo que importa en el camino es el acto de la fundación, el dejar constancia del propio yo en la obra y hacer de ésta un testimonio perenne de la fecundidad del esfuerzo. El caballero escapa del «imperio de la necesidad y la ley» y por eso no busca en el fondo otra cosa que la libertad de vivir en creación continua, evitando la inercia del mundo e incluso de la propia obra, que ha de ser trascendida y renovada constantemente. Si tuviera que representar el tiempo de esta aventura-hazaña, elegiría la figura de la espiral; es ciertamente infinito, a semejanza del tiempo bíblico, porque admite la posibilidad de un perpetuo trascendimiento; pero a la vez curvo, porque está replegado sobre la interioridad del propio yo. Sin duda, su figura es el espectro de Don Quijote: una lanza al viento y una cabeza pensativa que se dobla por la gravedad de sus sueños, sobre los hombros nervudos, casi de raíces, de un luchador.

¿Tiene el símbolo del camino un sentido específico y propio en Machado? Ya anticipé que sí. Quizá la originalidad de nuestro poeta es haber dado expresión definitiva a una forma de entender el camino y la vida, cuyos albores estarían en la mentalidad romántica de ver el mundo como materia de una continua vivencia. Se inicia, si se quiere, con la imagen romántica del vagabundo y del explorador, en busca de lo desconocido, que determina la actitud típica de conciencia del hombre moderno. Quizá incluso mucho antes, con la misma fundación del alma moderna en el Renacimiento y el surgimiento del viaje como forma lúdica de vida. El camino tiene aquí fundamentalmente el sentido de la excursión —el salirse del curso normal de la vida y aspirar a una nueva visión, dilatada y abierta de las cosas— [6]. Aquí la vida se

---

[6] Un hecho representativo de esta actitud, a la vez lúdica y contemplativa, activa y soñadora, podría ser la ascensión de Petrarca al Mont-Ventoux con que se inicia un nuevo sentimiento del hombre en la vastedad del mundo y, a su vez, en la intimidad de su propia casa. El éxtasis de este nuevo descubrimiento, lo ha explicado muy certeramente Bollnow: «No se trata de que la visión del paisaje le deje indiferente, ni de que la impresión demasiado violenta le haya dejado sin aliento, sino que más bien la disposición anímica determinada por la latitud espacial se transforma inmediatamente en una nueva expansión del alma. La orientación de los pensamientos hacia la vas-

desarrolla ante la suscitación y sugerencia de lo misterioso
(el mar machadiano) y la sed no ya de aventuras, sino de vivenciación del mundo (de ver la cara a la esfinge) o bien de
abrir surcos y estelas en la mar con un pobre bajel de sueños.

> Caminante, no hay camino,
> sino estelas en la mar.

La actitud del caminante no es ni la entusiasta e iluminada del peregrino, ni la sobria y constructiva del hombre de
método, ni la esforzada y heroica del caballero andante. Se
entrega, por el contrario, a las sugerencias del camino, que
siempre se le abre en perspectivas inéditas; se goza morosa,
casi contemplativamente, en lo que sale al paso e incluso en
la propia luz interior de su vivencia [7]; se olvida en fin de pro-

---

tedad inconmensurable del alma está pues indisolublemente vinculada
a la amplitud del panorama espacial. Es la misma amplitud de la
mirada la que se dirige ahora a la lejanía temporal, y es la misma
estremecedora sensación de la infinitud del espacio la que revela
en el inconmensurable mundo interior como una inmensidad del alma».
O. F. Bollnow, *Hombre y espacio*, Barcelona, Labor, 1969, págs. 82-3.

[7] Esta es, por otra parte, la imagen que nos resulta más familiar
de Machado: lo vemos caminante, junto a San Saturio, entre los álamos del amor cerca del Duero, o junto a Leresma, al borde del
Alcázar, o por los llanos de Baeza, camino de Úbeda la bella, por
lomas de infinitos olivares. Perdido entre las callejas o subiendo a
las fuentes del Duero o al nacimiento del Guadalquivir, y en definitiva
soñando siempre, caminante o viajero en su vagón de tercera. Rubén
Darío lo ha captado finísimamente a la luz ensoñadora del camino, en
un retrato que es todo alma:

> Misterioso y silencioso
> Iba una y otra vez.
> Su mirada era tan profunda
> que apenas se podía ver.
> Cuando hablaba tenía un dejo
> de timidez y altivez.
> Y la luz de sus pensamientos
> casi siempre se veía arder.
> Era luminoso y profundo
> como era hombre de buena fe.

pósito y término abandonándose al «mundo de los sueños» —¿posibilidad o utopía?—, en que se mece su conciencia. «La falta de una meta fija —escribe Bollnow— se relaciona con este segundo punto: el caminante no tiene prisa. Se para allí donde una vista, un panorama le regocijen; siempre está dispuesto a la contemplación silenciosa. Incluso se detiene sin causa externa, sólo por estar sumido en sus reflexiones. El caminante siempre está dispuesto a la ensoñación» [8]. Esta es, como ya se sabe, la intuición lírica fundamental del «camino machadiano»:

> Yo voy soñando caminos
> de la tarde. ¡Las colinas
> doradas, los verdes pinos,
> las polvorientas encinas!...
> ¿Adónde el camino irá?...

En realidad, poco importa la pregunta. Es más bien una sugestión para continuar la marcha en sueños, a la luz indecisa del crepúsculo que lo envuelve todo en la misma atmósfera, ingrávida e irreal, en que va sumida el alma.

> Yo voy cantando, viajero
> a lo largo del sendero...
> ¡La tarde cayendo está!

Sí, el camino es canto y meditación, como la poesía, como la vida humana, cuando se entrega, más allá de su horizonte de necesidad, a la libertad de la creación y a la novedad de la andadura. Y como en la vida, el canto y la meditación (el sueño en este caso) del poeta tienen ante sí un tema muy

---

[8] *Op. cit.*, pág. 107. Lástima que Bollnow, para su excelente fenomenología del «wandern», no haya conocido las poesías de nuestro Antonio Machado. Le falta así a sus descripciones la base intuitiva y poética de que no adolece, en cambio, en otras partes de su obra.

preciso: la propia temporalidad de la existencia que sólo se siente cuando lleva en sus entrañas la espina de la pasión: inquietud, miedo o esperanza, incertidumbre y anhelo...

«En el corazón tenía
la espina de una pasión;
logré arrancármela un día,
ya no siento el corazón».
Y todo el campo un momento
se queda, mudo y sombrío,
meditando. Suena el viento
en los álamos del río.

La filosofía sabe que el tiempo es imperceptible sin contenidos fluidos de vivencia y por tanto sin sensación de cambio. Que el vacío de la conciencia es sentido como intemporalidad, y por el contrario, la vida llena es una continua pulsación interior de tiempo. Pues bien, la espina dorada en el corazón nos ha dado la visión poética de la vida humana como tensión y conflicto: y el viento que suena en los álamos del río nos remite a la íntima vibración del tiempo en el seno del alma. Por eso coinciden al término del poema, el recuerdo de aquella espina, arrancada del corazón, con la llegada de la noche (el vacío de la conciencia), y la desaparición del camino:

La tarde más se oscurece;
y el camino que serpea
y débilmente blanquea,
se enturbia y desaparece...

¿Cabe una expresión más fina —más directa y simbólica a la vez—, más hecha a un tiempo descripción de lo de afuera y desahogo íntimo del alma, que estos sencillos y grávidos versos de Machado? La ensoñación de los caminos de la tarde, de la vida, se apaga, como el pálpito de la luz, y nadie podría ya separar el encanto de esta hora, de este sendero, del recuerdo del poeta de haberse arrancado una parte del alma. El acontecimiento se nos ha hecho categoría, sin perder su individualidad.

¿Cómo acabará el poema? ¿Podría concluirse con la llegada de las sombras? ¿Se ha esfumado ya el canto con el último arpegio de la luz? No. La vida misma, en la frontera de la sombra, sigue cantando un cántico ahora de nostalgia y anhelo, pero no de tiempos felices, sino de aquella espina de pasión, que puede devolvernos, con su dolor, el íntimo estremecimiento de la conciencia.

> Mi cantar vuelve a plañir:
> «Aguda espina dorada,
> quién te pudiera sentir
> en el corazón clavada».
>
> (XI.)

En unos pocos, ceñidos, apretados versos, como corresponde a la concisión de la palabra poética, Machado, a la altura de *Soledades,* nos ha dejado ya un apunte de la vida humana: la pasión o el conflicto como su sustancia, la honda palpitación del tiempo, el camino del ensueño tejido de temores y esperanzas. Y como contrapunto, el vacío de la conciencia y la pérdida del camino, cuando no se siente el corazón. Incluso puede percibirse la tensión interna que generan las dialécticas de «ensoñación y misterio», «de palabra —canto y meditación— y silencio», simbolizados en el poema mediante el contrapunto del «camino» y la «noche», pues también la conciencia humana se despliega en el tiempo para perderse, como el camino de atardecida, en el seno de las sombras.

Reclama nuestra atención ahora una breve fenomenología del caminar machadiano. Ante todo, notemos que se trata de un camino que vale por sí mismo, y no en función de otra cosa. No por lo que se puede alcanzar escatológicamente, ni por los resultados objetivos que se logren mediante el método, ni por las ocasiones que se nos brinden para el esfuerzo heroico. Su sentido está en él. Hacer camino, soñar camino —expresiones de la intuición machadiana— son, como la vida misma, un fin en sí. La vivencia de lo humano que se nos da en ellas, es la de un ser en tránsito o devenir, cualitativamente distinto en cada momento y, sin embargo, uno en la interiorización y ensoñación de su trayectoria. Incluso propiamente no existe camino, sino caminar, como una actividad en perpetua recreación de sí misma, explorando incesantemente nuevas posibilidades de existencia.

> Caminante, son tus huellas
> el camino, y nada más;
> caminante, no hay camino,
> se hace camino al andar.
>
> (CXXXVI, núm. 29.)

La paradoja expresiva sobre la que ha llamado la atención agudamente Gutiérrez-Girardot —«un camino que hay y que no hay, en una alternancia de afirmación y negación»[9]— desarrolla el mismo movimiento paradójico de la existencia, prendida en un juego de ausencias y presencias.

El tiempo de la vida humana está aquí sorprendido en su individualidad y unicidad intrasferibles. Es la propia andadura, la vida como un cúmulo de vivencias de caminante, o como experiencia única e irrepetible. Más aún, es también la irreversibilidad del tiempo heterogéneo, que pasa irremediablemente y sin retorno, como la senda que nunca más

---

[9] Gutiérrez-Girardot, *op. cit.*, 44.

será hollada, y que sólo puede ser revivida, reactualizada en la vivencia interior.

> Al andar se hace camino,
> y al volver la vista atrás
> se ve la senda que nunca
> se ha de volver a pisar...

El camino así se debilita y adelgaza; se reduce a su propio acto; pierde su espesor de tierra para atenuarse en puro tránsito de alma,

> Caminante, no hay camino,
> sino estelas en la mar.

Pero a la vez, la genial intuición machadiana del camino-estela nos ofrece otra perspectiva de la vida: su inmersión en el misterio, y también, claro está, el fracaso último de esta exploración de lo inconmensurable. ¿No nace de esta convicción el profundo e íntimo escepticismo de Machado, mucho más fuerte que cualquier «pose» filosófica?...

A esta luz el camino alcanza una nueva dimensión: el conflicto del sentido y el sin-sentido, pues en última instancia, todos los caminos del sueño y de la palabra, se pierden en la noche. Heidegger ya nos había advertido que los caminos del pensar, como los senderos del leñador, desaparecen en la espesura del bosque. ¿A qué misterio alude aquí Machado? ¿No será el de la vida misma? ¿No es acaso el destino de la conciencia en medio de un mundo tenebroso y mudo como la noche? ¿Qué sentido tiene el camino de la vida humana en la mar insondable?...; y, sin embargo, no se puede abdicar de la *condición* de la palabra, el único poder sobre el que se asienta la vida; puesto que sólo somos tiempo, estar de camino es nuestra tarea:

> Todo pasa y todo queda,
> pero lo nuestro es pasar,
> pasar haciendo caminos,
> caminos sobre la mar.
>
> (CXXXVI, núm. 44.)

Se comprende ahora por qué el camino no puede tener meta. La vida del hombre tiene su finalidad en sí misma: vivir en la palabra, intentando convertir el tiempo biológico en tiempo de conciencia. Pero la palabra misma se produce en un hosco silencio, como cantan en la poesía de M. esos débiles hilos de agua en la soledad de la noche, y acabará por diluirse en él, como el camino-estela se pierde en la mar sin remedio. La meta es, en todo caso, la disolución misma del camino. Desde esta reflexión brota la queja de Machado:

> ¡Ay del noble peregrino,
> que se para a meditar,
> después de largo camino,
> en el horror de llegar!
>
> (XXXIX.)

La condición humana consiste en estar de camino, en actitud soñadora y en permanente tensión de incertidumbre y búsqueda. El camino es, pues, enfrentamiento con el misterio y exploración de un enigma, que no es posible representarlo ni se deja adivinar en la fe. Lo típico de esta búsqueda del caminante es que no sabe, a ciencia cierta, lo que busca; o es que acaso en el fondo, no busca nada fuera, sino en sí mismo, la libertad de ser sí mismo, fuera del mundo positivizado de las convenciones. En la fe vivimos la búsqueda como una vocación del alma iluminada; en la indagación racional, como la dirección inmanente que ha abierto la pregunta, al anticipar el horizonte de las posibles respuestas; en la aventura, como adivinación de aquellas ocasiones arduas, en que se nos promete un porvenir de gloria. ¿Cómo busca en cambio el caminante? ¿Qué busca en su caminar?...

Busca en sueños, tomando aquí el sueño —lo veremos más tarde— como una función de irrealidad, que nos evade de lo dado y nos adentra en el mundo de las visiones íntimas, de lo aún no real (lo posible, lo utópico)... El caminante busca así desde lo que le falta. No parte de un conocimiento, llámese fe, pre-visión o anticipación de aquello que busca, sino de una experiencia de constricción y déficit, de agobio y penuria existencial y desde ella explora la realidad desde la previa inmersión ensoñadora en la idealidad de lo que aún no-es. La experiencia de esta búsqueda a ciegas, en tanteos incesantes, sin más luz interior que la de la propia incertidumbre, la ha recogido Machado en unos versos sobrecogedores:

> Como perro olvidado que no tiene
> huella ni olfato y yerra
> por los caminos, sin camino, como
> el niño que en la noche de una fiesta
> se pierde entre el gentío
> y el aire polvoriento y las candelas
> chispeantes, atónito, y asombra
> su corazón de música y de pena,
> así voy yo, borracho melancólico,
> guitarrista lunático, poeta,
> y pobre hombre en sueños,
> siempre buscando a Dios entre la niebla.
>
> (LXXVII.)

No se ha pintado mejor un extravío tan profundamente humano, se diría que hasta inocente, muy distinto a la experiencia agustiniana del «errare» o vagar incesante, fuera del propio centro. No hay caída originaria ni condena; nada que pueda hacernos sentir responsables o responsabilizar a otro de nuestra propia situación. Nada que de antemano pudiera darle un sentido al extravío mismo. Se trata de él como una condición inocente, como la del niño que se pierde en la orgía de una fiesta triste y se siente extraño y atónito, fuera de su propia casa. ¿Cómo era? ¿Dónde está? —son preguntas que escapan a la capacidad reflexiva. No se puede responder categóricamente, sino tan sólo adivinarlo en la cantera de los sueños—. Y junto al extravío de la condición humana, el asombro:

> ... y asombra
> su corazón de música y de pena...

en aquella originaria dimensión, que no es estupor ni embeleso, sino extrañeza ante un mundo tejido absurdamente, contradictoriamente, con hilos de música y de lágrimas. Pero el asombro nos hace humanos, poetas y filósofos, al permitir captar la experiencia del extravío e impulsarnos hacia la búsqueda incesante. ¿De qué?... No se sabe con certeza. En un poema posterior —LXXIX— el drama de la búsqueda nos martillea en las sienes con golpes febriles, en un yerto panorama de soledad.

> Desnuda está la tierra
> y el alma aúlla al horizonte pálido
> como loba famélica. ¿Qué buscas,
> poeta, en el ocaso?

La asociación de la búsqueda a la hora de la tarde, casi llegando la noche, proporciona a todo el poema su atmósfera de pesadumbre, más aún, de angustia por un extravío sin sentido y ante una búsqueda que no define su objeto. Tenemos aquí una abierta expresión poética de la «Geworfenheit» o derelicción existencial. Estamos entregados ya a lo dado —ésta y sólo ésta es la caída original, más allá de cualquier connotación moral o religiosa— [10]. Pesa el propio caminar como una losa sobre el corazón, y el motivo de la angustia no es otro que el destino inexorable de la condición humana.

> ¡Amargo caminar, porque el camino
> pesa en el corazón! ¡El viento helado,
> y la noche que llega, y la amargura
> de la distancia!... En el camino blanco
> algunos yertos árboles negrean;
> en los montes lejanos
> hay oro y sangre... El sol murió... ¿Qué buscas,
> poeta, en el ocaso?

Ahora, en cambio, el poeta se atreve a dar nombre a su insondable nostalgia: búsqueda de Dios. El efecto poético de esta denominación no puede ser más afortunado, porque tiene la virtud de vincular a Dios, más allá de toda determinación intelectualista, con la esfera insondable e indefinida de la aspiración humana, como la personificación de los deseos y esperanzas que alimentan el corazón del hombre. Con lo cual, lejos de definir el objetivo de la búsqueda, se lo remite a la infinitud misma del sentimiento. Así el «dolor» del extravío, resulta perfectamente identificable para el poeta:

> tú eres nostalgia de la vida buena
> y soledad de corazón sombrío,
> de barco sin naufragio y sin estrella.
>
> (LXXVII.)

Indirectamente, fija Machado las coordenadas de lo divino en la consumación de la vida y en la comunidad, como dos dimensiones de la existencia que se co-pertenecen, pues no puede darse la una sin la otra. Este Dios plenitud-comuni-

---

[10] Heidegger, *Sein und Zeit*, Haye, Niemeyer, 1941, parágrafo 38.

dad, aparece así ligado a los dos grandes deseos del hombre: el de la humanización del mundo y el de la compañía.

En atención a otros pasajes, podría decirse que el término Dios —un Dios posible, o utópico o imposible según los casos—, enmarca el objetivo de la búsqueda en una triple dirección: hacia la interioridad del yo, hacia la exterioridad (lo otro) y la otreidad (el otro) y hacia el mundo ideal, como complemento de lo real-objetivo. La relación yo-mundo es así interiorizada y desarrollada, tanto en los polos que la definen —el yo y el mundo—, como en la infinitud de su envergadura (lo real y lo ideal). Que el camino se dirige hacia la interioridad del yo parece una constante del intimismo de Machado. El caminante explora en su devenir la luz y las horas de su corazón. Anda su propio tiempo hacia atrás y hacia adelante, ahondándolo en la memoria y abriéndolo mágicamente hacia el futuro, con las dos hilanderas de los sueños —el torvo miedo y la esperanza—. El camino es como un soliloquio interior, en que se rumia la sustancia de la vida y se acrisola y acendra en el cendal de los sueños. Mientras que una vida sin cambios, puntualmente perdida en un presente extático, no se distinguiría del mero fluir homogéneo del tiempo cósmico, el presente real del yo se abre por los caminos del sueño en la recreación de lo sido y la forja y labra de lo por ser. El camino de los sueños da a la vida su dimensión de profundidad —las secretas galerías del alma, como dice el poeta—, los pulsos interiores del tiempo vital que se encienden y vibran con la luz de la ensoñación. (XVIII, XXII, LXIII, LXIV, LXX, LXXXVII). Pero a la vez, la dimensión de radicalidad, porque lo que buscan a su modo la memoria y la esperanza es el mejor yo, aquel que merece ser salvado del paso del tiempo. La idealidad del yo está pues hacia atrás en el sueño del origen y hacia adelante en la utopía de la eterna primavera; en definitiva, en la pulsación interior de una vida humana que se renueva en el tiempo.

> Tú sabes las secretas galerías
> del alma, los caminos de los sueños,
> y la tarde tranquila
> donde van a morir... Allí te aguardan
> las hadas silenciosas de la vida,
> y hacia un jardín de eterna primavera
> te llevarán un día.
>
> (LXX.)

El poeta pues, mientras vive y camina, como el hombre, se busca a sí mismo —en memoria y en esperanza—, en profundidad y radicalidad, en originalidad creadora y en autenticidad humana. El mejor consejo al caminante, puesto a darle uno, sería a mi juicio aquella reflexión que desliza Machado, comentando la poesía de Gerardo Diego: «Importa caminar y buscarse en el camino» (OPP, 892 y I, 113). Sí, en poesía como en la vida, lo que importa es caminar, porque sólo al filo de la propia obra y del ejercicio de la existencia puede el sujeto encontrar el camino hacia sí mismo. Al hombre no le ha sido dado el don de sí, en posesión inmediata. Sólo se encuentra, si se busca. Y sólo se busca si ensaya y explora incesantemente caminos, en una creación continua de sus posibilidades.

Pero el camino no sólo nos adentra en la interioridad del yo, sino en el corazón del mundo —el mar inconmensurable— y por eso nos abre a lo otro —lo que nos sale al encuentro y sorprende en el camino— y al otro, con quien se hace camino, o a quien se echa de menos a lo largo del camino. Y es que el camino crea comunidad. Los hombres nos encontramos más profunda y verdaderamente en la búsqueda; no en lo que somos y tenemos, sino en lo que nos falta, cuando la propia indigencia no es miseria consentida,

sino deseo y esfuerzo de plenitud. Machado ha sabido acer-
carnos el camino al amor —presente y ausente— o demos-
trarnos el amor en el camino y de camino, como una comunidad de anhelos y esperanzas... Así, la madre será evocada
por la mano que nos guía en el camino.

> Y volver a sentir en nuestra mano
> aquel latido de la mano buena
> de nuestra madre... Y caminar en sueños
> por amor de la mano que nos lleva.
>
> (LXXXVII.)

Y Leonor estará asociada igualmente a esta mano de madre que nos abre los caminos. El sueño la recrea en la
mejor hora del amor, siempre de camino hacia el azul de
los montes:

> Sentí tu mano en la mía,
> tu mano de compañera...

y su recuerdo le hace arrancar aquella patética lamentación
de caminante a solas:

> Caminos de los campos,
> ¡ay, ya no puedo caminar con ella!...

o de viajero a quien la muerte le ha arrebatado por siempre
su compañía:

> ¡Y alegría
> de un viajar en compañía!
> ¡Y la unión
> que ha roto la muerte un día!
>
> ....
> Soledad,
> sequedad.
> Tan pobre me estoy quedando
> que ya ni siquiera estoy

conmigo, ni sé si voy
conmigo a solas viajando.

(CXXVII.)

Y, a la hora de echar a andar, no faltará una vez más el recuerdo de Leonor, que puede valer como la invocación del caminante:

Dame / tu mano y paseemos.

Por último, hay una tercera dirección de búsqueda que se mueve en el orden de la idealidad. Hacer camino en sueños, frente a la terca positividad de lo dado, es un modo de conquistar el ser desde el poder-ser, y por consiguiente de volver a la vida con los ojos más grávidos para contemplar el mundo a una nueva luz. Caminar es así explorar lo posible; como soñar no es en verdad un fingimiento del mundo, sino una anticipación de sus más altas posibilidades... Pero esto nos lleva al sentido del camino como liberación. Conviene también aquí precisar la peculiaridad del caminar machadiano.

La liberación en el sentido escatológico, comporta siempre una dimensión de salvación; va pues de las tinieblas a la luz, como especifica San Pablo, o del pecado hacia una nueva criatura, en la que se hace presente el hálito creador del espíritu. Desde el punto de vista metodológico, liberación equivale a la superación del reino de la necesidad, al adquirir la capacidad científico-técnica para dominar el mundo. En el sentido quijotesco de la aventura, en cambio, liberarse es tanto como escapar a la servidumbre y convertir el propio corazón en ley, como hace el héroe. Para Machado liberación es huida de la positividad y adentramiento en el mundo soterrado de los sueños, donde la memoria fragua, al decir de Unamuno, las visiones de lo porvenir. Bollnow hace constar que «el *wandern* es la forma en que el hombre intenta evadirse del utilitarismo excesivo que domina su existencia. Podemos afirmar ya tranquilamente que el *wandern* es una huida: el hombre comienza a caminar porque aspira a salir de la estrechez de las ciudades, de la precipitación de la existencia civilizada... *Wandern* —resume este autor—, es la liberación de la estrechez, penetración en el aire libre» [11]. La observación es, sin duda, atinada, aunque muy imprecisa. La experiencia de la estrechez del mundo no está sólo ligada a una forma intelectualizada y técnica de existencia, aunque ésta constituya su manifestación dominante. Según mi opinión, aparece unida a la cotidianidad y a la positividad, es decir, a la experiencia de un mundo público y anónimo (el mundo impersonal e impropio, que diría Heidegger) y la imperiosidad con que nos es dado e impuesto este mundo (más aún, nos encontramos arrojados ya en él) como el único arsenal disponible de significación para la vida. En semejante experiencia de estrechez nos es negada la libertad como capacidad para ser sí mismo (autenticidad) y para dejar-ser a la realidad sin imposiciones ni violencias. Quien camina, como dice Bollnow, penetra en el aire libre. Se aparta de lo cotidiano y lo positivo. Abre el espacio y el tiempo, conjuntamente, de la novedad: lo no hollado de la senda y el discurrir de un tiempo que no se ajusta al ritmo de la vida anónima o impersonal.

La sed de los caminos expresa la voluntad de ser uno mismo, apartándose de lo convencional, y de ver el mundo

---

[11] *Op. cit.*, pág. 111. En este mismo sentido escribe Machado:

> ¡Este placer de alejarse!
> Londres, Madrid, Ponferrada,
> tan lindos... para marcharse.
>
> (CX).

Cfr. también M. Brion, *La Alemania romántica, op. cit.*, II, 93.

comprehensivamente, mediante la suma de múltiples vivencias y de diversos horizontes.

> He andado muchos caminos,
> he abierto muchas veredas;
> he navegado en cien mares
> y atracado en cien riberas.
>
> (II.)

Hacer camino, en y contra lo real-positivo, exige la creación y exploración de lo ideal-posible. Por eso esta liberación no es sin más una huida. El que camina no se abandona a lo azaroso, como si la libertad sólo fuera negativamente el reino de la pura indiferencia. Caminar es también crear, medirse con el enigma del mundo y sostenerse firme, en palabra y en conciencia, sobre el mar inevitable.

> ¿Para qué llamar caminos
> a los surcos del azar?
> Todo el que camina anda,
> como Jesús, sobre el mar.
>
> (CXXXVI, núm. 2.)

¡Andar sobre el mar! este es el milagro del verdadero caminante en sueños. No huir de la realidad, por una vana ensoñación, sino recrearla, por así decirlo, y someterla al nuevo sentido que sólo se deja adivinar en las visiones poéticas.

EL SÍMBOLO DEL RÍO

El segundo símbolo machadiano de la temporalidad es el río, el agua que pasa en contraposición al agua quieta y muerta del estanque o de la fuente de mármol. Los precedentes de este símbolo son muy claros y explícitos: Jorge Manrique y Heráclito. El primero, de tan honda influencia en la

lírica de nuestro poeta, le ha proporcionado el acento íntimo, quejumbroso y sereno a la vez, de su canción:

> Nuestras vidas son los ríos,
> que van a dar a la mar,
> que es el morir. ¡Gran cantar!
> Entre los poetas míos
> tiene Manrique un altar.
> Dulce goce de vivir:
> mala ciencia del pasar,
> ciego huir a la mar.
> Tras el pavor del morir
> está el placer de llegar.
> ¡Gran placer!
> Mas, ¿y el horror de volver?
> ¡Gran pesar!
>
> (LVIII.)

El paso de la vida que se despeña, la violenta oposición
entre el gozo de vivir, entregado a la vivencia de lo momentáneo, y el amargo sabor de la reflexión consciente; la visión
nadista, en fin, del engolfamiento en el mar, que vale aquí, a
diferencia de otros pasajes de Machado, en el expreso sentido
manriqueño de la muerte, forman un cuadro, penetrante y
conciso, de la condición humana [12]. Es un Manrique, por

---

[12] Unamuno, sin embargo, hace jugar, más frecuentemente, en la
intuición río-mar, no al desenlace de la vida en la muerte, sino el
engolfamiento místico en la plenitud sustancial y eterna. Así, por ejemplo, en la visión final tras la muerte en la *Vida de Don Quijote*, II,
págs. 361-2, o en el propio *Sentimiento trágico*, II, 933 y 958, donde si-
guiendo la metáfora de Santa Teresa, Unamuno describe el destino de
la conciencia personal como el «arroyico que entra en el mar» y allí
vierte por siempre sus aguas. No obstante advierte que no se trata
de ser absorbido sino de absorber, y que, por tanto, la tragedia
estriba en que el ansia de inmortalidad no es una inmersión en un
eterno presente, sino un eterno acercarse sin llegar nunca. De ahí
la ambivalencia del tema del arroyo, indeciso entre absorberse en el
mar o desnacer, aguas arriba de su corriente, en el manantial donde

supuesto, sin la transcendencia al fondo, dejando las coplas reducidas a su más pura esencia de canto a la fugacidad irreparable de la vida, bajo la callada amenaza de la muerte. Y en el apunte final, con ribetes metafísicos de Heráclito:

> Mas, ¿y el horror de volver?
> ¡Gran pesar!...

¿Apunta aquí Machado a la teoría del eterno retorno? Creo que sí. Y no porque tuviera la menor convicción a este respecto, sino porque el placer nadista de la llegada, le ha sugerido, al «burlaveras», el gran pesar (?) de tener que comenzar de nuevo. De todas formas ahí está Heráclito en el trasfondo, sugerido mínimamente e interfiriéndose con la imagen manriqueña de la vida-río. El símbolo heraclíteo alcanza, sin embargo, su vigencia en la metafísica martiniana, donde, como habrá ocasión de ver más adelante, el río de fuego se convierte en la intuición básica de la heterogeneidad y mutabilidad del ser y hasta en el esquema de la dialéctica de los complementarios, que nunca se subsumen en una síntesis final. Heráclito nos ofrece una imagen de la vida humana, que fluye irreversiblemente, como ondas de conciencia individual, mientras se renueva de modo incesante la vida total del universo. Con esto, la intuición nadista de la contingencia se contamina con un nuevo sentido metafísico de signo opuesto: la vida humana, a través de la muerte, no se desvanece en la nada, sino que se disuelve en una conciencia cósmico-genérica. Más tarde se habrá de volver sobre esta tesis fundamental de Abel Martín.

---

tuvo su origen (V. Q. S., II, 125). Cuando Machado en algún momento hace valer el símbolo del mar, no como la muerte sino como plenitud del ser, se aproxima a este sentido místico de la inmersión en el todo, sólo que ahora, en la versión panteísta martiniana, como disolución de la conciencia individual en la conciencia cósmica o universal, el «gran ojo que se ve a sí mismo».

La presencia de este símbolo, aun siendo en su conjunto mucho menos relevante que la del camino, irrumpe muy tempranamente en el poema XIII de *Soledades* y a lo largo de una meditación en una tarde de estío. El poeta va como siempre «haciendo su camino», mientras que le acompaña, oculto en la fronda, el otro camino del agua:

> Bajo las ramas oscuras el son del agua se oía...

¿Por qué ese trasvase, casi insensible, de un símbolo a otro? ¿Por qué el agua se convierte ahora en el protagonista del poema hasta confundirse, hacia su mitad, con la propia alma en sueños y cavilaciones?... La respuesta parece sencilla. El símbolo del agua que fluye cantando, ofrece una mayor virtualidad expresiva para describir la existencia humana, cuyo tiempo de conciencia transcurre en canto y meditación, como el oscuro son del agua. Machado va rimando, pues, sus meditaciones existenciales con el curso del río. Tras cada reflexión, en un paralelismo perfecto, el murmullo de las ondas que pasan, pone la música con que camina y suena el íntimo pensamiento.

Los temas del poema son los propios de una meditación de la finitud: la melancolía por el paso del tiempo, la vanidad e insignificancia del mundo humano («oscuro rincón que piensa», con tantas resonancias del tema pascaliano de la «caña pensante») en la vastedad infinita del cosmos, la naturaleza como consuelo para la herida de la inquietud existencial, la angustia, en fin, ante el camino que se deshace irremediablemente. Y mientras sigue fluyendo la canción del agua:

> Bajo los arcos de piedra el agua clara corría.

Hasta que el pensamiento mismo se trasfunde al agua y se va con ella, cantando sombríamente entre las frondas.

> El agua en sombra pasaba tan melancólicamente,
> bajo los arcos del puente,
> como si al pasar dijera:
> «Apenas desamarrada
> la pobre barca, viajero, del árbol de la ribera,
> se canta: no somos nada.
> Donde acaba el pobre río la inmensa mar nos espera».

El pensamiento y el agua se han hecho una sola, honda y melancólica melodía. En un éxtasis lírico, el sujeto se ha fundido con la luz del campo de atardecida y con su agua que murmura, en una vibración de dolor y conciencia.

> Bajo los ojos del puente pasaba el agua sombría.
> (Yo pensaba: ¡el alma mía!)

El paréntesis aclara la reverberación del pensamiento en las ondas fugitivas. Porque ser alma, es como ser agua, pasar en canto y meditación bajo arcos de piedra o entre los álamos verdes, como un suspiro de sombra, hacia la mar irremediable.

Todos los ritmos y vibraciones de la tarde (el aire sonoro por los élitros cantores, los destellos del lucero vespertino en el azul ceniciento) parecen prolongar el eco de esta única canción, que al final suena, como la mejor lírica, con música de pregunta:

> Y me detuve un momento,
> en la tarde, a meditar...
> ¿Qué es esta gota en el viento,
> que grita al mar: soy el mar?

También esta pregunta va rimando con el rumor, ya que-jumbroso, del agua:

Bajo las ramas oscuras caer el agua se oía.

¿Trata de juzgar esta pregunta la vanidad de este «oscuro rincón que piensa», enfrentado al doble misterio tenebroso —del mundo y de la vida— o más bien afirma veladamente la prerrogativa de la conciencia? Y en última instancia, ¿no cae el tiempo humano en la muerte y en el mundo, de la misma manera, dejando truncada su íntima melodía?...

Creo que este poema es una de las piezas más logradas de *Soledades*. Desde el punto de vista lírico, supone el surgimiento del símbolo del río, desde su intuición más inmediata, al sintonizar expresivamente los dos cursos —el del agua que pasa y el del alma perdida en sus cavilaciones— en un mismo acorde. No hay, pues, un empleo estereotipado de una simbología ya establecida, sino como su inducción poética, al filo de dos acontecimientos —el físico y el psíquico— que riman y confunden su propia canción. El agua está por el agua, y por el alma. El alma está por el alma, y en el agua, confundida con ella. El poeta no necesita hacer la traducción poética de un plano a otro, porque los dos se le dan, originariamente, en la intuición y el sentimiento, en un mismo acto expresivo. Filosóficamente, el poema juega con una ambigüedad esencial. La soledad del hombre ante la vastedad del mundo, con su breve tiempo de conciencia, llamada a anegarse en lo misterioso, está transida por otra soledad, aún más profunda, la del hombre ante la muerte. ¿No empieza a ser aquí el mar, a la vez, símbolo de la muerte, en el sentido manriqueño, y del misterio ineliminable del mundo?

De todos modos, el símbolo del agua, aunque su canción se ensombrece con los años, guarda siempre en Machado, la ambivalencia constitutiva, propia de la existencia. Unas veces sonará con murmullo alegre y olor de pascua de primavera, como en el poema a las madrecitas en flor, que perpetúan el milagro de la vida:

> Buscad vuestros amores, doncellitas,
> donde brota la fuente de la piedra.
> En donde el agua ríe y sueña y pasa,
> allí el romance del amor se cuenta.
>
> (CXII.)

El ritmo del agua señala así la onda expansiva de la vida con su estremecimiento juvenil entre las verdes cañas (XLII) o el paraíso cerrado de la infancia, junto al encanto de la fuente limpia, donde se mira el naranjo (VII), o en fin la plenitud de la existencia en los raros momentos en que se colma el cántaro de la vida.

Otras veces, en cambio, el son del agua se oscurece en la fronda o se espesa y duerme sobre la taza de mármol de una fuente antigua, en un sombrío murmullo que es siempre presagio de la muerte:

> Las ascuas de un crepúsculo morado
> detrás del negro cipresal humean...
> En la glorieta en sombra está la fuente
> con su alado y desnudo Amor de piedra,
> que sueña mudo. En la marmórea taza
> reposa el agua muerta.
>
> (XXXII) [13].

---

[13] Como ha mostrado Bousoño, el centro de gravedad de este poema es justamente el verso final: «reposa el agua muerta», símbolo bisémico, que vale no sólo por el agua verdinosa del estanque, sino como paradigma o modelo de todo lo quieto, de todo lo muerto: la ilusión, la humana esperanza, la felicidad. Los signos reiterativos del

O se convierte en la música de fondo de una ensoñación alucinante, en que a la luz mortecina del sol, la ciudad se espectraliza y adquiere el aire tétrico y la apariencia fantasmal de un cementerio:

> ....
> La tarde está cayendo frente a los caserones
> de la ancha plaza, en sueños. Relucen las vidrieras
> con ecos mortecinos de sol. En los balcones
> hay formas que parecen confusas calaveras.
> La calma es infinita en la desierta plaza,
> donde pasea el alma su traza de alma en pena.
> El agua brota y brota en la marmórea taza.
> En todo el aire en sombra no más que el agua suena.
>
> (XCIV.)

Pero más acá de la oposición «vida-muerte», «alegría-dolor», el símbolo del agua expresará siempre, en última instancia, la cadencia temporal de la vida —cristal de leyenda— en su ritmo de temores y esperanzas, de desalientos e ilusiones, de penas de amor y muerte, como la canción inocente de los niños, que también aquí prolonga el agua con su propia música.

> ....
> En los labios niños,
> las canciones llevan
> confusa la historia
> y clara la pena;
>
> ....
> Jugando, a la sombra
> de una plaza vieja,
> los niños cantaban...

poema (los colores apagados y sombríos, el martilleo de los acentos, la hora del crepúsculo, la rigidez de las figuras marmóreas) constituyen signos de sugestión que intensifican el lúgubre significado de la muerte (*op. cit.*, págs. 109 y 114-6, respectivamente).

La fuente de piedra
vertía su eterno
cristal de leyenda.
Cantaban los niños
canciones ingenuas,
de un algo que pasa
y que nunca llega:
la historia confusa
y clara la pena.
Seguía su cuento
la fuente serena;
borrada la historia,
contaba la pena.

(VIII.)

LOS SÍMBOLOS DEL ORIGEN: EL HUERTO Y EL MANANTIAL

Señalaba antes la dimensión de interioridad de la vida, que se obra en el camino. Este no va sólo hacia fuera, en la exploración de la realidad y la búsqueda del compañero, sino hacia dentro, hasta las raíces del yo, donde brota, por así decirlo, la intencionalidad del transcurso. La ensoñación del caminante va unida esencialmente a un perpetuo renacer en espíritu, como si los pasos del sendero o los efluvios del agua realizaran su curso hacia atrás, «redrodentro», como diría Unamuno, para recobrar el frescor y el impulso del principio.

He aquí un rasgo típico de la fenomenología del caminar: la vuelta al origen. Este retorno está sugerido, como ha hecho ver Linschoten, por la misma compenetración de camino y paisaje, que no deja subsistir un punto foráneo de referencia. «El camino forestal, el sendero, se centran en sí mismos, no se prolongan sino que giran alrededor de sus núcleos. Abrazan el paisaje así como a la vez el paisaje los abarca...

El camino real es una parte orgánica del paisaje y está incluido en la inmanencia de un todo que no huye de sí mismo, que no pasa al lado de sí mismo porque no fija metas y no puede, por ello, alejarse de sí mismo. El paisaje se abre sin traspasar jamás las propias fronteras» [14].

En el origen está el comienzo de la vida y también la orientación del devenir. Volver al origen no es, pues, liquidar el propio devenir, sino reasumirlo en su impulso inicial, en la luz y en la paz del primer momento. «En el auténtico *wandern* —prosigue Linschoten— existe algo así como un retorno a la felicidad íntima primitiva, tal como puede parecer sólo en la bruma del recuerdo, mas también como precursora de una realización futura» [15]. No se trata tan sólo, sin embargo, de una vuelta prelógica a una etapa primitiva, con aroma de infancia, sino de una inmersión en la luz que nos abrió la realidad en su más íntimo fundamento. «Es un retorno —como precisa Bollnow— acaecido en el interior del hombre mismo, una vuelta a los orígenes del ser y al «fondo de todas las cosas». Aunque necesariamente vibren en ello los recuerdos de la infancia, sin embargo cala más hondo: es la vuelta a una capa más profunda de la esencia humana, en que el hombre vive aún «antes» de la dominación técnica del mundo y de la escisión entre sujeto y objeto acontecida en él, aún «antes» de la impregnación racional, aún «antes» del mundo de la profesión y de la técnica. En una palabra: antes aún de la autoenajenación, antes del anquilosamiento y de la rigidez. Lo que el hombre experimenta en el *Wandern* es el rejuvenecimiento de todo su ser» [16].

Pues bien, la obra poética de Machado nos ofrece la vivencia lírica de este renacer, bajo un doble símbolo: el huerto o

---

[14] Citado por Bollnow, *op. cit.*, pág. 112.
[15] *Op. cit.*, pág. 113.
[16] Bollnow, *op. cit.*, pág. 113.

el jardín de la infancia y el manantial, correspondientes el uno y el otro a las dos figuraciones del devenir humano: el camino y el río.

El tema del huerto o jardín ha sido ya espléndidamente tratado por Dámaso Alonso, en casi todas sus variantes poéticas. A él remito para evitar el acopio excesivo de textos.

> En los orígenes oscuros de la poesía de Machado, cuando ésta —aún ni vislumbrada en la conciencia— se le estaba infiltrando en la sangre, hay un patio de naranjos y un huerto de cipreses y limoneros. Casi toda la poesía de M. está como implícita en esta visión luminosa y contrastada [17].

Y así es, en efecto; a menudo los caminos del recuerdo se van hacia aquel patio de Sevilla, con la luz dorada de la infancia (XCVII) y entreabren la hora intacta del primer mundo, con la gloria del sol en los pálidos frutos del limonero (LIII, III y CXXV); o los del ensueño recrean la existencia diáfana, casi traslúcida, del cuerpo juvenil (CLXIX) y la atmósfera pura de la niñez (callejas recónditas y jardines encantados) antes de abandonar toda esperanza (CLXXII).

Sí, realmente esta visión luminosa («El limonar florido» / «el cipresal del huerto») es algo más que un éxtasis del origen, como si quisiéramos escapar a la gravedad del sendero que se pierde en el ancho mar del mundo. Es también una divisa y como una consigna de vida: la orientación del alma hacia una tierra de promisión, que entrevimos, por vez primera, en la luz inocente de la infancia.

He aquí, pues, cómo el tema del huerto (cipresal, naranjal, limonar) tiene un constante valor simbólico en la poesía de M.: es la ilusión —la bendita ilusión dorada— vista en el gozo y el recuerdo infantil, en la virginidad auroral de la

---

[17] Dámaso Alonso, «Poesías olvidadas de Antonio Machado», en *Poetas españoles contemporáneos*, Madrid, Gredos, 1969, pág. 132.

vida, y proyectada también hacia el futuro. Es la patria para-
disíaca, y también la patria eterna: el lugar de donde se pro-
cede y adonde se va. Es lo que se sueña y por lo que se vive.
Por eso su supresión significa el dolor absoluto, el desconsuelo absoluto:

> Hoy buscarás en vano
> a tu dolor consuelo.
> Lleváronse tus hadas
> el lino de tus sueños.
> Está la fuente muda
> y está marchito el huerto.
>
> Hoy sólo quedan lágrimas
> para llorar. No hay que llorar, ¡silencio!» [18].
>
> （LXIX.)

Más aún todavía, como expresa un poema que se ha escapa-
do a Dámaso Alonso, la íntima desazón del alma ante su
jardín marchito, mientras le apremia la voz de su conciencia:

> Alma, ¿qué has hecho de tu pobre huerto?
>
> （LXVIII.)

Asociada a la imagen del huerto, está la de la fuente clara,
en el origen del segundo símbolo: el agua que pasa y sueña.
Conviene hacer algunas precisiones a este respecto, para evitar equívocos. No es sin más la fuente, que como ya vimos,
tiene un uso ambivalente para la expresión de la alegría vital
o el dolor y la muerte según los casos, sino la fuente-ma-
nantial en su significación de surgimiento de la vida. Por eso
los sueños del poeta pueden asociar este manantial con la
esfera de lo divino y tomarlo, en su riqueza inexhausta, como
comienzo de una nueva vida:

---

[18] Dámaso Alonso, *op. cit.*, pág. 135.

Anoche cuando dormía
soñé, ¡bendita ilusión!,
que una fontana fluía,
dentro de mi corazón.
Di ¿por qué acequia escondida,
agua, vienes hasta mí,
manantial de nueva vida
de donde nunca bebí?

(LIX) [19].

Manantial, por otra parte, que no solamente emerge en sueños, como si la ensoñación del origen no tuviese más valor que el de una ficción; su murmullo ocupa también la vigilia del poeta, de modo que lo soñado permanece como una soterrada vena, que alimentase de continuo su conciencia. El poeta puede sentir ese manantial en el fondo de su ser, en la roca de su corazón, como el agua que hiciera brotar Moisés de la peña:

Como otra vez, mi atención
está del agua cautiva;
pero del agua en la viva
roca de mi corazón.

(CLXI, núm. 11.)

La expresión adverbial «otra vez» marca la íntima cadencia del alma del poeta con el murmullo del agua; no obstante el tercer verso introduce una precisión, que importa mu-

---

[19] Machado se engaña, al decir que nunca bebió de esa fuente, refiriéndose, sin duda, a la falta de formación religiosa en su infancia. Esta posible referencia autobiográfica hace que pase por alto lo que está en la raíz misma de la intuición poética: la de lo divino en el corazón del hombre, como la dimensión de lo puro y originario, a la que hay que volver siempre para recobrar nueva vida. La vuelta a la infancia es así siempre un retorno a la fundamentalidad de la existencia.

cho al caso: no es el agua que canta alegre ni la que fluye morosa o se duerme soñolienta en las tazas de mármol, sino aquella que brota en la viva roca del corazón: Y uno no puede menos de pensar que es la misma fontana que Machado sentía fluir, en sueños, en el seno del alma (LIX).

El «agua viva» se convertirá para M. en el símbolo del rejuvenecimiento espiritual. Aparece siempre unida a la experiencia del amor, la vida que crea vida y por eso renueva su caudal, en un prodigio incesante. Así por ejemplo, en la luz pascual de la primavera, cuando despiertan los cuerpos de las muchachas al milagro de la vida, hay siempre una fuente de piedra, que murmura un romance de amor (CXII).

Más tarde, en las *Canciones de tierras altas*, el recuerdo de Leonor nos vendrá, esta vez apacible y sereno, con el aire íntimo de una plaza recoleta, como el patio de la infancia. Y otra vez, en el fondo, el susurro del agua:

> Otra vez la plazoleta
> de las acacias en flor,
> y otra vez la fuente clara
> cuenta un romance de amor.
> (CLVIII, núm. 3.)

Y, por último, en su cadencia extrema, a la hora del último amor, de nuevo la vida nos llega en un jardín cerrado y con rumor de fuente:

> ....
> Un ave insólita canta
> en el almez, dulcemente,
> junto al agua viva y santa,
> toda sed y toda fuente.
> (CLXXIII, núm. 2.)

Al símbolo del manantial van también unidas las promesas del renacimiento y la consumación. Es, si se quiere, como un agua bautismal, que renueva la propia sustancia de la vida, al ponerse en contacto con el origen en aquella luz primera que nos ha abierto los caminos del mundo. Desde esta intuición radical, el símbolo irradia su potencia expresiva a la totalidad de la existencia —palabra en el tiempo, y por eso mismo, «*poesía*» en el sentido fundamental y originario—.

> Agua del buen manantial,
> siempre viva,
> fugitiva;
> poesía, cosa cordial.
> ¿Constructora?
> —No hay cimiento
> ni en el alma ni en el viento—.
>
> (CXXVIII.)

Y el mismo símbolo del agua viva, sólo que en un clima de plenitud, que es a la vez origen y consumación, aparecerá más tarde en el poema martiniano el Gran pleno o Conciencia integral, como caracterización del pensamiento poético:

> —No hay espejo; todo es fuente—

para recobrar en los últimos versos —que anticipan en tantos sentidos la poesía metafísica del *Cántico* de Guillén— la intuición del perpetuo surgimiento de la diferencia cualitativa en las entrañas de la realidad:

> Armonía;
> todo canta en pleno día.
> Borra las formas del cero,
> torna a ver,
> brotando de su venero,
> las vivas aguas del ser.
>
> (CLXVII.)

Ya vimos cómo la vuelta al origen, no es sólo el regreso a la infancia, sino el retorno a las raíces del ser. ¿Qué relación puede haber entre lo uno y lo otro? ¿En virtud de qué, la luz de la infancia es también la luz más pura para contemplar el mundo? Sólo cabe una única respuesta; una y otra luz brotan de los ojos de la madre.

························

la buena luz tranquila,
la buena luz del mundo en flor, que he visto
desde los brazos de mi madre un día».

(LXVII.)

¡La madre! No es preciso buscar más lejos. Estamos en el origen absoluto. La madre no es símbolo de nada. Es una realidad tan sustancial y directa y propia, que no puede remitirse ni valer por nada, que sólo significa por sí misma. La madre es el origen primero y la referencia última. No cabe ya nada más ni nada fuera de la madre. Es la caricia y la luz, la palabra y el pan, el sentimiento de arraigo y pertenencia a una comunidad humana; en definitiva: el hogar que busca el viajero en su extravío. A veces este retorno al origen se presenta, de forma indirecta, como un perderse en la lejanía, en algo que nos llama y nos convoca, sin saberlo, a la interioridad del propio yo. Bollnow ha descrito muy certeramente el sentido de esta llamada. «¿Qué busca el hombre en la lejanía? En los románticos, caso especialmente en Novalis... nos llama la atención en qué enorme medida está ligada el ansia de lejanía al «misterioso camino hacia el interior», y cómo el último objetivo de la nostalgia es el volver a casa. La añoranza del hogar y el ansia de lejanía se aproximan tanto, que debemos preguntarnos si en el fondo no son una misma cosa. Es su esencia más íntima lo que el hombre busca en la lejanía, tan lejos de su interior. A partir de aquí, quizá comprendamos el origen de este anhelo. Pues, ¿cómo puede buscar el hombre en la lejanía, tan lejos de sí mismo, lo que es su propia esencia? Cuando se ha perdido a sí mismo en la agitación cotidiana, cuando en su morada ya no se encuentra «en su casa», cuando la patria se le ha convertido en extranjero, sólo en este estado insatisfecho de la autoenajenación parece que el camino directo para la renovación de su propio ser le es negado, y entonces se le aparece en la vaga lontananza la imagen de su patria perdida. El anhelo de partir a la lejanía es efectivamente el deseo de recobrar el origen perdido, en que la vida todavía era auténtica»[20].

Volver a la madre, enmadrarse, es el gran sueño del hombre, no sin más como fuga o huida de la conciencia, sino como entrañamiento en las fuentes secretas y luminosas de la vida. La expresión más clara de este deseo la encuentra Machado precisamente al lado de un curso de agua, el río Guadalquivir, cansado y sucio, a punto de perderse en el mar por los campos luminosos de Andalucía:

> ¡Oh Guadalquivir!
> Te vi en Cazorla nacer;
> hoy, en Sanlúcar morir.
> Un borbollón de agua clara,
> debajo de un pino verde,
> eras tú, ¡qué bien sonabas!

---

[20] Bollnow, *op. cit.*, 91-2. El mito del origen está presente, de un modo constante, en Unamuno, como contrapunto de la lucha propia de la conciencia en el tiempo. El desnacimiento es así, más que comienzo de un renacimiento, entrañamiento en la madre tierra (V. Q. S., II, 125). Puede verse también en este sentido la bellísima poesía: «No busques luz, mi corazón, sino agua», en que esta vuelta al manantial originario es un sumergimiento en la verdad honda y radical, la eternidad que funda la vida. No es preciso, sin embargo, sostener en este aspecto una influencia de Unamuno en Machado. La imaginación poética, en este caso del agua, puede crear imágenes con el mismo simbolismo existencial en diferentes poetas. Son estos los universales de la imaginación y el sentimiento, los universales de los sueños operando en el espíritu humano.

Como yo, cerca del mar,
río de barro salobre,
¿sueñas con tu manantial?

(CLXI, núm. 87.)

Hemos encontrado así la conexión del símbolo «camino-río-tiempo» con el del «huerto-manantial» como transfondo de intemporalidad. La vuelta al origen no es más que una inmersión en las entrañas del ser y de la vida. En este punto, como ha observado Bollnow, alcanza el tema del camino toda su extraordinaria significación antropológica. «Alejándose totalmente de la precipitación que impele hacia adelante la vida cotidiana, gracias al «wandern» desligado del tiempo y de la finalidad, el hombre reanuda el contacto con un fondo vital que reposa en la intemporalidad»[21].

No es, sin embargo, una negación del tiempo, como pudieran inducirnos a creer ciertos éxtasis de la vuelta al origen[22], sino una nueva fundación, o si se me permite, una recreación de la vida en el fundamento de su sentido. Lo intemporal no está al otro lado del tiempo, como un mundo aparte, sino en él, constituyendo su íntima verdad, como el manan-

---

[21] Bollnow, *op. cit.*, 114.

[22] Blanco Aguinaga, en su libro *Unamuno contemplativo* (México, Colegio de México, 1959), se ha referido al éxtasis del origen de Unamuno, como una abdicación de la vigilia de la conciencia, en medio de la historia. Se trataría, por lo tanto, de una dimensión del alma de Unamuno, contrapuesta, a la del Unamuno agónico (págs. 178 y 188). Ya he discutido esta versión en mi artículo «El quijotismo como humanismo trágico-heroico» (*art. cit.*, págs. 204-236), no para negarla, sino para completarla, pues el éxtasis del origen también tiene una función positiva como fundación del tiempo histórico en su sentido, tal como nos aparece aquí en el tratamiento machadiano de la vuelta a la madre. De todos modos, no creo que pueda tratarse en este caso de influencia de Unamuno sobre Machado. Los textos poéticos que cito son muy tempranos, de *Soledades*, y aunque ya en esta época está en marcha la amistad y estimación recíprocas de ambos autores, no hay indicio alguno de préstamo en esta temática.

tial está de continuo alimentando el curso del río; es la intemporalidad del origen animando su transcurso incesantemente. Los caminos del mundo volverían a tener la gracia y el frescor de la primera mañana, y los «caminos del sueño» nos llevarían directamente al corazón del mundo. El sueño del origen nos abre así la galería más recóndita del alma. El poeta la ha descubierto a esta luz de amanecer:

> Galerías del alma... ¡El alma niña!
> Su clara luz risueña;
> y la pequeña historia,
> y la alegría de la vida nueva...
> ¡Ah, volver a nacer, y andar camino,
> ya recobrada la perdida senda!
> Y volver a sentir en nuestra mano
> aquel latido de la mano buena
> de nuestra madre... Y caminar en sueños
> por amor de la mano que nos lleva.
>
> (LXXXVII.)

Nunca, como en este caso, salta a la vista más claramente la íntima unidad en A. Machado de vida y obra. Ésta habla por aquélla, nutriéndose de su sustancia, y aquélla encuentra en ésta su revelación más fiel y definitiva. Sabemos del puesto central que ocupa la madre en la vida de M., hasta el punto de convertirse (¡quizá!) en el gran amor de su vida, como señala Cardenal de Iracheta, «amor que proyecta su fuego y luz en los otros amores»[23]. Sabemos de las solicitudes de M. por su madre, viviendo frecuentemente a su lado y las de Doña Ana Ruiz por Antonio, siguiéndole fielmente cuando lo necesitaba, y arrastrando con él, hasta la hora última, las

---

[23] M. Cardenal de Iracheta: «Crónica de Don Antonio y sus amigos de Segovia» en *Antonio Machado. Antología* (ed. de R. Gullón y A. W. Phillips), Madrid, Taurus, 1973, pág. 100.

penalidades del destierro. Algunos biógrafos nos han rela-
tado conmovedoramente la escena entrañable de una anciana
dulce que, medio enajenada, sigue solícita los pasos de su
hijo y muere días más tarde que él, sin saberlo, pero adivi-
nando sin duda que ya estaba cumplida su existencia [24].

Y podemos ahora reconocer el profundo sentido de aquel
último verso, que su hermano José encontró en el bolsillo
del gabán del poeta después de su muerte:

> Estos días azules y este sol de la infancia.

Como comenta muy finamente Aurora de Albornoz, no se
trataba del comienzo de una poesía, sino de «un verso-poe-
ma completo, final. Final de una obra y de una vida. No ne-
cesitó más palabras para expresar su sentir último. Los momentos más claros de su pasado se hacen presente vivo.
Antes de ser borrado por la muerte, M. logró recuperar su
tiempo» [25]. Estos días azules son sin duda los días soñados
de la azul lejanía de las tierras, adonde le guiaba la mano
de Leonor, y este sol de la infancia es aquella luz maternal,
cuando el mundo le amanecía, con rumor de fuente y olor
de limonero. Ahora todo vuelve, intacto y luminoso, como
lo adivinara el poeta, porque el recuerdo es todo corazón:

> Un día tornarán, con luz del fondo ungidos
> los cuerpos virginales a la orilla vieja.
>
> (CXXV.)

---

[24] Entre las descripciones más emotivas y puntuales en estos últimos
días del poeta, puede verse: Enrique Rioja, «Último sol de España»,
en *Antología*, Taurus, *op. cit.*, págs. 115-120 y Wallo Frank, «La muerte
del poeta Antonio Machado», en la misma *Antología*, págs. 53-60.

[25] Notas preliminares al IV tomo de la *Antología* de su prosa, «A la
altura de las circunstancias», Madrid, Edicusa, 1970, pág. 37.

Y es que junto a su madre, al filo de la muerte, consiguió Antonio Machado el retorno definitivo al origen, ver el mundo por última vez con la misma luz con que lo había aprendido de niño en sus brazos. La luz con que lo había soñado siempre y que venía ahora a dormirse, como él, en su último verso:

> Estos días azules y este sol de la infancia.

EL SÍMBOLO DEL MAR

Todos los símbolos de la temporalidad, hasta ahora analizados, nos remiten, en última instancia, al símbolo más ambiguo sin duda alguna de Machado —el mar—, porque en él se encierra el núcleo metafísico último de su pensamiento. Los caminos del sueño son estelas en la mar, como ya vimos, y los ríos van a dar a la mar, como canta la copla manriqueña, y hasta las canciones de la fuente clara, con su romance de amor y vida, tienen en el fondo un regusto amargo de muerte.

Ya hemos indicado dos niveles significativos de este símbolo: el directo, de ascendencia manriqueña, en que el mar es la muerte, como último destino del curso existencial; y el propiamente machadiano, mucho más fundamental y originario, en que el mar señala el enigma de la realidad, la vida del hombre en el mundo. Varios autores han reparado ya en este específico sentido machadiano del símbolo. Emilio Orozco, por ejemplo, lo señala muy precisamente:

> El mar aparece en su lírica, no sólo como metáfora del morir —según lo manriqueño—, ni de lo ignoto de nuestro origen, sino también como expresión del mundo en el sentido del futuro y destino del hombre [26].

---

[26] *Op. cit.*, pág. 232.

Y Aurora de Albornoz:

> La muerte, sin duda, está contenida en el mar de Machado;
> pero lo está también y acaso con más fuerza, la vida. El mar
> es, a mi entender, en los poemas de este momento, lo desco-
> nocido. Y lo desconocido no es sólo la muerte, sino también
> la vida con todos sus misterios [27].

Si bien se observa, el sentido machadiano abarca al manriqueño, porque lo que permite designar como mar a la
muerte, no es sin más la intuición de que el río de la vida en
ella desemboca, sino lo que tiene de ignoto, de acontecimiento cuyo sentido se nos envela o bien que contradice formalmente todo sentido. El mar aparece siempre en los límites
de la conciencia, como el misterio insondable con que esta
tiene que enfrentarse, o el abismo en que desfallece su canto, o el destino en que se borran las estelas.

Unas veces será el caos, como señala Balbontín, o la experiencia del sin-sentido; otras, en cambio, el símbolo de la
plenitud del ser, según precisa Aurora de Albornoz, que

> encierra el principio y el fin de todas las cosas y, como antes
> decía, es principio y fin de todas esas aguas —fuentes, gotas,
> lluvias, ríos— que son la vida del hombre, y que discurren, con
> ruido o en el silencio, por toda la poesía machadiana [28].

Más bien, habría que llamarlo aquí la experiencia del ultra-
sentido, en que se inmerge, en última instancia, la existencia [29]. Y siempre, la vastedad del ser —caos o plenitud— con

---

[27] *Op. cit.*, pág. 247. Puede verse en ella una completa información
de las distintas interpretaciones que se han dado al tema del mar en
Machado, en pág. 248, nota 19.

[28] *Op. cit.*, pág. 247.

[29] La diferencia con Unamuno, en este aspecto, estriba en que
mientras para éste, la inmersión en la plenitud del ser acontece siempre por modo de engolfamiento místico en el sueño de la apocatás-

que tiene que medirse, en su búsqueda de sentido, el esfuerzo y el ensueño del hombre. Junto al mar sueña el meditabundo (CLXXXIV) y cerca de la mar se abre la rosa del amor (CLXXIV) y hacia la mar se escapa inevitablemente el marinero, metido a jardinero por equivocación, o quizá por huir de la mar ignota:

> Estaba el jardín en flor,
> y el jardinero se fue
> por esos mares de Dios.
>
> (CXXXVII, núm. 3.)

Y, por último, frente a la mar irremediable lanza el corazón del hombre su quejido de desesperación ante la muerte:

> Señor, ya me arrancaste lo que yo más quería.
> Oye otra vez, Dios mío, mi corazón clamar.
> Tu voluntad se hizo, Señor, contra la mía.
> Señor, ya estamos solos mi corazón y el mar.
>
> (CXIX.)

En definitiva, el símbolo del mar como misterio engloba a la misma vida del hombre. No se refiere por utilizar la terminología de G. Marcel, al «problema» objetivo de la realidad en su conjunto, sino al «misterio» ontológico del mundo en cuanto lleva implícito el elemento subjetivo del destino del hombre.

---

tasis (*Ensayos*, II, 3, 62 y 917, 925 y 946-47), tal como el arroyico se integra en la mar (*Ensayos*, II, págs. 933 y 958), para Machado en cambio, según la visión martiniana, se trataría de la disolución de lo individual en el continuo renovarse de la conciencia cósmica del Universo —el ojo que se ve a sí mismo. No hay pues ningún arrebato místico, ningún entusiasmo fervoroso en este engolfamiento, sino el simple reconocimiento de la condición finita y transitoria de la criatura, y a la vez la confesión de un panteísmo naturalista muy a lo Giordano Bruno.

> Cantad conmigo en coro: Saber, nada sabemos,
> de arcana mar vinimos, a ignota mar iremos...
> Y entre los dos misterios está el enigma grave;
> tres arcas cierra una desconocida llave.
> La luz nada ilumina y el sabio nada enseña.
> ¿Qué dice la palabra? ¿Qué el agua de la peña?
> (CXXXVI, núm. 15.)

«Enigma grave» califica en este contexto la vida humana, por estar distendida entre dos misterios, el de su origen y el de su destino. Y es que la existencia no es más que un enfrentamiento con el rostro de la esfinge, una batalla por lograr conciencia y fundar sentido en medio de una realidad que se oculta, de modo constitutivo, a la intención del hombre. El enigma de la vida, o si se prefiere, el problema del sentido de la existencia humana en el mundo, no puede disolverse frívolamente arrojándolo a la papelera de los pseudo problemas, como propone hacer una mentalidad positivista; tampoco cabe deshacerse de él confiándose místicamente a una iluminación sobrenatural, sino que es preciso vivirlo, padecerlo en su difícil y a veces angustioso envelamiento —en su gravedad existencial— para hacer de esta experiencia canto y meditación, es decir, tiempo de palabra. La única actitud digna que le queda al hombre —viene a decirnos Machado—, es el enfrentamiento valeroso con el misterio. Así lo pregona un proverbio-cantar de una profundidad fascinante:

> Todo hombre tiene dos
> batallas que pelear:
> en sueños lucha con Dios;
> y despierto con el mar.
> (CXXXVI, núm. 28.)

Es este breve poemilla un compendio de sabiduría. Se contraponen en él dos actitudes: sueño y vigilia, o si se quiere, por sus actos: ensoñación y conciencia reflexiva; pero a la vez se equiparan en su calidad de batallas que conciernen a la condición humana, y por tanto, destinadas a alcanzar conciencia.

La batalla de la ensoñación se libra con Dios. (¿Cómo podríamos confundir, pues, sin más, a Dios con el mar, cuando tan claramente los deslinda Machado?) Es, si se me permite la expresión, la batalla por el reino de la utopía. Dios designa el compendio de lo posible y también la sustancia de lo deseable; en definitiva, el mundo de la idealidad, entrevisto aquí, como la tierra de promisión, en que se han resuelto los enigmas. La lucha con Dios, como la de Jacob con el ángel, pone a prueba la capacidad de aventura y de libertad del espíritu humano.

Y es que, para M., Dios no es una realidad dada en el presente de la gracia o esperada en el futuro de la promesa, sino la idealidad del futuro de la creación, es decir, la condición de lo nuevo y con ello el principio interno de trascendimiento y creatividad en la vida del hombre [30]. La batalla con Dios nos descubre la irrealidad de lo dado en el mundo, su no ser-en plenitud, y a la vez, la irrealidad del deber-ser pendiente de existencia (lo por-ser como el orden ideal de los proyectos humanos). Y frente a este halo de lo irreal, está lo real inmediato, con sus resistencias y sombras, como el mar insondable con el que tiene que medirse la conciencia. Una batalla fecunda y refuerza a la otra, pues no es posible enfrentarse con el mundo real sino desde la irrealidad de lo que falta y de lo que se necesita; ni se puede explorar creadora e imaginativamente el mundo de los sueños, frente

---

[30] Más adelante habrá ocasión de referirse a la relación de Dios con el no-ser, y a la doble dimensión de este no-ser (Cfr. cap. VII, «Metafísica de Poeta»).

a todo idealismo utopista, si falta el sentido de lo real y lo concreto, que sólo lo alcanza la luz de la conciencia.

El enigma de la vida entre dos misterios, se transforma aquí en campo de batalla entre dos frentes. El enigma no es tanto el del origen y el fin ónticos, sino el del fundamento y la destinación de la propia existencia. No lo marcan tanto el nacimiento y la muerte, como la fundación de sentido en el tiempo, y el destino de la obra del hombre.

Volviendo al propósito inmediato de este capítulo, los textos citados marcan una neta diferencia entre Dios y el mar. Pero, a la vez, los conjunta en la tarea de la conciencia, como sus frentes de combate. De ahí que en algún otro poema, haya señalado M. esta implicación. El encuentro con la esfera de lo divino —la cantera sustancial de los sueños del futuro de la libertad—, sólo acontece en el mar del mundo, como contrapunto a la realidad misteriosa, en un intento de iluminarla, no desde el lado de la razón reflexiva, sino desde la imaginación creadora. Así es un Dios que esplende como una blanca vela de aventura o brilla como la luz lunar, tibia y espectral luz de los sueños:

> Dios no es el mar, está en el mar, riela
> como luna en el agua, o aparece
> como una blanca vela;
> en el mar se despierta o se adormece.
>
> (CXXXVII, núm. 5.)

No son un espejismo esta vela y esta luna en las aguas. La dimensión de la irrealidad —del no-ser de la imaginación y del otro no-ser del pensamiento lógico—, son nuestras únicas armas en la mar irremediable. En honor de este Dios, que abre caminos en el mar del mundo, como el de los israelitas en el mar Rojo, y en memoria de Abel Martín, el poeta filósofo, como una personificación del doble valor de la palabra humana, se eleva el canto del poeta:

> ....
> Al Dios de la distancia y de la ausencia,
> del áncora en la mar, la plena mar...
> Él nos libra del mundo —omnipresencia—,
> nos abre senda para caminar.
>
> (CLXX, núm. 2.)

En otros momentos, es, sin embargo, la figura de Jesús la que se convierte en símbolo de la condición humana.

> ¿Para qué llamar caminos
> a los surcos del azar?...
> Todo el que camina anda,
> como Jesús, sobre el mar.
>
> (CXXXVI, núm. 2.)

No el Jesús místico de la muerte y la resurrección, sino aquel otro taumatúrgico y poderoso, que con la fuerza de su palabra —(de nuevo el valor de la palabra como constitutivo del poder del hombre)— acallaba el viento y adormecía las aguas más violentas. No el «Jesús del madero, sino el que anduvo en el mar» (CXXX). Y es que nuestros caminos tratan de explorar y dominar, en sueño y en vigilia, en imaginación y conciencia, el mar de lo misterioso. No son creaciones arbitrarias de visionario ni cavilaciones de ocioso. Como los de Jesús sobre el mar, son caminos que salvan, cuando la fe humana en el valor de la palabra se impone a la opacidad del mundo.

Hay un punto, sin embargo en el que estos caminos —los de la ensoñación y la vigilia—, naufragan ante el misterio insondable. El tiempo se hace más opaco y tenebroso que nunca. Machado lo supo ver adecuadamente. Ni la imaginación ni la razón salvan al hombre ante la muerte. Ante ella sólo cabe o el salto mortal de la fe, o el gesto estoico, luminoso y sereno, del que muere en paz consigo mismo, sin aspavientos ni jactancias. La muerte, el último viaje, y como siempre el mar, la soledad del mar, frente por frente de la soledad del poeta, ligero de equipaje y casi desnudo, como en aquellos días azules y últimos de Collioure...

Se comprende ahora la nueva conexión significativa del mar con la muerte [31]. No sólo es ella lo enigmático por antonomasia, sino que vuelve enigmático, pavoroso y sombrío, el mismo escenario del mundo. Introduce en él, con un tiempo de muerte, la dimensión última de problematicidad de lo real y desfonda los caminos creadores de la vida ante este límite supremo inevitable. El mar adquiere ahora su apariencia más terrorífica y sombría. Es el mar sin retorno:

> ....
> Con el incendio de un amor, prendido
> al turbio sueño de esperanza y miedo,
> yo voy hacia la mar, hacia el olvido
> —y no como a la noche ese roquedo,
> al girar del planeta ensombrecido—.
> No me llaméis, porque tornar no puedo.
>
> («Los sueños dialogados», III.)

Pocos versos hay en la lírica española tan conmovedores, tan certeros y agudos como estos dos tercetos, para cantar el paso del tiempo y la llamada inapelable de la muerte. El encabalgamiento del primer endecasílabo con el segundo,

---

[31] Por eso deduzco que el sentido del mar como muerte ha debido de ser no sólo cronológicamente primero, tomado como supone Aurora de Albornoz de Manrique (*op. cit.*, pág. 246), sino incluso ontológicamente, pues sólo la muerte introduce la dimensión de enigma en el seno del mundo.

marca el ritmo del movimiento con que el amor (hasta el amor), queda «prendido» en el «turbio sueño» de la vida, que a su vez se precipita en la noche. Y el tercer endecasílabo con sus dos hemistiquios, reduplicando el acorde, reiterando el significado de la consunción definitiva, hace cargar su acento fundamental sobre la palabra «mar», que se convierte así en el centro de gravedad de esta parte del poema:

> Yo voy hacia la *mar*, hacia el olvido.

Los acentos en la sexta de los endecasílabos 3.º y 4.º repiquetean insistentemente sobre las palabras que definen el desenlace fatal de la existencia: «mar» y «noche». Y frente a ellos, los endecasílabos 1.º, 2.º y 6.º, sáficos, con un ritmo más cadencioso, reparten sus acentos sobre las palabras fundamentales de la vida:

incendio	amor
sueño	esperanza
llaméis	tornar

Y luego la magnífica intuición de contraponer el misterio del vaso de la vida, colmado de sombra, al roquedo hundiéndose en la noche: es decir, la historia frente a la naturaleza, impasible al dolor del hombre; y el olvido definitivo frente al curso natural, que renueva cada día su danza de sombra y luz. Mientras gira muda la tierra en este baile, el hombre no tiene más porvenir que la noche en el mar sin retorno: el fuego del amor, la flor de la esperanza y el arca de los miedos, todo el turbio sueño de la vida, anegándose en el olvido. Al final de los dos tercetos se contrapone nítidamente el poder de la muerte a la impotencia y desvalimiento del hombre: («olvido» / «no puedo»). Entre estos dos poderes, disputando con ellos en vano, aparece en oblicuo la presencia del «tú», dejándose adivinar como el destinatario del vocativo, que es todo el último verso:

> No me llaméis, porque tornar no puedo.

¿Qué puede esa llamada frente a la presencia inesquivable de la muerte? Siempre hay alguien que nos llama, que nos solicita desde esta orilla de la muerte, y nos convoca en vano a la tarea de la vida, cuando ya se ha cumplido nuestro tiempo. Pero, ni una queja ni un grito; sólo una despedida a los que nos llaman y gesticulan a orillas del gran misterio:

> No me llaméis, porque tornar no puedo.

Sobre lo irremediable sólo triunfa la serena aceptación del propio destino.

III

TIEMPO Y ENSOÑACIÓN

> Sobre la tierra amarga,
> caminos tiene el sueño
> laberínticos, sendas tortuosas,
> parques en flor y en sombra y en silencio;
> criptas hondas, escalas sobre estrellas;
> retablos de esperanzas y recuerdos.
>
> (XXII.)

Carlos Bousoño y J. L. Cano han puesto de manifiesto la ascendencia romántica del tema del «sueño» en Antonio Machado. Nos ha mostrado el primero el profundo parentesco entre la rima LXXI de Bécquer, con la que inicia «una espectralización del mundo con este carácter puramente simbólico» y los poemas LXIII y LXIV de *Soledades* (el sueño que entreabre un nuevo mundo, la llamada del ser misterioso, las luces espectrales que hay en la escena...). Pero sobre ello, Bousoño ha tenido buen cuidado de señalarnos también la diferencia esencial en el clima poético.

> En las dos composiciones de M., el sueño desde el cual se oye la misteriosa voz no está descrito como el sueño fisiológico: se trata de otra clase de sueño, un ensueño casi metafísico, muy machadiano, como un volverse hacia dentro la conciencia, como una absorción de ésta por lo más hondo del alma.

Machado representa pues la plena integración de la conciencia onírica al mundo poético, mientras que Bécquer necesita
recurrir a una «justificación racional del elemento maravilloso, en la realidad psico-fisiológica del sueño» [1].

A su vez, J. L. Cano ha insistido sobre el valor romántico
del sueño como otra forma, más sustancial e íntima, de realidad.

> Para Machado como para Bécquer, el mundo del ensueño y
> el de la realidad son mundos intercambiables, que las más
> de las veces se confunden. El sueño tiene ya para ellos tanta
> realidad como la realidad misma. Es a veces la más honda, la
> única realidad... Y al contrario, las cosas reales les parecen
> soñadas, como el recuerdo de un sueño.

Para concluir que, en Machado, los sueños tienen un valor
sustantivo, son «los sueños del alma, los sueños de la ilusión
y del recuerdo», a diferencia de Bécquer que se mantiene
en un nivel puramente imaginativo. En definitiva —concluye Cano— el soñar de M. es como un «modo de ser, como la
forma de su esencial melancolía» [2].

La diferencia entre Bécquer y Machado necesita, no obstante, de algunas precisiones complementarias. El esquema
del mundo que subyace a la obra de Bécquer, es totalmente
escindido, con una contraposición neta entre vigilia y sueño.
Entre la realidad y la ensoñación hay siempre una frontera,
que sólo puede salvarse mediante un salto, como quien entra en otro territorio. Esta es justamente la frontera del
sueño. El paso de ésta sólo es posible en la conciencia onírica o bien en ese sucedáneo que es la conciencia imagina-
tivo-desiderativa; de ahí, como ha indicado Bousoño, el

---

[1] Carlos Bousoño, *Teoría de la expresión poética*, Madrid, Gredos,
1952, pág. 148.
[2] José L. Cano, «Antonio Machado, hombre y poeta en sueños», en
Cuadernos Hispanoamericanos, núms. 11-12, Madrid, 1949, págs. 654-5.

continuo oscilar de la ensoñación al sueño fisiológico y de éste a aquélla, confundiendo los dos planos. La consecuencia de esta confusión es muy grave: la ensoñación se relativiza en su valor, como mero sueño sin consistencia, y la imaginación entiende su propio mundo como perteneciendo al ámbito inconsciente de los sueños. Se debilita con ello el alcance metafísico del sueño y su valor sustantivo y propio, de auténtica recreación del mundo. Repárese que cuando M., muy raras veces, recurre al procedimiento becqueriano, así, por ejemplo, en:

> Anoche cuando dormía,
> soñé, ¡bendita ilusión!,

quiere precisamente adelgazar el sentido de realidad del sueño y aproximarlo al mundo de las ilusiones, o bien alejarlo por su imposible belleza. El sueño de lo divino queda así, a caballo entre la utopía y la ilusión. Este procedimiento se aprecia muy bien en el cantar CXXXVI, núm. 21, donde la reduplicación «soñé que soñaba» aleja, en el tiempo y en la posibilidad, la experiencia de lo absoluto.

Este mundo de los sueños tiene pues que aparecérsele a Bécquer, como «otro mundo», contrapuesto al de la realidad-vigilia, doblado sobre éste y distinto en su signo o valor de verdad. Si el de la vigilia es verdadero, el del sueño es falso y espúreo, y si por el contrario, la verdad está en el mundo de las ilusiones íntimas, aquel otro es una pura ficción. Los valores de verdad-falsedad se reparten pues, a uno y otro lado de esta frontera, según el principio de contradicción de la lógica eleática.

Dado el abismo entre ellos, no es posible establecer una conexión legítima entre un mundo y otro, que quedan así yuxtapuestos o contrapuestos, pero nunca compuestos poética o existencialmente. Bousoño ha señalado con mucho tino el peso del intelectualismo neoclásico en la poesía romántica de comienzos. Cabe concluir, pues, que el esquema de la estructura del mundo en Bécquer es claramente intelectualista, aunque su «modus operandi» lírico sea esencialmente intuitivo-imaginativo. Nos ha dado una visión romántica y espectral de las cosas sobre una arquitectura mundana, típicamente clásica. He aquí la escisión propia de la conciencia romántica que se ve forzada a vivir su mundo como otro mundo, y así a enajenarse uno en el otro, sin poder trazar los puentes entre ambos. La escisión opone el intimismo del yo, perdido en sus sueños, al objetivismo; la fantasía libre, a la realidad fáctica; el sentimiento de lo irreal-imaginativo, a la gravedad y constricción de las cosas. Es, en cierto modo, una fuga de este mundo, de su prosaísmo, de sus convenciones y ataduras, pero también, claro está, una pérdida del sentido de lo real, que a la postre condena todo el mundo fantástico a meros fuegos de artificio, «el chisporroteo» de los sueños de que hablaba J. L. Cano. Según la fina observación de Jean Starobinski,

> al ser imposible la conciliación, la rebelión romántica oscilará entre dos extremos: o bien, de manera casi delirante, oponer a la imagen del mundo formada por la ciencia un firme propósito de no recepción, o yuxtaponerle una especie de teosofía donde la imaginación, conservando sus privilegios objetivos, seguiría siendo un órgano de conocimiento, y, mejor aún, de participación [3].

El romántico vive así bajo el signo de la tragedia: o cree en sus sueños y renuncia a la realidad, o se abandona a esta pasivamente debilitando el alcance de sus sueños. En Machado varía decisivamente el esquema del mundo. Ha par-

---

[3] Jean Starobinski, *La relación crítica (Psicoanálisis y Literatura)*, Madrid, Taurus, 1974, pág. 148.

tido, sin duda, de la posición intimista e idealista de introversión, pero progresivamente, al independizar la ensoñación del sueño fisiológico, de un lado, y de la autosatisfacción narcisista del otro, la conciencia onírica adquiere en él una sustantividad propia, como otra forma de conciencia, que juntamente con la reflexiva, se reparten el mundo de lo real. Más aún, la conciencia onírica o la función imaginativa, se convierte en la cantera de las visiones sustanciales del alma. Es no sólo la reveladora de lo inconsciente y la prefiguradora de lo ultraconsciente o utópico, sino incluso la formadora de lo consciente, en la medida en que abre poéticamente el mundo con sus intuiciones radicales. La ensoñación romántica se ha transformado así en un principio de configuración existencial.

LA SEMÁNTICA DEL SUEÑO

La historia de esta lenta y progresiva transformación del «sueño» o «ensueño» machadiano merece una consideración especial, por tratarse de una clave decisiva para la comprensión de su obra. Es innegable que el primer nivel semántico de ensoñación, que domina básicamente el clima poético de *Soledades*, aun con muy significativas excepciones, pertenece a la posición intimista del aislamiento del mundo y clausura en el yo. Tal como la ha caracterizado en general Starobinski,

> a falta de poder abrir a la imaginación el espacio del universo, a falta de poder apoyar la ambición· de un gran realismo mágico, se verifica un repliegue al espacio interior, se traducen los sueños íntimos, y se cae de lleno en la secesión idealista. Imaginar, ya no es participar en el mundo, es perseguir la propia imagen bajo las apariencias infinitamente variables que puede revestir. Para el simbolismo, lo imaginario se vinculará al mito de Narciso. No es fortuito el hecho de que el principio

de este siglo asista al nacimiento de la definición de introversión: die Rückbiegung der Libido auf die Phantasie[4].

Hay de un lado, aunque raramente, algunos sueños fantásticos en los que la fuga de la realidad y su compensación imaginativa es muy patente. Pero en todo caso, es preciso reconocer que M. se ha cuidado mucho de advertirnos que no son nada más que «sueños» en sentido estricto (divagaciones visionarias y no intuiciones del ser íntimo) al situar en escena una luz «espectral», como ambientación de un encuadre imaginario. Así, por ejemplo, la luz de la luna en la «Fantasía de una noche de abril» (LII), de una brillante orquestación imaginativa, cuyos fantasmas se desvanecen a la llegada de la luz del sol; o bien «los reflejos mortecinos» del atardecer, que en la escena patética de «Los sueños malos», pintan cadavéricamente los balcones y ventanas de la plaza sombría como en una pesadilla de muerte (LIV y XCIV), o las «rojas luminarias» y la «veste blanca» (LXIII y LXIV) que ya de suyo determinan un ambiente fantasmal. Aunque en estos últimos, como ha comentado Bousoño, lo demonológico no está por sí mismo, como un mundo alucinante, sugestivo o terrible según los casos, sino que adquiere un valor simbólico en cuanto revelador de fuerzas que se disputan interiormente la vida del hombre[5].

Pero estos no son los casos más significativos; ni por supuesto, los más abundantes. De ordinario, más que como una espectralización fantástica del mundo, la ensoñación actúa en el sentido de la recreación imaginativa de lo no presente, ya sea por vía de memoria o de esperanza (anunciando el sentido existencial de la imaginación) o si se quiere como una re-presentación (volver a presentar) de realidad,

[4] Starobinski, *op. cit.*, pág. 149.
[5] Bousoño, *op. cit.*, págs. 149-150.

en la que el alma ejerce un papel activo-proyectivo configurante. El sueño viene a ser el producto de una actitud típica de «distancia y ausencia», es decir, de alma, que aleja lo inmediato y desrealiza lo concreto, y sólo retiene la vibración o pulsación interior que han dejado a su paso las cosas. Como precisa Gutiérrez-Girardot

> Machado no desrealiza con el instrumento fantástico de la desfiguración o de la violencia enfática de los órdenes de la realidad, sino mediante la transfiguración de esos órdenes en el ámbito interior y mediante la consiguiente traducción de los mismos al lenguaje del alma [6].

La ensoñación se extiende a la totalidad de lo ya vivido, incluso de lo nunca vivido, y busca su reproducción, no por vía mecánico-refleja, sino lúdica, como una nueva forma de vida, más íntima y personal.

Así lo percibimos en el poema XXII de *Soledades* que hemos elegido como lema-obertura de este capítulo: el sueño como una compensación de vida interior frente al permanente desencanto del existir. («Sobre la tierra amarga / caminos tiene el sueño».) Viviendo somos determinados por lo exterior, actuamos bajo el apremio de las cosas, forzados por la realidad, dentro de un destino de cambio y disolución inevitable; re-viviendo puede el sujeto actuar libre y espontáneamente sobre una materia, que ya no presenta el rigor de la necesidad, sino la plasticidad de la vivencia íntima. El sujeto ensaya sus propios caminos, anda y desanda una senda tan leve como su propio sueño; explora las más lejanas y recónditas vivencias (parques en flor, criptas del alma, y escalas hacia lo infinito-misterioso) y sobre todo juega melancólicamente —he aquí el centro de gravedad del poema: «juguetes melancólicos de viejo»— con esas figurillas irrea-

---

[6] Gutiérrez-Girardot, *Poesía y Prosa en Antonio Machado*, Madrid, Guadarrama, 1969, pág. 47.

les que componen el retablo del mundo interior. El sueño representa una vida como juego o entretenimiento en cada una de las sorpresas que nos aguardan en el laberinto del alma; y recíprocamente, el juego como vida, es decir, como posibilidad de acceder a una subjetividad autónoma, que tiene en el valor creativo de su palabra la ley de todas sus representaciones. No la vida que me dan a vivir en el rigor de la necesidad física y la coerción social, sino aquélla que elijo vivir y revivir en la ensoñación libre. El contrapunto entre estas dos formas de vida, salta nítidamente en una primitiva composición de *Soledades*, que fue podada más tarde.

> Siempre que sale el alma de la oscura
> galería de un sueño...
> surge el hastío de la luz; las vagas,
> confusas, turbias formas
> que poblaban el aire se disipan
> ...y a martillar de nuevo el agrio hierro
> se apresta el alma.
>
> (OPP, 40.)

La luz hiriente recorta perfiles, dibuja aristas, y nos ofrece el torso violento e inevitable de una realidad, que no está hecha a la medida de nuestros deseos; es sin duda la luz de la conciencia, que no escamotea el rigor de la necesidad; —«el hastío de la luz», según el soñador Machado—, porque nos revela la facticidad y vanidad del mundo. Los sueños, en cambio, difuminan las formas, alejan los acontecimientos hasta convertirlos en impresiones ingrávidas o en puras emociones, adelgazan en imágenes borrosas el espesor de los hechos y todo lo pueblan de presencias vaporosas, sutiles y enervantes, como si el mundo fuera entrevisto en la niebla, borrado y recreado por el cristal mágico de una pupila empañada de lágrimas.

> A la revuelta de una calle en sombra,
> un fantasma irrisorio besa un nardo.
>
> (XXX.)

Como Machado precisó de *Arias tristes* —otro libro de sueños— «ese libro es la vida que el poeta no ha vivido, expresado en las formas y gestos que el poeta ama. Así tal vez quisiera vivir el poeta» (OPP, 839 y II, 88). De ahí el sabor agridulce del sueño —liberación de la necesidad y hasta consuelo ante lo ineluctable, pero a la vez, confesión de lo que no se ha vivido o ya ha sido vivido, de una vez para siempre—. La «flor sombría del sueño» no es otra cosa que la «humilde flor de la melancolía» —resignación y consuelo, tristeza por lo que se ha perdido y recreación ideal y libre en la palabra—.

La misma ambivalencia se traduce en la dinámica interna del ensueño: desrealiza y realiza conjuntamente. A veces esta desrealización no es más que la voluntad de negar lo concreto e inmediato, en su nuda facticidad, para mediarlo líricamente en la ensoñación del alma; otra será el efecto mismo del paso del tiempo, difuminando el paisaje y disolviendo las cosas, mundo ya desrealizado por su lejanía espacio-temporal, y que sólo puede volver, transmutado mágicamente en una nueva forma de presencia. En cualquier caso, se trata de procurarle al mundo una forma más alta y pura de realidad, en la significación libre que sólo puede conferirle el alma. El ensueño no es más que una animación lírica del mundo, desde la perspectiva «de distancia y ausencia», y por eso sólo puede acontecer bajo la actitud del intimismo simbolista. «La desrealización o interiorización del mundo externo en su totalidad borra los límites entre lo interior y lo exterior, entre el alma del poeta y la realidad cotidiana, y le permite representar el mundo como sueño y

el sueño como mundo»[7]. En la secreta alquimia de los sueños la realidad es re-figurada o configurada por el yo, desde
la dimensión creativa de su vivencia, que erige así un mundo que vale por sí mismo. Este primer modo de ensoñación
suministra el esquema básico de la temporalidad, en el que
las ausencias reales de lo vivido se compensan y recomponen
en un presente ideal, que domina y atraviesa el tiempo. En
este sentido puede escribir Serrano Poncela que en la enso--
ñación machadiana

> hay una realidad más real que lo aparente cotidiano, porque
> en ella se da en sus totales dimensiones el tiempo y se abarcan
> de una vez varias perspectivas[8].

Tiene sentido preguntarse si este nuevo mundo es sin
más la contrafigura imaginaria del mundo inmediato, y por
eso también, una especie de contravida, o puede erigirse en
el intramundo de la significación verdadera, o si se quiere, en
el «hondo cielo» que dejan revelar las cosas en el espejo del
alma. Habría que descartar, sin duda, los pasajes ya aludi-
dos en los que la ensoñación parece ser un puro divertimien-
to de visionario. ¡Pero hay tantos otros de signo diferente!
¡Tantos ensueños videntes, penetrativos, que al tornar la
mirada hacia lo profundo del yo (las criptas del alma) explo-
ran también el centro sustancial del mundo! En el fondo,
cuando se han superado las posiciones extrinsicistas y super-
ficiales, ¿no es el realismo pleno, siempre y necesariamente,
un constructivismo del yo? ¿Y no es igualmente el idealismo
integral o absoluto, el que es más que puro subjetivismo
trascendentalista, o mero concepto abstracto de la razón,

---

[7] Gutiérrez-Girardot, *op. cit.*, pág. 48.
[8] Serrano Poncela, *Antonio Machado, su mundo y su obra*, Buenos
Aires, Losada, 1954, pág. 127.

como diría Hegel, la suprema expresión de realismo? [9]. El propio intimismo, al transmutarse ética y existencialmente como arraigo en el yo fundamental, ha posibilitado esta conversión metafísica del mundo del ensueño. Creo que este ha sido el proceso mediante el cual el sueño como transfiguración anímica de la realidad, fue dando paso unas veces, y materia otras, a un nuevo modo de ensoñación, como reconstrucción del sentido. Lo soñado es la clave de significación de lo realmente vivido, su sentido latente y oculto, pero por lo mismo radical y verdadero.

Ya se ha indicado cómo la presión de autenticidad va labrando progresivamente y cargando de intención de realidad el universo poético de Machado. Este dinamismo interior alcanza también a la conciencia onírica, trasciende el propio sueño desde el sueño mismo, adelgaza sus cristales y depura su azogue, de modo que la reflexión en el alma no deforme o violente la realidad, sino que más bien revele su íntima textura. «Así el cambio entre el sueño y la realidad —como ha escrito Macrí— es siempre interior al mismo sueño que se potencia y cualifica sobre planos cada vez más elevados (en valor estético) hasta su límite de angustia y esperanza» [10]. La conciencia onírica o imaginativa se convierte en una forma de visión poética, esto es, creadora, que a través de los acontecimientos menudos y las anécdotas singulares descubre la íntima verdad de la existencia como ser en el mundo; y con ello la significación inmanente que lo habita. Por el rodeo del lenguaje lírico del alma y de la transfiguración de lo real-inmediato, el sueño se ha convertido en una vía de conocimiento, en un acceso a la verdad

---

[9] Hegel, *Phaenomenologie des Geistes*, Hamburg, Meiner, 1952, páginas 175-182.
[10] Macrí, *op. cit.*, 89.

recóndita, y, por lo mismo, en un modo de participación en el ser [11].

No cabe descalificar alegremente esta participación por ser mágica, o por mejor decir, mítica, esto es, simbólica, como en general lo es toda la poesía, pues ya se sabe que ésta constituye una forma originaria de conocimiento, intuitivo y profético, como diría Unamuno, capaz de situarnos de un golpe en la verdad de la existencia, y a través de ésta, en la totalidad del ser. «La poesía —ha escrito Cassirer— es una de las formas en que un hombre puede pronunciar el veredicto sobre sí mismo y su vida, es autognosis y autocrítica. Tal criticismo no ha de ser entendido en sentido moral; no quiere decir justificación o condenación, aprobación o reprobación, sino una comprensión nueva y más profunda, una reinterpretación de la vida personal del poeta» [12]. No se trata, pues, de un análisis de la existencia en la acepción fenomenológica, sino de una reconstrucción poético-hermenéutica del sentido arqueológico o escatológico, según los casos —sueños del origen y del fin, del renacimiento del alma y de su plenitud utópica— que permitan comprender y orientar la incesante búsqueda que es la vida del hombre.

Ya en un temprano poema de *Soledades*, eliminado más tarde tras la poda expresiva y metafísica a que sometió Machado sus primeras creaciones, se establece, aunque de forma confusa e indeterminada, la relación entre el sueño y el inconsciente humano.

> Roja nostalgia el corazón sentía,
> sueños bermejos que en el alma brotan

---

[11] Esta dimensión vidente o cognoscitiva del sueño ha sido señalada por diversos autores; entre otros, Aurora de Albornoz, *op. cit.*, 251; R. de Zubiría, *La poesía de Antonio Machado*, Madrid, Gredos, 1969, págs. 65-8; Serrano Poncela, *op. cit.*, 125.

[12] Cassirer, *Antropología filosófica*, México, F. C. E., 1972, pág. 85.

de lo inmenso inconsciente
cual de región caótica y sombría.

(OPP, 38.)

Sobre esta base hay que entender los sueños demoníacos (LXIII y LXIV) como revelación de tendencias constitutivas, en juego de contrastes, de la naturaleza del hombre; ya sean las zonas sombrías y las puras del alma, como sugiere Bousoño; o bien una personificación, según pienso, de los impulsos tanático y erótico respectivamente —la sugestión y tentación de la muerte frente a la llamada de la vida—, que se disputan alternativamente el destino del hombre.

Otras veces las visiones íntimas alumbran tímida e indecisamente el mundo ideal de la utopía. Son los sueños del origen, renaciendo el mundo a la luz de la madre (LXXXVII) o los sueños del fin, como cumplimiento de la existencia en su retorno al paraíso originario:

.... Allí te aguardan
las hadas silenciosas de la vida,
y hacia un jardín de eterna primavera
te llevarán un día.

(LXX.)

o bien nos dejan adivinar el mundo de lo divino o de los anhelos íntimos, el panal de miel y la fuente de agua viva, que bullen soterrados en el corazón del hombre (LIX). Sueños para luchar con Dios, como Jacob con el ángel, o para buscar a Dios en la niebla desde la íntima inquietud existencial («nostalgia de la vida buena», LXXVII). «Luz en sueños» como el poema LXXXIV, cuyo resol ilumina tibiamente un campo de atardecida e invita al alma, antes de que llegue la noche, a demorarse en las pequeñas cosas; o como súbitos relámpagos que esclarecen un lienzo del pasado, una experiencia decisiva en que se ha fijado el sentido de la existencia:

> ¡El limonar florido,
> el cipresal del huerto,
> el prado verde, el sol, el agua, el iris!...
> ¡el agua en tus cabellos!
>
> （LXII.)

o los primeros balbuceos del amor niño en «una clara noche de fiesta y de luna» (LXV).

Más aún: la conciencia onírica no es sólo reveladora del inconsciente y prefiguradora de lo ultraconsciente utópico, sino incluso la formadora de lo consciente, la que nos abre poéticamente el mundo en sus intuiciones radicales. Creo que en este punto se resuelve en su función más característica la semántica del sueño machadiano. De lo soñado como símbolo de una verdad oculta a lo soñado como el aspecto creativo-figurativo de la propia vida, y por consiguiente, al sueño como producción del sentido mismo de la existencia. Ya en un primerizo poema de los expurgados se adivina esta función constructiva del ensueño, unido ahora, como en Bécquer, al sueño fisiológico:

> Oh que yo pueda asesinar un día,
> en mi alma, al despertar esa persona
> que me hizo el mundo mientras yo dormía.
>
> (OPP, 33.)

Este «hacer el mundo», aquí tan sólo entrevisto desde el otro lado de la vigilia, se convertirá más tarde en la función más característica del «soñar despierto». Machado ha establecido muy frecuentemente la conexión de sueño y camino. Unas veces, como ya se ha visto, es el propio sueño quien hace su camino laberíntico por las vivencias más recónditas del alma (XXII); otras es el camino de la tarde, el que se hace en sueños, alargándose meditativamente en una aguda reflexión sobre el tiempo pasado (XI). Hay así una íntima cadencia que va rimando la ensoñación con la andadura («Luego, el tren, al caminar, / siempre nos hace soñar», CX), que Machado ha sabido captar en las fórmulas insuperables de «soñar caminos» o «caminar en sueños».

Pero el sentido de estas expresiones va mucho más allá tanto del puro extravío del visionario como del vagar sonámbulo por las ocultas galerías del alma. Tomado en su acepción existencial más propia, no significa otra cosa que abrir poéticamente las rutas de la existencia, hacer creadora, imaginativamente el mismo camino de la vida. Esta concepción de la existencia como proyecto o tarea, o si se prefiere, como poesía en cuanto fundación de sentido en el tiempo, suele aparecer en la lírica de Machado, bajo la visión de las hadas que tejen el destino junto a la cuna del niño.

....
hilando de los sueños los sutiles
copos en ruecas de marfil y plata.

(LXXXII.)

Más tarde cuando el simbolismo cede ante la reflexión antropológica, M. dará nombre propio a estos tejedores del destino:

¿Conoces los invisibles
hiladores de los sueños?
Son dos: la verde esperanza
y el torvo miedo.
....
Con el hilo que nos dan
tejemos, cuando tejemos.

(CLXI, núm. 64.)

Las dos metáforas machadianas apuntan muy certeramente hacia esta intuición antropológica fundamental: la vida como camino, que cada cual tiene que andar creadoramente, por sí mismo, haciendo y deshaciendo a cada paso, y la vida como paño que hay que tejer con los hilos variopintos de los temores y las esperanzas; y en suma, la vida como ensoñación («vivir-soñar nuestro sueño», según la feliz fórmula del prólogo de *Campos de Castilla* en 1917), que tiene que trazar su propia trayectoria, determinar su dirección; en definitiva, fundar poéticamente su sentido.

Es muy curioso este finísimo movimiento de vaivén, de oscilación semántica, que penetra todo el universo machadiano. La vida inmediata, la que nos dan a vivir o nos hacen vivir, se anega y desdibuja en sueño, desrealizando un mundo condenado a la facticidad, pero sólo como condición para que allí pueda nacer una nueva forma de vida que esté enteramente en nuestra mano. La presión de autenticidad acaba reconciliando el sueño con la vida, porque a la vez ha hecho crecer la vida desde las entrañas del sueño. De este modo se convierte el sueño en el principio figurativo de la existencia.

Esta actitud ya apunta en la lírica de S. G. O. P. Los caminos del sueño se abren hacia el pasado y hacia el futuro en un esfuerzo por explorar toda la realidad del yo. La ensoñación transfigura así el doble no-ser (de lo sido y de lo por ser) en una forma más alta y definitiva de presencia: la de la memoria y la esperanza. No se trata, pues, tan sólo de volver a vivir lo ya vivido, en la pura emoción del alma, sino de recrearlo en el cendal de los sueños, para infundir nueva vida al presente (VII, XXV, XXXVI, XLIII), así como de disponerse en esperanza hacia un futuro nuevo y luminoso (XVII, XXXIV). La recreación de lo pasado y la invención del futuro, o si se prefiere, la inmersión vidente y la adivinación profética, se aúnan en la constitución intencional del presente poético del alma. El sueño tiende, pues, a totalizar todo el tiempo humano, recogiéndolo en la

cuenca lírica o en el espacio interior del alma, donde salta
su historia, como el agua de la roca viva del corazón.

Creo que en este tercer nivel alcanza la semántica machadiana del sueño su significación más propia, como creación
existencial. Desaparece la oposición típicamente intelectualista entre vigilia-sueño para dar paso a una relación de complementariedad entre la conciencia crítico-reflexiva y la
onírico-imaginativa. Esta segunda juega el doble papel de
apropiación del yo (sueños del origen y del fin, reconquista
espiritual del propio tiempo) y fundación del mundo, tra-
zando aquellos caminos significativos, que luego ha de explorar y analizar la conciencia vigil hasta su límite infran-
queable. Como se precisa en el poema a la «Muerte de Abel
Martín», la conciencia reflexiva «vigila lo soñado», es decir,
mide el valor de verdad de las creaciones imaginativas y
vela por su realización; de ahí que sigue al sueño como una
segunda creación. Una y otra (ambas se las atribuye M. a
Martín el poeta-filósofo), especifican la condición creadora,
esto es, lo divino en el hombre:

> Viví, dormí, soñé y hasta he creado
> —pensó Martín, ya turbia la pupila—
> un hombre que vigila
> el sueño, algo mejor que lo soñado.
> Mas si un igual destino
> aguarda al soñador y al vigilante,
> a quien trazó caminos,
> y a quien siguió caminos, jadeante,
> al fin, sólo es creación tu pura nada,
> tu sombra de gigante,
> el divino cegar de tu mirada.
>
> (CLXXV, núm. 4.)

No sería ocioso insistir, aunque de pasada, en la función
antropológica de la fantasía y el papel central que juega

ésta en la filosofía moderna. Se comprenderá mejor por qué Machado, hombre de su tiempo, y de una época esencialmente subjetiva, ha erigido la ensoñación en el acto creativo y configurativo de la existencia. Ortega nos ha llamado la atención, con su finura insuperable, sobre esta nueva deidad que entroniza el pensamiento moderno. A diferencia de la filosofía antigua que

> destaca la percepción, en que el objeto parece, en efecto, venir hacia el sujeto e impresionarlo, la edad moderna, se fija por el contrario, en la imaginación. En la conciencia imaginativa, los objetos no parecen llegar hasta nosotros con su propio pie, sino que somos nosotros quienes los suscitamos... Con la imaginación creamos y aniquilamos los objetos, los componemos y los descuartizamos. Pues bien: los contenidos de la conciencia, no pudiendo venirnos de fuera —¿cómo la montaña puede entrar en mí?— tendrán que emerger del fondo subjetivo. Conciencia es creación [13].

Detrás o por debajo de esta tremenda hipérbole que es el idealismo, lo que queda en última instancia es el reconocimiento del carácter proyectivo de la existencia. Este es el lugar ontológico de la fantasía, que hace de ésta, no una facultad más entre otras, sino la potencia por antonomasia, el poder mismo de hominización. La vida es invención y ésta no es posible sin la anticipación creadora de la fantasía. «Se olvida demasiado —vuelvo de nuevo a Ortega— que el hombre es imposible sin imaginación, sin la capacidad de inventarse una figura de vida, de «idear» el personaje que va a ser. El hombre es novelista de sí mismo, original o plagiario» [14]. Y desde luego, no hay función humana que no incluya la fantasía ni en ningún otro punto podemos encontrar más

---

[13] Ortega y Gasset, *Las dos grandes metáforas, O. C.*, II, Madrid, Rev. Occidente, 1966, págs. 399-400.
[14] Ortega y Gasset, *Historia como sistema, O. C.*, VI, 34.

certeramente al hombre que en este esfuerzo por saltar sobre sí mismo y trascenderse. Hasta las funciones más objetivas forman ya un «constructo» imaginativo. Percibir es
también fantasear, pues no hay percepción posible, como
enseña la psicología, sin imágenes previas e inconscientes de
búsqueda, es decir, sin la proyección subjetiva; y lo es también recordar, y proyectar el futuro y desear —con temor y
esperanza— y conocer en cualquiera de sus múltiples formas (interpretar, inventar, investigar) y sentir como afección originaria de realidad; y amar, sobre todo amar (¡qué
bien lo sabía Machado: «todo amor es fantasía»!), pues no
hay amor que no cree al otro en sus mejores posibilidades,
y que no se deje crear por las suscitaciones que le llegan del
amante. La imaginación, «la loca de la casa», como decía Teresa de Jesús, es la que anima el cotarro. Sin ella la vida no
tendría ni pulsación interior ni música de conciencia. Vivir,
ser en el tiempo, es fundamentalmente fantasear. Lo son el
pasado y el futuro, obras esenciales de la fantasía, y lo es
también el presente pues ni la realidad de sí mismo ni la
del mundo nos están dadas en él en la forma de una presencia inalterable, en un pleno mediodía de visión objetiva, sino
siempre como un tránsito de perspectivas, en un juego sutil
de matices y de alusiones, de planos explícitos y de trasfondos, como se abre el espacio a la andadura soñadora del
caminante[15]. Nuestra presencia en ser está siempre transida

---

[15] Valga por muchos este texto clarividente de Lersch: «Así, pues,
la fantasía está implicada en todas las relaciones anímicas. Es el nexo
de unión, en la dimensión temporal de la vida anímica entre el pasado, el presente y el futuro, y en la dimensión espacial, de la comunicación entre el alma y el mundo. Así, como antes dijimos que el
alma y el mundo constituyen una unidad coexistencial con dos polos
y por otra parte que el ser del hombre no puede ser comprendido
más que como un ser-en-el-mundo, así también, por lo que hemos
dicho, la fantasía tiene realmente una función de creación del mundo.

de irrealidad, abierta al horizonte del no-ser. A diferencia
del animal, atado a una perspectiva invariante, el hombre
es esencialmente excéntrico e imaginario. Descubre lo objetivo en la constancia que se le ofrece en el juego variable de
sus perspectivas y está en realidad mediante el rodeo de lo
irreal. Nuestra presencia en ser se lleva a cabo desde lo posible y hacia lo posible, incluso contra lo imposible, en el
esfuerzo infinitamente abierto por superar la necesidad ciega. Ya dijo Goethe que «vivir en el mundo consiste en tratar
lo imposible como si fuera posible». «De hecho la manera
como nos escapamos —advierte Bachelard— (*podría decirse
también como volvemos o recuperamos lo real*) descubre
netamente nuestra realidad íntima. Un ser privado de la
función de lo irreal es tan neurótico como el hombre privado de la función de lo real. Puede decirse que un desorden
en la función de lo irreal repercute en la función de lo real.
Sin la función de apertura que es la que desempeña propiamente la imaginación, hasta la misma percepción no será
penetrante. Deberá, pues, buscarse una filiación entre lo real
y lo imaginario» [16]. En definitiva la fantasía es la llave que
nos abre el tiempo y el sentido de la vida del hombre. No
sólo permite despejar el horizonte de lo que ya no-es (lo
sido) y lo aún por-ser —el porvenir—, inventados en la ensoñación poética, sino incluso plasmar el presente, configurarlo
creadoramente desde esa nueva forma de presencia intencional y lírica, que instituye el alma. Más aún, la fantasía se
atreve, más allá de lo objetivamente dado, con el trasfondo
de lo que nos falta, con aquello que debe llegar a ser y a cuya

---

En este sentido debe ser comprendida la frase de Jaspers: «la fantasía es la condición positiva para la realización de la existencia».
(*Estructura de la personalidad*, Barcelona, Scientia, 1962, pág. 383.)

[16] Bachelard, *El aire y los sueños*, México, F. C. E., 1958, pág. 16,
pueden verse también las páginas 314 y 327. El subrayado no pertenece
al texto.

luz se puede medir y valorar el déficit existencial del tiempo presente. La realidad es un don de adivinación, como la existencia lo es a su vez de anticipación y profecía. «Cuando una cosa está mal, decía mi maestro —habla Mairena a sus alumnos—, debemos esforzarnos por imaginar en su lugar otra que esté bien; si encontramos por azar, algo que esté bien, intentemos pensar algo que esté mejor. Y partir siempre de lo imaginado, de lo supuesto, de lo apócrifo; nunca de lo real» (J. M., I, cap. XXIII, 104) [17]. En el mismo sentido nos suena la expresión machadiana «meros hombres de fantasía» como Juan de Mairena decía a sus alumnos:

> Tenéis unos padres excelentes, a quienes debéis cariño y respeto; ¿pero por qué no os inventáis otros más excelentes todavía? (J. M., I, cap. XVII, 79).

Y hasta la verdad es para Machado una obra imaginativa, el fruto de la des-ocultación, cuando el hombre se atreve poéticamente a levantar los velos del enigma y mirar cara a cara a la esfinge. Nada está dado al hombre inmediata y absolutamente, ni en el alto cielo de las ideas ni en el quieto y mudo de la naturaleza. Todo, por el contrario, nos aparece y desaparece en el tiempo, en el arduo esfuerzo del trabajo y la esperanza. La verdad no es una excepción a esta regla. Más que como posesión, la tenemos como exigencia y búsqueda. Por eso, también aquí, está la imaginación poética en marcha.

---

[17] Como se ve, el concepto de «realidad» que aquí maneja M. es anfibológico; vale tanto por lo «presente-inmediato», que ha de ser negado en nombre de lo supuesto y apócrifo, como por la «nueva forma» de vida más sustancial y verdadera, que surge de esta negación. Por no haber reparado en dicha anfibología se plantean infinitos problemas a los intérpretes de Machado.

> Se miente más de la cuenta
> por falta de fantasía:
> también la verdad se inventa.
>
> (CLXI, núm. 46.)

Y no sólo los caminos del mundo se nos abren en el tiempo de la ensoñación, sino la verdad del alma, las hondas galerías que excava la memoria y aquellas escalas sobre estrellas por las que la vida del hombre se encuentra en continuo trascendimiento. Ni siquiera está dado el sí mismo personal. Éste, más que ninguna otra cosa, es el fruto de un esfuerzo tenaz de invención. El yo íntimo, en su identidad y en su novedad, es también fruto de la fantasía, un acto creativo en fidelidad a la vocación, a lo que quiero ser, que me hace ser el mismo pero de distinta manera.

Machado lo ha sabido decir, en uno de sus Proverbios de forma insuperable:

> Lo ha visto pasar en sueños...
> Buen cazador de sí mismo,
> siempre en acecho.
>
> (CLXI, núm. 69.)

LOS SÍMBOLOS DEL SUEÑO: LA COLMENA Y EL ESPEJO

El poema LXI —«Introducción» a *Galerías*— encierra los dos símbolos habituales en Machado para aludir a la fantasía: la colmena y el espejo. Cada uno de ellos recoge un aspecto característico del sueño machadiano: la colmena suscita de modo inmediato el elemento creativo de la ensoñación, mientras que el espejo sugiere el efecto de reflexión de la realidad en el espacio interior del alma.

El símbolo de la colmena lo utiliza M. frecuentemente para caracterizar la función de la poesía, el acto creador por excelencia:

> ....
> allí el poeta sabe
> el laborar eterno
> mirar de las doradas
> abejas de los sueños.
>
> (LXI.)

Incluso, en algún momento, le permite contraponer al trabajo desrealizador del pensamiento homogéneo, que ha echado «un velo de sombra sobre el mundo», el activo y creativo del pensamiento poético como transustanciación de la realidad:

> Mientras la abeja fabrica,
> melifica,
> con jugo de campo y sol,
> yo voy echando verdades
> que nada son, vanidades
> al fondo de mi crisol.
>
> (CXXXVII, núm. 8.)

Más en concreto, suele expresar la función de la memoria como recreación del pasado, pero no conviene olvidar que el recuerdo es una de las formas posibles de la fantasía y que, por consiguiente, la metáfora puede valer plenamente en su generalidad para el trabajo imaginativo. Como las abejas liban, así la fantasía extrae o selecciona de la realidad los elementos más significativos que luego transmuta en un nuevo universo de formas y figuras. Los «colmenares del sueño» (LX y CLXV) se convierten así en la expresión más propia de la ensoñación lírica. Incluso me atrevería a decir que en la medida que la poesía se confunde con el acto de la

existencia, la colmena alcanza a significar, más allá del recuerdo, la misma transfiguración de lo vivido en un nuevo
orden de realidad, o si se prefiere, la producción ética de
una nueva actitud lírica ante el mundo:

> ....
> y las doradas abejas
> iban fabricando en él,
> con las amarguras viejas,
> blanca cera y dulce miel.
> (LIX.)

El tema del espejo exige un análisis más preciso. La
presencia del espejo, como ha mostrado Gutiérrez-Girardot,
parece sugerir el espacio hondo y cóncavo del alma (galería,
cripta, etc.), en que se produce el efecto de reverberación y
resonancia de la realidad [18]. Los «mágicos cristales del sueño»
(LXII y XXXVII) reflejan e interiorizan el espectáculo del
mundo y a la vez lo transforman en el íntimo juego de imágenes, al modo de un lírico caleidoscopio. Ya antes, había
notado R. Gullón cómo los espejos constituyen el espacio
simbólico de la lírica machadiana, en el que la realidad adquiere nuevas dimensiones. Sin duda, todas estas indicaciones son atinadas. Pero con todo, no alcanzan la totalidad
significativa del símbolo. A través del espejo se difuminan las
formas y se proyecta la realidad en un nuevo espacio figurativo, y, en general, en esta medida, el espejo cumple la doble
función del sueño: desrealizar lo inmediato y transfigurarlo en una nueva visión.

Más aún, el espejo unifica lo que hay en el alma de proyección imaginativa de sus deseos y de reflexión emocional
del mundo. Todo se funde y confunde en el cristal en una

---

[18] Gutiérrez-Girardot, *op. cit.*, 54.

trama de imágenes. Muy finamente precisa Gullón a este respecto,

> Una de las razones de que el espejo como espacio se ajuste bien a las intuiciones de M. es que para éste el universo tenía la textura ilusoria que el cristal manifestaba con verdad. Las ilusiones que parecen realidad y las realidades ilusorias se suceden o coinciden en el espejo y éste las iguala, unificando su sustancia [19].

La ambivalencia del mundo del ensueño —creación-ficción— quedaría así reflejada en el clarear evanescente de los cristales.

El azogue del cristal nos hace pensar en el papel prioritario de la subjetividad; de ahí la dimensión narcisista que sugiere a M. el espejo. El yo se mira en él, para encontrar en sí mismo reflejado el mundo en un nuevo cosmos, que no es más que su propia imagen, la expresión de su propia alma. Este planteamiento no sólo es típico de la lírica simbolista, sino que en general expresa adecuadamente la actitud subjetiva del alma moderna, como una mónada —lo precisaría más tarde Abel Martín recordando a Leibniz— cuyo espesor se reduce a la función simbólica de refracción del universo.

Nos engañaríamos, sin embargo, si viéramos en esto tan sólo el efecto de un juego arbitrario, carente de significación. Cuando el alma transpone a su espacio íntimo el espectáculo del mundo, no pretende otra cosa que interpretarlo, según la ley de su ensueño. Esta es la esencia del conocer para el idealismo; ya vimos cómo el sueño era utilizado frecuentemente por M. como «vía de conocimiento» o penetración en la realidad. Creo que es esta la función más propia del espejo machadiano.

---

[19] Ricardo Gullón, *Una poética para Antonio Machado*, Madrid, Gredos, 1970, pág. 138.

«El ámbito del espejo, según M. lo utiliza —escribe Gullón—, no es deformante (pues no se trata de los espejos
cóncavos del esperpento), aunque en algún caso puede dar
la impresión de que los objetos están en él levemente embe-
llecidos y, en consecuencia, alterados» [20]. En definitiva el espejo denuncia la misma semántica del sueño; no sólo vale
como una transfiguración de la realidad en el espacio anímico, sino además como una revelación de la profundidad y
verdad de las cosas. Este parece ser el sentido de una de sus
composiciones más características:

> ....
> he visto en el profundo
> espejo de mis sueños
> que una verdad divina
> temblando está de miedo,
> y es una flor que quiere
> echar su aroma al viento.
>   (LXI.)

La aparición del espejo da profundidad a la escena, transmuta la presencia física de las cosas en una nueva forma de
presencia intencional, y de este modo revela la verdad oculta de lo inmediato presente, aquella dimensión de tras-fondo
que escapa a la simple mirada. Así parece confirmarlo el uso
de los espejos en la lírica machadiana.

En el poema que abre *Soledades*, a la presencia física del
viajero que vuelve tras de larga ausencia, se superpone aquella otra presencia interior, de pura alma, con que lo interpreta descifrando su rostro la luz del ensueño.

> ....
> La tarde, tras los húmedos cristales,
> se pinta, y en el fondo del espejo.
>   (I.)

---

[20] Gullón, *op. cit.*, 137.

Este fondo del espejo no es otro que el fondo del alma del hermano, desde donde se sueña su venida, y a la vez, por un milagro de objetividad, el propio fondo del alma del viajero, que parece emerger a la mágica luz de la ensoñación:

> El rostro del hermano se ilumina
> suavemente: ¿Floridos desengaños
> dorados por la tarde que declina?
> ¿Ansias de vida nueva en nuevos años?

El retrato con sus interrogaciones de sugestión, sigue construyendo a pinceladas sueltas la historia de aquella vida (¡también la historia es fantasía! al decir de Machado) hasta captarla en aquel momento único e irrepetible en que, de vuelta de casi todo, sólo retiene la emoción de un tiempo pasado.

> Y este dolor que añora o desconfía
> el temblor de una lágrima reprime,
> y un resto de viril hipocresía
> en el semblante pálido se imprime.

Al final contamos ya con el sentido de la nueva presencia: su tiempo existencial detenido, apresado por el ensueño, en el momento en que el hermano vuelve a casa, cayendo la tarde. Un instante en que se recapitula toda su vida, mientras el reloj desgrana su cantinela en el silencio.

> Serio retrato en la pared clarea
> todavía. Nosotros divagamos.
> En la tristeza del hogar golpea
> el tictac del reloj. Todos callamos.
>
> (I.)

Encontramos de nuevo el tema («y en la oscura sala / la luna del limpio / espejo brillaba»), en la estancia vacía de la canción XXXVIII, donde en otro tiempo hacían sus faenas las dos hermanas en el balcón florido por abril. Vuelve cada año a renacer la primavera, mientras la estancia va quedándose cada vez más triste y desolada con la presencia invisible de la muerte. El espejo, aquí como allí, al superponer y hacer coexistir diferentes tiempos (el pasado y el presente) produce la misma impresión melancólica de historia contada, de paso inexorable del tiempo, que sólo logra retener el alma («luna del espejo / que lejos soñaba») en impresiones e imágenes fugaces.

Otras veces representará el espejo el «estado anímico» que como trasfondo baña las figuras en una atmósfera de interioridad, como en la «Fantasía iconográfica»:

> ....
> Al fondo de la cuadra, en el espejo,
> una tarde dorada está dormida.
>
> (CVII.)

Y presentimos que «esta tarde dorada» no es más que la exaltación heroica del caballero —la verdad de su alma—, abierta a infinitos horizontes e inflamada, como el aire, por la última luz del día.

En la «Elegía de un madrigal», vuelve el espejo sugiriendo un estado de soledad y hastío, cuando el poeta no puede recobrar la emoción de la luz de sus cabellos y el mundo entero se esfuma en la niebla del aburrimiento.

> ¡Oh mundo sin encanto, sentimental inopia
> que borra el misterioso azogue del cristal!
> ¡Oh el alma sin amores que el Universo copia
> con un irremediable bostezo universal!
>
> (XLIX.)

O en aquellas visiones espectrales en que los cristales de los balcones y ventanas (otra vez el espejo) incendiados por la luz mortecina del sol, sugieren la atmósfera lúgubre de una ciudad habitada por la muerte (LIV y XCIV).

Pero si todo espejo es alma y el alma es a modo de un espejo, ¿no será acaso el mundo, como en la barroca fantasía metafísica de Leibniz, un juego de espejos, un efluvio de perspectivas y miradas? ¿Cómo hallar entonces la verdad de sí mismo?, ¿cómo poder verme en mí sin destruir narcisistamente al otro y verme en el otro sin destruirme a mí mismo? Se diría que un doble maleficio amenaza con destruir al sujeto ahogándolo en su sueño. Si atiende, tan sólo al espectáculo del mundo en el caleidoscopio de su corazón, entonces, falto de una mediación real con lo otro, su propio yo se esfumará en una trama evanescente de imágenes e impresiones, en el «borroso laberinto de espejos» (XXXVII) de sus estados de alma —reflectantes los unos de los otros—, y como un nuevo Narciso acabará por ahogarse en su propia imagen. Si por el contrario, se deja seducir por la imagen de sí que le devuelve el otro, verá condenada su intimidad a no ser más que un reflejo de reflejos en sucesión indefinida. ¿Cómo vencer este sortilegio de la subjetividad intimista? En el primer caso no me veo en verdad a mí mismo, porque no alcanzo a ver el otro; y en el segundo, porque sólo me veo desde el otro, desde su propio sueño.

Por supuesto, ningún problema existencial tiene una resolución definitiva y M. estuvo muy lejos de cualquier tentación dogmática. Pero parece apuntar, también aquí, en una dirección determinada. La única posibilidad de trascender el sueño desde dentro del sueño mismo sería autentificándolo como el sueño de un *yo fundamental*, que se encuentra en su propia raíz descentrado y trascendido hacia el tú esencial por un sentimiento incurable de otredad. Sólo cuando la auto-conciencia es el camino de vuelta del fracaso del amor, el yo puede rectificar de continuo sus propias visio-

nes (de sí y del otro), urgido por el afán de verse en la verdad de un sí mismo universal:

> Mas busca en tu espejo al otro,
> al otro que va contigo.
>
> (CLXI, núm. 4.)

Esta búsqueda apasionada y en carne viva, nos pone al
abrigo de ser sólo un reflejo del otro, incluso de una posible
deformación, casi de esperpento, en el espejo enemigo, tal
como nos advierte el poema LXI:

> El alma que no sueña,
> el enemigo espejo,
> proyecta nuestra imagen
> con un perfil grotesco.

Es verdad que también el amor, o más bien, el permanente fracaso del amor, tiene sus espejos, porque no es posible aquella plenitud amorosa en que resplandezca la más
honda verdad (CLXVII). Pero incluso este espejo tiene la
función de un descubrimiento de las mejores posibilidades
del amado. Si el espejo enemigo deforma, el espejo amante
inventa y descubre el mejor yo. El amor auténtico es un don
de adivinación; de ahí que M. lo entienda como fantasía
creadora.

> ....
> Y en vuestro sabio espejo —luz y olvido—
> algo seré también vuestra criatura.
>
> (CLXIV, núm. 3.)

Por eso, cuando se ha perdido la compañía, en el tormento
de una soledad sin retorno, el problema no será ya el antiguo de *Soledades*, el espectro de un yo vagando por el laberinto de sus sueños, sino el de saber con quién se habla,

quién está detrás del silencio, o quién falta por siempre e
irremediablemente en la soledad intrascendible:

> ....
>
> no es ya mi grave enigma este semblante
> que en el íntimo espejo se recrea,
> sino el misterio de tu voz amante.
> Descúbreme tu rostro, que yo vea
> fijos en mí tus ojos de diamante.
>
> («Sueños Dialogados», núm. 4.)

En definitiva, podría decirse que en este punto de la «reflexión interior» —temática típica del espejo— se aprecia la
misma evolución que ya hemos encontrado en Machado. El
ideal de autenticidad adelgaza y afila los cristales del sueño
como un medio para la presencia de la cosa misma, y el
tiempo, se encarga, por su parte, de madurar el alma hasta
hacer de ella un fanal de luz transparente, en que se nos
revele la verdad del mundo y del propio corazón. Esta fue,
sin duda su experiencia de plenitud más decisiva.

> Ya noto, al paso que me torno viejo,
> que en el inmenso espejo,
> donde orgulloso me miraba un día,
> era el azogue lo que yo ponía.
> Al espejo del fondo de mi casa
> una mano fatal
> va rayendo el azogue, y todo pasa
> por él como la luz por el cristal.
>
> (CXXXVI, núm. 49.)

LA AMBIVALENCIA DE LA VIDA-ENSOÑACIÓN

Vida-tiempo, vida-camino, vida-sueño, he aquí la línea
directriz del pensamiento machadiano. La vida se hace en

el tiempo, anudando con hilos fugaces el pasado al porvenir en aquella andadura que nos abren las visiones sustanciales del alma. «Palabra en el tiempo» no es sólo la definición machadiana de la poesía, sino de la propia existencia como fundación temporal de sentido, a la manera de una «melodía que se canta a sí misma». Vivir es, en suma, «soñar nuestro sueño» (Prólogo a C. C.), abrir poéticamente la andadura o la historia a golpes de inspiración personal, en perpetuo trance de creación. Como obra poética, no obedece la vida a la ley de la inercia metafísica del mundo de las cosas, sino al principio de la fantasía constructiva, que rige las creaciones imaginarias. Y morir, supremo trago de la vida, no es más que apurar «el vaso de pura sombra» con «agua de sueño» (CLXXV). De ahí que todos los sueños, como las estelas en la mar, estén amenazados por la secreta asechanza de la muerte. Con esto da nuestra meditación un vuelco radical. La vida como sueño-creación, en cuanto condenada a naufragar en la muerte, adquiere a la vez la apariencia del sueño-ficción, es decir, de aquellas creaciones cuya trama es tan frágil e incierta como el mundo de los meros sueños. Y así parece adivinarse en el poema XXVIII de *Soledades*, en el que el fracaso del amor (¿ ¡y qué vida no es siempre, en el fondo, un fracaso ante el asalto inevitable de la muerte! ?) adelgaza el sueño de la existencia hasta la «penumbra de un sueño», mientras nos invade la llamada silenciosa de la tierra:

> Nosotros exprimimos
> la penumbra de un sueño en nuestro vaso...
> Y algo, que es tierra en nuestra carne, siente
> la humedad del jardín como un halago.
>
> (XXVIII.)

¿No es acaso la muerte el naufragio del yo, de su sombra y su sueño, es decir, de su individualidad y de su destino? Tímida, dubitativamente, en la doble forma de una pregunta y una alternativa, lo ha insinuado Machado:

> Morir... ¿Caer como gota
> de mar en el mar inmenso?
> ¿O ser lo que nunca he sido:
> uno, sin sombra y sin sueño,
> un solitario que avanza
> sin camino y sin espejo?
>
> (CXXXVI, núm. 45.)

Esta ambivalencia del sueño —«creación-ficción»— depende también del mismo carácter temporal de la vida. Puede ser ésta, por eso, una materia de creación, a la que le falta la consistencia sustancial de las cosas, pero a la vez, quedar transida de la evanescencia y fugacidad del mundo de los sueños. Tejida de tiempo, como una viviente obra de arte, como una columna de música que se desvanece en su desarrollo, nada puede asegurarnos que esta fundación de sentido sea algo más que una ilusión de soñadores a la orilla del mar tenebroso. Para expresar esta ambivalencia, M. inserta la ensoñación en el sueño fisiológico, de modo que toda la trama de la vida-creación se precipita en las fluidas y letales aguas del sueño. Este es, por ejemplo, el procedimiento de la «parábola» del niño que soñaba con el caballo de cartón. El desengaño reiterado de su sueño le lleva a la comprensión de la vida como des-encantamiento continuo, en el que toda la experiencia (el amor, los anhelos humanos, etc.) ofrecen la apariencia inconsistente y ficticia de los sueños.

> Pero el niño se hizo mozo
> y el mozo tuvo un amor,
> y a su amada le decía:

¿Tú eres de verdad o no?
Cuando el mozo se hizo viejo
pensaba: Todo es soñar,
el caballito soñado
y el caballo de verdad.

                          (CXXXVII, núm. 1.)

Como comenta R. Gullón,

el argumento es sencillo, hasta pobre, acorde con la intuición
que se pretende expresar: la vida como desilusión, como incesante cadena de esperanzas y frustraciones, de sueños y ensueños pronto desmoronados por el inevitable despertar. La
vida no es sueño, sino alteración de sueño y desvelo; sueño-
engaño y despertar-desengaño; sueño-mentira y despertar-ver-
dad [21].

Repárese, no obstante, en la diferencia con el esquema intelectualista del mundo. En éste se repartían la verdad y la
falsedad a uno y otro lado de la frontera entre la vigilia y
el sueño, de modo que la propia vida se encontraba escindida
en dos niveles en oposición contradictoria. Ahora, como ya
se ha indicado, es toda la realidad la que se hunde en las
aguas del sueño. La creación humana aparece como una esfera de ilusión (sentido hipnótico de la existencia). La verdad estaría, pues, en lo contrario de la vida, y la muerte se
convierte en el tránsito obligado hacia ella, no en el sentido
cristiano de una nueva tierra, sino en el schopenhaueriano
de ruptura del velo de la ilusión-conciencia [22].

---

[21] Gullón, *op. cit.*, 130.

[22] El tema del ensueño-ficción no fue predominante ni consustancial al pensamiento de Machado. Hay tan sólo algún poema suelto,
en que aparece esta problemática, quizá por influencia de Unamuno,
aunque nunca en el preciso sentido unamuniano, como se ha de ver.
Que el pensamiento de M. no era proclive a estas consideraciones, está
claro en su preferencia por la filosofía leibniziana de la conciencia,

La parábola no se atreve a sentar ninguna tesis. Prefiere quedar abierta e indecisa, como la propia vida que pregunta, sin poder levantar definitivamente el enigma:

> Y cuando vino la muerte,
> el viejo a su corazón
> preguntaba: ¿Tú eres sueño?
> ¡Quién sabe si despertó!

En la parábola siguiente, que está sin duda en conexión con la misma temática, se vuelve sobre la misma ambivalencia, representada ahora en dos actitudes: la soñadora y la meditabunda, dos hombres a la vera del mar. La meditabunda ha descubierto la trama ilusoria de la vida:

> Y piensa: «Es esta vida una ilusión marina
> de un pescador que un día ya no puede pescar».

preparando así la conclusión de que la muerte es el punto definitivo del sueño, en que éste al consumirse nos despierta a la verdad. La soñadora no puede descubrir la estructura de su propio sueño como ficción, pero sin embargo alcanza a saber el carácter ilusorio de la muerte, en tanto que en ella se abre la vida a la conciencia integral.

> El soñador ha visto que el mar se le ilumina
> y sueña que es la muerte una ilusión del mar.
>
> (CXXXVII, núm. 2.)

En la misma dirección, aunque con un tono intermedio entre el aforismo y la adivinanza, apuntan tres «proverbios y cantares», en los que la vida-sueño se mantiene en toda su ambigüedad con el trasfondo del despertar de la muerte:

---

que suele enfrentar a la de Schopenhauer, cuyo mundo de la representación no es más que «el sueño lúdico en que vivimos sumergidos» (C., 47 y 54 y II, 213).

> Entre el vivir y el soñar,
> hay una tercera cosa,
> adivínala.
>
> (CLXI, núm. 5.)

La solución del acertijo parece adivinarse en otro breve poemilla del mismo tono:

> Tras el vivir y el soñar,
> está lo que más importa:
> despertar.
>
> (CLXI, núm. 53.)

Ya sabemos que este despertar en que se despeja el enigma de la vida, no puede ser otro que el de la muerte. Así parece confirmarlo, por otra parte, el proverbio núm. 81 que constituye con los anteriores una breve trilogía:

> Si vivir es bueno,
> es mejor soñar,
> y mejor que todo,
> madre, despertar.

¿No será también la muerte esa tercera cosa «entre» la vida y el sueño, por la que se interesa la primera adivinanza? Porque la muerte, no sólo está ónticamente, tras la vida y el sueño, como su despertar, sino también fenomenológicamente, en la vida, en ella y a lo largo de ella, como una callada e inminente amenaza de disolución. Lo que corre entre la vida y el sueño es tiempo, las aguas del tiempo, que son también aguas de muerte que van a dar a la mar, mientras van rimando, en su huida, el transcurso biológico con el argumento de la existencia. Son por eso aguas de sueño-creación, porque la vida humana es siempre, incluso en sus más pobres posibilidades, una obra de arte; pero también aguas de sueño-ficción, porque todo se lo lleva la muerte; la muerte que denuncia la vanidad de nuestros sueños. ¡Quien se vive se pierde! —decía Abel Martín al filo de su muerte, apurando así la suprema experiencia del tiempo humano—.

EXCURSO SOBRE UNAMUNO Y MACHADO

Se impone en este momento una referencia a Unamuno. ¿No fue acaso también la visión hipnótica de la vida una de las constantes del pensamiento de don Miguel? Y con todo, creo que pese a la coincidencia de ambos en la expresión, se trata de una intuición muy diferente. Estamos ante un caso de concordancia imaginativo-poética, en imágenes y metáforas (el camino, el sueño, etc.), pero al servicio de distintos supuestos metafísicos. La elaboración unamuniana del tema del camino está en la línea de la visión quijotesca de la vida como hazaña, sostenida por la afirmación creadora de la fe, muy lejos por tanto de la vivencia machadiana del caminante, que explora lo desconocido y escruta los signos que le llegan del gran misterio. Otro tanto ocurre en el orden de la ensoñación. Para Unamuno, el soñador por antonomasia es don Quijote, y sus sueños representan el mundo ideal de la utopía, en perpetuo conflicto con la facticidad, y hasta rayan a veces en la escatología religiosa, como un anticipo de la victoria de la fe sobre este mundo. De ahí que Unamuno no logre salir de la situación romántica de la conciencia escindida, como he mostrado en otro lugar [23], y acabe por entregarnos en este conflicto la impotencia del deber-ser, incapaz de mediarse con la experiencia de lo que es para llevarlo a cumplimiento. Muy otra es la actitud de Machado;

---

[23] Cerezo Galán, «El Quijotismo como humanismo trágico-heroico», en *art. cit.*, 223-4.

más esencial y hasta congénitamente escéptico que don Miguel, nunca proyecta su ensoñación en la idealidad pura, en conflicto abierto e irremediable con el mundo, sino que más bien se limita a explorar aquellas zonas de realidad en que lo fáctico-inmediato puede ser transcendido hacia nuevas posibilidades o bien el tiempo humano puede recuperarse y totalizarse en su devenir. No son los suyos sueños de luchador, sino de modesto caminante a la búsqueda de sí mismo en la vastedad infinita del mundo. No brotan por tanto del hontanar de la fe (la única fe de don Antonio es la del hombre bueno en el hombre: el que llevamos dentro, como inspirador y suscitador incesante, y el que nos acompaña a lo largo del camino, en la comunidad del diálogo y del esfuerzo), sino de la imaginación, como capacidad para configurar la vida y explorar creadoramente el mundo.

Pero todo esto merece, sin duda, una consideración más atenta. En lo que respecta al tema del camino, Aurora de Albornoz, ha mostrado cómo en el conocido versillo «Caminante, son tus huellas / el camino y nada más», hay una coincidencia —posiblemente intencionada— en una fórmula expresiva con algunos textos tempranos de Unamuno. El más meridiano de ellos, de 1911, dice así: «Pero hay también quienes no creemos en semejante progreso ni en más caminos que el que uno hace con los pies al andar»[24]. Poco más adelante, cita Aurora un bello texto unamuniano de 1917, en *Recuerdo de don Francisco Giner*: «Oh, a cuántos no les enseñó que, echando a andar por el desierto, derecho, hacia la estrella que tomamos por Dulcinea celeste, se hace con los pies, y según se anda, el sendero del destino», para sugerir que posiblemente tanto Unamuno como Machado, tomarían de Giner que «al andar se hace camino»[25]. Es muy posible,

---

[24] Apud Aurora de Albornoz, *op. cit.*, 343.
[25] Apud Aurora de Albornoz, *op. cit.*, 345, nota 12.

aunque no evidente, porque, como ya dije, se trata de un esquema imaginativo, surgido casi por la experiencia ordinaria· y que aparece con diferentes sentidos y en diferentes culturas. Es, por así decirlo, como el esquema imaginativo del desarrollo de la vida humana, al modo de una intención que se da forma según va cumpliendo su sentido.

Me interesa, sin embargo, el texto aducido por Aurora de Albornoz en otra perspectiva, en la medida en que se aprecia en él una diferencia con el caminar machadiano. Obsérvese hasta qué punto se trata de un texto rigurosamente quijotesco-unamuniano, paralelo a tantos otros del mismo tono que pueden encontrarse en la *Vida de don Quijote y Sancho,* y muy especialmente en su prólogo, «El sepulcro de don Quijote» (*Ensayos*, II, págs. 76-81). Los mismos elementos: la marcha solitaria por el desierto, la luz de la divina estrella en el rostro, la rectitud de la trayectoria frente a las tentaciones que asaltan de uno y otro lado; uno no puede menos de pensar en el camino-cruzada o en aquel otro caminar de don Quijote, en que se combina el ansia de la gloria con la morriña de la eternidad. Se trata, como concluye Unamuno, del «sendero del destino», es decir, de la vocación y del carácter moral del hombre. Por eso es un camino que brota de la fe (la luz de la estrella), se anda intrépidamente en la esperanza y conduce o debe conducir a la conquista del ideal. No excluyo otros sentidos del caminar unamuniano, más próximos a la vivencia ordinaria del caminante más que del cruzado, pero creo que este es el arquetípico. ¡Qué lejos estamos del clima melancólico y sobriamente esperanzado de Antonio Machado! De aquellos caminos que pesan sobre el corazón, cuando el hombre vaga perdido en busca de sí mismo en medio de la niebla. Caminos para llegar a las cosas y para alejarnos de ellas y poder verlas en un nuevo horizonte; caminos para volver y revolver sobre el tiempo perdido y para iluminar tímidamente las avenidas del porvenir; caminos, en suma, para perderse en la espesura del bosque o para abrir surcos-estelas en la mar indomable.

Aurora de Albornoz acierta a ver en esta dirección, cuando escribe:

> En el poema de Machado [...] el camino que al andar hicimos se reduce a «estelas en el mar». La idea es más compleja —más poéticamente compleja— que la de abrir caminos sobre la tierra. El símbolo de «hacer camino al andar» se enriquece con todas las posibilidades que hemos visto encerradas en los mares de la poesía de Antonio Machado [26].

Y así es en efecto. El símbolo genérico de la vida como andadura alcanza en M. una determinación específica, irreductible y propia. El mar, símbolo de lo ignoto, con su ambivalencia de plenitud del ser y anonadamiento de la muerte, carga con una significación específica los caminos machadianos del sueño: son veredas para adentrarnos en el corazón de la realidad y a la vez estelas de una aventura personal, que acaba disolviéndose, en última instancia, en lo insondable y misterioso. En definitiva, no es el sendero de la vocación personal del héroe alumbrado por su fe, frente al mito racional del progreso, tal como se desprende de los textos citados de Unamuno, sino la singladura emocional y vidente del esfuerzo humano, habiéndoselas con el rostro de la esfinge.

Y con el camino, varía igualmente el sentido de la ensoñación. Ciertamente ésta es siempre creación en ambos pensadores; pero en la concepción unamuniana del sueño-creación, hay sin duda, como en las aventuras de don Quijote, una construcción de idealidad, que aunque fracase en la superficie, nunca se pierde en la intrahistoria; es decir, la creación como ahondamiento del ensueño de la vida en la

---

[26] Aurora de Albornoz, *op. cit.*, 346.

eternidad sustancial que late en el seno del tiempo. Este sentido del sueño lo encontramos muy tempranamente en los escritos de don Miguel. Así, en la *Vida es sueño*, un apasionado artículo de 1898, aparece éste como la expresión de la lenta rumia de la vida del pueblo en la intrahistoria, frente a los avatares y circunstancias del tiempo y del progreso. La ensoñación equivale aquí, sin duda, a una determinación de la vida del hombre, desde el callado esfuerzo por sobrevivir, esto es, desde los valores fundamentales de creación que hay en el alma del pueblo; revela y realiza a la vez lo intrahistórico o lo inconsciente de la historia, como se dirá en los ensayos *En torno al casticismo* (I, 37). Más tarde con el viraje intimista («Adentro») y vitalista («La ideocracia», «La fe») que se produce en la vida y la obra de Unamuno, el mismo esquema de sueño-arraigo intrahistórico servirá para expresar la producción de sentido por el héroe de la fe, don Quijote, en el medio de una Conciencia universal, donde nada se pierde, aunque fracase aparentemente, mirado su efecto en la superficie. El sueño de la vida es, pues, el alumbramiento de un mundo sustancial o nouménico, en el que todo vale para siempre. Pero la sugerencia semántica lleva a Unamuno a jugar con el doble sentido del sueño como creación heroica a la desesperada y, a la vez, como trama onírica de una Conciencia absoluta. «¡La vida es sueño! ¿Será acaso también sueño, Dios mío, este tu Universo, de que eres la Conciencia eterna e infinita? ¿Será un sueño tuyo? ¿Será que nos estás soñando? ¿Seremos sueño, sueño tuyo, nosotros los soñadores de la vida? Y si así fuese, ¿qué será del Universo todo, qué será de nosotros, qué será de mí cuando Tú, Dios de mi vida, despiertes? ¡Suéñanos, Señor! ¿Y no será tal vez que despiertas para los buenos cuando a la muerte despierten ellos del sueño de la vida? ¿Podemos acaso nosotros, pobres sueños soñadores, soñar lo que sea la vela del hombre en tu eterna vela, Dios nuestro?» (II, 358). Para salir de esta aporía, el hombre no tiene más atajo que el ejercicio moral, «el hacer el bien, aun en sueños» calderoniano, al que tantas veces se acogió Miguel de Unamuno.

Posteriormente, en *Del sentimiento trágico*, según se va derrumbando lo que podríamos llamar con Meyer las bases de una metafísica de lo absoluto, el sueño de la vida, sin perder su sentido antecedente se va cargando de una significación más trágica. Soñar sigue siendo una creación de sentido en la pretensión de lo eterno —hambre de inmortalidad—, pero este sueño, aunque se corone místicamente en la apocatástasis final (II, 946), es también una lucha contra el tiempo y contra la disolución. La creación-sueño está, pues, transida por un doble elemento: el sueño de Dios que nos sueña, y también, el sueño del tiempo —la nada del ser—, que amenaza con convertirla en una ficción que se disuelve. Tiempo y eternidad se disputan ahora antagónicamente el sueño del hombre. Decir que la vida es sueño equivale a comprenderla como creación temporal, condenada por tanto a la trágica batalla entre el no-ser y el ser, entre la consumación y la plenitud que se disputan la existencia del hombre. «Gritos de las entrañas del alma —escribe Unamuno— ha arrancado a los poetas de todos los tiempos esta tremenda visión del fluir de las olas de la vida, desde el *sueño de una sombra* (...) de Píndaro, hasta el *la vida es sueño*, de Calderón, y el *estamos hechos de la madera de los sueños*, de Shakespeare, sentencia esta última aún más trágica que la del castellano, pues mientras en aquella sólo se declara sueño a nuestra vida, mas no a nosotros, los soñadores de ella, el inglés nos hace también a nosotros sueño, sueño que sueña» (II, 764). La misma idea —la del sentimiento y la concepción hipnológica de la vida—, la repite años más tar-

de Unamuno, en 1917, en un artículo de los ensayos cortos
Contra esto y aquello (*O. C.*, III, págs. 995-6), que debió
conocer muy bien M., pues sobre él publicó una nota con sus
propias reflexiones. «Si la vida es sueño —concluye Unamuno—, el sueño es vida y por tanto la ensoñación o creación
es la única verdad del hombre». Por otra parte, si la vida es
sueño, la muerte es vela, pues en ella acontece el despertar
de la conciencia a un más alto y verdadero universo. Por
último, en cuanto a la ambivalencia del sueño mismo como
ficción, sólo cabe «hacer el bien», como ya sabemos desde
la V. Q. S., pues ésta es la única creación que merece ser
eterna o nos merece la eternidad en el tiempo. Así, muerto
el hombre, Dios seguirá recordándolo, manteniendo su conciencia como una chispa de su vida suprema. «Si hay una
Conciencia Universal y Suprema, yo soy una idea de ella.
¿Y puede en ella apagarse del todo idea alguna? Después
que yo haya muerto, Dios seguirá recordándome, y el ser yo
por Dios recordado, el ser mi conciencia mantenida por la
Conciencia Suprema, ¿no es acaso ser?» (II, 864 y 925).

El tema vuelve a irrumpir, con nueva fuerza y hasta en
una nueva perspectiva, en la novela *Niebla*, que tan hondamente afectó a Machado [27]. La nueva perspectiva no es tanto el valor de la ficción en sí como la afirmación del sueño-
soñado frente al soñador que lo sueña, es decir, la afirmación
de la conciencia individual del hombre con respecto al propio sueño de Dios. Lo que está, pues, en juego es la propia
subsistencia del yo personal en el mundo ambivalente (creación-ficción) del ensueño. Sueño es el argumento de la vida,
en la medida en que no presenta la trama consistente del
mundo de la vigilia, poblado de cosas, sino la fluidez y eva-

---

[27] Como le declara en carta de 21 de marzo de 1915, «fraternalmente
simpatizo con su Augusto Pérez, ente de ficción, y acaso por ello mismo ente en realidad. Volveré a leerla y releerla» (C., pág. 174).

nescencia temporal, la relatividad y la síntesis libre de lo imaginario. Sueño y novela es pues la vida del hombre, porque en ella se despliega su argumento como una creación temporal, como una pura realidad poemática. ¿Es esta creación a su vez una ficción? ¿No seremos acaso soñados al modo como el autor Unamuno crea a su criatura literaria Augusto Pérez? ¿Y este existente de niebla, en continua búsqueda de sí mismo, de su identidad y subsistencia personal, podrá romper, de alguna manera, el maleficio de no ser más que un sueño?... El tema de fondo de Unamuno, el de la inmortalidad personal, se encuentra aquí combinado con otro de primer plano, progresivamente obsesivo en su obra, acerca de la identidad y autarquía de la persona frente a un hipotético soñador de nuestro sueño. Dramáticamente se recoge esta nueva problemática en el diálogo entre Víctor y Augusto:

> ¡Oh, si pudiesen verme por dentro, Víctor, te aseguro que no dirían tal cosa!
> ¿Por dentro? ¿Por dentro de quién? ¿De ti? ¿De mí? Nosotros no tenemos dentro. Cuando no dirían que aquí no pasa nada es cuando pudiesen verse por dentro de sí mismos, de ellos, de los que leen. El alma de un personaje de drama, de novela o de nivola no tiene más interior que el que le da...
> —Sí, su autor.
> —No, el lector.
> —Pues yo te aseguro, Víctor...
> —No asegures nada y devórate. Es lo seguro.
> —Y me devoro, me devoro. Empecé, Víctor, como una sombra, como una ficción; durante años he vagado como un fantasma, como un muñeco de niebla, sin creer en mi propia existencia, imaginándome ser un personaje fantástico que un oculto genio inventó para solazarse o desahogarse; pero ahora, después de lo que me han hecho, después de esta burla, de esta ferocidad de burla, ¡ahora sí, ahora me siento, ahora me palpo, ahora no dudo de mi existencia real!
> —¡Comedia!, ¡comedia! ¡comedia!

—¿Cómo?

—Sí, en la comedia entra el que se crea rey el que lo representa (O. C., II, 663-4).

¿Cómo salir de esta tremenda pesadilla de niebla? Parece ser que no hay otra salida que la rebelión afirmativa y resuelta del propio yo frente a quien lo sueña y hasta lo condena a morir en su sueño, tal como se hace verdadero y sustancial en su dolor el Augusto Pérez de *Niebla* al rebelarse contra su autor Unamuno. Rebelión incluso que puede llegar hasta el suicidio (¿se suicidó Augusto Pérez? Ni Unamuno lo supo), pues sólo así el sueño soñado se disipa a sí mismo como sueño y toma la iniciativa sobre su creador. Por otra parte, como advierte finamente Unamuno, la suerte del soñador está ligada a la de su propio sueño. Éste tendrá que ser pues inacabable, si su autor ha de ser eterno (O. C., II, 670). De lo contrario, perecerá con su propia creación, Como quiera que sea, la novela tiene un amargo sabor a muerte y nos condena, en última instancia a no poder salir de la niebla. Pues si el despertar del sueño es la muerte, ésta no parece sumirnos en una conciencia universal sino en la espesa niebla de la inconsciencia absoluta, es decir, en los brazos de la nada (O. C., II, págs. 578 y 681). La conclusión parece terminante. El peso de la finitud y la temporalidad ha entrado definitivamente en escena, y ya no hay un Dios que nos libere de nuestro sueño-ficción, inmortalizándonos en su conciencia absoluta. La muerte empieza a dibujarse como la única abertura del escenario. Pasar por ella es dejar de soñar y por eso despertar del sueño, no hacia la luz y hacia la vida, sino hacia la eterna sombra.

La última y definitiva irrupción del tema del sueño la encontramos en *¿Cómo se hace una novela?*, pregunta a la que contesta Unamuno con el propio hacerse y deshacerse de la vida, como una leyenda de sueño, a la expectativa irremediable de la muerte. Vuelven a retomarse los temas anteriores pero a la luz lívida y atroz del último espanto. La relatividad del ensueño —creación-ficción— se lleva hasta sus últimas consecuencias. «Con Unamuno tocamos al fondo del nihilismo español —dice Jean Cassou en su *Retrato* de don Miguel—. Comprendemos que este mundo depende hasta tal punto del sueño, que ni merece ser soñado en una forma sistemática» (O. C., VIII, 717). La ficción penetra enteramente la vida del hombre, denunciando la vanidad de su esfuerzo. No hay fondo sustancial ni poso de eternidad en la creación «nivolesca» que es la existencia, como ya advertía Víctor a Augusto Pérez, sino tan sólo apariencias de apariencias, como un vagar errático de sombras que se disuelve en la nada. «Pero así es el mundo y la vida, comentarios de comentarios y otra vez más comentarios. ¿Y la novela? Si por novela entiendes, lector, el argumento, no hay novela. O lo que es lo mismo, no hay argumento. Dentro de la carne está el hueso y dentro del hueso el tuétano; pero la novela humana no tiene tuétano, carece de argumento. Todo son las cajitas, los ensueños. Y lo verdaderamente novelesco es cómo se hace una novela» (O. C., VIII, 727). El hombre es, pues, un efluvio de sueño, una ficción que se crea y se representa a sí misma y cuya única verdad se confunde con la aparición evanescente del personaje. Lo único, pues, que cabe es aferrarse a este sueño y consolarse pensando que tampoco el mundo tiene fondo; que en ninguna parte, nada ni nadie tienen un destino mejor, que todo es un baile carnavalesco de apariencias. «Pero a este lector indignado lo que le indigna es que le muestro que él es, a su vez, un personaje cómico, novelesco y nada menos, un personaje que quiero poner en medio del sueño de su vida. Que haga del sueño, de su sueño, vida y se habrá salvado. Y como no hay nada más

que comedia y novela, que piense que lo que le parece realidad extraescénica es comedia de comedia, novela de novela, que el noúmeno inventado por Kant es lo más fenomenal
que puede darse y la sustancia lo que hay de más formal. El
fondo de una cosa es su superficie» (O. C., VIII, 753).

La conclusión de este excurso por la obra unamuniana
parece evidente. Según se van liquidando las fases metafísicas y místicas de su fideísmo voluntarista del absoluto, el
esquema del sueño pierde su consistencia y resolución en el
medio de una conciencia suprema, para disolverse en el
elemento del no-ser y la muerte. Del sueño creación-sustan-
cia, con que nos sueña Dios y en quien pervive para siempre,
pasamos ahora, en la experiencia del nadismo, al sueño
creación-apariencia, o más bien des-realización, con que el
tiempo disuelve el argumento existencial en las aguas de
la muerte. De la plenitud al anonadamiento, y paralelamente
del sueño-creación-ficción-de-Dios al sueño-desrealización-fic-
ción-de-muerte, ésta podría ser la trayectoria unamuniana.
Por muy radical que parezca este cambio, tiene su razón de
ser en el planteamiento agónico unamuniano. Ambos elementos —el absoluto y la nada—, estaban ya engarzados dialécticamente desde el comienzo. Como repite Unamuno, es
el esfuerzo por escapar a la nada, el que nos lleva a forzar
el todo. «Tendemos a serlo todo, por ver en ello el único
remedio para no reducirnos a nada» (*Ensayos*, II, 780). En
esta batalla entre la deficiencia ontológica de ser y la exigencia de ser siempre, parece que el no-ser acaba ganando
la partida. Y así, de los dos frentes entre los que se distiende la existencia —la supra-conciencia absoluta y la inconsciencia de la nada—, es ésta la que recibe, en última instancia, el sueño de la vida humana para acunarlo en el olvido.

Volviendo a Machado, notamos que su ensoñación no es,
como en Unamuno, una creación desesperada de sentido,

desde la nada y contra la nada, por obra de la fe, sino tan sólo una re-figuración imaginativa de la existencia como ser en el mundo. No es visión alucinante de plenitud o vacío según los casos, sino la penetración poética en la realidad del mundo y de la vida humana, como una vía de acceso a su verdad. Por eso los sueños machadianos no se presentan como una justificación de la vida frente al poder inexorable de la muerte. Son, sí, los sueños con que la vida traza su intención existencial en el tiempo y con palabras de tiempo, y, por tanto en él se rehacen y deshacen, como los caminos en la espesura del bosque o en el mar las estelas fugaces. Machado nunca levantó la ambigüedad de este «ir a la mar» («muerte / gran ojo que todo lo ve al verse a sí mismo»?). No sabemos a ciencia cierta si la muerte es un signo de plenitud como inmersión en la conciencia universal, o por el contrario una experiencia de anonadamiento, aunque esto segundo parece más conforme con el finitismo machadiano. En cualquier caso, es evidente que la conciencia intracósmica de Abel Martín no puede en absoluto identificarse con la conciencia, universal y personal a la vez, de la apocatástasis unamuniana. Más bien, la impresión del panteísmo idealista de M. —flor muy propia de todos los poetas— es que los sueños de la vida nacen en el mundo y van en última instancia a disolverse en él, y por eso nacimiento y muerte son los dos goznes mediante los cuales la existencia humana se inserta en el mundo, viene de él y a él vuelve, y siempre estuvo en él como en el elemento dinámico de su devenir.

Evidentemente, esta diferencia en las concepciones respectivas del mundo, no obsta para que ciertas concordancias de expresión y alguna vez, rara vez, de acento, puedan aparecer entre ambos, pero siempre hay un destello peculiar, una vibración melancólica que nos devuelve al inconfundible Machado. Así, por ejemplo, frente al apasionado cántico de

Unamuno a la conciencia universal, al fin de la V. Q. S. («nada pasa, nada se disipa, nada se anonada; eternízase la más pequeña partecilla de materia y el más débil golpecito de fuerza, y no hay visión, por huidera que sea, que no quede reflejada para siempre, en alguna parte». *Ensayos*, II, 361), que vuelve más tarde en *Del Sentimiento Trágico* con la visión paulina de la reconstitución cristológica del Universo en Dios (*Ensayos*, II, 944-5), M. opone escéptica y poéticamente el valor irrecuperable de la vida individual que pasa y no vuelve. Subsistirá tal vez el todo, pero no mi yo. Esta es la verdad melancólica que canta la poesía:

> Dices que nada se pierde,
> y acaso dices verdad;
> pero todo lo perdemos
> y todo nos perderá.
>
> (CXXXVI, núm. 43.)

Los «Proverbios y Cantares», en directa réplica a Unamuno[28], vuelven una y otra vez sobre la irreversibilidad de lo singular, este instante de vida que se pierde para siempre:

> Todo pasa y todo queda,
> pero lo nuestro es pasar,
> pasar haciendo caminos,
> caminos sobre la mar.
>
> (CXXXVI, núm. 44.)

Donde los caminos sobre el mar se contraponen, en su inevitable fugacidad, a aquellas centellas que perpetuamente se encienden, según el símbolo unamuniano, en la «sustancia tenebrosa» de la conciencia absoluta.

---

[28] «Muchas de las cuestiones que se interroga en estas cartas —escribe A. de Albornoz al respecto— se convierten luego en tema de poesía; se da otras veces el caso contrario: intuiciones que hallamos en la poesía se convierten en materia de reflexión en la correspondencia», *op. cit.*, 36.

Hasta las mismas cosas serán motivo de inspiración y dolor, porque ya nunca más serán nuestras:

> ¿Dices que nada se pierde?
> Si esta copa de cristal
> se me rompe, nunca en ella
> beberé, nunca jamás.
>
> (CXXXVI, núm. 42.)

en que el futuro irremediable del último verso, con su martilleo obsesivo de los adverbios —nunca-jamás— es un lamento por la fugacidad del mundo, llamado a dejar de ser para siempre. Las reticencias líricas de M. al místico entusiasmo de Unamuno, saltan a la vista: el todo queda *pero* lo nuestro es pasar. El todo no se pierde, *pero* su vida se alimenta del sacrificio de lo individual, que ha de pagar su tributo de muerte.

Y a la vez, porque M. es también junto a la melancolía resignada un gesto de esperanza indeclinable: si en el todo, en cuanto tal, no hay creación, sí hay en cambio surgimiento de lo individual, la novedad de esta cosa, aquí y ahora, de esta cosa única e irrepetible, cuyo destino, como el nuestro, sólo depende del hombre:

> ¿Dices que nada se crea?
> No te importe, con el barro
> de la tierra, haz una copa
> para que beba tu hermano.
>
> (CXXXVI, núm. 37.)

Magnífico proverbio, en el que la obra humana se conjuga con la solidaridad, aunando así, en el esfuerzo creador, los dos mundos: el de las cosas y el del hombre.

O aquel otro, tan directo, tan convincente y realista, tan humanamente ilusionado:

¿Dices que nada se crea?
Alfarero, a tus cacharros.
Haz tu copa y no te importe
si no puedes hacer barro.
(CXXXVI, núm. 38.)

Sí, para mí no hay duda. Machado quiso sustraer el sueño
humano a todo principio metafísico de justificación como
de desesperación; a la mística de lo absoluto y a la mística
de la nada respectivamente. La subsistencia del todo, nada
quita y nada pone al íntimo hervor y sueño de la vida. La
inminencia de la muerte no condena a la insustancialidad ni
al vacío el propio argumento. La metafísica martiniana, que
identifica muy hegelianamente el ser con el aparecer, desca-
lifica de una vez por todas las escisiones, tan unamunianas,
de la sustancia y la apariencia, el noúmeno y el fenómeno.
Si es verdad que todo sueño es creación-ficción por su propia trama de tiempo que se deshace, no lo es menos que es
también creación-verdad, pues no hay más realidad ni otra
realidad distinta que el mundo de los sueños o de la conciencia.

Naturalmente, a veces se contagia M., tan fervoroso admi-
rador, de las cavilaciones de don Miguel. La lectura de *Niebla*
debió confundirlo en extremo. «Fraternalmente simpatizo
—le escribe a Unamuno—, con su Augusto Pérez, ente de
ficción y acaso por ello mismo ente en realidad» (C., 174).
¿Pero no se adivina por estas palabras que la lectura de
M., se hace ya desde sus propios presupuestos? ¿No está
aquí ya velada la diferencia entre ambos? Para Unamuno,
Augusto Pérez quiere ganar, tiene que ganar su realidad desde su ficción, no saltando sobre ella, que no es posible, pero
sí rebelándose contra quien lo sueña, a quien condena a no
ser más verdadero ni más viviente que su propia ficción.
Machado parece plantear el problema de otro modo: Augus-

to Pérez es «ente de ficción y acaso por ello mismo ente en realidad» donde la expresión «por ello mismo» implanta la realidad en la misma esencia del sueño. No podemos salir de él, ni mirarlo por tanto desde fuera; estamos en él, somos soñando nuestro sueño, realidad y sueño se confunden aquí hasta lo indiscernible. ¿Cómo salir de él, sin dejar de ser lo que ya se es, irremediablemente? Salir del sueño, despertar del sueño, es la única forma de verlo desde fuera, desde la otra orilla. ¿Pero hay entonces algo que ver y alguien que pueda verlo? «¿Qué es lo terrible de la muerte —agrega Machado en su carta—, morir o seguir viviendo como hasta aquí sin ver?» Y luego, la nota entre sarcástica y socarrona, del humor andaluz: «si no nos nacen otros ojos cuando estos se nos cierren, que estos se los lleve el diablo, poco importa»; es decir, si no hay otra vida tras del sueño, poco importa si soñamos o no. Esta vida es cuanto hay. Para proseguir, rectificando la sorna, «tal vez no sea esto lo humano. Sócrates decía, no recuerdo dónde, que le sería muy grato emplear su vida en el infierno, como la empleaba aquí, conversando, charlando y convenciendo a los sabios de que nada sabía» (C., 174-5). Lo verdaderamente humano no es tanto la cavilación acerca de nuestro propio sueño (si lo podremos ver desde fuera o desaparecemos con él), como el vivirlo de tal manera que estuviéramos dispuestos a repetirlo siempre, a ensoñarlo así de nuevo, si la vida hubiera de volver otra vez.

Pero junto a esta conclusión, tan machadiana, tan al estilo de hombre de verdad y de bien, aun vagando siempre en sueños, nace, releyendo a Unamuno, la pregunta que apunta en dirección de la esperanza cristiana: «cabe otra esperanza, que no es la de conservar nuestra personalidad, sino la de ganarla. Que se nos quite la careta, que sepamos a qué vino esta carnavalada que juega el universo en nosotros o nosotros en él, y esta inquietud del corazón para qué y por qué y qué es. En fin, yo creo que el autor de esa *Niebla* no está hecho de la sustancia de sus sueños, sino de otra más sustancial. ¿Que dormimos? Muy bien. ¿Que soñamos? Conforme. Pero cabe despertar. Cabe esperanza, dudar en fe» (C., 175).

Ya hemos visto cómo algunos versos de «Proverbios y Cantares», todavía en directo eco de don Miguel, vuelven sobre el mismo tema:

> Si vivir es bueno,
> es mejor soñar,
> y mejor que todo,
> madre, despertar.
>
> (CLXI, núm. 81.)

¿Despertar a qué? ¿A la verdad de una existencia cumplida y una comunidad perfecta en sentido cristiano? No creo que M. acariciara por mucho tiempo esta esperanza, que tan fervorosamente encendió en su alma la ausencia irremediable de Leonor. ¿Despertar a la única realidad cósmica en que se resuelve la vida? ¡Y qué más nos da, si no nos nacen nuevos ojos! ¿Despertar acaso a la nada, y en definitiva, salir del sueño, sobre todo cuando éste adquiere el tono angustioso de la pesadumbre (LXXIX)? M. no se propuso nunca levantar este último velo; aceptó muy humanamente vivir en esta ambigüedad constitutiva, en que plenitud y vacío, esperanza y desesperación, solicitan de continuo el sueño de la vida, sin quitarle a éste nunca su única verdad: constituir todo nuestro ser en el tiempo.

IV

«EL TIEMPO Y SU VIVENCIA»

> Cantad conmigo en coro: Saber, nada sabemos,
> de arcana mar vinimos, a ignota mar iremos...
> Y entre los dos misterios está el enigma grave;
> tres arcas cierra una desconocida llave.
> La luz nada ilumina y el sabio nada enseña.
> ¿Qué dice la palabra? ¿Qué el agua de la peña?
> (CXXXVI, núm. 15.)

El texto con el que introduzco este capítulo, guarda sin duda la confesión de la fe existencial de Machado. Su escepticismo, tan de pura cepa andaluza, que no se debe al desencanto de una posición teórica, sino a la experiencia abisal de la vida como enigma, distendido entre los dos misterios, el del origen y el del fin; su sobria meditación, en balbucientes interrogaciones, entreabriendo así tímidamente una puerta a lo desconocido; su creencia última en la fugacidad del mundo y de las cosas —el fugit irreparabile tempus—, y sin embargo, su apuesta por el sentido, porfiadamente, pero sin aspavientos, fiándose del valor de la palabra.

El enigma de la vida —no problema, porque no puede ser despejado definitivamente— estriba en la indeterminación de su origen y de su fin. ¿De dónde? o ¿Por qué? ¿Para qué o hacia dónde?; he aquí unas preguntas que no se dejan responder de una manera inequívoca u objetiva. Toda posible respuesta brota más bien de una fe, es decir, de una apuesta u opción entre creencias distintas y hasta contrapuestas, y en este sentido toda poesía encierra una metafísica, es decir, el conjunto de las creencias últimas que animan su canto[1]. Mostrar cuáles son las de M., es el propósito de este capítulo.

El tema del breve poema CXXXVI es el tiempo. No se nos ofrece de modo directo, pero ya estamos acostumbrados a esta presentación oblicua, alusiva y elusiva a la vez, tan típica de la poesía machadiana. ¿Qué discurre o pasa de mar a mar? ¿Qué arcas son estas del poema? ¿Qué llave desconocida las ha cerrado velando su secreto? Es fácil conjeturar que el enigma lo constituye la dimensión temporal de la vida, esencialmente ambigua por ser a la vez consumación y consunción (perhacimiento y deshacimiento, como diría Unamuno). En cuanto a las arcas, creo que Machado se refiere a los tres temporales; las arcas del pasado y del futuro, en las que se encierra respectivamente el misterio del origen y el del fin; y el arca del presente, la del enigma, pues en ella

---

[1] «Todo poeta debe crearse una metafísica que no necesita exponer, pero que ha de hallarse implícita en su obra. Esta metafísica no ha de ser necesariamente la que expresa el fondo de su pensamiento, sino aquella que cuadre a su poesía. No por esto su metafísica de poeta ha de ser falsa y, mucho menos, arbitraria. El pensar metafísico especulativo es por su naturaleza antinómico; pero la acción —y la poesía lo es— obliga a elegir provisionalmente uno de los términos de la antinomia. Sobre uno de estos términos —más que elegido, impuesto— construye el poeta su metafísica... Descubre en sí mismo la fe cordial, la honda creencia, la cual no es nunca una balanza en el fiel, en cuyos platillos se equiponderan tesis y antítesis, sino vencida al mayor peso de uno de los lados. (El poeta) comprende que, por debajo de la antinomia lógica, el corazón ha tomado su partido» (C., 42-43).

acontece la tensión de «ausencias» y «presencias» que constituye la dialéctica del alma. La llave, pues, no puede ser otra
que el sentido del tiempo. No es una llave perdida, sino
«desconocida». Contamos con el tiempo, lo ganamos o lo
perdemos, lo damos o nos lo quitan, pero en última instancia, no lo conocemos. «En cuanto nuestra vida coincide con
nuestra conciencia, es el tiempo la realidad última, rebelde
al conjuro de la lógica, irreductible, inevitable, fatal» (J.
M., I, cap. VII, 36 y II, 174). Este es el límite en que desfallece la vieja sabiduría humana («La luz nada ilumina y el
sabio nada enseña»). Y, sin embargo, M., parece entreabrir-
nos una puerta, en la que el tiempo, sin perder su extrañeza
radical, se hace canto y meditación, es decir, palabra «¿Qué
dice la palabra? ¿Qué el agua de la peña?» Lo que la palabra
dice es tiempo —vida que pasa, como el rumor del agua
brotando de la roca; pero a la vez, vida que se remansa y
recoge su leyenda de amor y muerte en el cuenco de unas
«pocas palabras verdaderas». En la palabra la vida está como
iluminada por dentro, apresada en momentos fugaces, que
no obstante se hacen valer en su sentido definitivamente.

El doble imperativo de temporalidad y esencialidad, que
Machado atribuye a la lírica, es el radical y propio de la
palabra humana. No hay nada en ésta que no sea estremecimiento de vida y pálpito de conciencia, como si al agua de
la peña le brotara su propia luz interior, desde el hondo cielo que reverbera su transcurso. Por eso, la poesía lírica no
es una clase, entre otras, de la palabra, sino la palabra por
antonomasia, la protopalabra, porque en ella, según M., se
canta y medita a la vez, es decir, el tiempo se hace emoción
y conciencia.

Pero además la palabra es también una salvación del tiempo; el modo de retenerlo en la evocación o de anticiparlo en
la profecía; un hacérnoslo presente en la palabra que se

admira de lo que hay y en aquella otra que sondea los abismos de la realidad. Y hay palabras que curan y palabras que encantan, palabras que perdonan y palabras que condenan; palabras para la vida, para todo momento de la vida; y palabras para la muerte, para conjurarla o para aceptarla, para odiarla o bendecirla, según los casos. En definitiva, en el principio era la palabra. Esta es la divisa de los poetas. Y podrían asentir, sin comprometerse a ninguna teología, con aquellos otros versículos joánicos, en que se canta la maravilla de la Palabra: «En ella estaba la vida y la vida era la luz de los hombres».

La actitud, pues, ante la palaba, traduce la actitud ante el tiempo. Quien malgasta la palabra, o la manosea como moneda ya acuñada, o se enreda en un mundo de palabras que no tienen ya el don de llevarnos a las cosas mismas, porque se entregan como fetiches, en un tráfico de perpetua alienación[2], empobrece de «lugares comunes» el sentido de

---

[2] Esto no quiere decir que M. se encierre en un usufructo intimista de las palabras. La palabra tiene que circular, según se nos aconseja en uno de sus proverbios: «Mas no te importe si rueda / y pasa de mano en mano; / del oro se hace moneda» (CLXI, núm. 72). Pero la comunicación verdadera es un acuerdo en las cosas mismas y no un mero canje de términos, como una mercancía cosificada. Se podría pues distinguir en la palabra, según la terminología económica ya clásica, entre su valor de uso y su valor de cambio, y afirmar correspondientemente que sólo cuando se intercambia según el primero, esto es, en función de la vida real a la que ilumina y de su matriz social de significado, hay auténtica comunicación. Toda palabra sometida por el contrario a las fluctuaciones de valor del mercado social de los estados de opinión es siempre una palabra manipulada, y en última instancia, encadenada. En semejantes mercados públicos de opinión suele producirse una inflación de sentido y con ello la pérdida del valor adquisitivo de realidad que corresponde a la palabra. Constituye, pues, una función política, de primer rango, encomendada a los intelectuales, la de velar por la pureza social —no castiza n'. purista— de las palabras. Machado supo también ser en esto un intelectual «a la altura de sus circunstancias».

su existencia. Por el contrario, la actitud poética ante la palabra entraña una actitud igualmente creadora ante el tiempo. «Vencer el tiempo» —ésta es la consigna machadiana—; salvarse de su fugacidad y salvarlo o retenerlo en esos soplos de tiempo, grávidos de conciencia, que son precisamente las palabras. Predmore ha subrayado que la tarea de M. consiste en la lucha con el tiempo mediante la memoria y el ensueño. «La vida puede concebirse como una lucha sin tregua con el tiempo... la muerte y el olvido son las armas del tiempo; las del alma el recuerdo y el ensueño. El poeta quiere creer en el triunfo del alma» [3]. Que Machado tenía muy clara esta conciencia puede advertirse en su breve comentario a la poesía de Bécquer, al que ya hemos hecho referencia. «Es la palabra en el tiempo —dice de ella—, en el tiempo psíquico irreversible, en el cual nada se infiere ni se deduce. En su discurso rige un principio de contradicción propiamente dicho: sí, pero no; volverán, pero no volverán... ¿un sevillano Bécquer? Sí; pero a la manera de Velázquez, enjaulador, encantador del tiempo» (J. M., II, cap. XLIII, 25). Tal propósito aparece explícitamente —no se olvide que M. habla a menudo de sí mismo en oblicuo o por reflexión de su luz en otro espejo— en el poema a Narciso Alonso Cortés (CXLIX); el poeta frente al tiempo, como un torerillo burlando con su capa al toro, o como el pequeño David en su desafío inconmensurable:

---

[3] R. L. Predmore, «El tiempo en la poesía de A. Machado», en *Publications of the Modern Language Association of America*, vol. LXIII, 1948, págs. 710-711. Convendría, no obstante, hacer algunas precisiones a esta tesis. El ensueño es tanto memoria como esperanza, según hemos visto, y por otra parte sólo es creador en función de conciencia, ya sea como evocación lírica o como proyección imaginativa del porvenir.

....
Al corazón del hombre con red sutil envuelve
el tiempo, como niebla de río una arboleda.
¡No mires: todo pasa; olvida: nada vuelve!
Y el corazón del hombre se angustia... ¡Nada queda!

¿Se ha cantado mejor alguna vez el poder del tiempo, destructor implacable de la carne y la piedra —(«el tiempo lame y roe y pule y mancha y muerde»)—, que en los obsesivos cuartetos que siguen, en macizos y rítmicos alejandrinos?... Creo que no. Machado está sin duda ante su tema. Y frente a este poder sobrehumano, que todo lo gasta y lo corrompe, la sencilla y resuelta afirmación de la conciencia humana:

....
Pero el poeta afronta el tiempo inexorable,
como David al fiero gigante filisteo;
....
al ángel de la muerte y al agua del olvido.
Su fortaleza opone al tiempo, como el puente
al ímpetu del río sus pétreos tajamares;
bajo ella el tiempo lleva bramando su torrente,
sus aguas cenagosas huyendo hacia los mares.

(CXLIX.)

¿No es esta la mejor definición de la lírica que debemos a Machado? Vencer al tiempo, con su doble poder del olvido y la muerte, es rehacer en la memoria y engendrar en la esperanza. Y esta es sin duda la obra del amor, el demonio platónico, siempre de camino («tu musa es la más noble, se llama: Todavía»), que convierte su indigencia en un apetito insaciable de transcendimiento. Machado lo llamará más profundamente: ¡alma! «Aquella cálida zona de nuestra psique que constituye nuestra intimidad, el húmedo rincón de nuestros sueños humanos, donde cada hombre cree encontrarse a sí mismo al margen de la vida cósmica y universal» (C, 121 y II, 71-2)[4]. Alma es pues sentimiento, como afección de realidad, y también deseo e imaginación, la cantera de los anhelos íntimos y el hontanar de los sueños. En el alma vibra la callada voz de las cosas y en ella brota, como respuesta al contacto del mundo, todavía emoción e imagen, la simiente de la palabra. En definitiva, el alma es aquella zona en que el tiempo vivido, se convierte en experiencia verdaderamente humana, es decir, en poesía o en tiempo de palabra.

El alma no es pura vivencia orgánica, ni está fundida con los ritmos temporales del cuerpo. Lo vivido está sometido a una nueva luz. No es lo inmediato de la vivencia, sino lo ya mediado en la primera reflexión del sentimiento y la imaginación. «Alma es distancia y horizonte: ausencia» (CXXVII bis). Se canta lo ya no presente o lo aún no presente, y también, claro está, la misma evanescencia del presente fugitivo; pero este canto instituye una nueva forma de presencia intencional: la propia de la palabra. Es ésta —«tajamar» de puente y «ancla» de la ribera—, la única forma de desafío al tiempo inexorable. Y hasta tal punto estará M. convencido del valor creativo de la palabra, que en un fino proverbio, dubitativo como todo lo que afecta al enigma de la existencia, la tomará como la única creencia primitiva, que oponer a la creencia de signo opuesto, en el cambio y la disolución universal.

> ¿Cuál es la verdad? ¿El río
> que fluye y pasa

---

[4] Al hablar Machado de «zona media» parece referirse a la clasificación por estratos psíquicos de «cuerpo-alma-espíritu» sobre la que escribió un apunte el propio Ortega («Para una caracterología», en *Revista de Occidente*, núm. de noviembre, Madrid, 1926.) El alma sería así intermedia entre la sensibilidad corporal y la autodeterminación espiritual, por tanto la honda capa endotímica de la persona, como la llama Lersch.

> donde el barco y el barquero
> son también ondas del agua?
> ¿O este soñar del marino
> siempre con ribera y ancla?
>
> (CLXI, núm. 93.)

Y es que el hombre sólo puede sustentarse en palabras, los «cimientos del universo» como ya vimos; y fuera de la palabra no hay más que impulso y ciega animalidad, un tiempo que no puede retenerse en «alma».

Esta lucha contra el tiempo, «encantándolo» en la palabra, según la feliz expresión de Machado, es una constante de su lírica. Los testimonios podrían acumularse hasta la obsesión. Basten tan sólo unas muestras significativas de *Soledades, Galerías y otros poemas*, en esa exploración tenaz de las galerías del alma —a la búsqueda de un tiempo perdido, pero que puede retornar inmarcesible en la luz de los sueños, al conjuro de la palabra poética—.

> ....
> Y dijo: Las galerías
> del alma que espera están
> desiertas, mudas, vacías:
> las blancas sombras se van.
> Y el demonio de los sueños abrió el jardín encantado
> del ayer. ¡Cuán bello era!
>
> (XVIII.)

¿No es este jardín encantado una memoria estremecida en palabras? ¿Y no es la palabra aquella llave que abre la vieja cancela del ayer al huerto húmedo donde llora la fuente (VI), o la piqueta que excava las hondas y escuetas galerías, en donde resuenan las voces lejanas de las cosas? (LXIV, LXX).

Y más tarde, ya en *Campos de Castilla*, consumado el viraje del poeta hacia el realismo lírico, otra vez ante el

Guadarrama presente, vibra honda y densa la evocación lírica del tiempo pasado:

> ....
> mil Guadarramas y mil soles vienen,
> cabalgando conmigo, a tus entrañas
>
> (CIV.)

o en aquel otro arranque sentimental, en que la visión de Soria lejana, surge en el tren como un contrapunto al riente valle del Guadalquivir:

> En la desesperanza y en la melancolía
> de tu recuerdo, Soria, mi corazón se abreva.
> Tierra de alma, toda, hacia la tierra mía,
> por los floridos valles, mi corazón te lleva.
>
> (CXVI.)

Y en las lamentaciones de Abel Martín («la ausencia y la distancia / volví a soñar con túnicas de aurora», CLXIX) o en la propia muerte de Machado, cuando el tiempo es sólo la emoción de «los días azules y la luz de la infancia». Ante el espectáculo cambiante de la vida, siempre y sólo una pregunta, la que contesta el poeta con el aire melancólico del que se enfrenta con el ángel de la muerte:

> Un mundo nuevo para ser salvado
> ¿otra vez? ¡Otra vez! Que Dios lo diga.
>
> (CLXXVI.)

No hay una emoción más pura, más intensa y profunda, en toda la lírica de Machado, que ésta del paso del tiempo inexorable, con el que lucha la palabra del poeta. ¿Hay alguna garantía de que este esfuerzo no será en vano? ¿Hay acaso una implícita exigencia de eternidad, de valor absoluto, en la obra humana? Unamuno habría contestado afirmativamente a esta pregunta desde el principio voluntarista de creación que es la fe. Machado más radicalmente dubitativo, prefiere sostener la pregunta:

> ¿Los yunques y crisoles de tu alma
> trabajan para el polvo y para el viento?

como una queja y una apelación a la vez al valor de la palabra. La salvación por la palabra es, quizá, en última instancia, una propedéutica a la aceptación reflexiva del silencio, ante aquel misterio definitivo —¿de tiniebla o de luz?— en el que se abisma el «canto y la meditación» del hombre.

La honda melancolía de los versos de M. brota de este combate en el que al fin, naufraga la propia palabra como las estelas en la mar. Por eso los silencios de Machado son tan expresivos, tan hondamente humanos, porque en ellos se experimenta el límite de la palabra, como si las aguas del olvido y el poder del ángel de la muerte anegasen en noche impenetrable estos brevísimos destellos de conciencia.

LA DOBLE VIVENCIA DEL TIEMPO

Ricardo Gullón ha visto un «ejemplo preciso de equiparación entre tiempo psicológico y cronológico» en el «Poema de un día» (CXXVIII), escrito en Baeza, al año siguiente de morir Leonor [5]. La observación es exacta, porque en efecto, en este poema se encierra en lírico contrapunto la doble vivencia del tiempo: el homogéneo o «espacializado», que miden los relojes, y el heterogéneo, psíquico o interior, que responde a la íntima vibración del alma. «Tal distinción

---

[5] Ricardo Gullón, *Una poética para Antonio Machado*, Madrid, Gredos, 1970, pág. 159.

—como comenta J. M. Aguirre— poco o nada tiene que ver, en principio, con el *fugit irreparabile tempus*, sino con la experiencia *en* el tiempo. Esto lleva al centro mismo de la vida, al interior de la conciencia»[6]; es decir, nos descubre el sentido o sinsentido, según los casos, de la temporalidad.

Al filo de un día cualquiera en un pueblo cualquiera (en este caso, la Baeza provinciana y rural del año 1913), M. ha construido un poema cuyo tema único y exclusivo es el tiempo, y su vivencia. Tema que está por todas partes y en ninguna; que, como ya estamos acostumbrados en M., no tiene una presentación directa, sino alusiva, como el trasfondo o la atmósfera que envuelve las incidencias del día en el pueblo rural y les confiere a éstas su significado último: el hastío en unos casos, y la impaciencia y la esperanza en el corazón del poeta. Sabemos que lo que cuenta para M. no es la anécdota menuda sino la íntima emoción de las cosas, como en aquella canción de los niños jugando al corro —«borrada la historia / contaba la pena» (VIII). Sin embargo, estamos aquí ante un poema, materialmente entretejido de anécdotas y detalles del medio rural y de la propia vida del poeta, pero donde la anécdota no está por sí misma sino tan sólo como contenido de un tiempo (¿de qué forma se podría captar el tiempo sin el contenido de su vivencia?), cuya emoción, como M. quería, trasciende siempre y nos embarga más allá y por encima del menudo anecdotario.

Que el tema exclusivo sea el tiempo cabe adivinarlo ya desde el comienzo por los «signos de sugestión», por utilizar la expresión de Carlos Bousoño, que aquí y allá nos ofrecen la cadencia de su paso: «la lluvia menuda y fría» empapando los campos, el tic-tac del reloj golpeando, una y otra vez, en los versos y el clamoreo de las campanas; incluso

---

[6] J. M. Aguirre, *op. cit.*, 114.

por ese tamiz de lluvia y cristal que baña la escena de una
luz borrosa e indecisa; todo está aquí, sabiamente dispuesto, creando una atmósfera de ensueño y meditación, en la
que se siente calladamente el latido del tiempo.

Pero adviértase además que este tiempo de trasfondo que
domina el poema es un tiempo homogéneo, es decir, igual y
rítmico, indefinido e insustancial, lleno de sucesos y anécdotas, pero inmensamente vacío de la pulsación interior de
la conciencia. Es esta la vivencia que nos entregan los signos
de sugestión. Reconocemos en la primera lírica de M., la
misma sensación de hastío vital, de cansancio y monotonía.
Esta lluvia de Baeza repiquetea como aquella otra de niño,
en los cristales de la clase;

> Una tarde parda y fría
> de invierno. Los colegiales
> estudian. Monotonía
> de lluvia tras los cristales [7].
>
> (V.)

mientras se canturrea la canción de los números,

> ....
>
> mil veces ciento, cien mil;
> mil veces mil, un millón.

Precisamente los números, el continuo homogéneo por
excelencia, que desgranan los niños en una letanía infinita.
Y este rumor de campanas al atardecer, es como aquel otro
que le llegaba en la noche por las ventanas entreabiertas,

---

[7] Con la variante de los dos últimos versos, «...Monotonía / de la
lluvia en los cristales», con que, según Dámaso Alonso, logra el
poeta hablar a todos los sentidos al representarnos la cadencia temporal en sensaciones ópticas y acústicas. Dámaso Alonso, *Poetas españoles contemporáneos*, Madrid, Gredos, 1969, págs. 143-4.

....

metálicos alaridos
de una música lejana.

(LVI.)

o el de los deletreos del piano en la tarde infantil, inundándole el alma, aún niña, de una melancolía incurable:

Hastío. Cacofonía
del sempiterno piano
que yo de niño escuchaba
soñando... no sé con qué,
con algo que no llegaba,
todo lo que ya se fue.

(XCIII.)

Y sobre todo el reloj —asociado a tantas vivencias, cantando su rítmica hora interminable, con aquel tintineo que se nos confunde con el «golpe» de un ataúd en tierra, porque, como él, es un signo de la muerte [8]:

Del reloj arrinconado,
que en la penumbra clarea,
el tic-tac acompasado
odiosamente golpea.
Dice la monotonía
del agua clara al caer:
un día es como otro día,
hoy es lo mismo que ayer.

(LV.)

y que, en el «Poema de un día» vuelve puntual, hasta con la misma imagen

---

[8] Esta asociación la ha establecido, por otra parte, el mismo Machado: «Daba el reloj las doce... y eran doce / golpes de azada en tierra» (XXI).

.... Clarea
el reloj arrinconado
y su tic-tic, olvidado
por repetido, golpea.
Tic-tic, tic-tic... Ya te he oído.
Tic-tic, tic-tic... Siempre igual,
monótono y aburrido.
Tic-tic, tic-tic, el latido
de un corazón de metal.

(CXXVIII.)

Sí. Esta sensación del paso del tiempo con su enervante monotonía, no está sólo en el ambiente de Baeza. La llevaba ya el poeta en su corazón. Se le había entrado muy tempranamente, confundida casi con los primeros recuerdos de niño, y experimentada, más tarde, como aburrimiento ante una existencia desvaída y gris, en que la falta de pasión hace insensible el corazón propio o lo confunde con el latido monorrítmico del corazón de metal.

En Machado —escribe Serrano Poncela— el tedio es la consecuencia de una desintonización de la vida. Es decir, la conciencia pierde contacto con la temporalidad, bien por un brusco choque con lo mundano que hiere la propia existencia; bien por un agotamiento de interés en lo mundano producido por la trivialidad que se desprende del vivir común, mostrenco y rebañego. Al darse tal situación, la conciencia se desamarra de los lazos intramundanos y lo que ayer, hace un momento, parecía cargado de valores, se esfuma como la niebla [9].

Tic-tic, tic-tic... Ya pasó
un día como otro día,
dice la monotonía
del reló.

(CXXVIII.)

---

[9] S. Serrano Poncela, *Antonio Machado*, Buenos Aires, Losada, 1954, pág. 121.

El profesor Mairena levantará más tarde, sobre esta vivencia angustiosa del tiempo medido, el acta de su reflexión filosófica; en parte, sobre Bergson: «el reloj, invención del *homo
faber*, para espacializar el tiempo y medirlo. De todas las
máquinas que ha construido el hombre, la más interesante
es, a mi juicio, el reloj, artefacto específicamente humano,
que la mera animalidad no hubiera inventado nunca. El llamado *homo faber* no sería realmente *homo* si no hubiera
fabricado relojes. Y en verdad, tampoco importa mucho que
los fabrique; basta con que los use; menos todavía: basta
con que los necesite. Porque el hombre es el animal que mide
su tiempo» (J. M., II, cap. XL, 9 y III, 102) [10]. Y en parte también, sobre su propia filosofía de la finitud.

> El reloj —agrega Mairena— es una prueba indirecta de la
> creencia del hombre en su mortalidad, porque sólo un tiempo
> finito puede medirse. Esto parece evidente... Pero, ¿para qué
> lo mide?... A mi juicio le guía una ilusión vieja como el mundo:
> la creencia de Zenón de Elea en la infinitud de lo finito por su
> infinita divisibilidad (J. M., II, cap. XL, 9 y III, 102-3).

La reflexión de Mairena, aunque paradójica, encierra una
profunda verdad. El hombre mide el tiempo, sin duda, para
aprovecharlo, porque se le escapa —ésta es la actitud más
propia del *homo faber* que actúa técnicamente y por tanto
necesita un medio homogéneo con el de las cosas exteriores,
para pautar su operación—; pero a la vez, la medida del
tiempo produce el espejismo de un tiempo extenso e indefinido, que puede volver siempre, pues tras un minuto llega
otro en una letanía interminable. A esto llama M. un consuelo (triste consuelo) ante la finitud, con que el hombre

---

[10] Cfr. Bergson, *Essai sur les données immédiates de la conscience*
(cap. II), *Oeuvres*, Edition du Centenaire, Paris, P. U. F., 1970, páginas 71-2.

se encubre su mortalidad. Heidegger, años antes, había anticipado análogas conclusiones. La existencia inauténtica e impersonal (*das Man*) se caracteriza por esta típica actitud ante el tiempo: perdida entre cosas, llega a reificar su propia vida, a verse como cosa, y en consecuencia, a tratar su tiempo existencial como algo a la mano, en una perpetua disponibilidad, como una sucesión de minutos que se extienden indefinidamente. El tiempo pierde así su intención creadora, y, también, claro está, su emplazamiento, esto es, su última abertura hacia la muerte. Si siempre hay tiempo de nuevo, nunca es hora de comenzar en firme; ni hay coyunturas irreversibles ni oportunidades irremplazables, ni se siente «uno» urgido a vivir creadoramente, es decir, auténticamente su tiempo, en una apropiación única e intrasferible.

Pero a la vez, este tiempo que así se consuela ante la muerte, es por su vaciedad intrínseca, por su sopor continuo, por su igualdad cronométrica, un tiempo de muerte. Ya no se siente en él la íntima vibración de la existencia. Todos los minutos quedan allanados en la cotidianeidad de una vida insustancial, sin que se perciba nunca la tensión dramática del instante. La lírica de M. ya había recogido esta sensación angustiosa de muerte, unida a la del tedio existencial:

> Y yo sentí el estupor
> del alma cuando bosteza
> el corazón, la cabeza,
> y... morirse es lo mejor.
>
> (LVI.)

Ahora, en cambio, tras la muerte de Leonor, el poeta siente su tiempo lacerado, casi en carne viva, brotando en el instante personal, que transcurre con su carga de recuerdos y también de fervorosas e intrépidas esperanzas. Lo magistral, sin duda, del «Poema de un día», es esta contraposición, en un mismo intervalo de tiempo, de dos cadencias temporales distintas y contrapuestas.

De un lado, la cadencia incesante, interminable, del tiempo homogéneo, casi cósmico, el de las faenas agrícolas, acompasadas rítmicamente a las estaciones y pendientes como ellas de la lluvia o del sol,

> ....
> los que hogaño,
> como antaño,
> tienen toda su moneda
> en la rueda,
> traidora rueda del año.
>
> (CXXVIII.)

(tiempo éste más humano, más arduo y combativo, a la espera de la «fortuna de comer», pero igualmente inscrito en la rueda inexorable) y el de la plática ociosa en la rebotica, con la cotidianeidad de la vida en su trasfondo, con sus tremendos tópicos y su penuria de vivencias, que nos producen una terrible y abrumadora impresión de oquedad existencial [11].

Pero, del otro, en lírico contrapunto, la cadencia íntima del tiempo personal del poeta:

> En estos pueblos se lucha
> sin tregua con el reló,
> con esa monotonía
> que mide un tiempo vacío.
> Pero ¿tu hora es la mía?
> ¿Tu tiempo, reloj, el mío?
> (Tic-tic, tic-tic...) Era un día

---

[11] Véase la referencia a la cotidianeidad de la vida en Baeza, en carta a Unamuno de 1913 (?) (C., págs. 164-5).

(tic-tic, tic-tic) que pasó,
y lo que yo más quería
la muerte se lo llevó.

(CXXVIII) [12].

He aquí el tiempo heterogéneo, internamente diversifica-
do con los contenidos cambiantes y agudos de la vida, el tiempo de la reminiscencia y de la inminencia, del recuerdo dolorido y de la esperanza contra toda esperanza, de los afanes
existenciales y las luchas íntimas. Este es el tiempo que coincide con el latido de la conciencia: «La melodía que se canta
y se escucha a sí misma», dirá más tarde Mairena, recordando a su maestro Martín. Es fácil identificar esta fórmula
con la intuición básica de la filosofía bergsoniana [13], aunque
tampoco faltan en ella peculiares acentos machadianos: se
trata del tiempo en que se distiende la conciencia humana
en su tensión por llegar a ser otro y por totalizar, a la vez, en
un instante, toda su historia personal. Por eso su presencia
está internamente animada por el pasado, que ya no es,
y el futuro de lo que se espera. «El tiempo interior —comenta Gullón—, el suyo al menos (se refiere al del poeta), se distiende por la presencia del pasado, y así se desliga del cro-

---

[12] Predmore ha advertido también esta disonancia. «Es evidente
—escribe— que no marchan a compás el corazón vital y el metálico»,
art. cit., 702.

[13] «La duración (durée) completamente pura es la forma que toma
la sucesión de nuestros estados de conciencia cuando nuestro yo se
deja vivir, cuando se abstiene de establecer una separación entre el
estado presente y los estados anteriores. No hay necesidad, para ello,
de absorberse totalmente en la sensación o la idea que pasa, pues
entonces, por el contrario, cesaría de durar. Tampoco hay necesidad
de olvidar los estados anteriores: basta con que al recordar estos
estados no los yuxtaponga al estado actual como un punto a otro,
sino que los organice con él, como sucede cuando recordamos las
notas de una melodía, fundidas por así decirlo en su conjunto»
(*op. cit.*, 67).

nómetro y de la lucha con el tic-tic resonante en la oquedad» [14]. Su oquedad, sin embargo, es otra. No la del vacío
existencial, sino la de la muerte, que no está aquí disimulada, sino presente como un reto y una asechanza. Es la
muerte de Leonor, la otra «aguda espina dorada» en el corazón, que el poeta no puede sacar sin arrancarse el alma.
Pero también, de soslayo, la propia muerte, y la muerte en
general, que enarca los lomos del tiempo, como un gato aco-
rralado, y los hincha de solicitud y desvelo.

La tensión vida-muerte se enhebra ahora en la imagen de
la lluvia; sufre así ésta una súbita transformación: de la
cadencia melancólica de un tiempo insustancial y vacío, pasa
a representar ahora el íntimo transcurrir de la propia vida,
la tremenda y constitutiva ambivalencia del tiempo humano
—consunción y consumación a la vez—, condenado irremediablemente a fluir hacia la muerte, y sin embargo (y acaso
precisamente por eso), a multiplicarse en vida, como la ca-
rrera del agua por los campos.

> ¡Oh agua buena, deja vida
> en tu huida!
> ¡Oh tú que vas gota a gota,
> fuente a fuente, y río a río,
> como este tiempo de hastío,
> corriendo a la mar remota,
> con cuanto quiere nacer,
> cuanto espera
> florecer
> al sol de la primavera,
> sé piadosa,
> que mañana
> serás espiga temprana,
> prado verde, carne rosa,
> y más: razón y locura

---

[14] Gullón, *op. cit.*, 160.

y amargura
de querer y no poder
creer, creer y creer!

Y acertamos a adivinar, en estos versos fluidos y quebrados como la cadencia del agua por valles y barrancos, una fe en el porvenir de la vida, implicando todas sus formas —la espiga temprana, el prado verde, la carne rosa—, hacia la suprema floración de la conciencia, estremecida de razón y locura. Al llegar a este punto la referencia a Unamuno se impone por sí sola.

Es bien conocido que por los años de Baeza, tras la muerte de Leonor, se activa la comunicación epistolar entre ambos y M. estuvo más cerca que nunca de las posiciones espirituales de don Miguel. Buena prueba es esta antítesis entre «razón y locura», en que florece por último la vida al nivel de la conciencia. La fe aparece así como la instancia en que la vida pretende trascenderse a sí misma, más allá y sobre la muerte, o como indica más adelante el poeta, el «volatín inmortal» de la libertad, en el puro vacío de la razón; pero aunque parece inclinarse, en este contexto, a reconocer tal exigencia (incluso a valorar este planteamiento, kantiano-unamuniano, sobre el de Bergson) Machado, como siempre, pone sordina a los momentos más entusiastas. Por eso, esta fe no alcanza a convertirse en una esperanza escatológica de la vida eterna, pese a los esfuerzos auténticos del poeta, y ni siquiera logra alcanzar la actitud vital unamuniana del arduo esfuerzo de la acción heroica, como afirmación desesperada contra la relatividad del mundo:

....

y amargura
de querer y no poder
creer, creer y creer.

Nunca que yo sepa se ha encontrado M. más cerca de Unamuno, pero a la vez, en esta melancólica declaración, se percibe la aguda distancia, que media entre ambos, casi como el filo de una navaja. El escepticismo corrosivo de Unamuno necesita compensarse a costa de esta necesidad de creer (tener que creer) como la empresa, más bien hazaña, de crear lo que se cree, en la exigencia constitutiva de inmortalidad. Para Machado, en cambio, su escepticismo poético, más connatural y sobrio, se traduce en este «no poder creer», aunque se quiera, o, en general, en no poder aceptar ninguna creencia sin mediarla líricamente con su contraria. De ahí que la incertidumbre de M. nos resulte más humana y aceptable, más espontánea, si se quiere, que la tensión agónica de Unamuno entre exigencias de signo contrapuesto. La esperanza en el cielo católico fue siempre, acaso, un vacío irremediable en el alma del poeta; la exigencia heroica de la inmortalidad, exasperada y combativa, a lo Unamuno, resulta ser también a la postre insostenible. Lo único que le queda frente a la fugacidad e inestabilidad de la vida, es la voluntad de permanecer en la palabra, nuestro modo consciente de ser tiempo y consistir en el tiempo. Quiero adivinar en los versos que siguen (al filo de nuevo de la mención de Unamuno), una tímida profesión de fe —de fe humanista, y de tejas abajo, claro está— en el valor de la palabra. Me parece percibir en ellos un dejo de aquella carta, un año antes, a Juan Ramón Jiménez:

> cuando perdí a mi mujer pensé pegarme un tiro. El éxito de mi libro me salvó, y no por vanidad, ¡bien lo sabe Dios!, sino porque pensé que quiero trabajar humildemente, es cierto, pero con eficacia, con verdad. Hay que defender a la España que surge, del mar muerto de la España inerte y abrumadora, que amenaza anegarlo todo (OPP, 1.001-2).

He aquí una profesión de fe, y hasta de fe política (quizá resulte excesivo y enfático este título) fundada sobre el valor creativo de la palabra (la proto-palabra poética) —única arma de que dispone el hombre para enfrentarse con los poderes de la disolución—.

El símil de la lluvia-vida corriendo por los campos hacia la mar, mientras hace fructificar la tierra, se prolonga ahora en el de la palabra poética, condenada también a disolverse en el tiempo, como las estelas en la mar, pero a la vez, abriéndonos rutas en lo ignoto, mientras vence con su sentido la misma fugacidad de la existencia.

> Agua del buen manantial,
> siempre viva,
> fugitiva;
> poesía, cosa cordial.
> ¿Constructora?
> —No hay cimiento
> ni en el alma ni en el viento—.
> Bogadora,
> marinera,
> hacia la mar sin ribera.
>
> (CXXVIII.)

Sin embargo, la muerte sigue ahí, sin celajes, y su inminencia será siempre para la creación del sentido, como bien sabe Machado, una objeción ineliminable. Todas las faenas parecen relativizarse ante ella:

> mas, si vamos
> a la mar,
> lo mismo nos han de dar.

El poeta, no obstante, no se resigna a esta conclusión. Por eso, su «vanidad de vanidades» queda temblando en el aire interrogativamente, como la pregunta que asalta, una y otra vez, el esfuerzo creador de la vida humana. Es esta tremenda y desoladora relatividad del esfuerzo humano la que consagra la sabiduría popular en labios de uno de los platicantes de la rebotica:

> Todo llega y todo pasa.
> Nada eterno:
> ni gobierno
> que perdure,
> ni mal que cien años dure...

La actitud de la cotidianeidad escamotea esta verdad en las habladurías interminables, enredándose en las cosas (Heidegger) [15] y creyendo alargar indefinidamente el tiempo:

> Tras estos tiempos vendrán
> otros tiempos y otros y otros,
> y lo mismo que nosotros
> otros se jorobarán.

En cambio, la actitud auténtica, «resuelta» —diríamos con Heidegger— ante esa suprema posibilidad, no se la disimula. Lo que importa es enfrentarse creadora y humanamente con este tiempo de muerte. Y esto sólo es posible desde el supuesto de la palabra. La plática en la rebotica, vista a esta luz, alcanza una nueva significación. Además de ser un violento contrapunto frente a la ardua labor del campesino, atado al solo afán de sobrevivir en su lucha con la tierra, expresa también la contraposición del mero hablar, vacío de realidad y de intención, frente a aquella palabra creadora, que es el don genuino de la poesía. A mi parecer, es este pensamiento el que permite el engarce con el texto bergsoniano, de nuevo en la intimidad del pobre cuarto, a

---

[15] Martín Heidegger, *Sein und Zeit*, Niemeyer, Halle, 1941, pr. 35-6, págs. 167-173.

la vuelta de la tertulia; aunque para no ser menos, M. pone una vez más entre paréntesis («no está mal») —a la vez ironía y ternura— cada una de sus afirmaciones.

> Sobre mi mesa *Los datos*
> *de la conciencia,* inmediatos.
> No está mal
> este yo fundamental,
> contingente y libre, a ratos,
> creativo, original;
> este yo que vive y siente
> dentro la carne mortal
> ¡ay! por saltar impaciente
> las bardas de su corral.
>
> (CXXVIII.)

Hace ya algunos años que Eugenio Frutos mostró con pormenor, en cotejo con este pasaje, los textos bergsonianos relativos al «yo fundamental», el yo concreto en que se unifican e integran las diversas vivencias desde su centro interior de pulsión; el yo, en el que «a ratos», en los raros y felices momentos de autoposesión, brota su obra espontáneamente como un don de libertad [16]. Tan sólo me interesa

---

[16] E. Frutos, «El primer Bergson en A. Machado», en *Rev. de Filosofía,* núms. 73-74, Madrid, C. S. I. C. (1960), págs. 117-168. Los pasajes fundamentales que comenta Frutos están tomados del *Essai sur les données immédiates de la conscience,* Paris, P. U. F., págs. 95-180 (en la edición del Centenario, págs. 84-156). Valga por otros, el siguiente texto, resumen del pensamiento bergsoniano: «en una palabra, somos libres cuando nuestros actos emanan de nuestra personalidad entera, cuando la expresan, cuando tienen con ella esta indefinible semejanza que se encuentra a veces entre la obra y el artista» (pág. 129 y 113, respectivamente según las ediciones citadas). «Nótese, de paso —concluye Frutos—, la analogía que es posible encontrar entre estas ideas y las heideggerianas, en lo que se refiere a la «vida propia e impropia» (o, si se quiere, banal y auténtica) y a la comodidad para el Man (el hombre corriente y gregario) de descansar en lo banal, de perderse en cuidados o preocupaciones, y no reimplan-

resaltar aquí la vinculación tan estrecha que el poema nos deja entrever entre la palabra creadora y la existencia en profundidad de este «yo fundamental», que compendia la actitud machadiana ante el paso del tiempo.

EL PRESENTE DE LA INMINENCIA

La vivencia del tiempo heterogéneo o interior, tal como lo rima el corazón lírico, a diferencia del «corazón metálico», merece una consideración más atenta. Decía antes, citando a R. L. Predmore, que en la lírica de Machado se entabla una lucha contra el tiempo; no la huida o el disimulo, como acontece en la existencia inauténtica. Ahora bien, esta lucha, y aquí reside lo específico de nuestro poeta, no es tanto la producción de lo eterno en el tiempo, al modo unamuniano, sino la reactualización del tiempo, su animación interior continua, que es por eso obra del alma [17].

Para comprender qué sea esto, encuentro muy oportuno un texto orteguiano.

---

tarse en sí mismo mediante la angustia radical, que le hace vivir su vida propia, que en Heidegger es una nada de vida, cosa ya no bergsoniana. No parece, a esta luz, nada extraño que Machado pensase más adelante que la filosofía de Heidegger era, en aquel momento, la última consecuencia del intuicionismo de Bergson» (*art. cit.*, pág. 132).

[17] Creo que cuadra perfectamente con la actitud de Machado, el siguiente comentario que le merece a C. Gurméndez la obra de Proust: «Buscar el Tiempo es descubrir el nexo roto: el eslabón interrumpido del proceso temporal. No podemos ser ni constituirnos sin unir el Tiempo que nos habita ni se puede pensarlo sin vivirlo íntimamente, sin sufrir esta ruptura de temporalidad, la diferencia del día a la noche, de la presencia a la ausencia. En definitiva, a la pregunta ¿cómo encontrar el Tiempo?, podemos responder: olvidándolo y, desmemoriados, perderlo hasta que un día despierte» (C. Gurméndez, *El Tiempo y la Dialéctica*, Madrid, Siglo XXI, 1971, pág. 214).

Imagínense ustedes por un momento —decía Ortega a su público— que cada uno de nosotros cuidase tan sólo un poco más cada una de las horas de sus días, que le exigiese un poco más de donosura e intensidad y multiplicando estos mínimos perfeccionamientos y densificaciones de una vida por otra, calculen ustedes el enriquecimiento gigante, el fabuloso ennoblecimiento que la convivencia humana alcanzaría. Eso sería vivir en plena forma; en vez de pasar las horas como naves sin estabilidad y a la deriva, pasarían ante nosotros cada una con su nueva inminencia [18].

La metáfora deportiva orteguiana «estar en forma», no sería quizá muy del gusto de Machado. Pero en el fondo, no otra cosa quería cuando se indignaba, allá por Baeza, en carta a su «maestro» Unamuno, de la falta absoluta de virilidad espiritual, que encontraba a su lado (C., 166): Vivir creativamente, sentir-se viviendo como un núcleo activo de intenciones y reflexionando el tiempo presente en el cuenco del alma.

Y es que el tiempo de la «melodía interior» admite a su vez dos vivencias de signo contrapuesto. Una, la de Antonio Machado, en la que el presente está grávido y turgente de conciencia de sí. El hombre se siente vivir en sus afanes y desvelos, en su preocupación existencial con su carga ineludible de recuerdos y esperanzas. Machado sabía bien que una vez arrancada la dorada espina de la pasión, ya no se siente el alma. («Mi cantar vuelve a plañir: / 'Aguda espina dorada, / quién te pudiera sentir / en el corazón clavada'», XI.) Toda su vida fue por eso una fervorosa búsqueda de pasión, con el alma en carne viva de conciencia, por espinas innumerables (la muerte de Leonor, la muerte de España, la muerte del pueblo de España). Fue este presente dramático hasta el fin, el compañero más fiel de Machado.

---

[18] Ortega y Gasset, *O. C.,* op. cit., VII, 436.

Frente a él, cabe otro presente que yo llamaría anesté-
sico, si se me permite la expresión, porque está fundado en
un abandono o disipación de la conciencia (y por tanto del
dolor, que como ya dijo Goethe, es su padre) y en una entrega pasiva a la sensación inmediata. Su hermano Manuel
llevó a la poesía esta segunda vivencia con mérito inigualable. En el primer caso, la melodía del tiempo interior brota
del fondo mismo del alma, como su propia obra. Por eso el
poeta no se resigna a que:

> los yunques y crisoles de (su) alma
> (trabajen) para el polvo y para el viento.

En el segundo caso, la melodía nos llega desde fuera,
como contagiándonos del efluvio temporal de las cosas, entregados a un ritmo vital cuasi orgánico, en el que nos sentimos vivir a impulso de los estímulos exteriores. «Mi voluntad se ha muerto una noche de luna» —cantará Manuel
en «Adelfos»—, para cerrar su retrato con aquella confesión
de fe que ya hace presagiar el *Ars moriendi*:

> Que la vida se tome la pena de matarme
> ya que yo no me tomo la pena de vivir [19].
>
> («Adelfos», *O. C.*, 14.)

---

[19] Las citas de Manuel Machado se hacen por la edición de *Obras
Completas de Manuel y Antonio*, Madrid, Plenitud, 1967. En lo que
sigue, se traza un breve paralelo entre Antonio y Manuel en lo que
respecta a la vivencia del tiempo. Puede decirse que, en general, se
da entre ellos una oposición simétrica, como ya se aprecia en los
Autorretratos respectivos; mientras que Manuel elimina la historia y
el drama, atenuando la experiencia reflexiva y hasta disolviéndola
en una sensibilidad a flor de piel, Antonio en directa réplica a su
hermano, según creo, acentúa los elementos históricos, dramáticos,
que constituyen la vida consciente (la autenticidad de la voz, el diálogo interior como reflexión crítica, la función social de la poesía, etc.).
La contraposición alcanza su clímax en aquel «Nada os pido» de Ma-

Apurando aún más el contraste, se diría que el presente de Manuel Machado es el presente de la vivencia musical, propio de lo que llamó Kierkegaard el estadio estético del existir como explotación lírica del instante[20]. Se trata de

---

nuel, propio del que cifra su autarquía en la indiferencia existencial —«ni os amo ni os odio»—, frente al «Nada os debo» de Antonio, como expresión de suprema libertad de espíritu. Apurando más el paralelo, se percibe la misma simetría inversa en el enfrentamiento con la muerte, en el que contrasta la aceptación serena y valerosa de los últimos versos del Autorretrato de Antonio con la pasiva indiferencia de Manuel. Aunque no creo pertinente aclarar la obra poética desde la vertiente psicológica, pues puede degenerar en los malentendidos del psicologismo olvidándose del valor intrínseco de la obra, no me resisto a adelantar una hipótesis. Creo que Antonio buscó positivamente esta contraposición con Manuel, quizá como un medio de afirmación, no sólo lírica sino también personal frente al hermano. Afirmación, no por buscada, arbitraria o convencional, porque responde, por otra parte, al modo íntimo de ser del poeta; es curioso subrayar que mientras la experiencia del tiempo dilapidado de Manuel le lleva a una devaluación del presente como vivencia fugitiva e insustancial, la conciencia de Antonio, a veces paroxística, del tiempo perdido —«juventud nunca vivida»— le permite, por el contrario, una reconstrucción positiva del sentido de la temporalidad. La obra lírica resulta ser así, no sólo expresión, sino además, compensación de la vida. En definitiva la imagen de Manuel responde a la actitud de la concupiscencia, en el sentido existencial de la vivenciación y explotación sensitiva del mundo, —«unos ojos de hastío y una boca de sed»— (*O. C.*, 75), mientras que Rubén Darío ha sorprendido la imagen de Antonio a la luz interior de la conciencia, ensimismado en el mundo de sus pensamientos,

> Misterioso y silencioso
> iba una y otra vez.
> Su mirada era tan profunda
> que apenas se podía ver
> ....
> Y la luz de sus pensamientos
> casi siempre se veía arder.

[20] El mismo Kierkegaard había advertido la íntima afinidad de los estados musicales con el alma de don Juan, que es por naturaleza concupiscente; y del mismo modo se pinta Manuel en su último Autorretrato, mientras contempla en la fotografía antigua su rostro

un presente prendido en el oleaje de las sensaciones, a flor
de alma, arrastrado por la música cambiante de las vivencias, en un tornasol continuo:

> Dichoso es el que olvida
> el por qué del viaje
> y, en la estrella, en la flor, en el celaje,
> deja su alma prendida [21].
>
> («Ars moriendi», *O. C.*, 185.)

como una lluvia que sólo nos entregara de la vida el polvo
finísimo de sus sensaciones.

> El recuerdo de sus ojos,
> y el aroma de su nombre.
>
> («La lluvia», *O. C.*, 58.)

La vida aparece desgravada de toda finalidad transcendente, de toda intención ética, que ha de contar forzosamente con lo posible, para quedar reducida al momento puntual
fugitivo. Lo que cuenta es el instante, precisamente por este

---

infantil apoyado sobre una cajita de música: «Reconozco que aquella
fierecilla domada / por la música... es toda mi vida retratada / ...
mi propia obra es sólo una polifonía / de gritos de mi tiempo, lentos
o subitáneos / que dió a veces el son a mis contemporáneos» («Phoe-
nix», *O. C.*, 224).

[21] Es constante, en la lírica de Manuel, la devaluación existencial
del «viaje» y del «sueño», frente al sentido antropológico fundamental
con que su hermano Antonio emplea estos símbolos. El «camino» incluso ha perdido la orientación dinámica de la búsqueda, para convertirse en pura embriaguez de inconsciencia (*O. C.*, 82). La misma
obertura de «Ars moriendi» encierra una grave confesión existencial
acerca del carácter evanescente del sueño de la vida, casi como una
invitación a la entrega total ante la llegada de la muerte:

> Morir es... Una flor hay, en el sueño
> —que, al despertar, no está ya en nuestras manos—,
> de aromas y colores imposibles...
> Y un día sin aurora la cortamos.
>
> («Ars moriendi», *O. C.*, 185.)

carácter de fugacidad irreparable de la existencia, del paso del tiempo, que sólo nos deja en las manos las cenizas de las cosas. En la «canción del presente», lo ha expresado Manuel con gran desenfado, casi jugando a la torera.

> Alegre es la vida y corta,
> pasajera.
> Y es absurdo,
> y es antipático y zurdo
> complicarla
> con un ansia de verdad
> duradera
> y expectante.
> ¿Luego?... ¡Ya!
> La verdad será cualquiera.
> Lo precioso es el instante
> que se va.
>
> («El mal poema», *O. C.*, 81. «Lugares
> paralelos», *O. C.*, 155 y 187.)

El presente queda así cerrado sobre sí mismo; cada instante se consume en su nuda vivencia, un tiempo de disipación, incomunicable con el pasado —el tiempo del nunca jamás— y también con el mañana (el tiempo del nunca quizás) (*O. C.*, 84).

«No hablemos más que de hoy» —se dirá el poeta («El mal poema», *O. C.*, 80). No hay más que este hoy, efímero como cualquier otro, y como tal, condenado a la muerte. Se diría que por el alma, agujereada y rota como un colador, según la bella expresión de Séneca[22], se va la vida sin dejar poso ni sustancia. En el fondo, se reconoce la impotencia del alma frente al tiempo, que introduce el destino fatídico de lo irremediable.

---

[22] Sobre este punto puede consultarse mi artículo «Tiempo y libertad en Séneca», en *Estudios sobre Séneca*, Madrid, C. S. I. C., 1966, págs. 195-208.

Querer es triste. ¡Y no poder!...
Lo que es, tenía que pasar.
¿Para qué el plebeyo querer
y lo innoble del procurar?...

(«El mal poema», *O. C.*, 94.)

Esta experiencia de la vida, con una melancolía inigualable por ser desoladora, encuentra su mejor expresión lírica en los poemas del «Cante jondo», quizá porque Manuel quiere ofrecernos esta visión fatalista del mundo como un registro inmemorial de la casta andaluza. Recuerdo y esperanza son actitudes igualmente insulsas, porque en el fondo no hay nada que por estar en nuestra mano merezca la pena.

Tonto es el que mira atrás...
Mientras hay camino *alante*,
el caso es andar y andar.

(*O. C.*, 129.)

canta por soleares esta rancia sabiduría. Y en el mismo cante se devalúa la función de la esperanza:

¡Pobrecito del que espera!
¡Que entre el ayer y el mañana
se va muriendo de pena!

(*O. C.*, 133.)

o en aquella «toná liviana».

Esperar en la experiencia
es esperanza *perdía*,
que, antes que llegue el saber,
s'*acabaíto* la *vía*.

(*O. C.*, 155.)

para acabar con la más impresionante confesión de la vanidad del mundo:

> La vida es un cigarrillo:
> humo, ceniza y candela...
> Unos lo fuman de prisa,
> y algunos lo saborean.
>
> (*O. C.*, 155.)

Frente al asalto del tiempo, que se lleva la vivencia errática del presente inmediatista y puntual de Manuel Machado, se enfrenta Antonio, como ya vimos, con la fortaleza del alma, que más que «anima» pasiva en el sentido de Manuel, cabría llamarla «animus», por el tesón en oponer al ímpetu del río-tiempo el tajamar del puente.

Se trata del nuevo presente de la «inminencia», en cuanto que está a lo posible, distendido en un nuevo poder-de-ser, en vez de aferrarse, como el presente de la vivencia estética, a lo actual inmediato. Ya dijimos que estar a lo posible, o por el rodeo de lo posible, es la única forma, verdaderamente humana, de estar en realidad, porque nada nos es dado, como diría Hegel, sin el dolor de la mediación, ni nada puede constituirse en haber y presencia del hombre, sin que esté traspasado de la negatividad inmanente: lo que ya no es actual, pero pervive como una latencia en las entrañas de lo presente; lo que aún no ha llegado a ser, pero pugna por hacerse real, trascendiendo la presencia. Es éste el presente de la novedad, en que se reanima el tiempo, reactualizando lo ya vivido y lanzándolo creadoramente hacia el porvenir. El presente grávido de conciencia, en que pugna por abrirse paso y hacer camino la intención existencial. Dicho machadianamente, con una fórmula de concisión suprema, el presente del «todavía» [23].

---

[23] El tema no es nuevo; ya está presente en *Soledades* en la actitud del aguardo, que no es sólo de la muerte (XXXV), sino también de las nuevas posibilidades que han de florecer en la mañana

> ¡Oh tiempo, oh todavía
> preñado de inminencias!
> Tú me acompañas en la senda fría,
> tejedor de esperanzas e impaciencias.
>
> (CLXIX.)

se lee en las «Últimas lamentaciones de Abel Martín». Un sencillo adverbio y en él vibra, al conjuro de la palabra poética de Machado, la experiencia más grávida del tiempo que puede alcanzar el hombre. Porque «todavía» es, si bien se repara, «oportunidad» —el *kairós* griego— o el aún se está a punto, como una ocasión de libertad; pero conjuntamente «emplazamiento» de un tiempo abocado a la muerte, y, por tanto, asediado por el permanente asalto del no-ser. «Todavía» es libertad y facticidad: el aquí y ahora, al que me debo o más bien en que me debo a mí mismo (el «ser deudor» heideggeriano), pero también apertura a lo posible como trascendimiento. Y el «todavía» es realidad, toda la realidad existencial que no está clausa sobre sí, obliterada en puntos discontinuos o en vivencias evanescentes, sino transida por el encanto de lo posible. Mucho más concisamente aún, en un solo verso que tiene el mérito de condensar la esencia de la temporalidad en el juego de sus adverbios.

> Hoy es siempre todavía.
>
> (CLXI, núm. 8) [24].

---

pura (XXXIV). Constituye la íntima tensión de ausencias y presencias, que está a la base, según vamos viendo, de la lírica de Machado (L).

[24] Predmore ha sabido ver la tensión que producen los adverbios en el verso de Machado (*art. cit.*, 698). Cobos, por su parte, dedica amplias páginas a una exposición, por desgracia excesivamente abstrusa, de este sencillo verso, proponiendo una doble lectura —la onto-

La fuerza expresiva de este rotundo verso dimana sin duda, de la tensión que originan los tres adverbios, definiendo un «hoy» que no se congela en una presencia inalterable (el hoy del siempre) ni se disuelve en menudos momentos (el siempre hoy), sino en una fluencia de transcendimiento —el hoy del todavía— o incluso del «siempre todavía», como emanación del acto libre del «yo fundamental» [25].

Quizá la mejor intuición del «todavía» se logre por contraposición al «ya» del instante, bien sea en su primera versión «consuntiva» de Manuel Machado o en la otra, «consumativa» y eterna de Guillén. El contrapunto entre ambos presentes —el de la vivencia musical inmediata y el de la inminencia creadora— es bien patente desde esta perspectiva. Para Manuel el tiempo sólo cuenta como instantes menudos y sueltos, di-sueltos mejor, a lo largo de la vida. Es el tiempo del «ya-sí» y del «ya-no», con su pulpa de sensación, que

---

lógica, referida al tiempo del ser, y la antropológica o existencial como tiempo humano— (*op. cit.*, págs. 115-25). Dejando al margen algunas expresiones y comentarios de Cobos, realmente pintorescos y de un conceptismo superlativo, queda claro, a fin de cuentas, lo único que realmente importa a Machado en este verso, la presentación del tiempo humano específico, un tiempo proveniente e inminente, o dicho en la jerga de Cobos, tan fino en otros momentos, «la presentidad de la persona, el día completo del existente racional» (*op. cit.*, 124).

[25] Machado contrapone este tiempo personal al tiempo desolado y vacío, por falta de sustancia. Así, por ejemplo, en la reflexión penúltima sobre el amor de Guiomar;

> Yo pregunté: ¿Qué me ofreces?
> ¿Tiempo en fruto, que tu mano
> eligió entre madureces
> de tu huerta?
> ¿Tiempo vano
> de una bella tarde yerta?
>
> (CLXXIII).

hay que consumir para comenzar de nuevo; un tiempo sin
dimensiones, sin profundidad ni transcendimiento, puntual
como el éxtasis (no importa si de dolor o de goce), y evanescente como un soplo de aire:

> Tal la vida...
> Si hoy estoy
> abrazando a mi querida,
> no hablemos más que de hoy...
> Y mañana
> hablaremos de otra cosa
> más hermosa...
> Si la hay, y me da la gana.
>
> (*O. C.*, 80.)

Vivir es pues acabar con el tiempo, a sorbos menudos o
o bocanadas lentas o rápidas de humo, según los casos; y la
muerte, también en instantánea, no es más que el último
trago.

¡Qué distinto en Antonio! El presente de la inminencia
apenas conoce el instante. El tiempo se da durativamente,
como gerundio, entramado en todas sus dimensiones de profundidad (en la memoria) y de altura o trascendimiento
(en esperanza), aconteciendo como una melodía que se renueva de continuo. Lo que importa no es tanto acabar con
el tiempo, sino contar con él, dar «tiempo al tiempo», producirlo en su transcurso, como quien prepara una plenitud
de sí que ha de ser don para el otro.

> Demos tiempo al tiempo:
> para que el vaso rebose
> hay que llenarlo primero.
>
> (CLXI, núm. 51.)

Pero la duración del tiempo existencial se opone tanto a
la discontinuidad de los menudos sorbos de vida (los ins-

tantes de Manuel) como al apocalipsis de la revelación en
el instante de una presencia absoluta, al modo de Guillén.

> Era yo,
> Centro de aquel instante
> De tanto alrededor,
> Quien lo veía todo
> Completo para un dios.
> Dije: todo completo.
> ¡Las doce en el reloj!
>
> (*Cántico*, 375.)

Como comenta J. M. Valverde, «la poesía de Guillén (al
menos hasta el incipiente y crítico viraje de «Fe de vida»)
es el grito de la llegada definitiva al mirador del Ser total,
poniendo en limpio el mundo de una vez, clavado en el
éxtasis desde ahora, o, mejor, como dicen los argentinos,
«desde ya»; porque eso es lo fundamental en esta poesía,
«el haber llegado ya a ser», no el mero «ser», difícilmente
poetizable, así, a palo seco. Este adverbio «ya» —si no se
me toma a impertinencia que, empezando por él, apoye
mi trabajo en algunos detalles lingüísticos sintomáticos—,
es la palabra clave en Guillén, con un uso peculiarísimo y
siempre convergente en sus modalidades» [26].

Frente al «haber llegado a ser» del pretérito perfecto, en
el «ya» cenital de la consumación de la vida, el «todavía»
machadiano designa un presente de incoación, en el que la
actividad no simplemente dura sino que perdura, alimentán-
dose de sí misma; de ahí la preferencia por el imperfecto.
Se diría que mientras el «ya» de la presencia absoluta se
escapa del tiempo hacia la plenitud de un acto, que ha ago-

---

[26] J. M. Valverde: «Plenitud crítica de la Poesía de Jorge Guillén», en *Estudios sobre la palabra poética*, op. cit., págs. 161-185; la
cita corresponde a las páginas 167-8.

tado su potencialidad, M. prefiere aquella otra forma de actividad, más específicamente humana en la que el acto se transforma en una fuente continua de posibilidades, es decir, se deshace y rehace como presente, tal como Ortega comentaba al filo de la actividad reflexiva de la mente [27]. Para Guillén vale el presente como una concentración ontológica de la vida, que ya no resbala de sí ni se derrama hacia fuera, porque es exacta plenitud:

> Todo está concentrado
> Por siglos de raíz
> Dentro de este minuto
> Eterno para mí.
>
> (*Cántico*, 17.)

El presente de la inminencia es, al contrario, una tensión dramática, como el callado empuje del crecimiento. Más allá pues de la lógica eleática de la identidad, que siembra por doquier la obra de Guillén, como ha hecho notar Valverde, de esquemas definidores y abstracciones conceptuales, se inspira M. en aquella otra lógica sensible de la diferencia, como entrega a la experiencia de lo concreto, en el trémulo hervor de sus detalles; una lírica narrativa, casi enumerativa, muy lejos de la embriaguez de esencias de la poesía de Guillén.

A veces, muy de tarde en tarde, se desfonda la inminencia temporal del «todavía» en el «ahora» de una presencia inexhausta; son los raros instantes machadianos de éxtasis, que por un momento nos ponen, por así decirlo, fuera de camino, sin que logren arrancarnos con todo de nuestro destino de caminantes. Se trata, o bien de evadirse del tiempo, escapando a la lucha de la conciencia, mediante una inmersión en la naturaleza:

---

[27] Ortega y Gasset, *O. C.*, VI, 409-15.

> ¡Oh, descansar en el azul del día
> como descansa el águila en el viento,
> sobre la sierra fría,
> segura de sus alas y su aliento!

seguida de la imprecación a la naturaleza, como consuelo del tiempo:

> La augusta confianza
> a ti, Naturaleza, y paz te pido,
> mi tregua de temor y de esperanza,
> un grano de alegría, un mar de olvido... [28].
>
> (CLXIX.)

o bien de totalizar el tiempo, unificándolo en todas sus dimensiones, en una presencia, grávida de pasado, y que no necesite transcenderse hacia fuera sino verterse hacia dentro. Es el éxtasis de la plenitud, que aparece en M., muy rara vez, y siempre unido a dos vivencias: la de la conciencia integral, como un don de luz-tiniebla, y la del amor.

> Han cegado mis ojos las cenizas
> del fuego heraclitano.
> El mundo es, un momento,
> transparente, vacío, ciego, alado.
>
> (CLVI, núm. 7.)

O en aquel otro poema de Abel Martín a la plenitud intacta del mundo en la hora suprema:

---

[28] Comentando este poema, escribe Predmore: «la paz y la tranquilidad del campo inspiran en el poeta el deseo momentáneo de suspenderse en el tiempo, como el águila en el viento» (*art. cit.*, página 704). A mi juicio, no es tanto suspenderse en el tiempo, como suspender el tiempo. Este instante es hermano gemelo de aquellos unamunianos de la «disolución de la conciencia», que tan magistralmente ha estudiado Blanco Aguinaga en su *Unamuno, contemplativo, op. cit.*

....
—no hay espejo; todo es fuente—,
diga: sea
cuanto es, y que se vea
cuanto ve. Quieto y activo
—mar y pez y anzuelo vivo,
todo el mar en cada gota,
todo el pez en cada huevo,
todo nuevo—,
lance unánime su nota.
....
Armonía;
todo canta en pleno día.

(CLXVII.)

En cuyos últimos versos nos encontramos envueltos en
la misma luz, cenital y rotunda, del *Cántico* de Guillén. El
otro éxtasis de plenitud, también muy de tarde en tarde, está
ligado a la experiencia del amor: pueden rastrearse algunos
ejemplos muy significativos de esta totalidad intensiva del
tiempo de los amantes. Alguna vez será espejismo, como en
aquel enamorado que piensa guardar eternamente el recuerdo de su amada «todo un ayer en el espejo claro» (CLXII); o
ensoñación desesperada como canta el poeta a Guiomar en
un:

jardín de un tiempo cerrado
con verjas de hierro frío.

(CLXXIII, núm. 2.)

Otras, en cambio, se ofrece como una experiencia final de
plenitud. Es la tarde del amor completa hacia la que cami-
nan los amantes con la rosa de fuego en sus manos, como
se canta en el bellísimo soneto de este nombre, o la eternidad que destilan las horas de los nuevos esposos,

...si el ahora vierte
su eternidad menuda grano a grano.
(«Bodas de Francisco Romero».)

o en fin, el tiempo sellado, en una melodía única, con que recrea el poeta en su cita imaginaria sus encuentros con Guiomar:

Todo a esta luz de abril se transparenta;
todo en el hoy de ayer, el Todavía
que en sus maduras horas
el tiempo canta y cuenta,
se funde en una sola melodía.
(CLXXIII.)

En definitiva, en el éxtasis, el instante aparece como perfección del tiempo, y por eso es la consumación (no consunción como en M. Machado) del «todavía», mientras que la mayoría de las veces, éste se nos da transcurriendo, como «tiempo en fruto» aún no logrado, en el trance en el que el pasado se esfuerza por sobrevivir en futuro y la memoria por transustanciarse en esperanza. Por eso a diferencia del presente puntual de la vivencia inmediatista, propio de la actitud estética (en el sentido kierkegaardiano), ahora se trata del presente ético de la creación existencial y el lírico de la expectativa, pues lo inminente es siempre lo nuevo a punto de llegar, con tal de saber anticiparlo.

Y no se piense que esta inminencia mira sólo hacia el horizonte del futuro. También el pasado es inminente, si puede ser evocado como herencia viva. La inminencia sobrecoge el tiempo humano y lo unifica en la instancia de lo originario, es decir, en aquella novedad, que no sobreviene de fuera, como por asalto, sino que brota del mismo hontanar del alma. No encuentro texto más expresivo de esta nueva instancia de la temporalidad, que aquel apunte de Ma-

chado —una de las páginas más líricas de su obra— en que,
ya en guerra civil, el sexto aniversario de la proclamación
de la República vuelve a encender el alma del poeta en los
afanes y fervores de su origen, porque todo, pese a las dra-
máticas circunstancias, tiene que nacer de nuevo.

> Vivimos hoy, 14 de Abril de 1937, tan ahincados en el presente
> y tan ansiosamente asomados a la atalaya del porvenir que,
> al volver por un momento nuestros ojos a lo pasado, nos
> aparece aquel día de 1931, súbitamente, como imagen salida
> nueva y extraña, de una encantada caja de sorpresas. ¡Aquellas
> horas, Dios mío, tejidas todas ellas con el más puro lino de
> la esperanza, cuando unos pocos viejos republicanos izamos la
> bandera tricolor en el Ayuntamiento de Segovia!... Recordemos,
> acerquemos otra vez aquellas horas a nuestro corazón. Y luego,
> aquella magnífica evocación de una vida que amanecía... Con
> las primeras hojas de los chopos y las últimas flores de los
> almendros, la primavera traía a nuestra República de la mano.
> La naturaleza y la historia parecen fundirse en una clara
> leyenda o en un romance infantil (J. M., II, cap. IV, 81-2).

Si. «Hoy es siempre todavía» (CLXI, CXLIX). Este es el
lema existencial que resuena de una parte a otra en la obra de
Machado. La reconquista del tiempo ya perdido y la conquista del tiempo por venir, tiene que partir de esta poética confesión de fe en la libertad. No es ésta, sin embargo, una fe
ingenua, sino reflexiva, y, por tanto, ardua. El «todavía» del
esfuerzo humano por el sentido del tiempo, se encuentra en
permanente conflicto con el «nunca jamás» del tiempo irremediable. Machado lo sabía muy bien desde el comienzo. El
tiempo no pasa en vano. La inercia y el olvido tienden, por
así decirlo, a minar los fundamentos de la esperanza. Así
se le escapa en una queja de *Soledades*;

> Hoy dista mucho de ayer.
> ¡Ayer es nunca jamás!
>
>   (LVII.)

No son frecuentes, ciertamente, en su poesía estas confesiones. Pero la experiencia está ahí, hurgándole en el alma, como el gusano del tiempo que todo lo consume. «Nunca jamás» es la expresión fatídica del destino, con la que tiene que medirse la libertad del hombre. Presentimos este combate estremeciendo los versos de Machado, desde la primera hora, en el contrapunto del «nunca» y el «espera» del poema séptimo de *Soledades*, como la perpetua hora de su corazón:

> La hora de una esperanza
> y una desesperación.
>
> (CLXI, núm. 52.)

o en el doble copo —blanco y negro— con que los hiladores de los sueños van tejiendo la vida (CLXI, núm. 64).

Y aquella humorística bajada a los infiernos, en el delirio de la fiebre.

> *Dejad toda esperanza...* Usted primero.
> Oh, nunca, nunca, nunca. Usted delante.
>
> (CLXXII, núm. 10.)

¿No es este infierno acaso aquel fondo temporal del corazón del poeta en que se hiela y paraliza la vida, el amor, sin retorno a la esperanza?... En los apremios de la muerte de Abel Martín, ha proyectado Machado, sin duda alguna, su propia agonía existencial, su lucha contra el asalto del tiempo:

> Y sucedió a la angustia la fatiga,
> que siente su esperar desesperado,
> la sed que el agua clara no mitiga,
> la amargura del tiempo envenenado.
>
> (CLXXV, núm. 5.)

Machado sabe bien con quién tiene que habérselas. La animación del tiempo está siempre bajo la asechanza del ángel de la muerte. Pero incluso allí, en el punto extremo, cuando todo parece fatalidad, cabe también el «todavía». Está a su vez la doble posibilidad de la rebelión, como quien no dimite de la vida, al modo del quijotesco don Miguel, o aquella otra de la aceptación de la tiniebla, como el vaso de sombra que apura Martín, consumando activamente, reflexivamente, su propio tiempo humano. Todo menos abandono, echarse a morir como un animal. Es natural, pues, que dos tiempos tan distintos, el vivencial de la disipación y el inminencial-creativo —Manuel y Antonio para personalizarlos—, enfoquen esta relación «tiempo-muerte» de muy distinta manera:

> Señor, ya estamos solos mi corazón y el mar

gritará Antonio, desde su tiempo humano de dolor y conciencia, frente al misterio del mundo y el enigma de la muerte. Junto a este valeroso enfrentamiento, Manuel no conoce más que el místico abandono en los brazos de la nada, como se muestra en los versos finales del magnífico soneto «Ocaso»:

> ¡El mar, el mar, y no pensar en nada!...
>
> («Ars moriendi», *O. C.*, 192) [29].

---

[29] Cfr. un pasaje semejante de «Ars moriendi»:

> —Hijo, para descansar
> es necesario dormir,
> no pensar,
> no sentir,
> no soñar...
> —Madre, para descansar,
> morir.
>
> (*O. C.*, 189.)

Sobre el tema de la muerte habrá que volver en el próximo capítulo.

ENTRE LA MEMORIA Y LA ESPERANZA

¿Cómo anudar el tiempo?, ¿de qué modo salvarlo de su dispersión momentánea?, ¿en qué manera el cuenco del alma puede recibir, sin perder, este fugacísimo elemento, que es toda ella, ella misma? La respuesta machadiana, como ya sabemos, es el «todavía», la unificación interior del transcurso temporal en una presencia, grávida de pasado y tensa de porvenir. Se trata de buscar la continuidad del tiempo, no horizontalmente, como mero flujo, sino verticalmente como asunción de la totalidad de la vida, en cada punto de la trayectoria. Como comenta L. Rosales con justeza,

> Machado tiende siempre a unificar su vida entera, desde cualquier instancia o punto del vivir. Como el río que en cualquier parte de su curso aún conserva el sabor de su fuente, así también toda renovación sentimental consiste para él en la esperanza del recuerdo... Y esta continuidad es la que nos permite vivir una auténtica vida personal, proyectando sobre todos y cada uno de nuestros actos la sucesión de nuestra vida entera. Pues nadie puede vivir auténticamente si no es viviendo cada instante desde aquella unidad que totaliza su vivir, esta totalidad —dice Rosales en expresión insuperable— es el despliegue de la esperanza del recuerdo [30].

En efecto, el presente de la inminencia está vivido fundamentalmente desde la dimensión del «recuerdo», porque la novedad no sobreviene desde fuera, sino que viene o aflora desde dentro; es así lo in-minente, como proyección de lo sido. Pero adviértase bien, no se trata del eterno retorno, sino más bien del eterno comienzo o re-nacimiento, jus-

---

[30] Luis Rosales, «Muerte y resurrección de A. Machado», en *Cuadernos Hispanoamericanos*, 1949, *op. cit.*, 476.

tamente porque el pasado sólo vuelve como esperanza de lo
nuevo. Sin duda esto sólo puede acontecer en función del
valor creativo que confiere M. a la memoria, en directa filiación con Bergson y Unamuno. Esta es el «pasado viviente» [31],
en el que tiene que arraigar el hombre como su propia sustancia, para sostenerse en ser, para conservar no sólo su
identidad como persona, sino también su vocación o su
«daimon».

Dista, pues, mucho esta memoria de la mera función psicológica del recuerdo (aunque a menudo M. la caracteriza
con este nombre). Es más bien, una dimensión existencial
del yo, su autopresencia en acto (ser-se), su dimensión de
profundidad, o, si se prefiere la expresión unamuniana, su
intrahistoria, el sedimento de su historia, como núcleo ontológico del ser.

Así lo prueba una mínima fenomenología de la memoria
en el sentido machadiano. En primer lugar, su capacidad de
evocación:

> De toda la memoria, sólo vale
> el don preclaro de evocar los sueños.
>
> (LXXXIX.)

Conociendo ya el sentido del en-sueño en la poesía de M.,
como figuración creativa de los caminos de la vida, se comprende que la evocación de los sueños, no es sin más la
rememoración nostálgica, sino su reactualización efectiva.
La evocación llama de nuevo al ser a los sueños sidos, los
vuelve a soñar, y de esta manera, los convierte en una fuente

---

[31] «Todavía; pasado vivo —lo llama J. L. Aranguren—, porque él
es hombre de buena memoria, hombre con alma de galerías sin fondo,
hombre, que además de tener un pasado, lo es» («Esperanza y desesperanza de Dios en la experiencia de la vida de A. Machado», en
Cuadernos Hispanoamericanos, 1949, *op. cit.*, 387).

de inspiración. No importa, pues, el pasado en su literalidad, tal como acaeció; sino los sueños del pasado, la vida ya configurada por la imaginación creadora, como perpetua reserva de la energía del alma. Lo pasado en su facticidad es irreversible; pero la ensoñación de ayer se mantiene actualizada en un flujo incesante. Por eso, no sólo interesa lo vivido, sino incluso y más aún, lo no vivido —lo presentido, lo deseado, lo imaginado—, es decir, todo el halo poético imaginativo de ilusiones y preocupaciones que un día, ya pasado, llenaron la existencia.

¿Puede ser esta evocación una conquista del tiempo perdido por aquello de que «quien se vive se pierde» —como decía Abel Martín (CLXXV)—, pues toda vida está siempre por debajo de sus más altas posibilidades? [32]. El tiempo perdido no es, sin más, el tiempo dilapidado, ni el tiempo irrecuperable, sino el tiempo incompleto o imperfecto —el tiempo que no llegó a su madurez— y por eso tiene que ser reactualizado en el presente, en su posibilidad más pura y originaria. La inminencia de lo pasado no equivale a su vuelta, sino a su vigencia como recreación continua del alma.

Salta a la vista la diferencia esencial que separa el proyecto machadiano de la conquista del tiempo perdido, con respecto al de M. Proust. En este último, se busca lo pasado con mentalidad de recolector y hasta de analista, dispuesto a una tesaurización minuciosa de pormenores y acontecimientos, como quien entra en un mundo petrificado y no quiere perderse el más mínimo detalle de aquel museo.

---

[32] Karl Rahner lo ha proclamado con una belleza y claridad insuperables: «Las supremas posibilidades no pasan de ser promesa. De lo contrario, habría llegado ya la plenitud, que, creyendo y esperando, aguardando esperamos ansiosamente» (*Escritos de Teología*, Madrid, Taurus, 1961, III, 331).

> Para Proust —comenta M. en su discurso-boceto para el ingreso en la Real Academia—, este gran epígono del siglo romántico, el poema o la novela —¿no es la novela un poema degenerado?— surge del recuerdo, no de la fantasía creadora, porque su tema es el pasado que se acumula en la memoria, un pasado destinado a perderse, si no se rememora, por su incapacidad para convertirse en porvenir (C., 116 y II, 67).

La observación de M. es justísima. Está en la línea de la distinción hegeliana entre lo pasado (*das Vergangene*) y lo sido (*das Gewesene*). Lo pasado en el sentido de *Vergangene* es la positividad muerta de lo que fue, irrecuperable en su facticidad, porque no puede ser apropiada por el espíritu. Son, por decirlo de modo machadiano, los despojos que el mar de la vida arroja a la orilla, el polvo de la descomposición existencial, que sólo puede ser recordado en un acarreo afanoso de vestigios y residuos. Proust —piensa M.— sólo se las ve con aquel pasado muerto y decadente, que sólo saca a flor la fina introspección de una cansina mirada burguesa. Por eso sus páginas tienen el rancio perfume de un museo de cera, o de un herbolario en que exhiben su belleza ajada unas flores imposibles. El mundo machadiano de la memoria tiene, sin embargo, una intencionalidad de sentido opuesto. No acumular sino producir, no exhumar sino renacer. Por eso la obra de Marcel Proust, está inspirada por una escrupulosa fidelidad a lo pasado, en un anecdotario infinito. La de M., en cambio, obedece al principio creativo de la imaginación; es una memoria-imaginativa, tal como se trasluce del consejo de Juan de Mairena a sus alumnos:

> Os aconsejo una incursión en vuestro pasado vivo, que por sí mismo se modifica, y que vosotros debéis con plena conciencia, corregir, aumentar, depurar, someter a una nueva estructura, hasta convertirlo en una verdadera creación vuestra (J. M. I, cap. XXVIII, 127 y III, 100).

Lo sido, en cambio, como *Gewesene* es interiorización del tiempo existencial en el propio yo, y por eso esencia («*Wesen*») o realidad verdadera y fundamental.

En *Soledades y Galerías* se percibe claramente este deseo de reconstruir lo pasado en su intención oculta, en la soterrada vena de sus sueños, para reconocer en él la secreta inspiración que anima la vida. La *anamnesis* tiene así una función de conocimiento, como indagación en el núcleo de la personalidad íntima («Y podrás conocerte recordando / del pasado soñar los turbios lienzos», LXXXIX), así como de reactualización de aquella experiencia originaria que determina el curso del tiempo («Ah, volver a nacer y andar camino / ya recobrada la perdida senda», LXXXVII) —cantará en otro momento. El camino de la memoria es pues el del regreso al origen, como quien remonta aguas arriba («redrodentro», diría Unamuno, a quien era tan cara esta imagen) el propio curso de la vida hasta dar con su manantial. Allí está no sólo el fundamento de la identidad personal, sino también la dirección misma de la existencia.

Esta vuelta al origen tiene por sí misma una función purificatoria. Muy al gusto romántico que sitúa siempre en el origen la fundación del ser, la evocación, al reactualizar las experiencias más puras, nos redime de las impuras, hace valer sobre el déficit existencial habido, el valor de lo originario. Lo percibimos muy claramente en la evocación de la esposa muerta. No se trata sólo de una evocación nostálgica, sino casi de una continua afirmación del valor existencial, privilegiado, de aquella experiencia —el amor de la esposa niña— y a la vez, como se trasluce en el soneto CLXV, número 3, casi una reparación ética en nombre de la pureza de aquel amor:

> ¿Empañé tu memoria? ¡Cuántas veces!
> La vida baja como un ancho río

y cuando lleva al mar alto navío
va con cieno verdoso y turbias heces.

Pero, en medio de las turbulencias vitales se impone serenamente el valor de aquella experiencia única que nos puede salvar, porque no pasó en vano: los tercetos se cierran
con los endecasílabos, más bellos y rotundos de la erótica
española, sólo comparables al quevedesco: «polvo serán, mas
polvo enamorado».

> Pero aunque fluya hacia la mar ignota,
> es la vida también agua de fuente
> que de claro venero, gota a gota,
> o ruidoso penacho de torrente,
> bajo el azul, sobre la piedra brota.
> Y allí suena tu nombre ¡eternamente!

Estas últimas sugestiones nos llevan a una nueva dimensión de la conquista del tiempo perdido, de carácter conjuntamente ético-estético, en el sentido paulino del «redimen-
tes tempus». Al evocar en sueños lo pasado, tratamos de llevarlo a cabo en sus mejores posibilidades. Lo que pudo
llegar a ser, y no fue, lo que está pendiente de ser de aquel
pasado, cabe ahora completarlo o consumarlo en la evoca-
ción-creadora. He aquí cómo el «todavía» de la inminencia
vierte su poder sobre el propio pasado, buscando sus latencias de sentido o sus deficiencias, según los casos, para llenar la oquedad. El lamento por el tiempo perdido se consuela así, inmediatamente, con la esperanza de su cumplimiento.

> —¡Cuán tarde ya para la dicha mía!—
> Y luego, al caminar, como quien siente
> alas de otra ilusión: —Y todavía
> ¡yo alcanzaré mi juventud un día!

(L.)

De ahí también el deseo machadiano, gemelo del de Unamuno, de exhumar sus yos ex-futuros o buscar sus complementarios, con la doble función de totalizar las dimensiones de la existencia posible, y consumar a la vez las posibilidades de la existencia real [33]. En definitiva, la conquista del tiempo perdido, por la memoria, es tanto la actualización de los sueños e ideales del alma, como la inspiración en los mismos para la plenitud del proyecto existencial (reparar por lo mal hecho, saldar por lo no hecho y en fin de cuentas hacer bien lo que no se hizo).

Pero una filosofía tan abiertamente optimista y esperanzada con respecto al tiempo, debe partir del presupuesto epistemológico de la modificabilidad del pasado. Fue esta una permanente lección tanto del poeta Machado como del profesor Mairena. El determinismo es una mala apuesta, porque anula el valor de la conciencia personal. Nada está irremediablemente escrito, ni el mañana ni el ayer. ¿Cabe imaginar una confesión de fe más intrépida en un hombre, por otra parte, con un sentido tan agudo y crítico de la precariedad de lo humano? Pero en el lírico corazón de M. cabe esta aparente paradoja. Pocas, muy pocas veces (y éstas

---

[33] Muy finamente lo ha advertido Pedro Laín: «El tema de la posibilidad pretérita se repite con significativa frecuencia en la obra de nuestro poeta. Mucho antes que Priestley, en *Time and the Conways*, Antonio Machado había descubierto poéticamente la constitutiva pertenencia a la integridad de cualquier presente humano y, por consecuencia, a la total realidad del hombre, de todo cuanto en el pretérito hubiera podido ser. Ello le conduce a una empeñada rebelión intelectual y cordial contra la presunta inmodificabilidad del pasado». (*La espera y la esperanza*, Madrid, Rev. de Occidente, 1962, pág. 425). Sobre la función de los «apócrifos» en la obra de M., pueden verse también: Aurora de Albornoz, *La presencia de Unamuno en Antonio Machado, op. cit.*, págs. 288-310; J. L. Abellán, *Sociología del 98*, Barcelona, Península, 1973, págs. 103-4; Gutiérrez-Girardot, *op. cit.*, págs. 94-96; Eustaquio Barjau, «A. Machado: Teoría y práctica del apócrifo», en *Convivium*, núm. 43, Barcelona, 1947, págs. 89-116.

incluso más en función de la facticidad de lo pasado, que de su destino genuino) decae Machado de esta esperanza. Es comprensible que de pronto se le escape la queja por el paso del tiempo irrecuperable (quizá al filo de un amor truncado o de aquella alegría que no vuelve dos veces):

> Hoy dista mucho de ayer.
> ¡Ayer es nunca jamás!
> (LVII.)

Pero junto a estos desahogos, tan contenidos en su dolor, ¡cuánta fe en la capacidad de la memoria para contener el tiempo, liberarlo de su dispersión y hasta levantarlo a nuevas esperanzas!; ¡cuánto «recuerdo transparente» en que la vida clarea en su luz más pura, y cuánta añoranza que la imaginación se encarga de transmutar en nuevas formas de presencia!

Ni siquiera el viejo profesor Mairena, tan secretamente trabajado por la muerte propia y la colectiva, se apeó de esta fe en la libertad: «el pasado no sólo no es imperfecto como ya se ha dicho con sobradas razones, sino también perceptible a voluntad» —declara en un momento (II, 199)—. La transformación del pasado está, de un lado, en función de la asunción que hagamos de él, en el momento presente (es decir, de su interpretación por la conciencia); del otro, de su determinación o proyección en el futuro en el orden de la opción libre. En definitiva, se trata de un pasado vivo y personal, incorporado a una intencionalidad constituyente, que él determina, pero en la que a la vez, solidariamente, se siente alterado y determinado.

> Lo pasado es lo que vive en la memoria de alguien, y en cuanto actúa en una conciencia, por ende incorporado a un presente, y en constante función de porvenir. Visto así —y no es ningún absurdo que así lo veamos— lo pasado es materia de

infinita plasticidad, apta para recibir las más variadas formas...
(J. M., I, cap. XXVIII, 126-7 y III, 100 y Cfr. C., 191, 226).

Volviendo a la fenomenología machadiana de la memoria, es también propio de ella, en segundo lugar, atenerse a «la emoción de las cosas».

> Sólo recuerdo la emoción de las cosas,
> y se me olvida todo lo demás;
> muchas son las lagunas de mi memoria.
>
> (CLXXIX.)

Estamos de nuevo ante una sorprendente paradoja, porque resulta que el encendido defensor de la evocación creadora, tiene una memoria vacía —vacía, claro está, de anécdotas, de hechos, de detalles, de toda esa abrumadora carga de despojos que con labor de orfebre coleccionaba Marcel Proust, y, sin embargo, llena de lo único que importa: la vibración íntima del alma ante las cosas que pasan. Esta emoción es aquel elemento poético por antonomasia, que según Machado —recordemos sus declaraciones poéticas del año 1917—,

> no es la palabra por su valor fónico, ni el color, ni la línea, ni un complejo de sensaciones, sino una honda palpitación del espíritu; lo que pone el alma, si es que algo pone, o lo que dice, si es que algo dice, con voz propia, en respuesta al contacto del mundo (OPP, 51).

No. Habrá que repetirlo de nuevo; recordar no es reconstruir un mosaico, a la búsqueda de teselas perdidas o del esquema posible del dibujo de la realidad. Recordar es reactualizar el estado creativo del alma —emoción y palabra— ante el paso irremediable de las cosas. De ahí que la evocación de las cosas no se suscita por menudos detalles, ni por los muchos esfuerzos de memoria, sino que brota súbita y pura, ante una emoción análoga, como en la «Elegía de un Madrigal» (XLIX), o como en la «vieja cadencia» del coro de los niños y la fuente:

> las canciones llevan
> confusa la historia
> y clara la pena.
>
> (VIII.)

Y tiene que ser así en virtud de la misma función creativa de la memoria. Es preciso que ésta se desgrave del peso muerto de lo pasado en su facticidad, de los inmediatos y múltiples detalles de la vida; en una palabra, que sepa olvidar, para recrear sólo lo decisivo: el estado ya sido del alma con todas sus virtualidades existenciales. La segunda cosa que debe saber el poeta —enseña Mairena— es que

> el olvido es una potencia activa sin la cual no hay creación propiamente dicha, como se explica o pretende explicarse en la metafísica de mi maestro Abel Martín (II, 199).

El olvido, tiene, en efecto, como ya se sabe, una función selectiva o discriminativa, que se desembaraza de lo superfluo y accidental en beneficio de la esencialidad de lo vivido[34]. Pero sobre ésta, se levanta una segunda función, que yo llamaría catártica o purificativa, porque acendra o repristina la vivencia. Queda pues sólo lo que ha sufrido la prueba del olvido, y queda no sólo quintaesenciado sino refigurado, pues la memoria sólo puede luchar contra el olvido

---

[34] Como precisa R. Gullón, «el tiempo influye en la creación poética de dos maneras: como agente acumulativo, cuando la memoria preserva lo pasado; como agente selectivo, si el olvido diluye las vivencias y desecha los detalles, reteniendo lo esencial, o convierte la totalidad de la materia-vivencia en sustancia imprecisa» (*op. cit.*, 170).

por obra de una imaginación creadora permanente. Por último —y ésta es su función más capital y propia— el olvido desnuda la experiencia de su facticidad, de su irremediable concreción, y la deja así libre para la obra creadora de la evocación imaginativa. A la finura psicológica de M. no podía escapar una función tan alta.

> Merced al olvido puede el poeta —pensaba mi maestro— arrancar las raíces de su espíritu, enterradas en el suelo de lo anecdótico y trivial, para amarrarlas, más hondas en el subsuelo o roca viva del sentimiento, el cual no es ya evocador, sino —en apariencia al menos— alumbrador de nuevas formas. Porque sólo la creación apasionada triunfa del olvido (J. M., I, cap. VIII, 42).

El texto no merece ser pasado por alto. En primer lugar, porque en él establece M. una reflexión interna entre la memoria y el olvido. Si es cierto que aquélla triunfa de éste, por la creación apasionada, no lo es menos que triunfa mediante el olvido, que depura y filtra el tiempo hasta decantar aquella única experiencia, ineliminable, la íntima emoción del alma, estremecida en sueños, ante un mundo que cambia. Además, y en segundo lugar, porque conexiona la memoria con el mundo del sentimiento. Este nuevo punto, constituye, a mi juicio, la tercera característica de la memoria machadiana. Recordar, como sugiere su etimología, es «pasar por el corazón» y por tanto acunarlo en aquel fondo existencial en que se vive sentimentalmente el arraigo en el mundo. Pues bien, sólo asentando lo pasado en este íntimo fundamento, se alcanza la dimensión interior y personal de lo sido, de lo que no pasó en vano, sino que se mantiene como sustancia de lo porvenir. Por el contrario, fuera del corazón, por mucho que abunden los recuerdos, ya no es posible la memoria. Esta situación de desarraigo es la que experimenta el poeta, a su vuelta a Andalucía, ocupada el alma, tan plena y dramáticamente, por la luz y la hora del alto Duero. Tiene el alma llena de cosas, imágenes de otros días que se levantan al conjuro de la realidad presente.

> mas falta el hilo que el recuerdo anuda
> al corazón, el ancla en su ribera,
> o estas memorias no son alma...
>
> (CXXV.)

No importa que las cosas no vuelvan, que todo se vaya irremediablemente, si queda el sentimiento, esta segunda creación, que vence al olvido y a la inercia, los poderes de la muerte. Aquellos días de Soria, con sus auroras y sus ocasos, se han ido como las aguas del río que cruza el alto llano, pero el corazón tiene la última palabra:

> No todas vais al mar, aguas del Duero.
>
> (CXXVII, bis.)

Y uno percibe en este endecasílabo apasionado «el dolorido sentir» de Garcilaso, lo único que no podrían arrebatarle.

Pero, ¿de qué modo podría este «dolorido sentir» ser algo más que una queja insondable, sin estar trascendiéndose en esperanza? Y ¿cabe esperar desde el recuerdo que no es más que recuerdo?, ¡valiente paradoja! Y, sin embargo, sólo una memoria que nos hace esperar, merece ser salvada. Lo contrario, es ya muerto, despojos de muerte, y mejor valdría aplicarle la sentencia evangélica: dejad que los muertos entierren a sus muertos...

El nudo existencial entre la memoria y la esperanza, no es otro que el corazón, «el fundamento real de la existencia humana», como ha indicado Pedro Laín.

> En el corazón tiene su unidad transtemporal el pasado y el futuro del hombre, su memoria y su esperanza: y así si la actividad de la memoria consiste en recordar o traer de nuevo al corazón lo que ya pasó, el ejercicio de la esperanza —para

el cual no tenemos nombre cordial— consiste en proyectar sobre el futuro el ansia de integridad y bienaventuranza que en el corazón hay. Al «recuerdo» de la memoria correspondería el «recuerdo» de la esperanza, como a la «evocación», llamamiento de lo pretérito desde el presente, corresponde, cara al porvenir, la tácita «invocación» que el esperanzado —y aun el mero esperante— dirigen a la instancia omnipotente y transpersonal en que su esperanza y su espera descansan [35].

La dialéctica entre memoria y esperanza —evocación e invocación a la que tan finamente apunta aquí Laín Entralgo, a propósito de Machado—, se presenta en la forma de una reflexión interna. Si es verdad que la memoria funda la esperanza, porque en definitiva, sólo esperamos desde lo que somos y hemos venido siendo, no lo es menos que la esperanza salva la memoria, en el sentido de que lleva o pretende llevar a cumplimiento todas las mejores posibilidades de nuestra historia personal. El recuerdo se alarga y amplifica en esperanza, al asumir lo sido como condición para seguir siendo; no hay ninguna expectativa bien fundada que no se alimente de la energía que libera lo pasado; y a la vez, la esperanza justifica nuestra memoria, y hace que ésta no haya sido vana, al exhibir en su verde flor, la promesa del tiempo futuro. Aun siendo, pues, verdad que Machado piensa el tiempo desde la primacía del pasado viviente, no excluye, sino que más bien exige, la vertiente de la futurición. Pues donde no hay futuro, allí no palpita la vida; en lugar de la memoria como sustancia personal y potencia activa, sólo quedaría el pasado pétreo, mineral y reificado, propio del cadáver.

A la hora de una breve fenomenología machadiana de la esperanza habría que distinguirla ante todo de la «espera»; es éste un hábito psíquico (?), por decirlo de algún modo,

---

[35] Pedro Laín, *La espera y la esperanza*, op. cit., págs. 329-430.

orientado hacia lo venidero (sin calificación precisa ni determinación), pues vivir es «devorar tiempo», como aclara
Machado, «esperar; y por muy trascendente que quiera ser
nuestra espera, siempre será espera de seguir esperando»
(J. M., I, cap. VII, 36 y II, 174). El tiempo interior (no el homogéneo donde todo sucede en un mismo plano) es, pues,
necesariamente un tiempo de espera, porque el presente humano, como ya vimos, no es el de la presencia inalterable,
sino el de una inminencia siempre a punto de cumplimiento,
al filo del riesgo existencial, donde igualmente se dan la consumación y la consunción; la espera es pues tan consustancial con la vida del hombre, que M. no duda en calificarla de un proceso indefinido: «espera de seguir esperando»,
pues la expectación es inseparable del carácter «imperfecto»
de nuestra vida. Y de ahí que para M., la actitud de la espera, por sí sola, está siempre dominada por la angustia.

Hay en la espera, si bien se observa, una doble angustia.
De un lado «la espera de la espera» precipita el tiempo humano en la oquedad de un futuro que nunca tiene término.
Del otro, la anticipación del término extrínseco al esperar,
representaría precisamente el fin de la vida. Este segundo
aspecto de la angustia, es el que precisa muy tempranera-
mente Machado en un breve apunte de *Soledades*:

> ....
> Ya nuestra vida es tiempo, y nuestra sola cuita
> son las desesperantes posturas que tomamos
> para aguardar... Mas Ella no faltará a la cita.
>
> (XXXV.)

En definitiva, la espera sería algo así como el «infinito
malo», siempre pendiente de cumplimiento, y al que sólo
podría sacar de su indeterminación el corte seco de la
muerte.

Por eso es necesario «corregir», o si se prefiere, modificar humanamente, esta actitud existencial de la espera con el hábito de la esperanza. Así parece indicarlo M. en un texto del profesor Mairena:

> Sin el tiempo, esa invención de Satanás, sin ese que llamó mi maestro «engendro de Luzbel en su caída», el mundo perdería la angustia de la espera y el consuelo de la esperanza. Y el diablo ya no tendría nada que hacer. Y los poetas tampoco (J. M., I, cap. XXIV, 110 y II, 187).

¿Qué nueva determinación introduce la esperanza para constituirse en consuelo del tiempo? Sin duda, lo típico de la esperanza es situar aquello que ha de venir bajo el signo de la vida. Lo que llega es por ella y para ella una posibilidad creadora; lo inminente, una nueva creación o renovación constante. La espera se hace esperanza cuando espera hacia la vida y deja de ser un pasivo aguardar la muerte. Por eso la más fina expresión machadiana de la esperanza se encierra en aquellos versos emocionados, al contemplar la rama verdecida en el viejo olmo seco:

> Mi corazón espera
> también, hacia la luz y hacia la vida,
> otro milagro de la primavera.
>
> (CXV.)

Unida, pues, a la esperanza va siempre la promesa del renacimiento, en el doble sentido de que lo que ya no es, volverá a ser, de alguna forma, y también lo que nunca fue tendrá una posibilidad de llegar a la existencia. De ahí que la esperanza nos llegue, como «la alegre canción de un alba pura» (XVII), como promesa de una vida, que ya se anuncia por sus primeros brotes.

Junto a la novedad de la vida, aparece igualmente en la fenomenología de la esperanza, en contrapunto a la angustia como cerrazón existencial, la apertura ilimitada de horizontes. «¡Qué importa un día» —exclamará Machado rebelándose contra la irrecuperabilidad del tiempo perdido—. La esperanza es la que siempre salva, incluso frente a lo irremediable:

> .... Está el ayer alerto
> al mañana, mañana al infinito,
> hombre de España: ni el pasado ha muerto,
> ni está el mañana —ni el ayer— escrito.
>
> (CI.)

Y de ahí, por último, que Machado asocie siempre la esperanza a la libertad, por lo que ésta tiene de superación de la necesidad ciega. La fe del esperanzado no es, pues, una ilusión ingenua y desmedida, es fe de libertad, como muy oportunamente señala el poeta («Creo en la libertad y la esperanza»), porque sólo la libertad que crea —nueva vida y más ancho horizonte— tiene el derecho de estar esperanzada.

Yo diría que la esperanza, ante todo, tiene la facultad de la visión profética o adentramiento iluminado en el orden de lo que se espera. Lo configura y nombra; ya no es sin más, lo que sobre-viene, sino aquello que adviene en función de la previsión humana. Pero, a la vez, dispone de la capacidad de orientación hacia lo nuevo y hasta del esfuezo para proseguirlo. Mediante la invocación de la esperanza, la espera cobra sentido y valor. Se hace a la vez, profecía de lo que ha de venir y «proergía» o incitación a su cumplimiento, siempre en el orden de la «novedad» de vida.

Creo que una fenomenología de la esperanza en M. nos iría arrojando todos estos índices. Ante todo lo que comporta la esperanza de proyección de un sentido o valor hacia lo posible.

La verdad es —decía Juan de Mairena a sus alumnos— que la visión de lo pasado, que llamamos recuerdo, es tan inexplicable como la visión de lo porvenir, que llamamos profecía, adivinación o vaticinio... De modo que si el recordar no nos asombra, tampoco debe asombrarnos demasiado esa visión del futuro que algunos dicen poseer (J. M., II, cap. XLII, 17 y III, 104 y 109).

Evidentemente con esto no se hace otra cosa que confirmar el carácter de ensoñación —creación que acompaña toda vida verdaderamente humana—. Recreamos en el recuerdo, como ya se ha indicado, pero tan sólo para volver a crear o fundar lo venidero en la esperanza. La visión, pues, de lo futuro, la pre-visión, es una cualidad tan específicamente humana como la re-visión de las entrañas de lo pasado. Y cuando este adentramiento luminoso, lo que aquí llama M. profecía, presenta el signo positivo de la realización personal, merece llamarse visión de esperanza. El esperanzado ve que en el futuro se despliega su vida en dimensiones nuevas de felicidad y cumplimiento personal; que en el futuro será posible lo que aún no fue o lo que ya no es, incluso a veces, frente a la irremediable cerrazón del presente:

Late, corazón... No todo
se lo ha tragado la tierra.

(CXX.)

Pero junto a la previsión, es preciso mencionar lo que tiene la esperanza de trabajo. De trabajo, o por mejor decir, «trabajos» (CXX, y CXXXIX) contra la desesperación, siempre en acecho y en asalto permanente, y también contra la fría necesidad que nos presenta la razón. Quien espera es pues el corazón esforzado, que sabe, no obstante, a lo que se atreve.

Este conflicto, muy unamuniano en su estilo y en sus personajes, entre la razón como facultad de lo necesario y el co-

razón como principio existencial de creación, lo recoge M.
en una de sus «Parábolas». Lo transcribo, casi íntegro, por
su excepcional valor para nuestro tema:

> Dice la razón: busquemos
> la verdad.
> Y el corazón: Vanidad.
> La verdad ya la tenemos.
> La razón: ¡Ay, quién alcanza
> la verdad!
> El corazón: Vanidad.
> La verdad es la esperanza.
>
> (CXXXVII, núm. 7.)

Se trata de una de las piezas machadianas de más finura
poética y filosófica. El corazón confiesa la vanidad de la
razón, tanto cuando pretende ponerse a la búsqueda de una
verdad absoluta, como cuando renuncia demasiado a prisa
a ella. Y para eso hace valer lo que podríamos llamar el
principio de la creación: que la verdad ya la tenemos —no
está fuera, en un absoluto imposible, ni en ninguna parte—
sino dentro del alma, pero no en posesión definitiva y cabal,
sino como promesa y exigencia a la vez, es decir, como esperanza y en esperanza.

En la primera respuesta del corazón, encontramos un eco
del agustiniano «noli foras ire, in te ipsum rede»; la verdad
está en la interioridad; es la sustancia de la memoria como
vida personal. Y en la segunda réplica, es esta verdad-sus-
tancia la que se presenta como verdad-primicia, siempre
dispuesta a florecer de nuevo.

Importa subrayar, sin embargo, en todo este pasaje, lo
que la esperanza tiene de desafío a la objetividad extrema,
y de asalto a la ciega necesidad; en definitiva, de dinamismo
creador. Machado lo indica muy claramente en la elegía a la
muerte de don Francisco Giner (CXXXIX). En aquel «duelo

de labores y esperanzas» que el maestro hubiera querido para sí, hay una clara expresión en endíadis de que sólo el trabajo se merece la esperanza [36]. Incluso, en alguna ocasión, el esfuerzo del esperanzado raya en los trabajos de una revolución. Así soñaba el poeta, proféticamente, aquella España nueva, para la que estaba enterrando la simiente de su propia vida:

> Una España implacable y redentora,
> España que alborea
> con un hacha en la mano vengadora,
> España de la rabia y de la idea.
>
> (CXXXV.)

¿Es la esperanza de Machado una esperanza teologal? Me atrevo a apuntar que no. Si se exceptúa el tiempo de agonía personal tras la muerte de Leonor, en que la esperanza se crece a la desesperada frente a la muerte y parece apuntar al Dios de la vida, que resucita los muertos, apenas hay rastro en la obra de Machado para este tipo de esperanza escatológica. A menudo se presenta asociada al despertar del mal sueño que se ha entrado en el alma.

Cabe otra esperanza —escribía por aquellos años a Unamuno— que no es la de conservar nuestra personalidad, sino la de ganarla. Que se nos quite la careta, que sepamos a qué vino esta carnavalada que juega el universo en nosotros o nosotros en él, y esta inquietud del corazón para qué y por qué es... ¿Que dormimos? Muy bien. ¿Que soñamos? Muy bien. Pero cabe despertar, cabe esperanza, dudar en fe (C., 175).

---

[36] La misma endíadis encontramos en el verso ya citado —confesión existencial de su fe humanista: «Creo en la libertad y en la esperanza» donde se identifican los dos momentos en la libertad creadora o la esperanza liberadora.

Incluso en este tiempo su esperanza es más un grito del alma en carne viva, frente a la soledad de la muerte, que un consuelo escatológico del bien futuro. Lo vislumbramos en aquel permanente combate entre la esperanza y la desesperación:

> Dice la esperanza: un día
> la verás, si bien esperas.
> Dice la desesperanza:
> sólo tu amargura es ella.
> Late, corazón... No todo
> se lo ha tragado la tierra.
>
> (CXX.)

Es como si a la vuelta de un sueño maravilloso la voz del corazón le animara para aguardar aquel otro sueño escatológico de la resurrección de la carne:

> ¡Eran tu voz y tu mano,
> en sueños, tan verdaderas!...
> Vive, esperanza, ¡quién sabe
> lo que se traga la tierra!
>
> (CXXII.)

No puedo suscribir, en consecuencia, la afirmación de Pedro Laín a este respecto:

> Hablar con Dios, ver a Dios, recibir la total y plenaria compañía de Dios. Dios es para el solitario Antonio Machado, como para el solitario Miguel Unamuno, el «Tú absoluto», la suma y única realidad en que pueden hallar satisfacción sin ceniza la esperanza y la impaciencia del hombre [37].

Tan sólo en aquella *anticipatio mortis*, que es el poema a la muerte a Abel Martín, hay un grito que parece invocar a este

---

[37] Pedro Laín, *La espera y la esperanza*, op. cit., 432.

Dios personal, en la misma frontera de la muerte: «Oh, sálvame, Señor»; un grito hondo y sincero, que sólo puede estar dirigido al Dios que tiene el poder de resucitar a los muertos. El mismo Dios, a quien esforzadamente, invocaría M. en el duro trance de la pérdida de Leonor. Pero, en general, para esta esperanza, le faltaba al corazón de M. la reciedumbre de la fe, que es, según San Pablo, «argumento de lo que se espera». Su profundo corazón cristiano no pudo ampararse gozosamente en la esperanza teologal. Si para Unamuno fue una experiencia sin retorno su gozosa fe de niño, para M. sería sencillamente una inexperiencia. De ahí que su esperanza no tenga más radio que el de su fe, y ésta, como ya se ha indicado, se reduce secularmente a un futuro más rico de libertad y de solidaridad humana. En verdad no excluye la escatología religiosa, pero tampoco la incluye temática y explícitamente. Es este futuro el que busca en sueños y en vigilia, en imaginación creadora y en tensa lucha, el corazón esperanzado de Machado. Su Dios, como veremos más tarde, no era más que la plenitud utópica de este gigantesco esfuerzo de humanización del mundo:

> creo en la libertad y en la esperanza
> y en una fe que nace,
> cuando se busca a Dios y no se alcanza,
> y en el Dios que se lleva y que se hace.
>
> (CXLIII.)

Así esperaba M. desde todas las raíces de su memoria y hacia todas las posibilidades de su ser, en tensión permanente, porque la esperanza tenía para él más de exigencia que de promesa, más de tarea que de don.

UNAMUNO, BERGSON, JUAN DE LA CRUZ

¿En qué marco filosófico se inscribe la teoría machadiana del presente de la inminencia? Luis Rosales apunta inequívocamente hacia Unamuno. ¿Y quién podría dudarlo? Es una teoría obsesiva y continua de don Miguel acuñada a veces en frases definitivas: «Vivir es recrear en el recuerdo y empezar a crear en la esperanza». Como es bien sabido, muy tempranamente, en los ensayos *En torno al casticismo*, frente al pasado muerto aparece el tema del «pasado viviente» como sustancia de la historia, y por tanto, una tradición, la eterna, que no es acarreo, sino sedimentación, que no es rémora sino primicia de porvenir (*Ensayos*, I, 36-40). Más tarde este mismo poso intrahistórico, se buscará en el orden existencial, como un núcleo o voluntad de ser en perpetua afirmación de sí mismo. Los motivos temáticos que descubrimos, nos resultan ya familiares en Machado: la continuidad de la vida personal en la fidelidad a lo que se es, el permanente despliegue de la memoria en esperanza, la redención del tiempo perdido mediante el trabajo por mejorar lo venidero, y hasta la fe en el porvenir, siempre unida a la libertad creadora. Una página excepcional del ensayo «Adentro» nos ofrece todos estos motivos, en aquella salvaje maraña de ideas que tan frecuentemente nos sale al paso en Unamuno:

> Ni lo pasado puede ser más que como fue, ni cabe que lo presente sea más que como es; puede ser siempre futuro. No sea tu pesar por lo que hiciste más que propósito de futuro mejoramiento; todo otro arrepentimiento es muerte, y nada más que muerte. Puede creerse en el pasado; fe sólo en el porvenir se tiene, sólo en la libertad... Y la libertad es ideal y nada más que ideal, y en serlo está precisamente su fuerza toda.

...Y poco más adelante, marcando la inflexión sobre el tiempo:

> ...Y espera! Espera, que sólo el que espera vive, pero teme el día en que se te conviertan en recuerdos las esperanzas al dejar el futuro, y para evitarlo, haz de tus recuerdos esperanzas, pues porque has vivido vivirás (*Ensayos*, I, 243-44).

Como se ve, a la altura de 1900, la temática está sustancialmente íntegra. Echamos a faltar el acento, tan machadiano, de la plasticidad de lo pasado, que aquí Unamuno fija en demasía, quizá en contrapunto con la novedad del porvenir, así como el vigoroso cuño de las expresiones de don Antonio, tales como «preterir lo venidero» (III, 99) —dar lo venido por pasado, como un aborto de la muerte—, y la gozosa y esperanzada actitud de «advenir lo pretérito» —llamémosla así por simetría— en que los recuerdos fundan las nuevas esperanzas.

El tema será ya constante en el Unamuno de madurez, acentuado cada vez más el valor productivo del recuerdo. Por no pecar de prolijo, elijo un texto definitivo de *Del Sentimiento trágico de la vida* que de seguro habría de impresionar a Machado: «La cantera de las visiones de nuestro porvenir está en los soterraños de nuestra memoria; con recuerdos nos fragua la imaginación esperanzas» (*Ensayos*, II, 908-9)[38]. Seguida de aquella otra afirmación, tan esencialmente paulina, «si es la fe la sustancia de la esperanza, ésta es, a su vez, la forma de la fe», en la que se adivina la interna reflexión entre la memoria y la esperanza. Especialmente debió de influir en Machado, tras su atenta lectura de esta obra, la idea de que la pre-visión del futuro arranca de la inmersión vidente en lo pasado, y que así la humani-

---

[38] Cfr. otros textos muy significativos de Unamuno, en *Ensayos*, II, págs. 736, 901, 958.

dad «teje sus días con ensueños a la espera de un amador, al que estaba destinada desde antes de su cuna».

Pero, ¿por qué no ir más allá de Unamuno, a fuentes en las que muy probablemente bebieron ambos? Me refiero a Bergson y a Juan de la Cruz. En efecto, una filosofía de la continuidad creadora en el tiempo, debe admitir el principio bergsoniano de la vida como duración real y heterogeneidad pura, tal como la melodía, cuya unidad no es el resultado de una arquitectónica externa, sino el producto de su inspiración originaria. «La duración completamente pura es la forma que adopta la sucesión de nuestros estados de conciencia, cuando nuestro yo se deja vivir, cuando se abstiene de establecer una separación entre el estado presente y los anteriores... Es suficiente para ello que al acordarse de los estados anteriores, no los yuxtaponga al actual, como un punto a otro punto, sino que los organice con él, como sucede cuando recordamos, fundidas por así decirlo en su conjunto las notas de una melodía... Se puede por consiguiente —concluye Bergson— concebir la sucesión sin la distinción, como una penetración mutua, una solidaridad, una organización íntima de elementos cada uno de los cuales, representativo del todo, no se distingue y se aísla de él más que para un pensamiento abstractivo» [39]. Frente al tiempo homogéneo, que sería la representación simbólica de la duración pura, en el esquema espacializado de la exterioridad (disociación y yuxtaposición), (*op. cit.*, págs. 59 y 73), el tiempo heterogéneo de la multiplicidad pura sólo se deja sentir y experimentar como un progreso dinámico y creador. Ciertamente, el yo externo, en su vivencia más cortical, está contaminado de la exterioridad del medio de las cosas, mientras que el yo in-

---

[39] Bergson, *Les données immédiates de la conscience*, Ed. du Centenaire, op. cit., 67-8.

terno, es refractario a esa proyección espacializante de su íntima vibración temporal. «El yo interior, el que siente y se apasiona, el que delibera y toma decisiones, es una fuerza cuyos estados y modificaciones se penetran íntimamente y sufren una alteración profunda tan pronto como se los separa los unos de los otros, para desarrollarlos en el espacio»[40].

He aquí fundamentalmente la concepción melódica del tiempo vital que subyace a Unamuno y Machado, y que es a la vez, frente al crudo determinismo, la razón de la identidad personal en el tiempo, así como de la innovación creadora. Sobre esta base metafísica de la personalidad, es fácil adivinar la conexión íntima de memoria y esperanza en un presente, que no tiene la instantaneidad de lo que muere, sino la duración (*durée*) de lo que fluye. De ahí que el presente, a diferencia de la abstracción del punto-límite matemático, constituya el nudo del tiempo, el punto de tensión del cambio, que es «a la vez una percepción del pasado inmediato y una determinación del futuro inmediato... y por consiguiente, a la vez sensación y movimiento»[41].

De ahí que la vida misma sea, en cuanto duración, un proceso de desarrollo en el que el pasado viviente se actualiza en el presente y se prolonga hacia el porvenir. No hay nada más bergsoniano que esta lucha contra la instantaneidad del presente, que descompone la vida en momentos discontinuos, aislados, como fragmentos de un mosaico. «Pues nuestra duración —precisaría en la *Evolución creadora*— no es un instante que reemplaza a otro instante: entonces no habría nunca más que presente, jamás prolongación del pasado en lo actual, jamás evolución, jamás duración concreta. La duración es el progreso continuo del pasado que roe el por-

---

[40] *Idem*, 83.
[41] Bergson, *Matière et Mémoire*, Ed. du Centenaire, op. cit., 280-1 y 291.

venir y que se hinca al avanzar» (*op. cit.*, 498). Nuestro carácter consiste, pues —agrega Bergson—, en la «condensación de la historia», concepto éste gemelo de la sedimentación interior o intrahistoria de Unamuno; y la libertad no es más que esta autoposesión del propio tiempo, en un presente unitario creador en que toda la vida, de puntillas o en vilo, se vuelca y proyecta en lo porvenir [42].

Pero junto a Bergson, ¿por qué no recordar también a Juan de la Cruz, lírico tan entrañable para Unamuno y Machado? Ciertamente el movimiento de la esperanza en la Antropología teológica o pneumatológica del santo, es opuesto al bergsoniano, pero sin embargo supone a éste en su base. Acabamos de ver cómo la memoria funda la esperanza. Pero precisamente por eso, una esperanza escatológica, que no dependa del hombre, sino del don de Dios, tiene de antemano que vaciar o purificar la memoria. Puesto que la esperanza teologal versa acerca de lo que no se tiene, incluso de lo que no está en nuestra mano tener, es preciso realizar previamente el vacío de la memoria para hallarse en condición de alcanzar a Dios. «De donde cuanto más la memoria se desposee, tanto más tiene de esperanza, y cuanto más de esperanza tiene, tanto más tiene de unión de Dios; porque acerca de Dios, cuanto más espera el alma, más alcanza» [43]. En definitiva, para que Dios se convierta en la sustancia del alma, antes tiene ésta que desustanciarse, es decir, desmemoriarse, perderse en su sí mismo para quedar en potencia del sí mismo de Dios. Frente a la esperanza humana que se crece saltando sobre la memoria, la teologal salta contra la memoria desnudándola de su consistencia y dejando al hom-

---

[42] Bergson, *L'Evolution créatrice*, Ed. du Centenaire, op. cit., 666.
[43] Juan de la Cruz, *Noche oscura*, Libro III, cap. 7, Madrid, BAC, 1950, pág. 733. Pueden verse también los capítulos 14-15 del Libro III y el sexto del Libro II.

bre en el vacío de su propia pretensión de ser. «Cuanto más
el alma desaposesionare la memoria de formas y cosas
memorables, que no son Dios, tanto más pondrá la memoria
en Dios y más vacía la tendrá para esperar de él el lleno de
su memoria» [44]. Y así una vez consumada la esperanza teologal en unión con Dios, éste se constituye en la absoluta
memoria del alma, y recordándola en su seno, le devuelve
transfigurada la memoria de las cosas perdidas. La esperanza
se convierte así, también aquí, aunque en un nivel superior,
en salvación de la memoria [45].

En definitiva, podría decirse que el esquema de la Antropología pneumatológica de Juan de la Cruz es el negativo
del antropológico existencial de Bergson. Pero por eso mismo, lo supera y conserva, destruyéndolo en sentido dialéctico para reintegrarlo en una significación más alta.

¿Se trata acaso de una influencia directa de Unamuno,
Bergson y Juan de la Cruz sobre Machado? No es preciso
aceptarlo. Al fin y al cabo, la conexión dinámica entre memoria y esperanza es una experiencia grávida, que les ha sido
dado vivir a muchos espíritus reciamente personales. Por
otra parte, como ya se ha visto, el tema del tiempo, no tendría que tomarlo uno del otro; estuvo siempre desde el principio en la lírica de cada uno, con acentos peculiares y
propios. En todo caso Bergson y el maestro Unamuno, y
muy posiblemente Juan de la Cruz, dieron más tarde a
Machado una *trama* con que poder reflexionar sobre su propia vivencia de la temporalidad, ya hecha canto y meditación, sin que esto suprima las diferencias entre ellos. Don
Miguel, más metafísico y teológico a la postre, acentuó quizá por eso el valor de la intrahistoria como un presente de

---

[44] *Idem*, cap. 15, págs. 745-6.
[45] Juan de la Cruz, *Llama de amor viva*, comentario a la canción
4.ª, *O. C.*, op. cit., 1.258-62.

eternidad, y sin duda, cultivó con más frecuencia que don Antonio el esfuerzo denodado de la esperanza teológica, que nos puede devolver el mundo, brotando sin cesar de su origen en la conciencia absoluta. Por eso, sorprende el paralelismo entre el texto de Juan de la Cruz, ya apuntado: «Recuérdanos tú y alúmbranos, Señor mío» (*O. C.*, pág. 1.262) y aquel unamuniano: «Suéñanos, Dios de nuestro sueño» (II, 358).

Don Antonio, en cambio, más sobriamente esperanzado, no intenta hacer pie en lo eterno, sino en el cuenco humilde en que vierte el alma su memoria estremecida de las cosas, y desde él y en él, teológicamente desesperanzado y humanamente dubitativo se atreverá, se esforzará hasta el último día, en hallar motivo para la esperanza.

V

UNIDAD Y EVOLUCIÓN DE LA OBRA DE ANTONIO MACHADO

> No es el yo fundamental
> eso que busca el poeta,
> sino el tú esencial.
>
> (CLXI, núm. 36.)

Antes de proseguir la marcha y acometer el tramo decisivo de la «metafísica de poeta», bueno sería echar un vistazo al conjunto para revisar el tema que se adelantó a las primeras páginas de este estudio: la unidad temática y existencial del mundo espiritual de Machado. El énfasis que requería la obertura forzó, sin duda, a simplificar líneas y presentar la tesis a su luz más hiriente y perfil más característico, con detrimento de las necesarias matizaciones que es necesario recoger ahora. Pudiera pensarse que tal tesis implica la congelación de la obra, como si ésta contara ya desde el principio con la clarividencia de su propósito y la totalidad de su sentido. Nada sería más erróneo. La unidad de poesía y filosofía —irisaciones de la «palabra esencial en el tiempo»—, en modo alguno destruye el combate por la plenitud de esta palabra, en el esfuerzo del yo por autentificar su propia voz. Más bien se diría que, en la medida en que la lírica se

inscribe desde el comienzo mismo, en un horizonte de creencias metafísicas, más allá de las nudas vivencias, el poeta
necesita clarificarlas, objetivarlas —no traumáticamente al
modo de Unamuno, sino por medio de la sonrisa y el humor—, relativizarlas, en suma, con la duda existencial y
buscar así, denodadamente, la profundización de sus propios
supuestos. Un ejercicio crítico que M. ejerció siempre, muy
lejos del engolamiento del «mester filosófico», con cierto aire
de juego, como quien se echa a andar por la «alta y tremenda aventura» con el mínimo equipo de un marinero.

> Al echar una ojeada general sobre la obra de A. M. —escribe
> J. M. Valverde— se advierte inmediatamente en ella una ínti-
> ma evolución, un proceso penoso, esforzado, con una cara de
> logro y otra de fracaso trágico, sin salir apenas del punto
> mismo del pozo, que, minero del alma, iba ahondando día a
> día en el acendramiento de su palabra [1].

La unidad, pues, de su obra y hasta de su actitud espiritual
última no excluye el drama de un itinerario, cuyas estaciones van articulándose con una extrema coherencia argumen-
tal; bastaría tan sólo para nuestro propósito con que no se
entienda esta evolución bajo el esquema de un desplaza-
miento lineal, como quien se aleja progresivamente del origen, sino más bien como la marcha en espiral de la maduración interior que, en lugar de eliminar los fragmentos de
la propia existencia, los transforma y trasciende de continuo.

La dirección del itinerario comienza ya a entreverse desde los primeros pasos: la necesidad de autentificar la propia voz en un empeño constante por cobrar conciencia y
lograr realidad, como tierra común del encuentro comunitario. El «yo» lo busca al comienzo en él mismo, intentando

---

[1] J. M. Valverde, *Estudios sobre la palabra poética*, Madrid, Rialp, 1958, pág. 102.

asirlo en la inmediatez de sus vivencias a través de las hondas galerías del alma. Marca así una primera estación a la que se suele llamar «intimismo» por aunar la clausura en el yo interior con la confianza de que en esta soledad se nos puede revelar la totalidad del mundo. Pero la necesidad de autentificar la voz, le forzará más tarde, ante los apremios de la reconciliación del arte con la vida, a profundizar en el «sí mismo» elemental del sentimiento hasta trascenderse hacia lo otro y el otro. Esta segunda estación, a la que prefiero caracterizar como «realismo dramático», señala el momento capital del traspaso hacia la realidad y hacia el tú, en un esfuerzo denodado por quebrantar las fronteras del propio yo.

Pero, este trascendimiento representa para M., un punto crítico de «diferencia» inmanente, un intervalo en el interior del propio yo, forzado a estar fuera de sí mismo, en una tensión constitutiva de alteridad, que ni rompe definitivamente sus fronteras ni elimina la solicitud y la inquietud por lo otro. Me he atrevido a calificar esta tercera posición como «humanismo trágico», porque se formula en ella la contradicción interior del mundo espiritual de M., entre su exigencia constitutiva de alteridad y su apetencia, cuasi instintiva y espontánea, de intimidad, en un altercado paradójico que recogerá, jugando al burlaveras, la metafísica poética de Abel Martín. No es extraño que suene en este momento con un rigor especial la hora de la filosofía (en sentido estricto), pues la propia «crisis» de su mundo espiritual exige la necesidad de objetivar sus supuestos en el deseo de clarificar tan violenta paradoja. Y quizá porque los enigmas que se resisten a la teoría encuentran su última resolución en la praxis, fue la época de la república española la que lleva a M. a una cuarta posición, más ejercida que formulada, aunque se deja adivinar aquí y allá en las declaraciones de Mairena; podría denominarse «comunitarismo» cordial o lírico, que si no logra crear una nueva sentimentalidad, abre al menos a la vida intelectual de M. la posibilidad definitiva de autentificarse, reconciliándose con la realidad y con su pueblo, en una hora trágica de purificación. Mairena piensa desde Martín, sin duda, pero a la vez, sobre Martín en un intento desesperado por encontrar la vía libre hacia la realidad, que había sido, ya desde el comienzo, la inspiración más genuina de Machado[2].

---

[2] Los diversos esquemas relativos a la evolución de la obra de Machado coinciden, básicamente al menos, en lo que se refiere a las dos primeras etapas —«intimismo y objetivismo»—; la tercera estación ha recibido, en cambio, diversos nombres: Metafísica (P. A. Cobos), Existencial (M. Rodríguez), Quiebra de la palabra (J. M. Valverde). He preferido el nombre de «humanismo trágico» por ajustarse más, no sólo a la crisis interna de su lírica sino más fundamentalmente aún, a la íntima tensión de su actitud personal. Nadie suele reparar, en cambio, que hay una cuarta etapa —(Cobos habla, a lo sumo, de un segundo Mairena, que se encarga de objetivar a su maestro Martín)—, en la que la praxis social establece las condiciones necesarias para superar la contradicción de su obra; etapa, claro está, que no sólo pertenece a su vida, sino que también alcanza, en diversa medida, a los últimos destellos de su pensamiento. En cuanto al hilo mismo de la evolución, Julián Marías ha sugerido como principio del cambio, «la búsqueda de la autenticidad», y Bernardo Gicovate lo ha formulado como el «cambio paulatino de una concepción del arte que urgía la presentación de lo fragmentario en su emoción y por medio de la sensación, a otra concepción de la poesía que exige la visión total de la experiencia humana lejos de lo personal y momentáneo». En las páginas que siguen se intenta desarrollar un esquema más fundamental y comprensivo, atento más que a las variaciones estilísticas y a los cambios de género —importantes, sin duda alguna—, a la íntima transformación, o por mejor decir, conversión de su actitud existencial ante el mundo, tal como han sugerido ya Oreste Macrí y J. M. Valverde, este último en su obra recientísima sobre *Antonio Machado* (Madrid, Siglo XXI, 1975).

INTIMISMO

La calificación de intimismo —dada por el propio Macha-do— cuadra bien al espíritu neorromántico de las primeras rimas (*Soledades, Galerías y otros poemas*) con su mundo mágico, entrevisto en el clima melancólico y húmedo de la sentimentalidad y el ensueño. Es una poesía atenta a las horas del alma, con sus luces y sombras, con su dialéctica íntima de ausencias sentidas y presencias soñadas, inten-tando aprehender el paso fugitivo y la realidad evanescente del propio yo en el lienzo brumoso de sus memorias y pre-sentimientos. Machado la definiría más tarde como «la hon-da palpitación del espíritu, en respuesta al contacto del mundo»; la realidad sólo entra en ella *in oblicuo*, más como incitación y sugerencia para el viaje del alma por su propia historia, que como experiencia realmente vivida, pues aun cuando lo autobiográfico se deja adivinar por doquier, inte-resa más la emoción de la vivencia que el análisis de su contenido.

Lo que importa verdaderamente es el efecto de resonan-cia que produce la realidad en el espacio interior del alma, la vibración íntima en que se resuelve la experiencia del mundo, hecho puro espectáculo o representación imaginati-va del yo (retablo interior de figurillas)[3]. Se comprende así el carácter de «introspección vigilada y descripción medi-

---

[3] Gutiérrez-Girardot ha captado muy finamente el ambiente irreal de ensoñación que determina el clima lírico de *Soledades*. «Pero más que estas imágenes, las que pueblan los laberintos del recuerdo y del sueño son los juguetes de viejo y las figurillas de los retablos, de modo que la fantasía produce un ambiente de peculiar realidad irreal: el de la épica infantil, el del cuento de hadas» (*Poesía y Prosa en Antonio Machado*, Madrid, Guadarrama, 1969, pág. 59).

da de los datos inmediatos de la conciencia en su límite entre la zona del sueño y el país de la naturaleza», con que ha caracterizado Macrí el intimismo de *Soledades* [4]. Los mismos títulos elegidos por M. expresan certeramente esta actitud de retracción o clausura lírica sobre el yo y sus vivencias (soledades), explorando las recónditas «galerías» del alma, en un ir y venir vagando por los «caminos» interiores, que abre sobre todo el mundo (criptas hondas o escalas sobre estrellas), la magia de la palabra poética.

El documento más expresivo de esta posición espiritual lo señala el poema XVIII, titulado «El poeta», precisamente porque en él se nos ofrece una clave decisiva para la interpretación de su obra. Como contrapunto a la vanidad del mundo, condenado a una disolución irremediable bajo el «soplo del olvido», y tras reconocer una amarga experiencia de la vida «hecha de sed y dolor», el poeta opone la primacía de la subjetividad —sentimiento y ensueño a la vez—. Así, tras el reconocimiento de la vanidad universal —«la cruda ley diamantina»—, se deja oír en el apartamiento o soledad del alma, viniendo de lo ya vivido o de lo nunca vivido, y en suma del reino de la desilusión, la otra voz del corazón, hecha piedad universal e iluminación lírica, ternura hacia todo lo que sufre un destino doloroso y transmutación ensoñadora en una nueva figura de existencia íntima.

> Con el sabio amargo dijo: Vanidad de vanidades;
> todo es negra vanidad;
> y oyó otra voz que clamaba, alma de sus soledades:
> sólo eres tú, luz que fulges en el corazón, verdad.
>
> (XVIII.)

---

[4] Oreste Macrí, *op. cit.*, 87-88.

El idealismo de esta posición es evidente. Lo que cuenta es la verdad del alma, su íntimo estremecimiento ante la vida, su cortejo de agudas vivencias en las que la sustancia del mundo se da transfigurada por la luz irreal de la libre ensoñación [5]. La realidad no es más que materia de sueño y éste por su parte se erige en un centro dinámico de transformación expresiva del mundo.

Por supuesto, en esta voz lírica nada hay de ocasión o postizo; nada se debe a la gratuidad del capricho; las vivencias se afilan como cuchillos inquisitivos o se adelgazan de asombros en su intento de alcanzar una experiencia radical del propio yo... A veces percibimos en ellas el trémolo de interrogaciones existenciales, o el suspiro de un profundo desahogo íntimo. Como ha escrito Valverde,

> en la grave inteligencia machadiana este intimismo no podía quedarse en un sentimentalismo ni en una pureza de análisis psicológico de corto radio, pues ya estaba clavando preguntas [6].

La búsqueda de la autenticidad —una constante indeclinable en la vocación literaria de M.—, va acendrando su palabra, al hacerla más grávida de intención, y orientándola así hacia lo esencial-humano: el yo íntimo desea transcenderse en yo fundamental; busca por encima, o mejor, por debajo de la anécdota y de la vivencia, un fondo de realidad y una experiencia verdadera en las que poder hacer pie.

El testimonio más preciso de esta búsqueda se encuentra en el poema XXXVII, que en muchos aspectos nos da la clave para entender la tensión espiritual de esta etapa. El tema está cargado de intención metafísica: ¿cuál es la ver-

---

[5] Macrí ha hecho constar, en este sentido, la herencia romántico-schopenhaueriana de ver el mundo —«voluntad y representación»— construido creadoramente en el fanal de los sueños (*op. cit.*, 90).

[6] J. M. Valverde, *Estudios sobre la palabra poética*, op. cit., 107.

dad de este soñador que se sueña a sí mismo? ¿Cómo es posible autentificar su voz en medio de este errático mundo de fantasmas?...

> Oh, dime, noche amiga, amada vieja
> que me traes el retablo de mis sueños
> siempre desierto y desolado, y solo
> con mi fantasma dentro
> ....
> dime si sabes, vieja amada, dime
> si son mías las lágrimas que vierto.

Se reconoce perfectamente aquí la orquestación romántica de la escena en esta invocación a la noche —potencia de lo misterioso— [7] por donde vaga solitario en un mundo de pesadilla el fantasma del propio yo. Presentimos su extravío alucinante en la propia intimidad, buscando a la desesperada su hondo yo, que parece escapársele allí donde debía estar más próximo. El poeta se pregunta —pregunta a la noche— si el fantasma que habita su sueño es su verdadero yo o más bien una voz de «histrión grotesco», que canta y llora de falsete. Como «crisis de sinceridad» ha calificado J. M. Valverde este poema:

---

[7] Sobre el tema romántico de la noche, puede verse el magnífico estudio dedicado por M. Brion a la poesía de Novalis en *La Alemania Romántica.* De él tomamos el siguiente indicativo pasaje: «Y los mismos poetas románticos, los más fervientes de este culto nocturno, consideran la noche, todo lo más, como el pasado, como la lontananza, como un refugio y un retiro contra las mediocridades y durezas de la vida y un asilo temporal donde descansar, reconfortarse y prepararse para la lucha cotidiana. Salvo aquellos que deliberadamente escogieron la noche de la locura —como Hölderlin, a quien le había sido mostrada una luz distinta— y se abismaron en ella en cuerpo y alma, los poetas nocturnos más apasionados no se convirtieron a la exclusiva religión de la Noche, ya que ellos nunca llegaron a considerarla como la luz única y únicamente suficiente» (*La Alemania Romántica, op. cit.,* II, 34).

> El poeta se dirige a La Noche porque quiere conocerse a sí
> mismo, quiere saber dónde está su verdad íntima, por debajo
> de las máscaras y alienaciones en que uno va viviendo entre
> los demás —alienaciones más graves, quizá, durante el día que
> durante la noche, solitaria y silenciosa [8].

El dramatismo de la situación se hace bien patente en la
incapacidad de la noche para resolver el enigma. Se diría
que el misterio de lo real —lo nocturno en su vasta e impenetrable soledad— se torna más pavoroso en esta otra noche
interior que habita el alma. Ante la perplejidad, el poeta
apela a la verdad de sus sueños, y, en especial, a la experiencia del dolor:

> Tú has visto la honda gruta
> donde fabrica su cristal mi sueño,
> y sabes que mis lágrimas son mías
> y sabes mi dolor, mi dolor viejo.

Pero ni siquiera en esta intimidad doliente se encuentra
un argumento inequívoco, porque hasta el dolor puede llegar
a ser una construcción imaginaria en el morbo narcisista.
La respuesta de la noche es ahora categórica y sumamente
aclarativa:

> Yo me asomo a las almas cuando lloran
> y escucho su hondo rezo,
> humilde y solitario,
> ese que llamas salmo verdadero;
> *pero en las hondas bóvedas del alma*
> *no sé si el llanto es una voz o un eco.*

En los versos que subrayamos se expresa nítidamente la
crisis del idealismo por su incapacidad para resolver el problema de la autenticidad del yo. En la soledad doliente de la

---

[8] J. M. Valverde, *Antonio Machado*, op. cit., 45.

conciencia no hay un solo criterio válido de verdad. El mundo real se ha disuelto en puras vivencias y la intimidad no es más que un teatro evanescente de cambiantes impresiones, por donde vaga erráticamente el propio yo:

> Para escuchar tu queja de tus labios
> yo te busqué en tu sueño
> y allí te vi vagando en un borroso
> laberinto de espejos.

El «espejo» nos hace pensar en este momento en la trama ilusoria del mundo —el exterior y el interior— transfigurado por la ensoñación lírica del alma. El mito de Narciso alcanza aquí su significación total. De puro mirarse al espejo de las aguas, para encontrar su verdad, acaba Narciso ahogándose en su imagen.

Pero, pese a todo, la cuestión está ahí, urgiendo al alma. ¿Cuál es la verdad del yo íntimo y cómo encontrar un sueño en que la realidad se nos ofrezca en su transparencia absoluta? ¿Es esto posible?... La pregunta de profundo calado existencial se convertirá, ya desde ahora, en una obsesión para Machado, porque en el fondo nada le importa más que la autentificación de su arte.

Muy posiblemente fue Unamuno, como sugiere Aurora de Albornoz, quien reconcilió a Machado con la vida, aunque no le faltasen por su educación en la Institución Libre de Enseñanza estímulos suficientes para reconocer la transcendencia social y metafísica del arte genuino. M. lo reconoció muy enfáticamente:

> Vd. con golpes de maza —le escribe a Unamuno en 1904— ha roto, no cabe duda, la espesa costra de nuestra vanidad, de nuestra somnolencia. Yo, al menos, sería un ingrato si no reconociera que a usted debo el haber saltado la tapia de mi corral o de mi huerto. Y hoy digo: es verdad, hay que soñar despierto.

No debemos crearnos un mundo aparte en que soñar fantástica
y egoístamente en la contemplación de nosotros mismos; no
debemos huir de la vida para forjarnos una vida mejor que
sea estéril para los demás [9].

Por la misma época, en el comentario a *Arias Tristes* de
Juan Ramón, vuelve a precisar M. la conversión interior de
la ensoñación vivencial a otra más originaria y creadora,
que le permita recrear el mundo,

> porque yo no puedo aceptar —le declara— que el poeta sea un
> hombre estéril, que huya de la vida para forjarse quimérica-
> mente una vida mejor en que gozar de la contemplación de sí
> mismo. Y he añadido: ¿no seríamos capaces de soñar con los
> ojos abiertos en la vida activa, en la vida militante?... Creo
> que, sin embargo, una poesía que aspira a conmover a todos
> ha de ser muy íntima. Lo más hondo es lo más universal. Pero
> mientras nuestra alma no se despierte para elevarse, será vano
> que ahondemos en nosotros mismos (OPP, 839 y II, 88-9).

El texto manifiesta inequívocamente una temprana y rigurosa autocrítica en la posición espiritual de Machado. Vale a
la vez, como denuncia y programa. Denuncia del riesgo de
que una sensibilidad morbosa acabe por anestesiar el alma,
extraviando a los soñadores en las secretas galerías de su
propio sueño. Programa, conjuntamente, de trascender la
intimidad de sí misma, mediante su transformación interior
en un principio personal y, a la vez universal, de conciencia.
De ahí que el intimismo en M. no es tan sólo una situación
sino un proceso, al que prefiero llamar la conversión del yo
íntimo en «yo fundamental», pues aunque esta expresión
es tardía (aparece en el «Poema de un día» en Baeza en clara relación al núcleo creador y libre de la personalidad), está
ya rondando en fórmulas análogas (ideas cordiales, universa-

---

[9] Aurora de Albornoz, *La presencia de Miguel de Unamuno en
Antonio Machado*, Madrid, Gredos, 1968, pág. 26.

les del sentimiento, etc.), y en ello se cifra el esfuerzo ya visto de autentificación de la propia voz.

No conviene subestimar la capital importancia de estos textos a la hora de determinar la actitud espiritual de M. En ellos, tras la censura del punto de vista narcisista de la autocontemplación del yo, se formula una interna transformación del ensueño. De un lado, su fermentación en conciencia. El sueño no tiene por qué ser el contrapunto de la vigilia. Más bien se revela (y así tenderá a ser en lo sucesivo en el pensamiento de M.) como una dimensión nueva, creativa de inserción del hombre en el mundo. Se trata, pues, de soñar despierto; no de ocultar la realidad ni de enmascararla en la ficción, sino de verla a una nueva luz, que revele su íntima textura; no sólo en lo que actualmente es, sino según lo que puede y debe llegar a ser en el apremio de la esperanza. Esta exigencia de conciencia no abandonará ya nunca la actitud de M. En torno a 1904, la consagra definitivamente como lema espiritual en carta dirigida a Unamuno (¿a quién mejor?), con motivo posiblemente de su poema «Luz»: «todos nuestros esfuerzos deben tender hacia la luz, hacia la conciencia. He aquí el pensamiento que debía unirnos a todos» [10].

De otro lado, se sigue manteniendo la antigua conexión de sueño-corazón, pero con un nuevo alcance. Lo más intimo, lo más hondo es también lo más universal y verdadero. No hay pues que abandonar el yo, sino transformarlo, ahondando en sus raíces cordiales para que se trascienda en un sujeto personal; entonces su propia intimidad se convertirá en un texto abierto para todos. La conversión de la intimidad se lleva a cabo en la dimensión universal del sentimiento. Cuando es genuino, el corazón no tiene can-

---

[10] *Ibid.*, 56.

tos propios ni sentimientos en exclusiva, sino que es siempre solidario en su sentir y su emoción de las cosas. Pero a la vez, el corazón es el órgano de acceso a la realidad. Quedarse en la esfera cordial no es, pues, una fuga sino un arraigo. Incluso una liberación de la estrechez de una conciencia meramente representativa u objetiva, en la medida en que implanta a la conciencia en la genuina experiencia del mundo.

«Lo más hondo es lo más universal» —feliz fórmula que señala, casi al comienzo de la obra literaria, la dirección de su itinerario espiritual: la trascendencia hacia el otro y lo otro sin abandonarse, a fuerza de radicalización del propio yo. Ideas semejantes encontramos en el Prólogo de 1917 a *Soledades, Galerías y otros poemas*:

> Y aún pensaba —escribe M. retrospectivamente— que el hombre puede sorprender algunas palabras de un íntimo monólogo distinguiendo la voz viva de los ecos inertes; que puede también mirando hacia dentro, vislumbrar las ideas cordiales, los universales del sentimiento. No fue mi libro —prosigue M.— la realización sistemática de este propósito, mas tal era mi estética de entonces (OPP, 51).

No creo que se equivoque M. en este juicio. Si en verdad el sentimiento de *Soledades* no realiza adecuadamente este propósito, no es menos cierto que en estas rimas se deja traslucir una vocación metafísica de su poesía, que implantará progresivamente al poeta en la fundamentalidad cordial de su yo. En las *Soledades* machadianas no está el poeta tan sólo con la hora de su corazón, como quien mantiene la llama de sus vivencias individuales, atizando constantemente el fuego del ensueño; a través de cada anécdota, de cada acontecimiento en su luz indefinible y propia (la muerte del amigo, la vuelta del hermano, la espina de la antigua pasión, el reencuentro con el jardín de ayer, los sueños de bienandanza y las búsquedas entre la tiniebla, y tantas y tantas vivencias), M. sabe encontrar su dimensión de «signo» de un sentido existencial latente; sabe hacer sonar con toques penetrantes, la hora de cualquier corazón, de todo corazón, sorprendido en la íntima inquietud de las preguntas y los asombros del poeta. La cuestión acerca del sentido de la vida, en un tiempo de fugacidad que se precipita a la muerte, nos asalta de continuo («¿a dónde el camino irá?», «¿qué buscas, poeta?», «¿los yunques y crisoles de tu alma / trabajan para el polvo y para el viento?»). O queda flotando en el ambiente, como el trémolo de una incipiente reflexión («¿lamentará la juventud perdida?», «no te verán mis ojos, / mi corazón te aguarda»; «nosotros exprimimos / la penumbra de un sueño en nuestro vaso»; «¿por qué tornas a la morada vieja?»). Y tantas otras sugestiones de pensamiento, que nos arrastran insensiblemente al centro de gravedad de la existencia.

Sí. No nos hemos engañado. La poesía intimista de M. comienza a trascender el subjetivismo de puro metafísica. Ya hemos aludido a la transformación metafísica de la simbología romántica; en la misma línea, ha mostrado Macrí

> la trasposición y cualificación humana y moral de los tópicos románticos-simbolistas... la metamorfosis ética de los sentimientos y objetos decadentes como un proceso lento y continuo de maduración interior [11].

La condición humana no está en ella disimulada bajo las menudas y embriagadoras vivencias de su yo, sino sugerida, suscitada casi por el agudo cuchillo de una perplejidad henchida de asombros. El sentimiento melancólico de la temporalidad la penetra por doquier; y con él, la angustia

---

[11] Oreste Macrí, *op. cit.*, págs. 89, 97 y 111.

por una búsqueda tan insaciable como irremediable; el aburrimiento ante la cotidianeidad de un mundo desvaído en la niebla; el combate entre la desesperación y la esperanza, con el telón de la muerte al fondo. Sobre todo, la muerte, presente como una obsesión y un desafío, como un enigma y una llamada, con la misma fuerza que la atracción pavorosa de los abismos.

> Detén el paso, belleza
> esquiva, detén el paso.
> Besar quisiera la amarga,
> amarga flor de tus labios.
>
> (XVI.)

Y hay reencuentros estremecedores con un pasado (VI-VII) que sólo puede recuperar la memoria y el ensueño; y reflexiones metafísicas, como la turbadora conciencia de finitud del poema XIII; y escenas de decadencia y consunción (XV, XXXII, XXVIII) y visiones demoníacas que enfrentan al hombre con la ambivalencia de su destino (LXIII y LXIV). Y sobre todo, los trémolos del amor y la muerte vibrando en la noche, en las cuerdas de una guitarra herida (XIV). Pocas veces el corazón humano ha vibrado tan entero y radical, a todas sus horas y con todas sus luces, y en pocas páginas podría reconocerse mejor la historia de esta pasión de ensueños y andanzas imposibles que es el hombre. No podía ser de otra manera en una lírica de «los universales del sentimiento». *Soledades* es algo más que un libro intimista. Es una poesía romántica con vocación decidida de conciencia, el testimonio de un viaje-aventura a la interioridad del yo. La subjetividad moderna hacía en ella su esfuerzo lírico más intenso por tocar realidad; el viaje no sería en vano; pese a las mixtificaciones de un lenguaje a veces excesivamente intimista y hasta modernista, el yo emergía casi milagrosamente desde su raíz a la superficie del mundo. Ciertamente,

> la parte de *Soledades* (1899-1907) —como ha escrito Macrí— no alcanza explícitamente los universales del sentimiento hasta el año extremo de 1907, con el primer viaje a Soria en conjunción con *Campos de Castilla*; pero prepara las ideas cordiales de la humanidad machadiana, señalando el tránsito gradual de la leyenda onírica de un alma ciega y deslumbrada al sujeto lírico que en sí se hace coro que distingue la voz viva de los ecos inertes [12].

REALISMO DRAMÁTICO

Pero la vocación de autenticidad de la voz de M. reclama una nueva singladura. No basta con levantar el acta lírica de una intimidad sonora por sus hondas palpitaciones ante el mundo. Es preciso que el «canto y la meditación» vibren al unísono del acontecer mismo de la realidad, en una melodía indiscernible de experiencia y ensueño. Para ello hay que situarse más allá de la alternativa sujeto-objeto de tan clara raíz cartesiana. En esta nueva dimensión nos introduce la poesía dramática de *Campos de Castilla*, con el aviso indicativo de nueva tierra, que encontramos en el prólogo de 1917.

> Ya era, además, muy otra mi ideología —escribe el poeta refiriéndose a la fecha de publicación del libro—. Somos víctimas, pensaba yo, de un doble espejismo. Si miramos afuera y procuramos penetrar en las cosas, nuestro mundo externo pierde en solidez, y acaba por disipársenos cuando llegamos a creer que no existe por sí, sino por nosotros. Pero si, convencidos

---

[12] Oreste Macrí, *op. cit.*, págs. 78-9. J. M. Aguirre ha hecho ver, por el contrario, que los «universales del sentimiento» constituyen una constante del neo-romanticismo simbolista (*op. cit.*, 47).

de la íntima realidad, miramos adentro, entonces todo nos
parece venir de fuera, y es nuestro mundo interior, nosotros
mismos, lo que se desvanece (OPP, 51-2 y C., 36-7) [13].

Sorprende encontrar un texto tan lúcidamente crítico
de la posición típica de la subjetividad moderna; porque
si bien se repara, la observación de M. pretende relativizar
la alternativa del «dentro-fuera», en que se movía la gnoseo-
logía cartesiana. No hay un «dentro» y un «fuera», porque no
existe tampoco una realidad íntima y asequible y otra extraña
y lejana. Todo ir hacia fuera es ya un venir de dentro y todo
estar dentro un volver de fuera, cargado de presencias. Ni
fetichismo de las cosas ni endiosamiento idealista del sujeto.
La penetración en el mundo muestra, en última instancia, la
inconsistencia de éste frente al postulado objetivista —viene a decir M.—, sin la animación que le viene del yo; pero,
a la vez, frente al subjetivismo, la reducción al puro yo deja
a éste sin la sustancia que le viene del mundo [14]. «¿Qué hacer,

---

[13] Discrepo de la interpretación de J. M. Valverde que cree que «en
este texto, Antonio Machado nos quiere hacer leer su poesía de antes
de 1912 a la luz de lo que ya piensa en 1917 —y lo piensa precisamente porque en aquella poesía de 1912 escarmentó de la pretensión
de la objetividad estética» (*Antonio Machado*, op. cit., 99). Creo, por el
contrario, que el prólogo de 1917 no inicia una nueva singladura, sino
que se limita tan sólo a tomar conciencia del nuevo planteamiento,
comenzado en C. C.

[14] No puedo pasar por alto la similitud del planteamiento machadiano con el adoptado por Ortega para la superación del idealismo.
Tomo la formulación de una de las versiones orteguianas más lúcidas a este respecto: «¿Dónde está, pues, el teatro, en definitiva?
La respuesta es obvia: no está dentro de mi pensamiento formando
parte de él, pero tampoco está fuera de mi pensamiento si por fuera
se entiende un no tener que ver con él —está junto, inseparablemente
junto a mí pensarlo, ni dentro ni fuera, sino con mi pensamiento...
El mundo exterior no existe sin pensarlo, pero el mundo exterior
no es mi pensamiento, yo no soy teatro ni mundo —soy frente a
este teatro, soy con el mundo—, somos el mundo y yo» («¿Qué es
Filosofía?» en *O. C.*, VII, 401-2).

entonces? —se pregunta Machado—. Tejer el hilo que nos dan, soñar nuestro sueño, vivir; sólo así podremos obrar el milagro de la generación». El hallazgo de M. es de los que hacen época. Lo que importa será ingresar en aquella dimensión fundamental del diálogo del yo con el mundo, que constituye la vida humana. ¿No está aquí aludida tímidamente la filosofía orteguiana de la «razón vital»? ¿No es precisamente la vida, el sueño que tejemos con el hilo que nos dan, el único lugar del encuentro con el otro y lo otro, la única manera de trascender desde dentro el solipsismo idealista? [15].

¡Vivir, soñar nuestro sueño! He aquí el tema de esta nueva singladura de Machado: desde el yo fundamental al tú, con el que se vive, para quien o contra quien se vive, en un mundo objetivo, que ahora es ya inevitablemente una obra común. En este nuevo horizonte, la transformación temática que ya advertimos en _Soledades,_ alcanza su consolidación efectiva. Así, el sueño se resuelve ahora en el íntimo suscitador y revelador de la vida, casi en su principio interno

---

[15] Oigamos ahora desde la vertiente del filósofo profesional la caracterización que hace Ortega de este nuevo horizonte: «Pero ¿qué es esto? ¿Con qué hemos topado indeliberadamente? Eso, ese hecho radical de alguien que ve y ama y odia y quiere un mundo y en él s·· mueve y por él sufre y en él se esfuerza —es lo que desde siempre se llama en el más humilde y universal vocabulario «mi vida». ¿Qué es esto? Es, sencillamente, que la realidad primordial, el hecho de todos los hechos, el dato para el Universo, lo que me es dado es... «mi vida»— no mi yo sólo, no mi conciencia hermética, estas cosas son ya interpretaciones, la interpretación idealista. Me es dada «mi vida», y mi vida es ante todo un hallarme yo en el mundo; y no así vagamente, sino en este mundo, en el de ahora, y no así vagamente en este teatro, sino en este instante, haciendo lo que estoy haciendo en él, en este pedazo teatral de mi mundo vital —estoy filosofando. Se acabaron las abstracciones». («¿Qué es Filosofía?», en _O. C.,_ VII, 404).

de configuración. Ciertamente todo esto estaba ya de algún modo en *Soledades*, pero era preciso sacarlo de su ambigüedad y situarlo a la luz inequívoca de la nueva posición.

«Soñar despierto», según el tema machadiano de 1903, o «despertar del sueño», como preferirá más tarde, significa que las visiones del poeta dejen de ser satisfacciones narcisistas de su yo y se conviertan en alumbramientos de lo «elemental humano». La fe en la realidad empieza a determinar decisivamente, ya desde ahora, la poesía machadiana, aunque su formulación precisa la debamos a reflexiones de años más tarde.

> No soy ya el soñador, el frenético mismo de mi propio sueño. Tampoco el mundo se viste de máscara para que yo lo contemple. Las cosas están allí donde las veo, los ojos allí donde ven. Lo absoluto está para mí tan inabarcable como ayer. Pero mi relación con lo real es real también: ¿No equivaldría esto a un despertar? (A. M., 99-100 y II, 126).

Pero si bien se observa este despertar no es una recusación del mundo de los sueños, sino tan sólo la liberación del sonambulismo espectral.

> Este hombre nuevo —prosigue M. en su comentario a la poesía de Moreno Villa— acaso existe y anda por el mundo, pretende haber despertado. Su mundo se ilumina, quiere poblarse, no de fantasmas, sino de figuras reales. Este hombre no puede definirse ya por el sueño, sino por el despertar (A. M., 100 y II, 126).

¿No es un mundo poblado de figuras reales el que nos entreabre *Campos de Castilla*? ¿No son aquellas buenas gentes que viven, «laboran, pasan y sueñan» del apunte de *Soledades* (II) las que entran ahora en escena con su fardo de inquietudes, desvelos y esperanzas? ¿No es aquella «hermosa tierra de España» entrevista también líricamente en una viñeta de *Soledades* (IX) la que desfila ahora ante nuestros ojos, con su honda y propia palpitación? Los sueños se irán ahondando de realidad y adelgazando sus cristales hasta convertirse en un trasunto lírico del mundo del hombre.

> Se diría —escribirá más tarde M. — que Narciso ha perdido su espejo, con más exactitud que el espejo de Narciso ha perdido su azogue, quiero decir la fe en la impenetrable opacidad de lo otro, merced a la cual —y sólo por ella— sería el mundo un puro fenómeno de reflexión que nos rindiese nuestro propio sueño, en último término la imagen de nuestro soñador... Si el soñador despierta, no ya entre fantasmas, sino firmemente anclado en un trozo de lo real, será el respeto cósmico a la ley que nos obliga y nos afinca en nuestro lugar y nuestro tiempo, la fuente de una nueva y severa emoción que podrá tener algún día madura expresión lírica (A. M. 103 y II, 129).

Me atrevería a decir que esta «nueva y severa emoción», pese a la modesta reserva de Machado, es la que comienza a apuntar ya en *Campos de Castilla*.

He calificado a esta segunda estación como *realismo dramático* en la medida en que la lírica brota del drama mismo de la vida, en su enfrentamiento con el medio natural y sus tensiones y conflictos en el mundo social. No se busca ya la inspiración en las vivencias del alma, intramuros del yo, sino en el acontecer diario de la vida —la individual y la colectiva—, en el marco público de la naturaleza y de la historia. «Y pensé que la misión del poeta era inventar nuevos poemas de lo eterno humano, historias animadas que siendo suyas, viviesen no obstante por sí mismas» (OPP, 52). El yo se siente afincado a un «lugar y a un tiempo» determinados, arraigado en un pedazo de tierra e inmerso en la comunidad de los hombres que la sueñan y la trabajan. «Cinco años en la tierra de Soria, hoy para mí sagrada, orientaron mis ojos y mi corazón hacia lo esencial castellano» (OPP, 51). Y más allá de Castilla, pero a través de ella, hacia lo «eterno» y lo «elemental humano»; es decir, hacia la penetración en la sustancia misma de la vida real del hombre. La cala metafísica en el nuevo tema no necesita aquí (nunca lo necesita, pero menos ahora) echar mano de las abstracciones. Lo esencial humano es un «universal concreto»; se revela en todas las circunstancias de la vida, con su luz y su tono individuales; basta sólo con saberlo perseguir al filo de aquellos acontecimientos, en que la vida del hombre está radicalmente comprometida en un juego de significación: —(la lucha por la existencia, el trabajo, el amor y la muerte)— y puede leerse en ellos el sentido que los habita. Las más diversas escenas sociales se desenvuelven ante nosotros en viñetas de vigorosos perfiles, suavizados por la irrenunciable melancolía del alma de M.: la tierra de Castilla con su tristeza insondable y su amargo sabor a muerte; el «numen sanguinario y fiero» de un pueblo condenado a la lucha fratricida por una tierra escasa y una historia excesiva; el dios íbero con «doble faz de amor y de venganza», los rostros atónitos y agudos de los niños del hospicio, el loco, el criminal, el cazador, el meditabundo exasperado y místico de la fantasía iconográfica, y sobre todo, el hombre del pueblo y de la tierra, recortando su figura sobre el azul del cielo, mientras se afana en todas las faenas y por todos los caminos. «Entonces vemos —comenta Valverde— cuál es el modo de poesía que surge al fluir de la vida, una poesía transida de temporalidad, viva y narrativa» [16]. En el fondo, una poesía dramática, la propia de la razón vital o la razón histórica, por apurar la analogía con el esquema orteguiano; una poesía en la que el lirismo se quiebra de aguda reflexión y el recuento de los afanes y faenas del

---

16 J. M. Valverde, *Estudios sobre la palabra poética*, op. cit., 109.

hombre se aureola con el halo afectivo de una entrañable simpatía; aquella que, años más tarde, le subirá a los labios por tierras del sur:

> Tierra de alma, toda, hacia la tierra mía,
> por los floridos valles, mi corazón te lleva.
>
> (CXVI.)

Darmangeat ha hecho notar el lirismo objetivo de esta etapa, en que naturaleza e historia parecen fundirse en una sola palpitación. «Merced al gradual apretamiento como en abrazo, el yo puede llegar a borrarse tan cabalmente que el ojo distraído no lograría darse cuenta de su existencia y ello cuando sin su presencia nada podría realizarse. Es entonces cuando se desarrolla el lirismo objetivo que empuja el mundo exterior hacia el primer plano y va revelando, al propio tiempo, los últimos repliegues del ensueño» [17]. Es éste el difícil milagro del equilibrio entre la intención subjetiva y el mundo objetivo, la interpenetración de dos mundos en un mismo acontecimiento; el paisaje se hace alma y el alma deviene paisaje; se funde con los campos labrantíos y los grises pedregales, sin que acertemos a decir dónde acaba una y comienza el otro. («¿Me habéis llegado al alma, / o acaso estabais en el fondo de ella?», CXIII, núm. 9).

Pero no sólo lirismo objetivo. El relato se tiñe también de alusiones históricas y reflexiones críticas como índice de la vocación social y antropológica de esta nueva lírica, que como ninguna otra de M., aspira a convertirse en una conciencia integral del mundo. A esta segunda vertiente, complementaria de la primera, podríamos calificarla, si la palabra no nos traicionase con demasías filosóficas, de criticismo

---

[17] P. Darmangeat, *A. Machado, P. Salinas, J. Guillén*, Madrid, Ínsula, 1969, pág. 48.

sociológico, una aguda y apasionada meditación social, al filo de la hora y de la tierra, que va dejando por doquier rastros de su intención crítica: (XCVIII), (XCIX, CI, CII, CVI, CVIII).

Unas nuevas coordenadas aparecen en el universo poético de Machado. Su voluntad de realidad se traduce en un arraigo en el aquí y el ahora; su inmersión en la historia parte siempre de la previa fidelidad a un tiempo concreto, y su afincamiento en la naturaleza, del entrañamiento en el trozo sediento y calcinado de Castilla. Y el hombre en medio [18] como «centro de tanto alrededor» —que diría Guillén—, sin violencias ni proyecciones, sintiéndose vivir en el drama indiscernible de tierra e historia, como la aguda arista en que la tierra pobre, entregada a la codicia y la muerte, se traspasa a una historia abrumadora de pasadas grandezas. No se trata, sin embargo, de una ideologización «noventayochista» de la tierra castellana, como suele pensarse con ligereza. La poesía de C. C. no traduce unas vivencias de realidad a un esquema ideológico previo, sino que muy por el contrario, construye su visión del mundo, indudablemente afín al 98, al filo mismo de la experiencia poética del acontecimiento. Ni doctrinarismos fáciles ni apologéticas de oficio. El paisaje de Castilla se convierte en un texto vivo e inmediato para la penetración metódica en la historia de España; no se construye ideológicamente desde ella; la suscita y sugiere, por el contrario; la evoca como una prolongación del mismo sueño, en que parecen estar sumidas las cosas y los hombres que lo pueblan. Así, frente a la reconstrucción arqueológica o la interpretación doctrinaria, *Cam-*

---

[18] Tuñón de Lara, entre las características determinantes del objetivismo de C. C., alude a esta «primacía activa del ser humano en el marco de la tierra, paisaje y tiempo» (*A. Machado, poeta del pueblo*, Barcelona, Nova Terra, 1967, págs. 68 y 75).

pos de Castilla se nos ofrece como el poema dramático del hombre y la tierra en un presente intrahistórico eterno, por utilizar la expresión de M. de Unamuno.

Y en el envés del relato, siempre la misma intención metafísica ahondando el verso hasta sus últimas raíces de humanidad, el mismo «ritornello» de un tiempo de amor y muerte, mientras alienta el mismo «corazón maduro / de sombra y de ciencia» [19].

HUMANISMO TRÁGICO

Pero tras C. C., tras la tierra de Alvargonzález «punto culminante, divisor de aguas en su obra» (Valverde), hay un brusco quiebro en su itinerario espiritual. Se ha hablado con razón de una crisis, pero no es de la lírica, ahogada al parecer de algunos, según vimos, por la cavilación filosófica, ni siquiera de su decidida y constante pretensión de autenticidad. Es una *crisis del sentido de su mundo* —es decir, del valor de la palabra en su lucha contra el tiempo—, la cual le obligará a un esfuerzo de auto-objetivación reflexiva y valoración crítica de un excepcional interés. «Metafísica» ha llamado a este nuevo período Cobos, por la importancia de las anotaciones filosóficas; como «naufragio poético y repliegue» lo calificará Valverde, ante el retroceso y atenuamiento

---

[19] Puede entenderse que el clima metafísico simbolista, subyacente a *Soledades* —«el canto de amor y muerte», según lo califica J. M. Aguirre—, se proyecta ahora en un medio social objetivo. Con todo, C. C. dista mucho de ser un libro unitario, como ha hecho constar el mismo Aguirre, ya que en él se muestra evidentemente «el drama machadiano entre el lírico simbolista y el alegórico, drama cuyas raíces van muy hondas y no es de este lugar estudiarlas» (*op. cit.*, 171). Es de lamentar, sin embargo, que J. M. Aguirre, autor de tan finas observaciones, no haya visto emerger, de en medio de este drama estilístico, una nueva sensibilidad y hasta un nuevo clima espiritual.

de la palabra lírica [20]. Me parece más adecuado llamarlo «humanismo trágico» porque asistimos al desarrollo, en burla-veras, de una concepción escindida o desgarrada del mundo.

¿Cómo se motiva este quiebro? Si no exclusivamente, creo necesario aludir aquí a la muerte de Leonor. No cabe subestimar este doloroso hecho en la biografía del poeta, cuando el mismo M., en carta a Juan Ramón Jiménez, se refirió a la tentación de suicidio. La muerte de Leonor, la esposa-niña, tuvo que representar para un alma tan sensible y aguda una experiencia decisiva; lo sospechamos incluso por lo poco que habla de ella en directo, por el envelamiento de la voz, preservando la intimidad de una honda vivencia, cuya emoción, sólo de tarde en tarde, estalla en una queja doliente o en un grito de rebelión («Señor, ya me arrancaste lo que yo más quería. / Oye otra vez, Dios mío, mi corazón clamar»). Por otra parte, el mismo M., en el poema dedicado a X. Valcarce, ha dejado constancia de cómo la muerte de Leonor, juntamente con el espesamiento del enigma del mundo, están en el origen de la crisis de su palabra [21]. Y aunque el

---

[20] «Al cantor se le empieza a quemar la voz, se le va quebrando cada vez más entre el cantar y el decir de las pequeñas reflexiones en verso, y, como compensación de este principio de naufragio poético, aparece la prosa, la gran prosa de M., en los comentarios de los cancioneros apócrifos y en la metafísica de Abel Martín y Juan de Mairena» (J. M. Valverde, *Estudios sobre la palabra poética*, op. cit., 111).

[21]   Mas hoy... ¿será porque el enigma grave
         me tentó en la desierta galería,
         y abrí con una diminuta llave
         el ventanal del fondo que da a la mar sombría?
         ¿Será porque se ha ido
         quien asentó mis pasos en la tierra,
         y, en este nuevo ejido
         sin rubia mies, la soledad me aterra?
         No sé, Valcarce, mas cantar no puedo;
         se ha dormido la voz en mi garganta,
         y tiene el corazón un salmo quedo.
         Ya sólo reza el corazón, no canta.   (CXLI.)

poeta no ha descubierto la relación que guardan entre sí ambos acontecimientos, al asociarlos deja sugerir su profunda unidad: «la mar sombría» es tanto el enigma del mundo, amplificado ahora por los poderes de la disolución universal como la muerte; y me atrevo a afirmar que ha sido esta última la que ha determinado una experiencia del sin-sentido y la quiebra del valor de la palabra, y con ello, la necesidad de enfrentarse, reflexiva y temáticamente, con los supuestos de la propia obra.

¿Qué significa la muerte de Leonor? Ante todo, una experiencia de desarraigo. Leonor representaba sin duda para M. el hilo de su comunión cordial con la tierra de Castilla y la razón afectiva de su afincamiento, tan hondo y tan lúcido, a aquel lugar y a aquella hora, que quedaron definitivamente cerrados con su muerte. Una tierra que será ya para siempre, en el corazón de M., «la tierra donde está su tierra», la cuna y la tumba de Leonor (CXXVI y CLVIII, núm. 8). No pretendo decir que sin Leonor no podemos comprender la Castilla de M., pero al menos fue ella quien hizo posible aquella experiencia, acunando, sin saberlo, el amor entrañable a una tierra y a unos hombres —la solidaridad, a través de Leonor y con ella, con las existencias esforzadas y tristes de la alta Castilla—.

Hay un hecho significativo. Muerta Leonor, M. huye literalmente de Soria. Por supuesto, no trata de escapar al recuerdo de un amor y de una tierra, que se le hará más tarde una dulce y doliente memoria, sino a una circunstancia que se le ha vuelto radicalmente extraña con su muerte. Me atrevería a decir que M. se autoexilia de Castilla, como de una tierra de promisión, en la que ha sepultado con su esposa, el motivo más firme y definitivo de su esperanza y de su fe en el hombre: el amor. Un amor siempre tardío, trágico e imposible, como un destino amargo.

No conviene pasar por alto que el des-arraigo compromete siempre y gravemente, sea cual fuere su motivo, la dimensión de realidad de la vida humana. El sentido de lo concreto se debilita; la realidad inmediata pierde espesor ante la tentación apremiante del ensimismamiento. Así creemos sorprender a M. en Baeza, expatriado de Castilla y extranjero en su propia tierra andaluza (CXXV), caviloso y desmoralizado, atento de nuevo a la hora de su corazón («Pero ¿tu hora es la mía? / ¿Tu tiempo, reloj, el mío?»), vuelto al intimismo, dolorido y melancólico, de un alma en carne viva. La dimensión del «yo fundamental» permanece ahí como el único núcleo de refugio (el «yo creativo y original») ante el aturdimiento de la existencia y la mediocridad dominante; pero su franquía hacia la realidad, su abierta presencia entre cosas, se torna difícil porque hay una ausencia radical que lo invade todo. No quiero decir que se lleve a cabo una regresión al intimismo de *Soledades*. Abundan, por supuesto, los versos del mismo tono melancólico y doliente y la misma complacencia por buscar, en la mina del alma, la herencia viva de sueños de amor, que ya se fueron. Pero la pretensión de realidad y de conciencia, pese a todo, permanece en primer plano, aun cuando desgravada del interés inmediato y hasta de la frescura de *Campos de Castilla*. En todo caso, el período castellano no pasará en balde. Y a Castilla habrá de volver, para encontrar en la luz fina y sabia de Segovia, como ha mostrado Cobos [22], el clima de sus mejores páginas filosóficas.

La muerte de Leonor significa, en segundo lugar, una experiencia atroz de soledad, precisamente porque deja desalmado a un hombre fundamentalmente solitario. En este sentimiento se resuelve la íntima tragedia de aquella muerte:

---

[22] Pablo A. Cobos, *op. cit.*, 162-4.

«Señor, ya estamos solos mi corazón y el mar». Todo el misterio del mundo, de la vida y la muerte, ante un corazón que ha perdido su compañía. Advertimos el profundo hueco de esta ausencia (¡qué puntual recuerdo de enamorado!) precisamente a la hora del camino, cuando falta la mano de Leonor, que tiene que ser resoñada. A veces la conciencia de esta soledad se hace tan dolorosa que, pese al pudor de M., estalla en una lamentación incontenible:

> Soledad,
> sequedad.
> Tan pobre me estoy quedando
> que ya ni siquiera estoy
> conmigo, ni sé si voy
> conmigo a solas viajando.
>
> (CXXVII.)

¿Cómo no reconocer toda esta abrumadora experiencia de soledad en la tesis del fracaso del trascendimiento hacia el otro? ¿Cómo no admitir que la frustración (mejor sería decir la destrucción violenta) de este amor tenía que traducirse en aquella «cita de ausencia» de la erótica martiniana; y que el soliloquio se iría agrandando y agrandando, tal como percibimos en los «Sueños Dialogados», a medida que el diálogo del alma iba perdiendo incluso su posible interlocutor en sueños, hasta convertirse en una introducción al silencio?

> ¡Oh soledad, mi sola compañía,
> oh musa del portento, que el vocablo
> diste a mi voz que nunca te pedía!,
> responde a mi pregunta: ¿con quién hablo?
> Ausente de ruidosa mascarada,
> divierto mi tristeza sin amigo,
> contigo, dueña de la faz velada,
> siempre velada al dialogar conmigo.

> Hoy pienso: este que soy será quien sea;
> no es ya mi grave enigma este semblante
> que en el íntimo espejo se recrea,
> sino el misterio de tu voz amante.
> Descúbreme tu rostro, que yo vea
> fijos en mí tus ojos de diamante.
>
> («Sueños Dialogados», núm. 4.)

¿Qué rasgos vela la esfinge —el rostro de la plenitud o acaso el de la muerte—? ¿o tal vez el espejismo de un tú imposible, cuyo hueco real se puebla espectralmente por un momento? o ¿quizá el vacío de un corazón desfondado?... No es fácil adivinarlo; acaso la soledad sea el rostro de una imposible compañía. Pero lo que parece claro es que también en la línea de la relación yo-tú sobreviene una recaída en el intimismo.

Recaída que no supone en modo alguno un olvido de la trascendencia hacia el «tú»; más bien podría decirse que recrudece su exigencia. El «tú» se hace más vivo y necesario cuando falta. Toda presencia personal, tiende a convertírsenos en cosa, cuando se adormece la actitud vigilante; sólo la ausencia del «tú» nos hace comprender el milagro de su existencia, el don de su ser, poniendo en carne viva las raíces del alma. Nunca el «tú» será más real, más apremiante, en el pensamiento de M., y nunca será también más imposible. El «yo» no importa. Adivinamos que de esta nostalgia brota aquel agudo poemilla de los «Proverbios y Cantares»:

> No es el yo fundamental
> eso que busca el poeta,
> sino el tú esencial.
>
> (CLXI, núm. 36.)

Es justamente esta presencia imposible o esta ausencia necesaria —como un destino—, la que origina el síndrome trágico en el pensamiento de Machado.

Por último, la experiencia de la muerte introduce el sinsentido. La muerte es siempre, según M., la suprema objeción. Y esta muerte tan violenta y a la vez tan suave («lo que la muerte ha cortado / era un hilo entre los dos») cuando todo florecía o maduraba, según se mire, denunciaba por sí sola la vanidad del mundo. El misterio se haría más espeso en torno a Machado. La batalla lírica contra el tiempo y sus poderes corrosivos, mostraría los límites de la palabra humana. Y con ello, la necesidad de hallar un sentido, cuando nada parece tenerlo, se convertiría en un tema dominante. Éste es sin duda el clima espiritual de Baeza. Había sonado la hora de la perplejidad radical y la cavilación filosófica, la ocasión para autoobjetivar aquel «poema de creencias últimas», que hay siempre en el fondo de toda poesía.

El enfrentamiento con la muerte —esta cruda experiencia cuya significación acabamos de reseñar—, avivó al metafísico que siempre llevó M. dentro de su alma y de su obra, y puso sus raíces al aire [23]. El primer efecto de la experiencia de la muerte fue el despertar de las inquietudes religiosas, tal como puede verse en la correspondencia con Unamuno en los años de Baeza. No se ganó (ni parecía la ocasión propicia) una fe católica, que nunca se había tenido, pero conviene registrar que supuso un acercamiento tan di-

---

[23] No tiene nada de extraño este proceso en un hombre que llega a advertir el papel decisivo que juega la muerte en la economía del pensamiento filosófico: «Una filosofía que pretenda saltarse el gran barranco, o construir a su borde, tiene algo de artificial y pedante, de insincero, de inhumano, y, me atreveré a decir: de antifilosófico. Por miedo a la muerte, huye el pensamiento metafísico de su punto de mira: el existir humano, lejos del cual toda revelación del ser es imposible» (J. M., II, cap. IX, 112 y III, 161).

recto a los valores cordiales del cristianismo, que ya no se borrará, nunca más, de la actitud de Machado [24]. El segundo y quizá definitivo, se tradujo en el recrudecimiento de su connatural escepticismo. Cierto que éste no degeneró nunca en un nihilismo disolvente, pues a fuerza de auténtico y crítico, pudo superar el riesgo de un dogmatismo de la negación. El nihilismo se mantiene más bien agazapado, como una tentación siempre dispuesta a saltar, o quizá, como la secreta voz del subconsciente, cuando se relaja la alerta reflexiva. En algún momento irrumpe como una objeción apremiante, como en el «Poema de un día»:

> mas, si vamos
> a la mar,
> lo mismo nos han dc dar.
> (CXXVIII.)

o se esconde en la oquedad de un corazón solitario, que ha perdido su propia identidad, como en el clima de «Otro Viaje» y los «Sueños dialogados»; o bien, en sus momentos más terroríficos, se disfraza bajo el aire de un «mal sueño», como en los «Recuerdos de sueño, fiebre y duermivela» (CLXXII); una pesadilla alucinante en la que se revela al poeta el absurdo de un mundo, condenado sin motivo a la muerte,

> ¡Tan-tan! ¿Quién llama, di?
> —¿Se ahorca a un inocente
> en esta casa?
>   —Aquí
> se ahorca, simplemente [25].

---

[24] Como una prueba de la unidad indiscernible entre la tragedia personal y el nuevo clima de espíritu —de búsqueda y de autoobjetivación—, nada mejor que el fragmento desconsolado, ya que no desesperanzado, de una carta a Unamuno (C., 168).

[25] Según la apreciación de Pablo A. Cobos, «en el poema se ejecuta al elegido, ante la indiferencia absoluta de los hombres, la Naturaleza

o a la congelación irremediable del amor:

> ¡Oh claro, claro, claro!,
> amor siempre se hiela.

Y la conciencia, o mejor el alma, necesita una y otra vez, protegerse del «ángel de la muerte» con una fe modesta y sobria, pero decidida, en el valor de la palabra.

El humanismo trágico entra pues en escena. No se pierde la fe en el hombre ni la exigencia de vivir, sobre el supuesto de la palabra, en una permanente reanimación del tiempo, ni la necesidad de que el yo fundamental se franquee hacia el mundo y hacia el tú, en búsqueda de una plenitud que no encuentra en sí mismo. Pero es justamente este trascendimiento lo que resulta problemático. La pugna de la conciencia con el misterio se hace más patética que nunca, aunque a veces la envela M. bajo la levedad del humor. El tragicismo consiste en una pretensión de realidad que siempre queda fallida, pues sólo nos arroja los reversos de la «objetividad» del ser, como veremos, y en una exigencia del «tú» que permanece insatisfecha. A la vez, un yo que no puede tenerse ni retenerse en sí mismo, porque está ya desfondado, trascendido en la raíz de su ser. Con todas las salvedades, y aun a riesgo de simplificación, cabría decir que un realismo imposible se superpone a un idealismo inconsistente.

No implica, por supuesto, este tragicismo ninguna opción por lo irracional, ninguna abdicación de la conciencia vigilante. Más bien, el interés por la filosofía bergsoniana, que estudia directamente en París, se debe al valor que le concede al intuicionismo como vía de acceso a la realidad y

---

y Dios. Se trata pues del poema de la soledad y la angustia, del poema de la nada, nada, nada, del poema del sinsentido de la muerte, que es el sinsentido de la vida, o poema síntesis del humor y pensamiento de Antonio Machado en Martín y Mairena» (*op. cit.*, 99).

superación del agnosticismo kantiano. Más aún, la misma inspiración martiniana en la filosofía de Leibniz obedece explícitamente al propósito de «ganar conciencia» frente al irracionalismo romántico del XIX, caracterizado emblemáticamente por Schopenhauer (voluntad ciega, acefalia y representación como sueño lúdico, en el que vivimos sumergidos) (C, 54 y II, 213). En definitiva, «el mundo como ilusión —piensa— no es más explicable que el mundo como realidad. No será el trabajo de la ciencia el que me obligue a creer en él. Supongamos que es una creencia del Oriente místico, venida a Europa con el opio que mercadean los ingleses; que es una droga, usada allá como narcótico, y que, administrada a la animalidad europea, se convirtió en licor dionisíaco. No soy ya el soñador, el frenético mismo de mi propio sueño. Tampoco el mundo se viste de máscara para que yo lo contemple. Las cosas están allí donde las veo, los ojos allí donde ven. Lo absoluto está para mí tan inabarcable como ayer. Pero mi relación con lo real es real también» (A. M., 99-100 y II, 126). Frente al subjetivismo extremo irracionalista y al intento spinoziano de la desubjetivación del yo, Leibniz representa para M. el intento de «devolver a lo que es su propia intimidad» y correspondientemente, devolver a la conciencia o a la intimidad la totalidad del mundo [26]. La filosofía de la mónada, como luego se verá, permite un arraigo en el yo fundamental, como una constitutiva tensión de trascendencia hacia lo otro y el otro, en un continuo apetito erótico de posesión y conocimiento.

---

[26] «...*De la musique avant toute chose*, había dicho Verlaine. Pero esta música de Verlaine, no era la música de Mozart, que tenía aún la claridad, la gracia y la alegría del mundo leibniziano, todo él iluminado y vidente, sino la música de su tiempo, la música de Wagner, el poema sonoro de la total opacidad del ser, cuya letra era la metafísica de Schopenhauer» (A. M., 98 y II, 124).

Lo trágico no adopta aquí el esquema usual en romanticismo de una contradicción inmanente entre la vida y el entendimiento, o si se prefiere, el alma y el espíritu, sino la de una tensión irresuelta entre el *yo y la alteridad*; de ahí la diferencia que cabe señalar con respecto a Unamuno, cuyo concepto del mundo se ajusta plenamente al síndrome trágico de pensamiento, descrito por Goldmann. No se trata, en modo alguno, de la oposición de la razón raciocinante con el mundo de la fe, como exigencia absoluta y exclusiva de valores irrealizables; ni del juego al todo o nada, al que era tan acostumbrado Unamuno, como una apuesta por el sentido único y trascendente de la existencia [27]. A la sobriedad de M., a su recóndito escepticismo dispuesto siempre a relativizar las opciones más desaforadas, incluso la misma opción escéptica; a su talante de incertidumbre constitutiva, no le va un esquema heroico semejante. Es más bien el suyo un tragicismo desteñido en inquietud y búsqueda permanentes, con la tendencia al diálogo interior del solitario, que «espera hablar a Dios un día».

Como ya se ha indicado, toda esta crisis fuerza a M. a una objetivación de su propio mundo en la forma de una «metafísica poética» (la de Abel Martín) en la cual, como habrá ocasión de ver, se establece la permanente apertura de esta herida de alteridad, que nada ni nadie puede cerrar adecuadamente; pero que, por lo mismo, se convierte en un clamor incesante de conciencia objetiva y de vivencia lírica y sentimental del mundo.

Cobos ha hecho notar que la metafísica florece o se decanta, según se prefiera, bajo la forma del humorismo de los apócrifos. «Como escéptico, sólo puede hacer filosofía en el

---

[27] Para una caracterización precisa del síndrome trágico puede verse la obra de L. Goldmann, *El hombre y lo absoluto* (Le Dieu caché), Barcelona, Península, 1968, págs. 82-96 especialmente.

«encanto del juego» y como tímido «no puede ponerse a jugar en público» sino mediante el apócrifo» [28]. Sin duda alguna, la observación es fina y atinada. Quizá convendría añadir que el humorismo es la salida, indulgente y emotiva, del tragicismo de fondo; la forma típica que puede adoptar un «humanismo trágico» en un hombre de la sensibilidad lírica y humana de Machado. Hutmann ha llamado la atención precisamente sobre esta captación conjunta de la «agonía y de la ironía de la vida» [29]; e incluso el mismo Cobos se aproxima a este trasfondo «trágico» del humor, cuando al ensayar su caracterología, lo define como una actitud que supone una «conciencia de imposibilidad». Apenas si es posible, por otra parte, mejorar la caracterización que hace Cobos del humor machadiano: su escepticismo frente a las verdades de la razón, la zumba nativa, el predominio del ingenio, la subjetivación del objeto, la contención de la burla, la ternura, la intencionalidad lúdica [30]. Humorismo que es, en suma, la fórmula feliz de una lírica cavilosa y una metafísica tímida y asustadiza; la unidad de una palabra esencial, lírica y filosófica a la vez, cuando ya de atardecida, siente la necesidad de objetivar (mejor sería «comprender», en su doble sentido de *autognosis* y *catarsis*) la propia condición humana.

Pero si el humorismo constituye el esquema literario típico de esta tercera estación, aun cuando sus raíces, como ha mostrado Cobos, alcancen hasta *Soledades*, no quiere decir que anule a otras instancias: la poesía gnómica dibuja sus perfiles en una acendrada sabiduría popular; y la lírica,

---

[28] Pablo A. Cobos, *op. cit.*, 161.
[29] N. L. Hutmann, *Machado, a dialogue with time*, University of New Mexico Press, 1969, págs. 47-48. Puede verse también, Sánchez-Barbudo, *Estudios sobre Galdós, Unamuno y Machado*, Madrid, Guadarrama, 1968, págs. 296 y 415.
[30] Pablo A. Cobos, *op. cit.*, págs. 140-1.

la mejor lírica del alma, se hace grácil y ligera en las canciones populares, en su camino hacia lo elemental humano, o se espesa y ahonda en el agua amarga del sentimiento. No, el poeta lírico no ha desaparecido ahogado en el filósofo ni siquiera transformado en el humorista; pervive en versos inolvidables (piénsese por ejemplo en «Iris de la noche», «Sueños dialogados», «Recuerdos de sueño, fiebre y duermivela» y tantos y tantos otros) y si su voz se abrevia, es para hacerse más concisa y honda, más sutil y aguda, en los intersticios del humor y la reflexión.

COMUNITARISMO CORDIAL O LÍRICO

¿Ha superado Machado esta tercera etapa? O dicho en otros términos, ¿ha logrado vencer este humanismo trágico de la metafísica poética de Abel Martín?... La opinión más común es que Machado no logró superar el intrasubjetivismo o, si se prefiere, el idealismo básico de su mundo espiritual [31]. Conviene advertir, sin embargo, que en el período anterior, en medio de las tensiones, parecen imponerse unas líneas de fuerza que le empujan hacia una quiebra radical con el idealismo, y hacia una nueva posición espiritual de «comunitarismo lírico». De un lado, el explícito reconocimiento de una «sentimentalidad colectiva», un nuevo modo de ser afectado por la realidad, en una vivencia comunitaria, que trascienda el intimismo hermético de origen burgués. Ya en 1919, apuntaba inequívocamente, más allá del subjetivismo, hacia el nuevo horizonte: «Pero amo mucho más la edad que se avecina y a los poetas que han de surgir, cuando una tarea común apasione las almas...», para con-

---

[31] Así opinan exégetas tan autorizados como Cobos, *op. cit.*, 183; Hutmann, *op. cit.*, 149-50; Sánchez-Barbudo, *op. cit.*, 346; Gutiérrez-Girardot, *op. cit.*, 158-9, etc., etc.

cluir precisando: «sólo lo eterno, lo que nunca dejó de ser, será otra vez revelado, y la fuente homérica volverá a fluir. Deméter, de la hoz de oro, tomará en sus brazos —como el día antiguo al hijo de Keleo— al vástago tardío de la agotada burguesía y, tras criarle a sus pechos, le envolverá otra vez en la llama divina»[32]. Pues bien, ¿no responden a esta nueva sentimentalidad aquellos «poemas de lo eterno humano», que habían florecido en *Campos de Castilla*? ¿Y no es acaso ésta la misma tesis del apócrifo Meneses, el inventor de la «máquina de trovar», en su diálogo con Mairena?:

> Pero el sentimiento ha de tener tanto de individual como de genérico, porque aunque no existe un corazón general, que sienta por todos, sino que cada hombre lleva el suyo y siente con él, todo sentimiento se orienta hacia valores universales o que pretenden serlo. Cuando el sentimiento acorta su radio y no trasciende del yo aislado, acotado, vedado al prójimo, acaba por empobrecerse y, al fin, canta de falsete (A. M., 53 y II, 149).

En la misma línea se expresa Mairena en su poética. Tenía razón Machado-Meneses al esperar del futuro el advenimiento de esta nueva «sentimentalidad»; al fin y al cabo, el poeta no es nada más que un hombre de su tiempo, y, como diría Hegel, no puede saltar por encima de su propia sombra. El tiempo de M. estuvo todavía determinado por los últimos retoños del sentimentalismo subjetivista burgués; pero si la nueva sentimentalidad, desde el punto de vista social, estaba por venir, un corazón esencial podía adivinarla, anticiparla en sus sueños y en sus mejores creaciones[33].

---

[32] Puede verse una reelaboración poética del tema mitológico de Deméter, como una clara dimensión social patente en los últimos versos, en el poema titulado «Olivo del camino» (CLIII).

[33] Toda esta problemática será tratada con el pormenor que merece en el último capítulo de esta obra, acerca del «Humanismo y Socialismo en Antonio Machado».

La segunda línea de fuerza, paralela a la sentimentalidad comunitaria es la emergencia de la fe en la razón. Negativamente, comienza a manifestarse en las primeras muestras de crítica al intuicionismo de origen bergsoniano, por su estrechez de perspectivas y su acotamiento de la razón. «La última filosofía que anda por el mundo se llama intuicionismo. Esto quiere decir que otra vez el pensamiento del hombre pretende intuir lo real, anclar en lo absoluto. Pero el intuicionismo moderno más que una filosofía inicial parece el término, una gran síntesis final del antiintelectualismo del pasado siglo. La inteligencia sólo puede pensar —según Bergson— la materia inerte, como si dijéramos las zurrapas del ser, y lo real, que es la vida (*du vécu = de l'absolu*), sólo alcanzarse con ojos que no son los de la inteligencia, sino los de una conciencia vital, que el filósofo pretende derivar del instinto. En el camino hacia abajo del intelectualismo está Bergson, acaso, en el límite. Para refutarlo habrá que volver de algún modo a Platón, a afirmar nuevamente la posición teórica del pensar; porque la inteligencia pragmática no sirve para el caso. Con todo, conviene anotar esto: el hombre actual no renuncia a ver. Busca sus ojos, convencido de que han de estar en alguna parte. Lo importante es que ha perdido la fe en su propia ceguera» (A. M., 99 y II, 125). Positivamente, en el intento de M. por agrandar el campo de la conciencia hasta una abertura dialógica universal, como la única arma eficaz contra el solipsismo (J. M., I, cap. XV, 71). Por último, ambas líneas de «comunitarismo» —la cordial y la racional— desembocan, como no podía ser menos frente al aristocratismo de la cultura burguesa, en una cultura popular, militante y comprometida, dispuesta como escribiera M., ya en guerra civil, «a aumentar en el mundo el humano tesoro de la conciencia vigilante».

En definitiva, el comunitarismo lírico no es más que una forma enteriza y comprometida de vivir, como buen intelectual, en el supuesto de la palabra. Ésta se convierte para M. en el vínculo del mundo social y también en el medio de nombrar las cosas y autoobjetivar el propio yo. En cierto modo, se trata de la reasunción de la postura del «realismo dramático» en el nuevo clima de una sentimentalidad comunitaria. Por eso es muy atinada la sugerencia de Valverde:

> se podría hablar de un «realismo temporal»; yo preferiría, si no hay más remedio que dar una fórmula, decir «realismo poético», a saber: el convencimiento de que el único camino de posesión de la realidad es la palabra, con sus garantías, pero con sus limitaciones, sobre todo, las temporales, que no son barreras impuestas al espíritu desde fuera, sino la patentización de los límites constitutivos del mismo espíritu [34].

Basten de momento estas breves indicaciones para caracterizar la última y definitiva etapa (reconciliado ya con el mundo de las cosas y del hombre) de la biografía espiritual de A. Machado. Al término del trabajo habrá ocasión de desarrollarlas por extenso.

Me importa señalar, sin embargo, que el representante de esta nueva postura viene a ser el apócrifo Mairena en su segunda versión. Según la finísima observación de Cobos, «la función que ha de cubrir este apócrifo segundo es la de desvincularse de Martín, para objetivarlo, y para conquistar su libertad en el ánimo de A. Machado», y su extinción como apócrifo acontece por «seudónimo» primero y «reabsorción» después en la persona de su autor [35]. Se explica así que Mairena haya sido la definitiva expresión del alma de M. y que

---

[34] J. M. Valverde, *Estudios sobre la palabra poética*, op. cit., 116.
[35] Pablo A. Cobos, *op. cit.*, 197 y 209 respectivamente.

en sus escritos se lleve a cabo la objetivación de la «metafísica poética» de su maestro Abel Martín (ya distante como
para ser comentada), a la par que la superación de la misma en un nuevo clima espiritual. De ahí que Mairena, filósofo y poeta, como Abel Martín y como el propio Machado,
se presente fundamentalmente como «profesor», no sólo ya
por la función «aclaratoria» (Cobos) que le asigna Machado,
sino mucho más fundamentalmente por la necesidad de
ejercer una mayéutica sofística que, mediante la relativización de las creencias opuestas, permita a sus alumnos emerger a un nuevo universo. Es perfectamente coherente que
M. le atribuya la creación de una Escuela Popular de Sabiduría Superior, con la función expresa de «despertar al
dormido» (J. M., II, cap. II, 66-7). Como se ve, siempre el tema
básico y dominante de «despertar del sueño», como expresión
de autenticidad personal y de presencia humana en el mundo.
Por eso el alma definitiva de M., su última verdad, nos sale
al paso por boca de Mairena:

> Los poemas de nuestra vigilia, aun los menos logrados, son
> más originales y más bellos y, a veces, más disparatados que
> los de nuestros sueños. Os lo dice quien pasó muchos años de
> su vida pensando lo contrario. Pero de sabios es mudar de
> consejo. Hay que tener los ojos muy abiertos para ver las cosas
> como son; aún más abiertos para verlas otras de lo que son;
> más abiertos todavía para verlas mejor de lo que son. Yo os
> aconsejo la visión vigilante, porque vuestra misión es ver e
> imaginar despiertos, y que no pidáis al sueño sino reposo
> (J. M., I, cap. XIV, 65 y II, 181-2).

La transición se encuentra incluso documentada en el poema CLXXVI, en el que tras la «Muerte de Abel Martín»
(CLXXV), apunta M. a un nuevo «clima» espiritual:

> ¿Un mundo muere? ¿Nace
> un mundo? ¿En la marina

> panza del globo hace
> nueva nave su estela diamantina?
> ¿Quillas al sol la vieja flota yace?
> ¿Es el mundo nacido en el pecado,
> el mundo del trabajo y la fatiga?
> ¿Un mundo nuevo para ser salvado
> otra vez? ¡Otra vez! Que Dios lo diga.

La cascada de preguntas deja traslucir la interna perplejidad del alma ante una nueva singladura. Los sueños de ayer huyen y ante sí nace el nuevo mundo de «la fatiga y el trabajo», que tiene que ser salvado también por el poder creativo de la palabra. Se trata de la gran batalla —la gigantomaquia— de una comunidad por lograr conciencia y del nuevo apremio por abrir camino en lo más arduo e inaccesible.

> Desde la cumbre vio el desierto llano
> con sombras de gigantes con escudos,
> y en el verde fragor del oceano
> torsos de esclavos jadear desnudos.
> Y un *nihil* de fuego escrito
> tras de la selva huraña,
> en áspero granito,
> y el rayo de un camino en la montaña...
>
> (CLXXVI.)

¿Cómo se produjo este cambio de «Machado-Martín», todavía preso en las premisas del subjetivismo, al «Machado-Mairena», a la plena luz de la realidad? De nuevo hay que apelar a la clave de su vida, tan íntimamente entreverada, por no decir fundida, con su obra. La agudización de los conflictos sociales en la España de finales del primer cuarto de siglo y la radicalización consecuente de la lucha ideológica son factores más que suficientes, en el caso de un hombre de la sensibilidad humana e intelectual de M., para explicar esta emergencia desde el idealismo burgués a la nueva tierra del realismo poético o el comunitarismo lírico. El compromiso político de M., aunque nunca llegará a una militancia política activa como hombre de acción, fue madurando hacia una identificación integral, lírica diríamos mejor, con la causa de la República. Lo vemos en aquella hora mañanera de la República, recibiéndola desde el balcón del Ayuntamiento de Segovia, en el aire sutil de aquellas horas tejidas todas ellas, al decir de M., con el lino de la esperanza, y asumir, a partir de aquel momento, una postura intelectual definitiva en las luchas ideológicas, que culminará en su papel apologético (el único intelectual del 98 que no dimite) de los ideales y objetivos políticos del régimen republicano. Es gravemente injusto subestimar el compromiso político de M. en la guerra civil, achacándolo a una pasión senil o veleidades intelectuales de última hora. Muy por el contrario, se inscribe en aquella línea de autenticidad personal, a la escucha de la voz directa de las cosas y del pueblo, que ya inspiraba, casi desde el comienzo, su vocación literaria.

La hora de la tragedia, que para muchos suele ser la de la mascarada, actuó en M. de revulsivo de su posición espiritual, liquidando los últimos restos del subjetivismo mientras se abría paradójicamente a su más íntima verdad; y allí ya no estaba solo, sino acompañado por un dolor innumerable. Si la muerte de Leonor le había devuelto a la intimidad de su corazón, más perplejo y dubitativo que nunca, esta otra muerte española le purificaba los ojos para una tensa «visión vigilante». Fue pues la praxis o el compromiso político activo de signo social el que acabó por disipar definitivamente los enigmas y contradicciones, que no logró antes despejar la teoría. La nueva circunstancia y el deseo intelectual de «estar a su altura» superaron aquel imposible trascendimiento hacia el otro y lo otro, en un efectivo comprometimiento con la suerte común. Y las líneas de fuerza del «sentimiento comunitario» y la «razón dialógica», que hemos visto aflorar en el tercer período, encontraron en el denso y trágico clima de España, el terreno más propicio para su floración definitiva.

Si no lograron, con todo, su expresión literaria más idónea, habrá que achacarlo, más que a una falta de resolución en el nuevo horizonte, a las contingencias, incluso caprichosas, del momento. El «amor intempestivo» de Guiomar, como lo llama el mismo M., alteró en los últimos años su voz lírica, entregándole a una nueva idealización de la amada, que interfiere a mi juicio la posibilidad del hallazgo de una nueva cuerda lírica, afín por otra parte, a su sensibilidad de lo «eterno humano». Quizá incluso el aire polémico, que cruza de énfasis retórico algunos de sus últimos poemas de Guerra, tal vez acabaron por ahogar lo que pudo ser la voz lírica más profunda y estremecida de la tragedia. Un destino semejante iba a interferirse en su posición intelectual, cada vez más madura para el racionalismo. Me refiero a su encuentro con el pensamiento de Heidegger, que en este momento le recrudece y confirma algunas posiciones implícitas en su lírica y desarrolladas más tarde en la metafísica poética. Naturalmente lo descubre en una perspectiva histórica muy distante de la nuestra, y en la que no era posible la lectura de su obra de signo irracionalista-místico, que es hoy la dominante. Más bien, acentúa M. aquellos elementos, tales como la revelación del ser en el tiempo o incluso su método fenomenológico, en el que cree encontrar una progresión de la corriente intuicionista, y con ello la posibilidad de un nuevo arraigo existencial en la realidad (J. M., II, cap. X, 114 y III, 196).

Fue verdaderamente una lástima que su desconocimiento de la tradición dialéctica y su aversión, de origen idealista,

a ciertos planteamientos, le cerraran la posibilidad teórica
de una metodología más consonante con su nueva posición.
Pero es indudable que, pese a todo, M. logró consumar su
camino hacia la realidad, sin abandonar aquella conciencia
estremecida del tiempo que había sido su peculiar manera
de «estar en ser», en la incertidumbre y la búsqueda, siempre
sobre el supuesto creador de la palabra.

Había logrado superar no sólo la ideología idealista burguesa, cuya primera gran quiebra se produjo a la altura de
Campos de Castilla, sino incluso remontar el curso histórico
de su generación, yendo a parar a aquel socialismo humano
que fue el punto de partida de la juventud radical del 98.
Mientras que los intelectuales pequeño-burgueses de su generación se retiraban —como ha mostrado Blanco Aguinaga— a las galerías de la subjetividad, después de quemar las
naves de su radicalismo socialista, ante la imposibilidad de
su inserción o integración en la lucha social de su tiempo,
«Machado será la excepción, la última lección de realismo
—curiosamente desfasada— que nos ofrece la generación
del 98»[36].

Podría objetarse que esta nueva posición espiritual concierne tan sólo a su biografía, pero en modo alguno afecta
a su obra, cancelada definitivamente en la «metafísica de
poeta». Espero que el análisis de la segunda versión de Mairena acabará disipando cualquier duda. So pena de ignorar
por completo, o malentender esta fragmentaria obra de los
últimos años, habrá que rendirse a la evidencia de un M.
que se recobra a sí mismo en la plenitud de su verdad, cuando confunde su suerte definitivamente con la de su pueblo.
Quizá ya muy tarde, como tantas veces en su vida, para

---

[36] Blanco Aguinaga, *La juventud del 98*, Madrid, Siglo XXI, 1970,
págs. 296, 318 y 327.

madurar reflexivamente el nuevo horizonte, pero aún temprano y a punto para completar una de las biografías intelectuales más enterizas y señeras de todo el siglo XX español. También la vida es verbo, y muy posiblemente aquellos versos de la nueva sentimentalidad se quedaron escritos, acaso sin saberlo, como pura palabra existencial, en el aire azul y doliente de su España. La vida redondeaba así la obra, arrancándola de sus ambigüedades y acertando con aquel último y definitivo poema, que no supo poner en verso don Antonio.

SEGUNDA PARTE

FILOSOFÍA Y TEMPORALIDAD

VI

LA ANTROPOLOGÍA LÍRICA

> Al borde del sendero un día nos sentamos.
> Ya nuestra vida es tiempo, y nuestra sola cuita
> son las desesperantes posturas que tomamos
> para aguardar... Mas Ella no faltará a la cita.
>
> (XXXV.)

Las consideraciones precedentes nos llevan al centro de gravedad de la reflexión antropológica machadiana: la existencia humana y su posible sentido. De nuevo aquí se nos muestra la concordancia entre la aguda vivencia poética de M. y la antropología de Martín y Mairena. Como hilo conductor nos ha de servir el tiempo, en la medida en que constituye la íntima pulsación de la vida. Cabe, pues, preguntarse cómo se ahonda el tiempo vital del impulso en un tiempo consciente, cuál es la caracterización más propia de la existencia, mediante qué sentimiento puede ser captada la totalidad de la vida humana y hacia dónde apunta la abertura de su proyecto. En definitiva, el problema de la conciencia, el tema del sujeto, la angustia y el ser-para-la-muerte, cuatro rótulos que recogen la antropología existencial y poética de Antonio Machado.

VIDA, EROS Y CONCIENCIA

Esta íntima melodía que se despliega en el tiempo no nos es dada en la lucidez de la reflexión, sino en la impura espontaneidad de la vida.

> La vida, en cambio, no es —fuera de los laboratorios— una idea, sino un objeto de conciencia inmediata, una turbia evidencia (J. M., II, cap. XLVIII, 47).

El «en cambio» del texto de Mairena contrapone la vida a la muerte, como «idea» totalizadora del transcurso temporal, pero también la distingue de la vida intemporal y autoconsciente de un espíritu puro, instalado de una vez por todas en la posesión de sí mismo. Porque la vida es tiempo, no pertenece a la facticidad de la naturaleza ni al orden de una libertad absoluta. Es un acto fluido, dinámico, cargado de la intencionalidad primaria del deseo; y la conciencia no es más que esta turbia evidencia de sentirse necesitado, y a la vez obligado a habérselas con las cosas, en un trato pasional y sensible. Para decirlo filosóficamente, la conciencia representa una magnitud especial de la fuerza vital, por la que ésta ahonda intensivamente su relación dinámica con el mundo, en una tensión creadora. Sería la vida como solicitud y preocupación, fuera del calmo reino de la naturaleza, y también como expectación e inminencia, como si las aguas se aquietaran un poco tan sólo para cobrar la dirección de su transcurso.

Se comprende que M. haya echado mano del esquema leibniziano de la sustancia a la hora de aclarar reflexivamente su vivencia poética del tiempo. El «ser-en-el-tiempo» requiere una metafísica dinámica y relacional. Si el tiempo es el horizonte del cambio, lo que cambia en el tiempo, no es tan sólo la capa cortical del ser, sino su mismo núcleo, como una potencia que se actualiza y se configura en su desarrollo. La «vis activa primitiva» leibniziana ofrecía así al poeta-filósofo Abel Martín el esquema metafísico de un cambio sustancial, en el que se renueva por entero, sin destruirse, la potencia-de-ser.

> La actividad de la fuerza pura o sustancia se llama conciencia. Ahora bien, esta actividad consciente, por la cual se revela la pura sustancia, no por ser inmóvil es inmutable y rígida, sino que se encuentra en perpetuo cambio (A. M., 9 y III, 43).

Expresión e impulso o apetito, en el sentido leibniziano, serían los índices de este interno dinamismo ontológico. La primera traduce la función analítica de la fuerza consciente como autoexplicitación y génesis —diríamos mejor como proceso— y el segundo, el sentido del dinamismo hacia la consumación de su *entelecheia* o disposición reflexiva del propio poder. La ensoñación machadiana y el presente de la inminencia parecen corresponder, de alguna manera, a la pareja intramonádica de Leibniz, en lo que tiene la primera de semántica existencial y el segundo de activa disposición a totalizar el tiempo humano. En todo caso, está claro que en esta íntima melodía, siempre por hacer, la vida se desenvuelve en una intencionalidad creadora, procurando unificar y dirigir su propio transcurso.

Leibniziano parece ser también, al menos de inspiración, el esquema martiniano de los grados o intensidades de conciencia, desde la ciega y oscura tendencia, «quasi» inconsciente, hasta la intimidad de la posesión reflexiva.

> La conciencia en el hombre —escribe Martín— comienza por ser vida, espontaneidad; en este primer grado, no puede darse en ella ningún fruto de cultura, es actividad ciega, aunque no mecánica, sino animada, animalidad, si se quiere. En un segundo

grado, comienza a verse a sí misma como un turbio río y pretende purificarse. Cree haber perdido la inocencia; mira como extraña su propia riqueza. Es el momento erótico, de honda inquietud, en que lo *otro* inmanente comienza a ser pensado como trascendente, como objeto de conocimiento y de amor... Sólo después que el anhelo erótico ha creado las formas de la objetividad (...) puede el hombre llegar a la visión real de la conciencia, reintegrando a la pura unidad heterogénea las citadas formas o *reversos del ser*, a verse, a vivirse, a *serse* en plena y fecunda intimidad (A. M., 28 y III, 61-2).

En el primer caso, la intencionalidad de la conciencia corresponde a la espontaneidad vital, propia de la necesidad y pulsión. Se trataría, pues, de una conciencia prerreflexiva, natural, animada, como apunta certeramente Machado, confundida con las exigencias sensibles de la corporalidad; la intencionalidad de las tendencias, cuya motivación reside en el principio de la subsistencia biológica. La conciencia propiamente dicha comenzaría con un acto de «extrañeza» en el seno mismo de la vida, como si todo el mundo sentido, percibido, vivenciado, no nos resultara familiar porque se echara de menos, súbitamente, la falta de algo. No es simplemente la carencia que instituye la necesidad biológica, sino algo más profundo, «la ausencia del otro», la falta de algo y de alguien necesarios para encontrar sentido a la vida. Lo otro hacia lo que abre inexorablemente la intencionalidad del ser viviente (lo otro de la necesidad y la pulsión) es sentido ahora como lo «extraño», lo que nos preocupa y desazona, y a la vez, como lo no disponible, y por eso se convierte en objeto de una honda inquietud. Lo otro se presenta como transcendente, independiente de mí; surge con ello la tensión erótica hacia su posesión; es esta preocupación erótica —a la vez descentramiento de la vida natural y tensión de unidad a un nivel más alto—, la primera pulsación de la conciencia.

Constituye, sin duda, un acierto poético y metafísico inigualables, el haber hecho surgir el dinamismo consciente de esta «herida de alteridad». A diferencia de la intención natural o animal, meramente biológica, que está siempre fundida con su medio e indiferenciada con él, la intención consciente siente esta aguda diferencia entre ella y lo otro, percibe su trascendencia y descubre que no puede ser sin mediarse con aquella realidad, que le preocupa y desazona. La oscura tendencia se ha elevado a la turbia evidencia de estar entre cosas reales, de contar con resistencias y límites a la propia acción, y sobre todo, de tener movilizada el alma por un arrebato de todo su ser. La ausencia de lo otro, y sobre todo del otro, la deja penetrada de nostalgias y de búsquedas, en una permanente tensión creadora. La intencionalidad erótica no es más que esta apremiante exigencia de lo otro, que tiene abierta y desfondada al alma. Y a la vez, clamor de conocimiento, es decir, de posesión o integración que pueda restañar este intervalo inmanente.

Muy finamente apunta M. que ya en esta conciencia está actuando la dimensión «reflexiva» del sí mismo, en el momento de «soledad» y «angustia» ante un otro que no comparece, o que al menos, no puede captarse en su trascendencia. «Mas la conciencia existe como actividad reflexiva porque vuelve sobre sí misma, agotado su impulso por alcanzar el objeto trascendente». La re-flexión no es más que el contragolpe de la alteridad irreductible. La intención que va hacia lo otro vuelve, al mismo tiempo, sobre sí ante la imposibilidad de alcanzar su meta.

> Entonces —agrega Martín— reconoce su limitación y se ve a sí misma como tensión erótica, impulso hacia *lo otro* inasequible. Su reflexión es más aparente que real, porque, en verdad, no vuelve sobre sí misma para captarse como pura actividad

consciente, sino sobre la corriente erótica que brota con ella de las mismas entrañas del ser (A. M., 24).

Sorprende, por su originalidad y su fuerza, una interpretación tan finamente poética, tan existencial y poco intelectualizada, del acto reflexivo. La intimidad es siempre un estar a solas con la herida de otreidad en carne viva, y a la vez un descubrimiento de que no soy solo ni único ni el centro del mundo.

> Descubre el amor como su propia impureza, digámoslo así, como su *otro inmanente*, y se le revela la esencial heterogeneidad de la sustancia (A. M., 24).

Se trata, pues, de un retorno que nunca cancela la diferencia inmanente, quizá o precisamente porque nunca la agota. Lo otro es ineliminable. No puede ni siquiera escamotearse porque la tensión erótica sólo se aplaca ante la presencia o la evidencia de la posesión. Como ya recordaba Platón, el eros se convierte en el principio crítico de toda apariencia, porque su apetito de verdad es indefectible.

El *serse* o vivirse en plena y fecunda intimidad, no es una cancelación de la tensión erótica, sino su permanente reactualización a través de la experiencia del fracaso. Porque nuestra conciencia es tiempo, su intencionalidad está de continuo abierta hacia la alteridad, como una herida que manase incesantemente. De ahí que el acto de la autoconciencia nunca se cierra, pues no hay un «sí mismo» temporal sin la irrupción de lo otro y la mediación de lo extraño.

> El hombre quiere ser otro. He aquí lo específicamente humano —dirá más tarde Mairena—. Aunque su propia lógica y natural sofística lo encierren en la más estrecha concepción solipsística, su mónada solitaria no es nunca pensada como autosuficiente, sino como nostálgica de lo otro, paciente de una incurable alteridad (J. M., II, cap. XLIV, 28 y III, 138).

Creo que con un planteamiento tan original e incisivo, se situaba M. en el límite extremo del idealismo, en el punto decisivo de su inversión y viraje. En alguna medida, es válida su observación de que «Abel Martín no ha superado, ni por un momento, el subjetivismo de su tiempo»; pero sólo en la medida en que fracasa la experiencia del trascendimiento hacia el otro real; pero a la vez, es preciso hacer constar que se trata de una subjetividad desfondada, abierta de trascendencia desde la raíz de su ser, insaciable en su pretensión de estar y ser para el otro. Una subjetividad sin fondo y sin fronteras. Unos versillos del poeta valen por todo tipo de consideraciones.

> No es el yo fundamental
> eso que busca el poeta,
> sino el tú esencial.
>
> (CLXI, núm. 36.)

Quizá porque a la altura de Baeza, desfondada el alma por la ausencia irrecuperable de Leonor, sabe ya el poeta que no hay ningún yo debidamente fundamentado; que la consistencia de la vida es una obra de comunidad y en comunidad.

Simultáneamente, encontramos la crítica al narcisismo y a la egolatría de la razón, y la exigencia de no cuidarse de los límites del yo propio, precisamente por no poner barreras a la sed de alteridad que consume al hombre.

> Nunca traces tu frontera,
> ni cuides de tu perfil;
> todo eso es cosa de fuera.
>
> (CLXI, núm. 14.)

Sin duda, hay una honda inspiración cristiana en la tensión del eros martiniano. El énfasis en señalar de continuo la trascendencia irreductible del «tú» recuerda a cada instante el valor absoluto que el Cristianismo concede al «otro». El propio M. se ha encargado de explicarlo, poniendo al descubierto las raíces cristianas de su corazón:

> Enseña el Cristo: a tu prójimo
> amarás como a ti mismo,
> mas nunca olvides que es otro.
>
> Dijo otra verdad:
> busca el tú que nunca es tuyo
> ni puede serlo jamás.
>
> (CLXI, núms. 42 y 43.)

La calidad de este amor supera todo lo concebible. Ni asimilación interna ni reducción interesada; menos aún cualquier forma de instrumentalización del otro; dejarlo ser él y dejarse arrebatar por su presencia o ausencia, en un permanente movimiento de descentración del yo. El «tú» no es simplemente «otro» yo, sino mucho más radicalmente, «lo otro del yo»; los espejos interiores del alma no bastan para contener esta experiencia.

> El ojo que ves no es
> ojo porque tú lo veas,
> es ojo porque te ve.
>
> (CLXI, núm. 1.)

Cabe, incluso, preguntarse, si el «fracaso» martiniano del amor no es también un modo indirecto de reconocer el carácter ideal de esta exigencia de mantenerse siempre abierto hacia un «tú», que sobrepasa y trasciende todas nuestras expectativas. Más allá, pues, de toda posible referencia a su historia amorosa, la imposibilidad de alcanzar al otro trascendente sería una forma de preservar y respetar el misterio del «tú».

Sea de ello lo que fuere, es evidente que el fracaso del amor está lleno de consecuencias positivas. Ya se ha indicado cómo la autoconciencia nace de la tensión erótica, que es, conjuntamente, nostalgia y anhelo, exigencia de alteridad y pretensión de conquista. Sin amor, pues, no hay conocimiento, pues éste no es más que el producto del «esfuerzo desesperado del ser o sujeto absoluto por rebasar su propia frontera»; pero a su vez, éste no suprime sino que reactualiza el movimiento del eros, haciendo manar de continuo, en el seno del sí mismo, la diferencia inmanente. En tanto que entregado al tiempo, el circuito de la reflexión está constantemente alterado, afectado por la diferencia, que rompe el centro gravitatorio de la identidad del yo.

> En la metafísica intrasubjetiva de Abel Martín fracasa el amor, pero no el conocimiento, o mejor dicho, es el conocimiento el premio del amor (A. M., 25).

La objetivación es, pues, un desesperado intento de la conciencia por hacerse con lo otro, sin contar realmente con él, «una varia proyección ilusoria del sujeto fuera de sí mismo»; pero sólo en esta pretensión amorosa por

> rebasar su propia frontera... se alcanza *conciencia* en su sentido propio, a saber o sospechar la propia heterogeneidad, a tener la visión analítica —separando por abstracción lógica lo en realidad inseparable— de la constante y quieta mutabilidad (A. M., 24-5).

«El conocimiento —comenta Abellán— no es, según esto, una captación intelectual de la realidad sino simplemente el fenómeno de conciencia que se produce precisamente al fracasar ese intento de captación intelectual; en otras palabras: la imposibilidad de aprehender el objeto trascendente crea el objeto inmanente, lo que Martín llamaba 'formas de objetividad' y Mairena 'reversos del ser'»[1].

La teoría proyectiva del conocimiento, de inspiración kantiano-bergsoniana, en un extraño híbrido, lo convierte a éste en una forma de «aparición» del ser trascendente en el «medio» de la subjetividad. El sujeto, puesto hacia fuera por la tensión erótica, pone-fuera-de-sí los esquemas que le permiten una organización y manipulación del mundo. Se trata, pues, de una conciencia «especular», porque tiene el mundo tan sólo en el reflejo interior del espejo subjetivo. Sin embargo, no es éste el único fruto del fracaso del amor. Machado cita también a la poesía, que por así decirlo, se encarga de efectuar un movimiento de signo contrario.

«También la poesía es hija del gran fracaso del amor», es decir, de la permanente excentricidad del alma. En ella la conciencia aparece como nostalgia y anhelo de lo otro, como testimonio de extrañeza y como pretensión de entrañamiento en la riqueza del ser. Está pues en el camino hacia la autoconciencia, hacia la forma suprema de intimidad en que el alma se encuentra a sí misma, en la pulsación interior del propio mundo. Su finalidad, será, como ya pensó Unamuno, la animación o humanización del universo, la erotización universal. Pero, puesto que el amor siempre fracasa, porque no consigue nunca cancelar la diferencia, la poesía vuelve siempre de nuevo a desfondar la vida, a abrirnos la herida de tiempo con su tesoro de admiración inagotable. Por eso M. ha llamado con mucho tino «fe poética» a diferencia de la «fe racional» (es decir, intelectualista) la creencia en la alteridad, como una fuente de incitación permanente.

---

[1] J. L. Abellán, *Sociología del 98*, Barcelona, Península, 1973, páginas 110-11.

Y esto parece tan cierto —escribe Mairena— como... lo contrario, a saber: que sin lo *otro*, lo esencial y perdurable *otro*, toda actividad racional carecería de sentido (J. M., II, cap. IX, 107 y J. M., I, cap. II, 15 y III, 125).

Frente al principio tautológico de la identidad idealista que se engulle el mundo, está en marcha el principio heterológico de la sensibilidad poética, que se entrega, por el contrario, a la experiencia de lo diferente, sin restañar esta herida incurable de alteridad que padece el hombre.

Surgida así de la tensión erótica ante lo otro, la conciencia tenderá, ya sea a su dominación objetiva, mediante el trabajo de la inteligencia pragmática, ya sea a su inmersión intuitiva en la heterogeneidad del ser por obra de la creación poética. Hay, pues, dos formas de conciencia para Machado, en directa continuidad con Bergson. Entre la una y la otra se interpone el fracaso del amor. La conciencia representativa —el pensamiento homogéneo y descualificador— se queda de la parte de acá, procurándose una forma de presencia objetiva ante la imposibilidad de acceder a la presencia real; la segunda, en cambio, la conciencia poética —el pensamiento cualificador— está del lado de allá del fracaso, entregándose al ejercicio de la alteridad en la esfera sensible de la intuición. La primera —la conciencia objetivante— responde al principio tautológico de la inmanencia; de ahí que las formas de la objetividad sean los instrumentos del análisis y la abstracción que ejerce el sujeto sobre el mundo. La segunda, en cambio, al principio heterológico de la diferencia. La primera es lógica y la segunda sensible. La primera reduce lo otro a lo uno, mientras que la segunda se esfuerza por descentrar lo uno hacia lo otro y dejarse invadir por las manifestaciones cualitativas del ser.

> Hay dos modos de conciencia:
> una es luz, y otra paciencia.

Una estriba en alumbrar
un poquito el hondo mar;
otra, en hacer penitencia
con caña o red, y esperar
el pez, como pescador.
Dime tú: ¿cuál es mejor?

(CXXXVI, núm. 35.)

preguntará uno de los *Proverbios y Cantares.*

La respuesta es fácil de suponer. Como poeta y como metafísico su apuesta será sin duda por la conciencia vidente, aun a riesgo de degenerar en conciencia de visionario, como apostilla la copla. Poco más adelante, otro cantar subraya retóricamente el privilegio de la intuición:

Luz del alma, luz divina,
faro, antorcha, estrella, sol...
Un hombre a tientas camina;
lleva a la espalda un farol.

(CXXXVI, núm. 51.)

Por el profesor Mairena conocemos los motivos de esta preferencia. La teoría del reflejo, ya sea como representación o como traducción siempre supone precisamente lo que pretende eliminar: la conciencia como visión. Ni la mera imagen representativa ni la transcripción resuelven nada si no se supone que los espejos ven las imágenes que en ellos se forman —dirá Mairena— o que el traductor conoce su propia lengua y la ajena (J. M., I, cap. XXIII, 105 y cap. II, págs. 13-14).

Más insatisfactoria aún, encuentra Mairena la teoría de la conciencia como dominación técnica, en sentido pragmatista, en cuanto debe presuponer la visión de lo que específicamente interesa a la vida humana. En definitiva, M. se inclina por la forma poética de la conciencia-iluminación, aun consciente de los supuestos metafísicos que subyacen a la misma.

> Hemos de volver —añade Mairena— a pensar la conciencia como una luz que avanza en las tinieblas iluminando lo otro, siempre lo otro... Pero esta concepción tan luminosa de la conciencia, la más poética y la más antigua y acreditada de todas, es también la más oscura, mientras no se pruebe que *hay una luz capaz de ver lo que ella misma ilumina.* Y era esto, acaso, lo que pensaba mi maestro, sin intentar la prueba, cuando aludía a la conciencia divina o la divinización de la conciencia humana tras de la muerte, en aquellos sus versos inmortales: «Antes me llegue, si me llega, el Día, / la luz que ve, increada» (J. M., I, cap. XXIII, 105-6).

He subrayado en el texto la clave del problema gnoseológico machadiano. En esta expresión pareja de aquella otra «el ojo que todo lo ve al verse a sí mismo», M. ha pretendido establecer una tercera posición síntesis del idealismo y el realismo. La metáfora de la luz implica siempre, como agudamente señala M., la aprioridad del pensar o de la conciencia como acto de iluminación. La afirmación no puede ser más tajante:

> Todo es por y en el sujeto. Todo es actividad consciente, y para la conciencia integral nada es que no sea la conciencia misma (A. M., 26, y III, 59).

Pero a la vez, esta luz que ilumina es interior al propio ser, no es más que aquella transparencia de su manifestación fundida con el propio acto poético o intuitivo del alma. El idealismo se ha tornado en un realismo ontológico de inspiración panteísta, más cerca de J. Boehme que de Leibniz y Hegel, según el cual, el ser no constituye problema, pues coincide sin residuos con su manifestación. La poesía realiza, pues, el camino inverso al pensar homogéneo u objetivante, para abrirse a la heterogeneidad de la sustancia. Intenta devolver a lo que es su propia intimidad, que no es sólo pasarlo por el alma, sino también dejar el alma prendida en la riqueza inexhausta del mundo. La poesía realiza el milagro de la «luz vidente», porque el acto de creación poética no es más que la suprema forma en que se muestra, lúcida y plena, la realidad integral. El intuicionismo es así el primer recurso machadiano, contra las limitaciones y constricciones del formalismo intelectualista [2]. Sin duda, para este programa, el intuicionismo poético martiniano quedaba demasiado corto. También la visión tiene sus perversiones en el sueño del visionario; y a la postre, el realismo exigirá una forma más cabal de salir de la enclaustración idealista. De ahí la necesidad en que se verá más tarde M. de fundar el acto de la iluminación en un *apriori* metafísico constituyente, de sentido platónico; esto es, en la admisión de las ideas como puntos ontológicos del acuerdo común. Pero en todo caso, es preciso reconocer que ya esta fe poética milita contra la reducción y empobrecimiento idealista del mundo, y a su modo, hace presumir una nueva singladura de la razón, purificada de los desafueros y las violencias del subjetivismo. En una palabra, aspira también a ver de nuevo las estrellas, como el Dante tras el infierno del solipsismo; es decir, a «descubrir» las maravillas de las cosas y el milagro de la razón (C., 119).

EL TEMA DEL SUJETO Y EL TRASCENDIMIENTO

Los apuntes precedentes sobre el dinamismo de la conciencia nos conducen a una Antropología, que podríamos

---

[2] En este mismo sentido interpreta Abellán la fe poética como un intento de superación del solipsismo (*op. cit.*, 108-9).

calificar como *irrequietum cor,* aunque en un sentido diferente al agustiniano. El sujeto humano está permanentemente descentrado por la presencia o ausencia del otro, y desfondado por una exigencia ineliminable de alteridad. En el quebrantamiento de la clausura del yo para entregarse a la experiencia poética de todo lo otro, estriba para M. el destino propio de la condición humana. Enmendando la plana a Spinoza, escribe Mairena:

> La voluntad de vivir no es un deseo de perseverar en el propio ser, sino más bien de mejorarlo. El hombre es el único animal que quiere salvarse, sin confiar para ello en el curso de la Naturaleza. Todas las potencias de su espíritu tienden a ello, se enderezan a este fin. El hombre quiere ser otro. He aquí lo específicamente humano. Aunque su propia lógica y natural sofística lo encierren en la más estrecha concepción solipsística, su mónada solitaria no es nunca pensada como autosuficiente, sino como nostálgica de lo otro, paciente de una incurable alteridad (J. M., II, cap. XLIV, 28 y III, 138).

El texto es sin duda uno de los más sugestivos de M. Hay en él afirmaciones fundamentales para la comprensión de la antropología poética de la alteración. En primer lugar, la necesidad en que se encuentra el hombre de salvarse o autojustificarse, según prefiera, pues su propia existencia le es dada en la incertidumbre de su destino, como algo a determinar o configurar mediante un «daimon» o vocación personal. La contraposición entre el reino de la naturaleza y el de la libertad es bien patente. El animal se confía a un curso preestablecido y puede así descansar inocentemente en la seguridad natural. No necesita justificación, porque su vida no le ha sido confiada como tarea o posibilidad de sí mismo. El hombre, en cambio, es el llamado a responder ante otro, ante los otros, de sí mismo.

Pero esto implica —segunda afirmación capital— que su voluntad de vivir ya no responde al principio de inercia metafísica de la subsistencia, sino al de creatividad; no es un deseo de perseverar en el propio ser, sino de mejorarlo. Lo que está aquí en juego es el principio del trascendimiento ontológico. El hombre como ser temporal pertenece al orden de la posibilidad. Su realidad sólo puede afirmarse en la medida en que consuma su poder-de-ser. En definitiva, su existencia es fundamentalmente eros, tensión de inacabamiento y búsqueda de plenitud.

No pudiendo satisfacerse con su propia realidad se lanza fuera de sí. Encerrado en sí mismo acabaría por recortar el mundo y hasta congelarlo en una determinada posición. Machado comienza a estar de vuelta de una filosofía solipsística de la identidad. Lo propio de la condición humana como dice el texto, «es querer ser otro», estar fuera-de-sí, en el doble sentido de la expresión: «ser en el tiempo» y «ser hacia lo otro». Perfeccionarse es pues alterarse. No permanecer en lo mismo, petrificado en la tautología de la autoconciencia, sino extraviarse en lo extraño, para renacer y sustentar su sí mismo de lo otro y en lo otro.

Como subraya Martín, el filósofo de la alteridad,

> el pindárico *sé el que eres* es el término de este camino de vuelta, la meta que el poeta pretende alcanzar. *Mas nadie logrará ser el que es, si antes no logra pensarse como no es* (A. M., 28).

No es posible el sí mismo sin alteración; y la vuelta no anula el viaje de ida, sino que mantiene siempre abierta la salida en la tensión erótica. Sin lo otro, el sí mismo está vacío; con lo otro y hacia lo otro, mantiene su conciencia en una permanente vigilia de expectaciones e inminencias. Se comprende ahora que el intimismo de M. esté muy lejos de la clausura reflexiva de la autoconciencia. Es un modo de sentirse a solas con todo lo ya perdido y todo lo que aún espera, recreando en el alma una presencia emotiva e intencional, mientras se siente ser y vivir en una vibración que resuena al unísono con la temporalidad del mundo. Se trata de un intimismo más lírico que reflexivo. De ahí que su forma sea la memoria y no el entendimiento concipiente; pues lo que pretende ésta es seguir estando con lo otro, cuando lo otro ya no está, y hacer de esta creación apasionada la cantera de sus sueños, de cara a nuevas posibilidades de alteridad en el futuro. La memoria es pues la condición para que el sí mismo pueda ser otro, sin destruir su mismidad, y quedarse con lo otro, con lo ya sido, sin cancelar su iniciativa. La memoria es, como ya sabemos, el asiento del alma, la raíz de la interioridad creadora, y también, claro está, de la exterioridad de la búsqueda. De ahí que llamara antes a esta intuición antropológica básica «el irrequietum cor», un corazón en vilo, desfondado y abierto, en el perpetuo gesto de hacer camino al andar.

El eco de Unamuno en todo este planteamiento es demasiado evidente para ignorarlo. ¿No habría cifrado también don Miguel el ansia del yo en su pretensión de invadir el universo y de totalizarse en él como conciencia integral? Lo que ha llamado Meyer, con gran acierto, «el principio de la avidez ontológica» de Unamuno, nos sale al paso en su obra a cada instante. A veces con clamores de poseso por la nostalgia de lo absoluto:

> El universo visible, el que es hijo del instinto de conservación, me viene estrecho, esme como una jaula que me resulta chica, y contra cuyos barrotes da en sus revuelos mi alma; fáltame en él aire que respirar. Más, más y cada vez más: quiero ser yo y, sin dejar de serlo, ser además los otros, adentrarme la totalidad de las cosas visibles e invisibles, extenderme a lo ilimitado del espacio y prolongarme a lo inacabable del tiempo. De no serlo todo y por siempre, es como si no fuera,

gún presente agota sus posibilidades y ninguna posibilidad alcanza a totalizar la vida, cerrando así el tiempo de inminencia. Por doquier le asalta lo nuevo y en ningún momento de lo sido encuentra satisfacción adecuada su voluntad de ser. De ahí la pretensión del hombre de moverse en la totalidad de lo posible, en todos sus otros yos —explorando creadoramente sus posibilidades existenciales— y en todo lo otro, rompiendo de continuo su propia identidad.

El tema de los «complementarios», que van siempre con nosotros, debe entenderse también a esta luz. El hombre no se identifica con un solo «yo». Necesita por así decirlo, ensayar varias máscaras, o vivir su vida en diversas perspectivas y escorzos.

El intervalo, por otra parte, no sólo reina entre lo real y lo posible, sino también entre el ser y el deber-ser. Es esta la disconformidad más dolorosa porque afecta al universo del valor. Lo que soy no es todo lo que puedo ser, sino ni siquiera algo de lo que debo ser.

> Reparad en que, como decía mi maestro —escribe Mairena—, sólo el pensamiento del hombre, a juzgar por su misma conducta, ha alcanzado la categoría supralógica del deber ser *o tener que ser lo que no se es*, o esa idea del bien que el divino Platón encarama sobre la del ser mismo y de la cual afirma con profunda verdad que no hay copia en este bajo mundo (J. M., II, cap. LIV, 28-9, y III, 139; J. M., II, cap. XII, 131).

La posibilidad aparece aquí aureolada con una nueva luz. No es sólo lo que me falta, sino, sobre todo, lo que necesito y exijo en orden de mi propia realización. El hombre se encuentra, pues, no sólo abierto a lo posible, sino obligado a ciertas posibilidades, en vez de otras; y sobre todo, a estar, por mor de lo mejor posible, incluso contra lo real, en perpetua lucha consigo mismo.

A esta inadecuación interna, corresponde la actitud esencialmente humana del trascendimiento, como apertura a lo nuevo y desbloqueo incesante de la experiencia. Pocos textos nos pueden instruir mejor a este respecto que una de las parábolas machadianas:

> Érase de un marinero
> que hizo un jardín junto al mar,
> y se metió a jardinero.
> Estaba el jardín en flor,
> y el jardinero se fue
> por esos mares de Dios.
>
> (CXXXVII, núm. 3.)

¡Tiene gracia la ocurrencia del marinero de la canción, acampando a la orilla del mar! Al final, ocurrió lo que tenía que ocurrir, que el marinero se marchó a su aventura. Y es que el hombre no puede afincarse, establecerse. Su vocación de marino («siempre con estrella y ancla»), de caminante, le lleva a tentar todo lo nuevo. Para quedarse a la orilla del gran misterio sería preciso matar antes su «imaginación», la impaciente tejedora de los sueños. El hombre se define esencialmente hacia lo posible. Incluso su modo de estar en realidad, sólo puede darse viniendo desde lo posible y yendo hacia lo posible —yo diría que de puntillas o en volandas— como quien sólo toca la tierra, como Anteo, para sacar fuerzas de ella hacia un nuevo combate. Y lo que tienta al hombre es precisamente el mar, el símbolo de lo desconocido, como ya vimos, y también claro está, de lo absoluto y de lo nuevo. Ante esta sonora inmensidad y también en ella, luchando y afanándose con ella, el hombre percibe su propia inmensidad interior, la voz de su corazón, nostálgica siempre de lo infinito [4].

---

[4] Como trasunto de esta íntima afinidad entre el espacio exterior ilimitado y el descubrimiento de la profundidad e inmensidad del

No es sin embargo, el «errar» agustiniano, de acá para allá, en un extravío incesante, como la nave que no encuentra puerto. No. El transcendimiento tiene siempre una connotación positiva de valor. Supone una liberación de una determinada facticidad, y con ello, un incremento del valor y el sentido de la existencia. Es siempre una puesta en juego, creadoramente, de la dimensión de absoluto que actúa en la dinámica del hombre. Sin duda, el planteamiento de M. parece inspirado en este punto en la filosofía de Bergson. Al menos, a ella se acoge, y no por pura anécdota, cuando en los peores momentos de Baeza, tras la muerte de Leonor, siente la necesidad de dilatar el horizonte de su vida:

> Sobre mi mesa *Los datos*
> *de la conciencia*, inmediatos.
> No está mal
> este yo fundamental,
> contingente y libre, a ratos,
> creativo, original;
> este yo que vive y siente
> dentro la carne mortal
> ¡ay! por saltar impaciente
> las bardas de su corral.
>   (CXXVIII.)

Pero quizá donde salta a la vista más claramente el sentido de este trascendimiento es en el esquema de las dos batallas «del Proverbio» a las que ya hicimos referencia.

> Todo hombre tiene dos
> batallas que pelear:
> en sueños lucha con Dios;
> y despierto, con el mar.
>   (CXXXVI, núm. 28.)

---

alma, puede verse el luminoso comentario de Gaston Bachelard a la obra de Ph. Diolé. (G. Bachelard, *La poética del espacio*, México, Breviarios del F. C. E., 1965, pág. 262.)

La vigilia de la lucha consciente con una realidad insondable —la gran batalla de la conciencia por cobrar conocimiento— tiene que ir acompañada por esa otra exploración onírica o imaginativa del mundo de la utopía y los sueños. Luchar con Dios es justamente la tarea de los soñadores, desvelar las posibilidades mejores que aguardan al hombre, si éste sabe crecerse hasta su altura. Por eso, los sueños fermentan la conciencia de realidad, la tornan crítica y constructiva, y hacen que el hombre, en su combate diurno con la insondable vastedad del mundo, esté secretamente iluminado por las visiones sustanciales del alma.

Este es, en definitiva, el sentido machadiano del trascendimiento: «querer salvarse», no en la calma seguridad de la naturaleza ni tampoco de la gracia, sino en aquel trabajo por lo mejor, en plena mar y con un Dios «soñado» o «adivinado» en las entrañas.

El hombre se salva en la medida en que crea —alumbra o construye la suerte del mundo— desde su propia finitud; pero en cuanto criatura, se encuentra a la vez limitado y condicionado en sus pretensiones. De ahí, como tercera consecuencia, la constitutiva paradoja de la existencia. No agonía trágica porque en el fondo no hay que procurar aquí una síntesis de contrarios irreconciliables, como es el caso de Unamuno, sino paradoja, por la desproporción entre la vastedad de su obra y su intrínseca menesterosidad. Mairena lo confiesa en un texto con cierto dejo de amarga ironía:

> Al fin sofistas —escribe— somos fieles en cierto modo al principio de Protágoras: *el hombre es la medida de todas las cosas.* Acaso diríamos mejor, el hombre es la medida que se mide a sí misma o que pretende medir las cosas al medirse a sí misma, un medidor entre inconmensurabilidades. Porque lo específicamente humano, más que la medida, es el afán de medir. El hombre es el que todo lo mide, pobre hijo ciego del

que todo lo ve, noble sombra del que todo lo sabe (J. M., II, cap. XLVIII, 46 y III, 137).

Distendido entre dos abismos —el del principio y el del fin—, como ya vimos, y puesto a la vez en equilibrio inestable entre estas dos vastas inconmensurabilidades: la exterior del mundo y la del propio yo, el hombre es —preciso será recordarlo una vez más— una criatura en que el tiempo se hace palabra. Y por eso está siempre tentado por disolver, en última instancia, su palabra en el tiempo. Esta es la suprema paradoja: el destino de su palabra; la conciencia saca de la nada un mundo, pero por lo mismo teme, sospecha, que sea la nada la última verdad de su obra.

> El hombre es por natura la bestia paradójica,
> un animal absurdo que necesita lógica.
> Creó de nada un mundo y, su obra terminada,
> «Ya estoy en el secreto —se dijo—, todo es nada».
>
> (CXXXVI, núm. 16.)

EL SENTIMIENTO DE LA ANGUSTIA

En esta dimensión de incertidumbre constitutiva de la palabra humana —tiempo de vida y de conciencia sobre el transfondo aniquilador de la muerte—, hay que situar el sentimiento de la angustia. Machado lo vincula a la desoladora vivencia del paso del tiempo, incluso a la anticipación totalizadora del mismo en la «idea» de la muerte; también, claro está, a la inmensa desproporción entre la tarea de la palabra, ante el misterio del mundo, y la brevedad de su existencia.

Y esto ya en los comienzos de su poesía. No podía ser de otro modo. En una lírica de la temporalidad, no podía faltar la nota sombría o el sabor de ceniza que deja siempre la vida, al pasar, en los labios. La primera vez que aparece la angustia en su poesía va unida su experiencia a la revelación del alma en la fluencia del río, que se precipita en el mar, y conjuntamente al descubrimiento de su finitud («gota en el viento», «oscuro rincón que piensa») perdida en la infinita soledad del mundo.

> El agua en sombra pasaba tan melancólicamente,
> bajo los arcos del puente,
> como si al pasar dijera:
> «Apenas desamarrada
> la pobre barca, viajero, del árbol de la ribera,
> se canta: no somos nada.
> Donde acaba el pobre río la inmensa mar nos espera».
>
> (XIII.)

En este pasaje se dejan ver los tres motivos fundamentales de la vivencia angustiosa: el ser para la muerte, de un lado; y junto a él, el ser frente al misterio indomable; y sobre ambos, dominándolos y confiriéndoles su determinación más propia: la conciencia de la propia nada, la impotencia del hombre frente a estos dos misterios. Años más tarde, al filo de un comentario de Heidegger, volverá a reproducir esta experiencia singular, casi en los mismos términos:

> la angustia es, en verdad, un sentimiento complicado con la totalidad de la existencia humana y con su esencial desamparo, frente a lo infinito, impenetrable y opaco (J. M., II, cap. X, 117 y III, 189).

He aquí, pues, la tonalidad sombría de la angustia: que nuestro tiempo arrebatado está siempre herido de muerte, y que en él la realidad presenta el rostro de la esfinge. Unas veces el poeta acentuará el carácter efímero de la vida y su doliente expectativa ante la llegada de las sombras; con los últimos «ecos de luz en los balcones», la tarde se convierte en una alucinante pesadilla de muerte:

> La imagen, tras el vidrio de equívoco reflejo,
> surge o se apaga como daguerrotipo viejo.
> Suena en la calle sólo el ruido de tu paso;
> se extinguen lentamente los ecos del ocaso.
> ¡Oh, angustia! Pesa y duele el corazón... ¿Es ella?
> No puede ser... Camina... En el azul la estrella.
>
> (XV.)

Otras, el aspecto fantasmagórico que ofrece el mundo cuando se contempla a la luz lívida del hastío, sucedáneo de la angustia, como ya sabemos, con el que la existencia impropia encubre y acalla su temor existencial:

> ....
> La luna,
> reluciente calavera,
> ya del cenit declinando,
> iba del ciprés del huerto
> fríamente iluminando
> el alto ramaje yerto.
> ....
> Y yo sentí el estupor
> del alma cuando bosteza
> el corazón, la cabeza,
> y... morirse es lo mejor.
>
> (LVI.)

Tedio y angustia son pues dos vivencias gemelas, correspondientes a la existencia inauténtica y auténtica respectivamente, en las que se experimenta la inquietud existencial.

Esta —comenta Mairena— nos aparece, ya como un temor o sobresalto que el *se* anónimo (*das Man*) aquieta, trivializándole, convirtiéndole en tedio consuetudinario, ya transfigurado en angustia incurable ante el infinito desamparo del hombre (J. M., II, cap. X, 115 y III, 197.

En el anonadamiento del tedio se nos ofrece el carácter anodino e indiferente de cuanto hay en el mundo, y juntamente con ello la inmotivación de la existencia. En la angustia, en cambio, la nada se experimenta como pérdida y oscurecimiento de todo sentido y como revelación de la infundamentalidad del vivir, el abismo pavoroso de la propia finitud. Otras veces, lo que interesa al poeta es destacar la incertidumbre y el rigor de una búsqueda a solas y entre la niebla, sin más guía que la propia indigencia, en una batalla irrenunciable contra Dios y el mundo. Aparece de nuevo la misma caracterización del «corazón pesado» por un destino excesivo:

> ....
> ¡Amargo caminar, porque el camino
> pesa en el corazón!

Para cerrarse con el lamento incontenible de caminante perdido en el misterio:

> ... ¿Qué buscas,
> poeta, en el ocaso?
>
> (LXXIX.)

Y no es que el poeta no sepa lo que busca. Antes lo ha llamado con su propio nombre. Lo que pasa es que, en esta búsqueda ha de toparse indefectiblemente con la muerte, y ésta torna inciertos en su raíz todos los esfuerzos creadores. En el fondo, pues, lo que angustia al hombre no es otra cosa que su propia condición de «caminante en la niebla», o si se prefiere, de marinero en alta mar. Esta honda inquietud es la causa de la angustia; su condición de tiempo, y por eso también de verbo o de conciencia, que ha de cuidar de sí mismo y del mundo, en medio del mayor desamparo, casi a la intemperie. Mairena ya lo había precisado antes, recordando a Abel Martín:

> En esta teología nada encontraríamos más esencial que el tiempo; no el tiempo matemático, sino el tiempo psíquico, que coincide con nuestra impaciencia, esa impaciencia mal definida, que otros llaman angustia y en la cual comenzaríamos a ver un signo revelador de la gran nostalgia del *no ser* que el *Ser Supremo siente*, o bien, como decía mi maestro, la gran nostalgia de lo Otro que padece lo Uno (J. M., I, cap. XXXIX, 187 y III, 121).

Pese a lo paradójico del texto —«la gran nostalgia del no ser que el Ser Supremo siente»—, o acaso por ello, M. acierta a expresar la última motivación de la angustia: el no-ser, ya sea como expresión de todo lo otro, que siempre me falta (imposibilidad de totalizarme como universo personal, en comunión absoluta), ya sea como denominación de todo lo que he dejado de ser; incluso del propio ser que soy, siempre en vilo, transido de negatividad, sin poder albergarme en ninguna presencia. En definitiva, la angustia es, en su última raíz, revelación de la nada y por eso en ella se manifiesta la íntima conciencia del tiempo existencial, como «arrebato» en que el sentido se enfrenta al sinsentido de lo opaco e impenetrable —el doble misterio del mundo y de la muerte—. El no-ser está en la raíz misma de la condición humana. Como precisa Mairena,

> hay que reparar, no sólo en que todo lo problemático del ser es obra de la nada, sino también en que es preciso trabajar y aun construir con ella, puesto que ella se ha introducido en nuestras almas muy tempranamente y apenas si hay recuerdo infantil que no la contenga (J. M., I, cap. XXXI, 143 y III, 118).

Tanto pues el ser personal como el mundo humano están surgiendo trémulamente de esta «inquietud existencial», del cuidado acerca de sí mismo y de todo lo otro. Y la inquietud misma no es más que una llama de conciencia que se alimenta continuamente del no-ser.

> A todo despertar —decía mi maestro—, se adelanta una mosquita negra, cuyo zumbido no todos son capaces de oír distintamente, pero que todos de algún modo perciben. De esa pinta, diminuta y sombría, surge el globo total, la irisada pompa de jabón de nuestra conciencia (J. M., II, cap. X, 116-7 y III, 198).

Lo que angustia, en última instancia, es pues la precariedad de la conciencia; por eso, decía antes, que lo que está en juego es el destino de la palabra. Hecha de tiempo, y brotando de un acto continuo de creación, esto es, de negación inmanente en el seno del ser (de intencionalidad y alteridad), la palabra está amenazada por deshacerse en el viento, como una pompa de jabón. Y esta amenaza constitutiva, que estremece su frágil piel, no es otra que la muerte. El tiempo es su destino; en él cobra consistencia y en él también se deshace y consume, como una pieza melódica tras de su ejecución. La palabra que retiene el tiempo y lo hace así memoria y conciencia, es también un soplo de tiempo que se enciende y se apaga en la nada. Es esta profunda emoción la que nos asalta estremecedoramente en el poema LXII:

> ....
> ¡el limonar florido,
> el cipresal del huerto,
> el prado verde, el sol, el agua, el iris!...,
> ¡el agua en tus cabellos!...
> Y todo en la memoria se perdía
> como una pompa de jabón al viento.

Ante este destino inexorable, lanza el poeta poco más adelante, angustiosa y obsesivamente, su pregunta, alargada y honda como un quejido.

> ¿Y ha de morir contigo el mundo tuyo,
> la vieja vida en orden tuyo y nuevo?
> ¿Los yunques y crisoles de tu alma
> trabajan para el polvo y para el viento?
>
> (LXXVIII) [5].

Pregunta y queja que sólo pueden brotar de la íntima experiencia del corazón angustiado, asombrado, por su constitutiva temporalidad. La presencia de la nada, del no-ser, cerca de continuo el corazón del hombre. Desde ella crea y en ella crece; ¿por qué no pensar también que puede ser ella su último destino?... A verlo así propende, como ya vimos, este ente paradójico que es el hombre:

> Creó de nada un mundo y, su obra terminada,
> «Ya estoy en el secreto —se dijo—, todo es nada».
>
> (CXXXVI, núm. 16.)

EL SER PARA LA MUERTE

Y junto al tiempo, la muerte, el otro gran tema de la lírica de Machado, no ya como el reverso de la vida, sino más bien como su oquedad interior, porque el hombre se encuentra siempre habitado por ella. La muerte constituyó, sin duda, una experiencia obsesiva en la existencia de M. Primero, en la temprana juventud, la muerte del amigo, que tan pro-

---

[5] Puede verse el comentario de Francisco de Ayala a este poema, cuya reflexión final es análoga a la nuestra, a saber, lo que está en juego es el sentido mismo de la existencia (Francisco de Ayala, *Un poema y la poesía de Antonio Machado*, en *Antología*, Taurus, *op. cit.*, 388-9).

funda impresión dejó en su alma y hasta en su obra («Tierra le dieron una tarde horrible / del mes de julio, bajo el sol de fuego». IV), hasta el punto de que aquellos golpes del ataúd en tierra quedarán por siempre en su memoria como signo del paso irremediable del tiempo («Daba el reloj las doce... y eran doce / golpes de azada en tierra...», XXI). Más tarde, en la primera madurez, la muerte de la esposa-niña, casi como un suspiro que se extinguiera a su lado, sin poder retenerlo («¡Ay, lo que la muerte ha roto / era un hilo entre los dos!», CXXIII), pero tan recia y honda como una herida a tajo vivo en el alma. Y, luego, a la caída de la tarde, el espectáculo sangriento de la muerte innumerable de su pueblo y aquella huida con la madre enferma, los dos heridos ya de irremediable desesperanza, hacia extrañas tierras, donde les esperaba, junto al mar, la dama negra y esquiva de sus versos.

La muerte es inseparable de la experiencia de la vida de Antonio Machado. Como la nada, se ha colado muy pronto en nuestros corazones, como para poder apartarla de la memoria. Unas veces será la muerte presentida en los fatídicos golpes del reloj (XXI); otras, la muerte soñada, casi adivinada, en el delirio de los «Recuerdos de sueño, fiebre y duermivela» (CLXXII), como un destino absurdo y espantoso al que está condenado un reo inocente, o la muerte deseada, casi en la morbosa complacencia de los deseos suicidas (LXXV), o la muerte consentida y labrada que le da a su apócrifo Abel Martín (CLXXV), proyectando de este modo su actitud personal acerca de la misma. Hasta la muerte real, que sobrevino al poeta, como él mismo había deseado, «ligero de equipaje» y envuelto en la luz tierna de la infancia. La muerte es en M. obsesiva. Se anuncia por doquier (en los golpes de la azada en tierra, en los pasos solitarios del caminante, en el tic-tac del reloj, en la estancia vacía donde sólo brilla el espejo en que otras veces se miraban las niñas, o en el agua quieta y dormida del estanque) y en todo deja su huella inconfundible: está presente en la vivencia amorosa, con su amargo regusto a ceniza, y en la rueca de la vida, donde el hilo negro se entreteje con el blanco de la esperanza, y hasta en la llegada de la primavera, que se anuncia paradójicamente con «perfume de rosas y doblar de campanas». En fin, la muerte adquiere su símbolo más preciso, como ya hemos visto, en el mar: la inmensidad y el misterio. Por eso quedarse a solas con la muerte es enfrentarse al hondo mar, como canta el poeta tras de la pérdida de Leonor, y vivir es «luchar con el mar», con el mar del mundo, como ya mostramos, pero también (¿por qué no?), con este profundo e íntimo misterio de la muerte inminente. Con razón, alcanzó a ver a nuestro poeta Juan Ramón Jiménez como «el eterno resucitado viniendo desde su propia muerte»[6], pues toda su lírica no es más que el estremecido cántico de su alma ante un tiempo de muerte, y su filosofía no aspira a ser otra cosa que una «meditatio mortis».

> Una filosofía —dice Mairena—, que pretende saltarse el gran barranco, o construir a su borde, tiene algo de artificial y pedante, de insincero, de inhumano, y, me atreveré a decirlo: de antifilosófico. Por miedo a la muerte, huye el pensamiento metafísico de su punto de mira: el existir humano, lejos del cual toda revelación del ser es imposible. Y surgen las baratas filosofías de la vida, del vivir acéfalo, que son todas ellas filosofías del crimen y de la muerte (J. M., II, cap. IX, 112).

La visión de la muerte presenta la ambivalencia a que ya estamos acostumbrados en otros temas de M.; «tanto aparece una visión tétrica, a veces casi macabra —como ha

---

[6] Juan Ramón Jiménez, *Antonio Machado*, en *Antología*, Taurus, *op. cit.*, 31-33.

advertido Fernández Alonso—, como la visión idealizada: la muerte compañera tratada como amada»[7]. Ahora bien, esta idealización de la muerte no se lleva a cabo como contrapunto al sin-sentido de la vida o como liberación de su angustia vital o metafísica, tal como cree esta autora[8], sino por aspiración a ver su rostro y descifrar así a su luz lívida, si fuera posible, el enigma de la existencia. No es tanto una muerte deseada como descanso, sino como encuentro con lo desconocido y desvelamiento de la incógnita última del-ser-en-el-mundo. La expresión «ver el rostro», tan frecuente en M. cuando se refiere a la muerte, siempre tiene un valor de conocimiento. Lo que le atrae de la muerte es justamente su misterio («la dama negra y esquiva de sus sueños juveniles»), y lo que desea, en última instancia, es descifrar el enigma de este definitivo destino del hombre. Así aparece según creo en el más bello poema de *Soledades*:

> Arde en tus ojos un misterio, virgen
> esquiva y compañera.
> No sé si es odio o es amor la lumbre
> inagotable de tu aljaba negra.
> Conmigo irás mientras proyecte sombra
> mi cuerpo y quede a mi sandalia arena.
> ¿Eres la sed o el agua en mi camino?
> Dime, virgen esquiva y compañera.
>
> (XXIX.)

donde la pareja «sed-agua» viene a expresar la doble cara que ofrece siempre el misterio para el hombre, ya sea como tensión y afán de conocimiento o como satisfacción definitiva a todas las preguntas.

---

[7] M. R. Fernández Alonso, *op. cit.*, 256.
[8] M. R. Fernández Alonso, *op. cit.*, 242 y 272.

Del mismo modo se encara con ella Abel Martín ávido de conocimiento, como quien sabe que en este último trago se va a consumir el sentido (o sin-sentido) de su existencia.

> Y vio la musa esquiva,
> de pie junto a su lecho, la enlutada,
> la dama de sus calles, fugitiva,
> la imposible al amor y siempre amada.
> Díjole Abel: Señora,
> por ansia de tu cara descubierta,
> he pensado vivir hacia la aurora
> hasta sentir mi sangre casi yerta.
> Hoy sé que no eres tú quien yo creía;
> mas te quiero mirar y agradecerte
> lo mucho que me hiciste compañía
> con tu frío desdén.
>
> Quiso la muerte
> sonreír a Martín, y no sabía.
>
> (CLXXV, núm. 3.)

Es preciso, pues, enfrentar al hombre con esta última y definitiva verdad, para tomar en peso, desde ella, la totalidad de la vida. Como recuerda Mairena,

> lo específicamente humano es creer en la muerte. No penséis que vuestro deber de retóricos es engañar al hombre con sus propios deseos; porque el hombre ama la verdad hasta tal punto que acepta, anticipadamente, la más amarga de todas (J. M., I, cap. I, 9 y III, 74).

¿Por qué creencia? y ¿cuál es en última instancia la verdad que se nos revela a esta luz? Mientras que la vida es una «turbia evidencia», un objeto de conciencia inmediata, de la muerte no hay experiencia posible; la presenciamos, sin duda, pero esta muerte objetivada, reificada, no sólo es «otra» muerte (la de los otros) sino algo «otro que» la muerte, su huella en el cadáver o su despojo, pero nunca ella misma como momento interior de la vida. De ahí que sea, o pueda ser, una muerte disimulada o escamoteada, esto es, no convertida en creencia personal, como anticipación de mi propio e irrenunciable destino[9]. En cuanto creencia, es algo hacia lo que se vive o en lo que se vive, en la certidumbre de que constituye nuestra extrema posibilidad. A la vez, per·mite la totalización de la vida, asumirla, como diría Heidegger, a la luz de esta necesaria posibilidad que viene a concluirla y sellarla para siempre. En este sentido, Machado la llama también «idea» apriorística (en la acepción kantiana del término),

> que encontramos en nuestro pensamiento, como la idea de Dios, sin que sepamos de dónde ni por dónde ha venido (J. M., II, cap. XLVIII, 47 y III, 159).

Ya Juan de Mairena había reparado en la muerte como idea-límite de la vida, puesto que no puede ser pensada ésta sin tomarla en consideración (J. M., II, cap. IX, 111 y III, 161) y «Mairena póstumo» insistirá en su ambigüedad constitutiva, en cuanto consunción y consumación conjuntamente de la vida humana, que, como la música se hace y deshace en el tiempo.

> No hay trozo melódico que no esté virtualmente acabado y complicado ya con el recuerdo. Y este constante acabar que no se acaba es —mientras dura— el mayor encanto de la música, aunque no esté exento de inquietud. Pero el encanto de la música es para quien la escucha (...); mas el encanto de la

---

[9] Es muy fina la observación de M. a este respecto: «Siempre que tengo noticias de la muerte de un poeta me ocurre pensar: ¡cuántas veces, por razón de su oficio, habrá este hombre mentado a la muerte, sin creer en ella! ¿Y qué habrá pensado ahora, al verla salir como figura final de su propia caja de sorpresas?» (J. M., II, cap. XLVII, 42 y III, 158).

vida, el de esta melodía que se oye a sí misma —si alguno tiene— ha de ser para quien la vive, y su encanto melódico, que es el de su acabamiento, se complica con el terror de la mudez (III, 160-1).

Lo propio, pues, de la creencia en la muerte, consiste en verla como «mi muerte», algo que me concierne esencialmente y a lo que estoy forzosamente abocado. Es por tanto un acontecimiento interior a la vida y la única actitud humana ante ella será para M. «verla desde dentro» de la propia existencia (J. M., I, cap. XII, 58 y III, 155), como su inminencia más radical, o como su futuro inexorable; y enfrentarse a ella con la resolución del que sabe a lo que está expuesto. Todo escamoteo intelectual de la misma (la muerte meramente pensada) es ya una ocultación de la verdad del propio destino; aparte de que no hay modo concluyente y decisivo de escamotearla.

> Eso de saltarse la muerte a la torera —escribe M. con sorna andaluza— no es tan fácil como parece, ni aun con la ayuda de Epicuro, porque en todo salto propiamente dicho la muerte salta con nosotros. Y esto lo saben los toreros mejor que nadie (J. M. I, cap. XXIII, 107 y III, 157).

Tampoco cabe objetivar la muerte como un mero acontecer cósmico, a manera del tributo de la vida individual para el eterno reverdecer de la especie. Refiriéndose al hexámetro de Homero —«como la generación de las hojas, así también la de los hombres»—, comentaba Mairena a sus discípulos:

> Homero habla aquí de la muerte como un gran épico que la ve desde fuera del gran bosque humano [Y añadía:] Pensad en que cada uno de vosotros la verá un día desde dentro, y coincidiendo con una de esas hojas (J. M., I, cap. XII, 58 y III, 155).

Y es que no es fácil, pese a los esfuerzos sofísticos del entendimiento, burlar esta creencia. La muerte, pues, nos acompaña, «va con nosotros»,

> es «tema que se vive más que se piensa», mejor diremos que apenas hay modo de pensarlo sin desvivirlo. Es tema de poesía, o más bien de poetas (J. M., I, cap. XXIII, 107).

Ya hemos indicado cómo M. vivió este tema poética y existencialmente, gustando el sabor amargo de la muerte en cada trago de la vida y dándole así a cada minuto la intensidad lírica y existencial de lo que no vuelve nunca. Pero con la poesía viene también la conciencia, y con ella, las primeras y estremecedoras cuestiones:

> ¿Los yunques y crisoles de tu alma
> trabajan para el polvo y para el viento?

¿Cómo responder a esta pregunta dolorida, quejumbrosa, desde la atalaya de la «idea» de la muerte?, ¿en qué medida concierne esta al sentido de la existencia? La verdad es que M. se ha enfrentado a estas cuestiones, si no con originalidad, sí al menos con inequívoco gracejo, construyendo desde la creencia de la muerte un «equivalente negativo del argumento ontológico». Este último ha surgido, según M., de la fe racionalista,

> una creencia en el poder mágico de la razón para intuir lo real, la creencia platónica en las ideas, en el ser de lo pensado (J. M., I, cap. XIV, 68 y III, 190).

Afirma, pues, la necesidad del mundo esencial, incluso de la esencia más perfecta, y desde ahí concluye su existencia necesaria. Más que de un argumento, se trataría para M. de una «evidencia» interior a la misma fe racionalista. La creencia en la muerte, por el contrario, parece imponer una conclusión opuesta.

De la fe en la inexistencia absoluta puede concluirse, en sentido opuesto al ontológico, la inesencialidad del mundo del sentido y del valor. Éste es el tributo abrumador de la «idea» de la muerte, «de la muerte que todo lo apaga: las ideas, como todo lo demás» (J. M., II, cap. XLVIII, 47 y III, 159).

Se trata, como se ve, de la evidencia interior a la fe nihilista, el único argumento sólido, como reconoce M., «contra las ideas platónicas». Una fe, por otra parte, de muy fuerte arraigo. En el «Poema de un día» aparece igualmente formulada en los términos fatalistas habituales en la conciencia popular.

> Algo importa
> que en la vida mala y corta
> que llevamos
> libres o siervos seamos;
> mas, si vamos
> a la mar,
> lo mismo nos han de dar.
>
> (CXXVIII.)

Que Machado estuvo tentado por esta fe, me parece evidente. Muchas de sus páginas líricas tienen, como ya hemos hecho notar, el amargo sabor de la ceniza, y un vaho de desesperación contenida se desprende de su obra. Otra cosa es, sin embargo, que se entregara a esta fe nihilista irremediablemente. En las mismas «meditaciones rurales», casi a renglón seguido, la duda escéptica lo defiende contra la tentación del anonadamiento:

> ¿Todo es
> soledad de soledades,
> vanidad de vanidades,
> que dijo el Eclesiastés?
>
> (CXXVIII.)

La cuestión queda sin responder, porque llega la hora de la plática en la rebotica; quizás también, porque M. huye del interrogante y se va a adormecer su alma, en carne viva de preguntas, en el tibio sopor de la tertulia del pueblo. Pese a todo, la esperanza no le abandonó nunca. Ya vimos cómo en el mismo poema, opone a la fe nihilista, la otra fe poética en el valor de la palabra, y cómo en definitiva su corazón parece apostar, en última instancia, por el porvenir del sentido. Se diría que según se hace impracticable e imposible la esperanza teologal, se va encendiendo en su alma una esperanza secular de signo socialista y humanitario, que constituye la última convicción con que M. puede enfrentarse al nihilismo, que nos asalta desde la idea de la muerte.

Pero quizá la única conjetura que en esto nos cabe, sólo pueda esclarecerse desde «sus» muertes —la soñada, y la construida o labrada—, como la expresión más propia de su pensamiento. Quiero referirme, en primer lugar, a la muerte soñada de los «Recuerdos de sueño, fiebre y duermivela», a los que ha dedicado Luis Rosales un espléndido comentario. Quizás este poema revela mejor que ningún otro, el inconsciente machadiano ante la muerte, su protesta por un destino absurdo del que nadie se hace responsable. Yo diría que el propósito es presentar la muerte desnaturalizada de puro natural («¡Oh, claro, claro, claro!»), como un acontecimiento extraño, que nos sobreviene sin saber cómo ni por qué, y que nos condena sin juicio a morir ajusticiados, convertidos en un espectáculo esperpéntico de feria.

El centro de gravedad del poema se encuentra en el diálogo entre la niña y el verdugo. A su tímida e ingenua pregunta sobre la responsabilidad de la muerte, no hay propiamente una respuesta. El verdugo se limita a aseverar la necesidad del morir, como un simple hecho intrascendible, ante el cual se borra toda diferencia de valor.

> ¡Tan-tan! ¿Quién llama, di?
> —¿Se ahorca a un inocente
> en esta casa?
> —Aquí
> se ahorca, simplemente.
>
> (CLXXII, núm. 4.)

Como comenta Rosales, «pretende subrayar que ante la muerte todos tenemos igual razón para morir; todos tenemos el mismo grado de inocencia»[10]. Por tanto nadie es acreedor a esta pena ni nada puede condenarnos a ella. La inmotivación de la muerte, hecha puro espectáculo de curiosidad, aparece aún más crudamente en el resto. No hay problema de morir. Todo se reduce a una mascarada.

> ¡Qué vozarrón! Remacha
> el clavo en la madera.
> Con esta fiebre... ¡Chito!
> Ya hay público a la puerta.
> La solución más linda
> del último problema.
> Vayan pasando, pasen;
> que nadie quede fuera.

La intención y aun la expresión poética asume ahora —prosigue Rosales— un inequívoco carácter desgarrado y burlón de esperpento: de histrión que anuncia su espectáculo en barraca de feria. Aún no sabemos, no se nos ha anunciado todavía a quién se trata de ajusticiar. Deliberadamente, y para producir un efecto tragicómico, se ha dejado la noticia para el final. La declaran los versos siguientes:

---

[10] Luis Rosales, «Muerte y resurrección de Antonio Machado», en *Cuadernos Hispanoamericanos, op. cit.,* 453.

—¡Sambenitado, a un lado!
—¿Eso será por mí?
¿Soy yo el sambenitado,
señor verdugo?
—Sí.

El poeta pregunta —comenta L. Rosales— si él mismo es el sambenitado; el verdugo contesta afirmativamente. Y tanto la pregunta como la respuesta tienen un tono cortés, ligero y casi tímido. No recurre el poeta a efectismos dramáticos. No levanta la voz; más bien la apoca e insinúa, mostrando ante la muerte una cierta ironía resignada que encuadra bien dentro del ámbito de ferial. «Toribio, saca la lengua». «El cuerpo del ahorcado sabe a pescado». Se muere y nada más. Se muere ahorcado, es decir, de una manera, en cierto modo, circense y acrobática [11].

¡Y frente a la muerte absurda, impersonal e impropia, que el hombre no puede hacer suya, porque es una representación de barraca de feria, el «vuelo» del ahorcado, lleno de gracia, anunciando casi una liberación del sin-sentido del mundo! En unos cuantos versos, definitivos, magistrales, M. consigue la expresión exacta de uno de los sueños arquetípicos de la humanidad: el sueño del vuelo. La ascensión y la ingravidez, la gracia y la libertad se aúnan en esta suprema experiencia del dinamismo ontológico. Como precisa Bachelard en su comentario a la imaginación dinámica de los vuelos,

la impresión onírica dominante está hecha de una verdadera ligereza sustancial, de una ligereza de todo el ser, de una ligereza en sí desconocida por el soñador, que con frecuencia le maravilla como si procediese de un don súbito [12].

---

[11] Luis Rosales, *op. cit.*, 434.
[12] Gastón Bachelard, *El aire y los sueños*, México, Breviarios del F. C. E., 1958, pág. 41.

¡Qué fácil es volar, qué fácil es!
Todo consiste en no dejar que el suelo
se acerque a nuestros pies.
Valiente hazaña: ¡el vuelo, el vuelo, el vuelo!
                                        (CLXXII, núm. 7.)

La unión machadiana del sueño del vuelo con la experiencia de la muerte constituye, sin duda, uno de los grandes
aciertos de nuestro poeta. Porque en este contexto, la imagen del vuelo adquiere el valor de un símbolo de la libertad
frente al absurdo y cómico espectáculo. Es casi una ascensión gloriosa del resucitado de la muerte [13]: «¡Volar sin alas
donde todo es cielo!».

¡El vuelo en el cielo!, descanso y ligereza a la vez, como
un triunfo sobre la secreta sordidez de la vida. Recordemos
otro momento semejante en la lírica de M. En las «Últimas
lamentaciones de Abel Martín», nos sorprende otro momento
extático de una maravillosa majestad.

¡Oh, descansar en el azul del día,
como descansa el águila en el viento,
sobre la sierra fría,
segura de sus alas y su aliento!
                                        (CLXIX.)

Desde esta libertad, el ahorcado, a través de la muerte,
desde su muerte, juega con el mundo, como un niño con su
trompo; y ahora lo circense no es su muerte, sino el mundo

---

[13] Nótese bien que no hay ningún elemento racionalizador, ni siquiera las alas en los talones; la imagen del vuelo está aquí captada en
toda su pureza. Bachelard precisa en otro momento las características
del vuelo onírico frente al vuelo rítmico: «Tiene la continuidad y la
historia de un impulso, es la creación rápida de un instante dinamizado. Y, entonces, la única racionalización que puede estar de acuerdo
con la experiencia dinámica primitiva es el ala en el talón, las alitas
de Mercurio, el viajero nocturno. Recíprocamente estas alas no son
otra cosa que el talón dinamizado» (*El aire y los sueños*, op. cit., 43).

mismo bailando entelerido por los espacios, falto del aliento del hombre. Es la alegoría del liberado.

> ¡Volar sin alas donde todo es cielo!
> Anota este jocundo
> pensamiento: Parar, parar el mundo
> entre las puntas de los pies,
> y luego darle cuerda del revés,
> para verlo girar en el vacío,
> coloradito y frío,
> y callado —no hay música sin viento—.
> ¡Claro, claro! ¡Poeta y cornetín
> son de tan corto aliento!...
> Sólo el silencio y Dios cantan sin fin.
>
> (CLXXII, núm. 8.)

En este extraño poema se recoge la experiencia de la «muerte soñada». Es bien patente su ambigüedad: visto desde fuera, el hecho de morir, constituye un destino absurdo e impersonal: un ajusticiamiento sin sentencia y sin motivo. Por dentro, en cambio, tal como lo vive el ahorcado en sus últimos minutos, es la experiencia del vuelo de la liberación. Mientras que los caminos de la tierra son los duros senderos del caminante, en una búsqueda que oprime el corazón como una losa, los caminos del cielo, se abren en la muerte, en una ascensión libre, también sin dirección ni motivo, venciendo el mundo, que gira a los pies del resucitado sin calor y sin música. La experiencia del nihilismo alcanza aquí su expresión más adecuada. Morir es como resucitar del mal sueño de la vida. ¿Hacia dónde? No. Esta libertad, sólo tiene «de dónde». Es tan sólo una mera liberación de la pesadumbre existencial.

¿Puede el hombre reconocerse, identificarse, en esta experiencia de libertad indeterminada? Me temo que no. El viejo caminante Machado prefiere sin duda, pese a todo, los caminos de la tierra, con su aventura y su esfuerzo, en esa

mezcla agridulce de esperanza y miedo que es la vida del
hombre. Así me parece percibirlo en una de sus reflexiones
líricas más hondas sobre la muerte:

> Morir... ¿Caer como gota
> de mar en el mar inmenso?
> ¿O ser lo que nunca he sido:
> uno, sin sombra y sin sueño,
> un solitario que avanza
> sin camino y sin espejo?
>
> (CXXXVI, núm. 45.)

Fácilmente se puede reconocer en el segundo miembro de la alternativa, el vuelo del liberado. Este solitario
que avanza (¿dónde?, ¿cómo?, ¿hacia dónde?), sin conciencia ni individuación, se parece demasiado al resucitado que
flota en los aires, liberado de la pesadumbre de la tierra,
pero sin poder ya animar el mundo con su propio resuello.
Y creo que M. se inclinaría mejor al primer miembro de la
alternativa: la muerte no como una liberación del mundo,
sino como una caída y contribución con la propia vida al
eterno fluir de la conciencia universal. Al menos, ésta parece ser la experiencia que se desprende de la «muerte construida o labrada» de Abel Martín, donde hay que ver, según
creo, la muerte que M. hubiera deseado para sí mismo.

Se advierte también, en este magistral poema, un aire
de esperpento, que se anuncia ya desde su umbral, en el epi-
grama de Mairena:

> Pensando que no veía,
> porque Dios no le miraba,
> dijo Abel cuando moría:
> se acabó lo que se daba.

Y más adelante, en el ángel de la muerte, que sale a
Martín al paso, para chantajearlo, y a quien éste entrega

el poco dinero (tiempo) que lleva consigo. Quizá en estas ironías envela M., burlonamente, el respeto ante lo misterioso que, de algún modo, va a ser desvelado en esta última hora de Abel Martín. Sea como fuere, hay una gravedad que trasciende de todo el poema, en el que M. busca, sin duda, una expresión concisa de toda la filosofía martiniana. De ahí la dificultad de su lectura y hasta su exceso de reflexión que lo echa a perder en algún momento.

La experiencia de la muerte está vivida por dentro, en el último resol de la conciencia antes de la marcha definitiva de la luz. Primero, el instante de totalización con toda la vida en peso:

> ¡Oh alma plena y espíritu vacío,
> ante la turbia hoguera
> con llama restallante de raíces,
> fogata de frontera,
> que ilumina las hondas cicatrices!
>
> (CLXXV, núm. 1.)

Parece que esta luz de frontera señala a la conciencia misma en el dintel de la muerte, entre dos mundos, y en esta «turbia hoguera», como la vida, Abel Martín se palpa su alma de luchador (con hondas cicatrices), su «alma» llena de la emoción de las cosas y su «espíritu» vacío de toda esperanza trascendente (si tomamos aquí «espíritu» en el preciso sentido de centro personal de inmortalidad). Y luego la abrumadora experiencia de la soledad ante la muerte, con un Dios que siempre calla.

> Aquella noche fría
> supo Martín de soledad; pensaba
> que Dios no le veía
> y en su mudo desierto caminaba.
>
> (CLXXV, núm. 2.)

¿Cómo se percibe la vida desde esta nueva dimensión? Los versos siguientes vuelven a situarnos en este instante totalizador de las últimas reflexiones.

> Viví, dormí, soñé y hasta he creado
> —pensó Martín, ya turbia la pupila—
> un hombre que vigila
> el sueño, algo mejor que lo soñado.
> Mas si un igual destino
> aguarda al soñador y al vigilante,
> a quien trazó caminos
> y a quien siguió caminos, jadeante,
> al fin, sólo es creación tu pura nada
> tu sombra de gigante,
> el divino cegar de tu mirada.
>
> (CLXXV, núm. 4.)

¿Vuelve de nuevo la tentación del nihilismo? ¿Es la nada, que espesa y angustia el corazón de Martín, la única evidencia de este sueño de muerte?... Porque, en verdad, con lo que Martín se encuentra es con la «nada» que habita en su raíz, con la nada que inspira su creación y su camino. La muerte es la experiencia suprema del anonadamiento, la precipitación del individuo en la nada irremediable, pero liberando su obra —el trabajo de su conciencia para que aliente con su pulsación, como diría Martín, la sustancia única, quieta y activa, del universo—. El hombre está a solas con su condición y con su obra; un ente creador-criatura, que consiste en la nada, parece que tiene en ella también su último destino.

Los versos que siguen nos hablan de la agonía moral o existencial, si se prefiere, de la última hora, ante un Dios ausente que sólo nos da su rostro de sombra («tu sombra de gigante, / el divino cegar de tu mirada»).

> Y sucedió a la angustia la fatiga
> que siente su esperar desesperado,
> la sed que el agua clara no mitiga,
> la amargura del tiempo envenenado.
> ¡Esta lira de muerte!
>   Abel palpaba
> su cuerpo enflaquecido.
> ¿El que todo lo ve no le miraba?
> ¡Y esta pereza, sangre del olvido!
>   (CLXXV, núm. 5.)

Y en medio de la agonía, desde las entrañas del alma, con el último resuello y al borde mismo de la muerte, el grito que llama en la desesperación:

> ¡Oh, sálvame, Señor!

¿A quién se dirige este grito? ¿En dónde resuena? ¿Quién puede salvarnos de la muerte? Por un momento, estaríamos tentados a pensar que la esperanza escatológica se enciende súbitamente en el instante último de la desesperación, y que Machado y Abel Martín llaman sinceramente al Dios de los vivos, el único que puede resucitar a los muertos. Pero no está tan claro. Dentro de la estricta fidelidad a la filosofía martiniana, que presenta todo el poema, este Dios que todo lo ve al verse a sí mismo, no es más que la conciencia cósmica, absoluta, o, si se quiere, la conciencia humana genérica, haciéndose y rehaciéndose con nuestras vidas y nuestras muertes. Y sin embargo, sólo se puede gritar a alguien, a una persona; y sólo se puede esperar la salvación de alguien más fuerte que nuestra debilidad, que ya haya probado el duro trago de la muerte.

La ambigüedad es constitutiva en esta última hora y no hay modo de despejarla[14]. Frente a la nada sólo queda la

---

[14] «Antonio Machado expresa —casi, diríamos, escenifica— cuanto hay de angustia, oscuridad, negación de la evidencia y, a la vez, ho-

sospecha de un porvenir de conciencia. Así parece insinuar-
se, no en una prueba de la inmortalidad (¡imposible para
M.!), sino en una exigencia moral de la misma, que en muchos sentidos, nos recuerda el postulado moral kantiano.

> Su vida entera,
> su historia irremediable aparecía
> escrita en blanda cera.
> ¿Y ha de borrarte el sol del nuevo día?

Pregunta que ya nos ha salido al paso en otros momentos:

> ¿Los yunques y crisoles de tu alma,
> trabajan para el polvo y para el viento?

Esta pregunta, por sí sola, equivale casi a una demostración.
El poeta no se lo puede creer ni lo puede aceptar. La conciencia no puede morir, no debe morir. De lo contrario,
la nada «mala», la nada absoluta, es el secreto de su obra.
Pero la muerte no es la solución del enigma. No aporta ninguna evidencia complementaria; ella es más bien la resolución enérgica, el último acto de fe en la vida, la última
afirmación de la luz antes de extinguirse. Esta actitud,
serena y valiente a un tiempo, anima el último gesto de
Abel Martín:

> Abel tendió su mano
> hacia la luz bermeja
> de una caliente aurora de verano,

---

rror y necesidad de la entrega al vacío, en un auténtico encararse
con la fe y lo divino; la entrada a una extrañeza donde ya no tiene
sentido querer tomar conciencia de hasta qué punto se «cree» o no
se cree, en el habitual sentido tranquilizador y digno de confianza en
que se habla de un «creyente». Esa «hora de la verdad» queda más
allá de toda expresión literaria, por sincera que ésta quiera ser, y ya
hemos visto cómo Antonio Machado empezó por poner en cuestión
el sentido mismo de la «sinceridad», el gran mito romántico». (J. M.
Valverde, *Antonio Machado*, op. cit., 288.)

ya en el balcón de su morada vieja.
Ciego, pidió la luz que no veía.
Luego llevó, sereno,
el limpio vaso, hasta su boca fría,
de pura sombra —¡oh, pura sombra!— lleno.
(CLXXV, núm. 5.)

En estos estremecedores versos ha cerrado la lírica española la actitud más sobria y humana ante la muerte. No está
sostenida ni por la serena confianza en la trascendencia del
maestre don Rodrigo Manrique, en las coplas que le dedica-
ra su hijo, ni por la agria protesta unamuniana frente a un
destino absurdo e inaceptable. Tampoco es, si bien se observa, la libertad para la muerte heideggeriana, en la decisión resignada que afronta impávida su último destino. No.
Por muy grande que fuese su admiración por Heidegger,
hay un último elemento de esperanza y hasta de grito de
salvación, como hemos visto, que separa a nuestro lírico de
la actitud heideggeriana. Si hubiera que aceptar alguna analogía, habría que pensar en la muerte heroica, producida y
consentida como la última voluntad de consumación de la
existencia [15]. Machado que tan finamente supo valorar el
sentido del suicidio como disposición de sí, acabó por ver
la muerte como el acto soberano de la vida, en que se cierra
y totaliza lo que ésta ha venido siendo.

Nunca sabremos si el hecho de la muerte comporta la
inexistencia absoluta —única hipótesis que invalidaría el argumento ontológico—. Sí sabemos, en cambio, que la muerte

---

[15] Es curioso que uno de los últimos fragmentos de Mairena esté
dedicado a la muerte heroica de tres románticos —Leopardi, Larra y
Pushkin—, en los que encuentra M. la misma decidida voluntad por
procurarse la muerte más congruente con la propia vida, como el
sello que estampa y define el sentido de la obra. «Pero la obra de
Larra —escribe Mairena— estaba acabada allí donde él la dejó, y fue
el suicidio su último y definitivo artículo de costumbres» (J. M., II,
cap. IX, 110).

es, al menos, el término de definición de la propia vida y que ésta queda hecha y esculpida en ella como en su gesto más personal y propio. Lo que importa, pues, es cómo y por qué se muere, que es tanto como decir cómo y por qué se vive. La resolución ante la muerte no es más que el eco y el trasunto de la resolución ante la vida. Ésta determina a aquélla y le confiere su verdad. Antonio Machado se esforzó honestamente por vivir hacia la conciencia, y por eso su única esperanza a la hora de morir, consiste en la sospecha de que ese empeño no puede ser defraudado («¿Y ha de borrarte el sol del nuevo día?». «¿Los yunques y crisoles de tu alma / trabajan para el polvo y para el viento?»). Y si lo fuera, nadie podrá quitarnos, como al buen marino en alta mar, la belleza de un buen combate. ¿No trasciende esta emoción las primeras estrofas de «Mairena a Martín, muerto»?

> Maestro, en tu lecho yaces,
> en paz con Ella o con Él...
> (¿Quién sabe de últimas paces,
> don Abel?)
> Si con Ella, bien colmada
> la medida,
> dice, quieta, en la almohada
> tu noble cabeza hundida.
> Si con Él, que todo sea
> —donde sea— quieto y vivo,
> el ojo en superlativo,
> que mire, admire y se vea.
>
> (CLXVIII.)

Esta es la muerte esculpida y la vida lograda que M. deseó para sí mismo. Y de seguro fue ésta también la muerte que vino a visitarle en los días azules y tiernos de Collioure, con sol y aire de infancia, vencido y derrotado por el mundo, pero con el alma más llena y fervorosa que nunca en sus pacíficos ideales.

VII

LA METAFÍSICA DE POETA

Mis ojos en el espejo
son ojos ciegos que miran
los ojos con que los veo.

(CLXVII.)

¿Qué significa la metafísica poética de Abel Martín? Como parece obvio, a diferencia del tratado sistemático estrictamente filosófico, se trata de una metafísica propia de poeta, en la que, como apunta tímidamente Machado, «no se definen previamente los términos empleados» o, por mejor decir, no se parte de definiciones conceptuales sino de visiones cordiales u opciones de sentido. Con su tino habitual llamó M. «fantasías poético-metafísicas» a las especulaciones de Abel Martín, en señal de modestia, sin duda, pero acertando a la vez con la modalidad de su propio método. No es pues ni una metafísica puesta en verso, ni un verso puesto a hacer metafísica, sino la explicación, mejor, comentario, por «reflexión y análisis» de aquel núcleo de sentido o comprensión del mundo, que habita originariamente a toda auténtica poesía. Pero además, lo «poético» califica esencialmente al sustantivo que acompaña (así, por ejemplo, «pensar poético» o «dialéctica lírica» a diferencia del pensar homogéneo o de la dialéctica conceptual respectivamente) e introduce por tanto una precisión notable; en este caso, el carácter de una experiencia radical (metafísica) de la condición humana, captada intuitiva y patéticamente. De ahí que el título de metafísica valga aquí, en su acepción ontológica originaria, de conciencia fundamental del ser, que como asegura M. más tarde, no puede lograrse por la vía lógico-discursiva sino por la poético-intuitiva, como «aspiración a conciencia integral» (A. M., 27).

En la medida, no obstante, en que esta visión del ser en su aparecer (manifestación) pretende ser integral, debe dar cuenta también de las «apariencias» del ser, es decir, de aquellas formas objetivas en que no aparece tal como es, sino como no-es. El concepto que de la metafísica tiene M. es pues anfibológico, ya que puede ser entendida como pensamiento cualificador o poético de la esencial heterogeneidad del ser, y, también, como saber del no-ser, esto es, de lo que está más allá de todo ente u objeto, en cuanto constituye su interno principio de posibilidad; vale así tanto como «Ontología poética» que como «Crítica trascendental» del mundo objetivo. En el primer sentido coincide con la metafísica de poeta de Abel Martín, que aspira a captar la totalidad de la sustancia del mundo, como acaecimiento de conciencia («el gran ojo que todo lo ve al verse a sí mismo»)[1]. Y en el segundo, típicamente maireniano, con la ciencia del no-ser o de sus «siete reversos» y por lo tanto de aquella negación activa (nada) de que surgen las formas de la objetividad propias de la lógica.

---

[1] De nuevo sorprende la coincidencia de la metáfora con un texto orteguiano, ligeramente posterior: «y ese ojo (se refiere al del gavilán Horus, de la mitología egipcia), andando por todo el Mediterráneo, llenando de su influencia el Oriente, ha venido a ser lo que todas las religiones han dibujado como primer atributo de la providencia: el verse a sí mismo, atributo esencial y primero de la vida misma» (Ortega y Gasset, *¿Qué es Filosofía?*, O. C., VII, 415).

Esta distinción de sentidos permite ya una primera distribución de papeles entre los «apócrifos». Si la tarea de Abel Martín consiste en darnos la intuición realizadora del ser en su aparecer —el universal cualitativo—, la de Juan de Mairena, sobre la base de la metafísica martiniana, que establece ya la distinción entre estos dos hemisferios, será la de mostrarnos la génesis del pensamiento lógico, o de las formas homogéneas del pensar (el universal cuantitativo) (A. M., 51 y III, 114-15) a partir del pensamiento mágico o lírico de Martín, y desarrollar, a la vez el *arte poético* consonante con esta metafísica. Martín filosofa, como ha mostrado Pablo A. Cobos, para «devolvernos el sentido de la poesía», en su función realizadora y cualificadora, frente al sentido de la lógica, y con ello encuentra no sólo a la lírica, sino también a la metafísica en su acepción originaria (las visiones del ser que abren y determinan los caminos del pensamiento). Mairena, en cambio, filosofa explotando este sentido poético, ya descubierto por Martín, y a la vez completando su filosofía, con la posibilitación de los «reversos del ser» o las formas objetivas del pensamiento. En definitiva, la tarea filosófica del uno y del otro ha coincidido «en hacer la burla» del pensamiento lógico —conceptual sistemático— y alumbrar una nueva figura de pensamiento. No se trata, pues, simplemente de una metafísica «sedimentada por el humor» (Cobos) sino filtrada por la poesía. El título de metafísica de poeta le cuadra doblemente: introduce una forma de pensamiento poético y a la vez expone aquel núcleo germinal de creencias básicas que determinan la concepción del mundo en la lírica de M. Al ejecutar esta faena, Machado se ha encontrado, nada más y nada menos, que con el valor de la palabra, como fundación concreta del fenómeno del mundo (el ser en su aparecer y en su apariencia) y ha tenido por fuerza que anteponer la palabra lírica a la lógica (Martín) y hasta hacer depender ésta de aquélla (Mairena), porque sólo la palabra poética funda el ámbito del sentido, por su arraigo en la intencionalidad erótica de la conciencia.

UNA MONADOLOGÍA DISARMÓNICA

Si se nos pregunta cuál es el problema de que surge la metafísica poética, no encontramos originariamente otro que el «valor de la palabra» comprometido gravemente por la experiencia de la muerte. A esta crisis de la palabra en sí misma (y no tan sólo de su vena poética) se refiere el poema a Valcarce (CXLI) («se ha dormido la voz en mi garganta»), hilando a la vez el doble acontecimiento de la muerte de su esposa y la agudización del enigma del mundo. Pero el problema del valor de la palabra no es otro que el del tiempo humano, pues la palabra, como se ha repetido insistentemente, no es más que tiempo, un hálito de tiempo, en el que la vida queda represada y retenida en conciencia. ¿Pero qué futuro le cabe a la conciencia en un mundo entregado a la muerte?

La palabra nombra a las cosas, instituye presencias, llama al ausente, convoca a la tarea comunitaria, revela lo íntimo-subjetivo e interioriza lo objetivo y público; abre en definitiva el yo hacia la dimensión de la realidad. Pero, ¿cómo sería posible mantener este valor público y comunitario de la palabra, desde aquella terrible soledad, en la que el hombre ha perdido su compañía para andar por el mundo? ¿A quién se dirige la palabra, con quién conversa, sobre qué puede acordarse desde este grave corazón solitario, que ha palpado en la muerte la caducidad del tiempo? (Cf. la experiencia de los «Sueños dialogados»). La muerte manifiesta la oquedad del esfuerzo humano y con ello la evanescencia de nuestras palabras, y fuerza así al sujeto a replegarse sobre sí, en su vivencia íntima de dolor, al desvanecérsele el mundo objetivo. Desde esta soledad existencial, desde esta aguda perplejidad surge el proyecto metafísico de Abel Martín intentando autoobjetivar la crisis del mundo espiritual de Machado, y fundar a la vez, su creencia cordial última y su compromiso de hacer valer la palabra.

Para esta nueva situación de un sujeto que recluido en su soledad quiere salir hacia el mundo y confiar de nuevo en el valor de la conciencia, no encontró M. una inspiración mejor que la monadología leibniziana. La opción por Leibniz está suficientemente comentada por Machado. Leibniz suministraba un modelo vidente de subjetividad con pretensión de conciencia metafísica o absoluta, frente al irracionalismo de Schopenhauer[2] y el agnosticismo kantiano respectivamente[3]. Pero a la vez Leibniz representa el esfuerzo por la humanización y espiritualización del mundo en el seno de la conciencia y por consiguiente, la única ruta de porvenir (?), desde los supuestos idealistas, para la opción o creencia cordial en el valor de la palabra. El punto de partida es pues el de una subjetividad que intenta rebasar su propia frontera,

---

[2] «Para Leibniz lo elemental es el espíritu, su átomo es un ojo que ve y aspira a ver más: la mónada que se basta a sí misma, ojo, luz e imagen en una misma realidad integral. Para Schopenhauer la esencial realidad es la voluntad, de la cual nada podremos decir, porque esta voluntad es en *principio*, no hay categoría intelectiva que le apliquemos para definirla, ni posición teórica desde donde podamos intuirla; de ella ha brotado el mundo de la representación, el sueño búdico, la vana apariencia en que se ahoga la conciencia humana» (C., 26-7).

[3] Pese a la influencia de Kant sobre Machado, sobre todo en lo que respecta a la génesis de la objetividad, como ha señalado J. L. Abellán (*Sociología del 89*, op. cit., 111), se distanciará de él, no obstante, por haber recortado las alas al pensamiento ontológico (CXXXVI, núm. 39), único verdadera y últimamente humano, porque en él se dirime el sentido o sin-sentido del mundo.

haciéndose universo, y llenar de nuevo su silencio y soledad con el trémulo hervor de «unas pocas palabras verdaderas», como se decía en *Soledades* (LXXXVIII)[4]. La mónada de Leibniz, como punto indivisible y último de conciencia, que desarrolla en el tiempo su melodía interior en una perspectiva única e intransferible de integración del mundo, tenía que parecerle a M. un modelo consonante con la experiencia de su yo íntimo, pugnando por hacerse un universo sólido y estable de palabras.

Ahora bien, una monadología sin armonía preestablecida, que pudiera garantizar como clave de bóveda el acuerdo o consonancia de las distintas perspectivas monádicas y, por consiguiente, sin un principio directivo de integración. La razón parece obvia. M. no está dispuesto a pagar los altos costos especulativos de la armonía con la aceptación de una clave teológica trascendente. Dios, al menos el Dios de la ontoteología, no cuenta entre las evidencias cordiales o visiones afectivas del mundo interior machadiano; no es un supuesto racional del mundo, de su mundo: por consiguiente, no puede estar vigente en ninguna línea de fundamentalidad. ¿Qué queda de la monadología de Leibniz sin esta fe racionalista en la esencia perfecta y necesaria, que desarrolla el argumento ontológico? Justamente el universo metafísico de Abel Martín. Como ha indicado Sánchez-Barbudo, «la mónada de Martín... es la mónada de Leibniz sin Dios, y todas las demás diferencias se derivan de esta diferencia fundamental»[5].

Es fácil adivinar las consecuencias ocasionadas por esta mudanza. Para Leibniz la otredad trascendente era el fun-

---

[4] Abellán ha hecho notar igualmente esta instancia de partida «en el esfuerzo por superar el solus ipse» (*op. cit.*, 109), aunque sin ponerlo en relación con la crisis decisiva del valor de la palabra.

[5] Sánchez-Barbudo, *El pensamiento de Machado*, op. cit., 312.

damento de la correspondencia entre la pluralidad monádica; cada mónada, permaneciendo a solas consigo, desde la
raíz de su ser, tenía asegurado el acuerdo con la totalidad
del mundo; ahora, en cambio, la otredad sólo puede estar
a la base del yo como una *nostalgia*, es decir, como un principio de trascendimiento que le urge a romper la clausura de
su intimidad. Si el acuerdo no está dado, tiene que ser
producido en una búsqueda incesante por rebasar la propia
frontera. Se lleva a cabo así una transformación de los
conceptos fundamentales de la monadología. El *appetitus*
monádico deja de ser un impulso hacia sí, como principio de
auto-afirmación ontológica, para convertirse en la tensión
erótica hacia el otro; la *perceptio* pierde el carácter de despliegue progresivo y analítico de la propia intimidad, para
dar paso a la proyección ilusoria de un mundo de objetivi-
dades, creado por el yo en su afán por alcanzar lo otro inasequible. La autoconciencia, en fin, pierde la dimensión originaria y primera de instalación del sujeto en la radicalidad de
su ser, y se constituye en el camino de vuelta de su aventura,
en la soledad de la ausencia, como exigencia y nostalgia del
otro inasequible.

> Mas la conciencia existe como actividad reflexiva porque vuel-
> ve sobre sí misma, agotado su impulso por alcanzar el otro
> trascendente. Entonces reconoce su limitación y se ve a sí
> misma como tensión erótica, impulso hacia lo otro inasequible.
> Su reflexión —comenta Machado— es más aparente que real
> porque, en verdad, no vuelve sobre sí misma para captarse
> como pura actividad consciente, sino sobre la corriente eró-
> tica que brota con ella en las mismas entrañas del ser. Descu-
> bre el amor como su propia impureza, digámoslo así, como su
> *otro inmanente,* y se le revela la esencial heterogeneidad de la
> sustancia (A. M., 24).

Esta es la última consecuencia de la mutación martiniana: El abandono de la teoría leibniziana de la pluralidad de las mónadas. La razón es de muy alto abolengo filosófico: «el concepto de pluralidad es inadecuado a la sustancia»; aparte de que lo plural introduce en las mónadas un índice de pasividad (representaciones inadecuadas, diría Leibniz), «como seres pasivos que forman por refracción, a la manera de los espejos, que nada tienen que ver con las conciencias, la imagen del universo» (A. M., 10-11). Pero, al margen de tales precisiones ontológicas, se adivina la última razón de la exclusión martiniana de lo múltiple. La disarmonía en la multiplicidad monádica sería poco menos que el caos; casi el infierno de un tender y un desear imposibles, la frustración de la conciencia. La única forma de salvar el postulado idealista es entender este juego de subjetividades como la sustancia dinámica (mutación), de la realidad única (el mundo), de manera que los puntos individuales subjetivos son otros tantos momentos, en que se enciende la conciencia universal, renovando eternamente su llama: el gran ojo que todo lo ve al verse a sí mismo. «Esta mónada puede ser pensada, por abstracción, en cualquiera de los infinitos puntos de la total esfera que constituye nuestra representación espacial del universo (representación grosera y apariencial); pero en cada uno de ellos sería una autoconciencia integral del universo entero» (A. M., 11). Machado sabe muy bien que el abandono de un teísmo regulativo a la leibniziana, sólo puede salvarse mediante un panteísmo dinámico-constitutivo. El romanticismo básico del mundo espiritual de M. vuelve a reaparecer en esta metafísica unitaria y total, panteísta, en suma, de Martín. La unidad triunfa sobre la pluralidad, que es sólo una perspectiva exterior o abstracta de su riqueza interior. En definitiva, «El universo, pensado como sustancia, fuerza activa consciente, supone una sola y única mónada, que sería como el alma universal de Giordano Bruno (*Anima tota in toto et qualibet totius partis*)» (A. M., 11).

Se comprende así la interpretación martiniana de la sustancia. Es esta una energía íntegramente activa, sin ningún índice de pasividad ni exterioridad. «La actividad de la fuerza pura o sustancia se llama conciencia» (A. M., 9); cambia pero sin moverse o desplazarse; se despliega y repliega sobre sí, pero sin alterarse; es sin estar alojada ni determinada espacialmente;

> su cambio —agrega Machado en un contexto claramente bergsoniano— no puede ser pensado conceptualmente, porque todo pensamiento conceptual supone el espacio, *esquema de la movilidad de lo inmutable*; pero sí intuido como el hecho más inmediato por el cual la *conciencia*, o actividad pura de la sustancia, se reconoce a sí misma (A. M., 10).

El íntimo hervor de este cambio sustancial se llama de nuevo tensión erótica, no ya en la perspectiva individual como exigencia del otro, sino en la ontológica de expresión o revelación de la heterogeneidad cualitativa de la sustancia. El ser consiste, pues, en su aparecer[6]; no se oculta detrás como un mundo inaprehensible, sino que se resuelve en el tejido de fenómenos o pareceres para la conciencia; no es más que una realidad única que se aparece a sí misma, como sí misma: el gran ojo que todo lo ve al verse a sí mismo. La metafísica de Martín se cierra así con una extrema coherencia, como tal vez no hubiera sospechado M. «Sólo lo absoluto —dice Martín— puede tener existencia, y todo lo existente es absolutamente en el sujeto consciente» (A. M., 26)[7]. El uni-

---

[6] De nuevo se trata de una creencia metafísica, frente a otra de signo opuesto, acerca del carácter ilusorio del mundo (J. M., II, cap. L, 55).

[7] «El ser es pensado por Martín —comenta Machado— como conciencia activa, quieta y mudable, esencialmente heterogénea, siempre

verso ha sido inespacializado; proyectado, se diría mejor, en la dimensión única del tiempo heterogéneo en dos niveles de emergencia: el primero como tiempo único individual, antropológico, unido a la vivencia de la mutación del propio yo, que es conjuntamente transcurso vital y progresión de conciencia, consunción de la vida y consumación interior; en el segundo nivel, el ontológico-fundamental, el tiempo es el esquema de mutación de lo inmóvil, es decir, el orden fenomenológico del aparecer de la sustancia única, que en sí misma subsiste eternamente. De esta manera la nostalgia de lo otro y la lucha en el tiempo por «lograr conciencia», según la justa expresión machadiana, en suma, el desafío al tiempo mediante la palabra, se ve compensado, más allá de la vivencia antropológica individual, siempre ambigua en cuanto finita, por otra dimensión de realidad global y profunda, infinita, en la que ésta se revela como un «lleno de conciencia» en una actividad inexhausta [8].

Si bien se observa, el idealismo martiniano está grávido, no sólo de una dimensión metafísica de realidad, como es obvio —conciencia integral—, sino sobre todo de una intención bien precisa: superar desde dentro, si posible fuera, el subjetivismo. Pero sobre todo esto será preciso volver con demora poco más adelante.

Como se acaba de ver, la tensión erótica define esencialmente el universo metafísico de M. como un mundo en cons-

---

sujeto, nunca objeto pasivo de energías extrañas. La sustancia, el ser que todo lo es al *serse a sí mismo*, cambia en cuanto es actividad constante, y permanece inmóvil, porque no existe energía que no sea él mismo, que le sea externa y pueda moverle» (A. M., 26).

[8] Uno no puede menos de recordar el final exultante de la *Vida de don Quijote y Sancho* (*Ensayos*, II, 361-2), aunque Machado, tan sobrio y escéptico, no sea muy dado a estos efluvios especulativos. Por otra parte, el panteísmo de Abel Martín, es más de raíz humanista y secular que propiamente mística.

tante alteración (mutación). Pero a la vez, el fracaso de esta tensión por alcanzar al otro trascendente determina una pluralidad de dimensiones. Para referirme a ellas con algún detalle me parece muy adecuada la denominación de «drama en tres actos» con que Cobos califica la metafísica de Martín:

> Acto 1.º: el pensamiento disolvente, que el milagro de la nada hizo posible, es el fruto del fracaso del amor. Acto 2.º: la tarea correctora queda a cargo del pensar poético que es «pensamiento divino», «canto de frontera, por soleares (cante hondo) a la muerte, al silencio y al olvido». Acto 3.º: gran pleno o conciencia integral [9].

LA LÓGICA DE LA IDENTIDAD Y EL NO-SER

El fracaso del amor va a estar preñado de consecuencias; no sólo produce el acto de autoconciencia, cuando la intención de otredad, «devuelta» por la inasequibilidad del otro, torna sobre sí y se descubre en su irremediable soledad, sino que en este camino de vuelta gana el aspecto objetivo o apariencial del mundo. En su afán por alcanzar lo otro, el sujeto anula su experiencia vivida, desubjetiva el contenido de su vivencia inmediata y hace surgir así la homogeneidad de una re-presentación objetiva, común a varios sujetos, porque se ha eliminado previamente el sello individual de cada uno. Lo objetivo no sería más que la reverberación del otro trascendente en el medio subjetivo de la conciencia, el reflejo de la otredad en la inmanencia, o por decirlo con los propios términos de M., «una varia proyección ilusoria del sujeto fuera de sí mismo» (A. M., 24). La conciencia objetiva —y Abellán ha recordado muy oportunamente la deuda de Machado con el planteamiento kantiano— no es

---

[9] Pablo A. Cobos, *op. cit.*, 124.

una conciencia ontológica, nouménica, si se quiere, sino fenomenológica. Lo que se conoce no es propiamente el ser en
su aparecer, tal como aparece, sino ese otro «doble» de la
realidad que presenta ésta en el medio re-presentativo (?) de
la conciencia; es decir, no el ser según lo que es, en la pluralidad cualitativa de sus contenidos esenciales, sino según lo
que no-es, en el elemento abstractivo y descualificador del
pensamiento lógico.

> Entendemos por objetividad —dirá Machado más tarde—
> los puntos de coincidencia del pensar individual (del múltiple
> pensar) que forman el pensar genérico, la racionalidad. La obje-
> tividad supone una constante *desubjetivación*, porque las con-
> ciencias individuales no pueden coincidir en el ser, esencial-
> mente vario, sino en el no-ser. Llamamos no-ser al mundo de
> las formas, de los límites, de las ideas generales y los concep-
> tos vaciados de su núcleo intuitivo, al mundo cuantitativo lim-
> pio de toda cualidad (C., 51-2 y A. M., 30).

De ahí que lo objetivo valga como lo convencional (C., 34),
lo abstracto o vacío de concreción subjetiva, lo homogéneo
por *epoché* del carácter cualitativo de la vivencia, o bien,
más gráficamente aún, «el reverso borroso y desteñido del
ser» (C., 24). De una manera muy extraña Kant se enlaza
con Bergson, de modo que el «intendere» proyectivo del sujeto, que pone la objetividad (a la kantiana), no revela la
íntima textura de éste, sino que más bien hace surgir frente
a él y por su medio, un mundo fantasmal y exangüe, que no
es otra cosa que el vaciado conceptual de la realidad en los
esquemas formales de la lógica.

No es preciso seguir a M. en su enumeración, bastante
caprichosa, de las formas de objetividad —cinco según Martín y siete en la cuenta de los reversos de Mairena (A. M.,
13 y 51)—, mas todas son «formas homogéneas de pensar»,
vacías del contenido sensible del mundo, para retener tan

sólo el aspecto abstracto de meras relaciones lógicas. Machado no hace más que repetir en este contexto la teoría bergsoniana de la inteligencia, esencialmente pragmática y opera-
tiva, en cuanto órgano máximo del trabajo técnico en el mundo. Espacio y tiempo son, pues, «instrumentos de objetividad», formas a priori —de nuevo imponiéndose el recuerdo
kantiano— de ordenación de los fenómenos en el medio homogéneo de relaciones puramente cuantitativas; y las mismas
ideas no son más que otros tantos instrumentos que permiten la fijación y el análisis de la sustancia heterogénea en
constante mutación, o según la expresión metafórica de Machado, «el alfabeto o conjunto de signos homogéneos que no
representan las esencias mismas, sino su dibujo o contorno
trazado sobre la negra pizarra del no ser» (A. M., 25). El
mundo objetivo es, por consiguiente, un mundo habitado por
la negatividad, visto a través de la luz lívida y espectral de
la nada. Ha surgido de un acto de negación o inhibición del
mismo sujeto (desubjetivación), de puesta entre paréntesis
de sus vivencias y de desrealización de los contenidos esenciales de la realidad. Afirmaciones tan gruesas sólo pueden
estar hechas desde el supuesto de una nueva lógica de lo
sensible (una estética ontológica), frente a la cual, la lógica
de lo inteligible puro es siempre una violencia que se ejerce
a lo real-cualitativo.

> El pensamiento lógico —agrega Machado— sólo se da... en
> el vacío de lo sensible; y aunque es maravilloso este poder de
> inhibición del ser, de donde surge el palacio encantado de la
> lógica (...), con todo, el ser no es *nunca* pensado [10].

---

[10] Es curioso notar el sentido diametralmente opuesto que tienen
estas expresiones machadianas, pese a la aparente identidad de la
fórmula, con respecto a las de Max Scheler, autor al que profesaba
una gran veneración. En uno y otro, el mundo conceptual objetivo
surge de la negación del mundo de la vida, pero mientras que para
Max Scheler vale este acto como el específico del sujeto espiritual,

La crítica a la lógica eleática se impone por sí sola, desde una metafísica heraclítea que ha definido la sustancia como mutación y heterogeneidad. El principio de la identidad anula precisamente la diferencia inmanente que anima como tensión erótica, y renueva la energía de la sustancia. Impone el sacrificio, no sólo de la mutación (en el fondo, la experiencia más directa del propio fluir de la vida humana), sino incluso de la variedad de las apariencias en la percepción estética del mundo; disocia, en fin, el elemento intelectual del afectivo o cordial en la vida del hombre (J. M., I, cap. XXXI, 140 y III, 80), imponiendo de un lado, los derechos de la razón (la fe racionalista en lo nunca visto) con su cortejo de abstracciones, y del otro, los de la sensibilidad, con su entrega a lo concreto en sus múltiples formas y cualidades. Esta violencia del pensamiento lógico ha logrado dar carta de naturalidad a lo que es, según la fina expresión machadiana,

> un mundo esencialmente apócrifo, un cosmos o poema de nuestro pensar, ordenado o construido todo él sobre supuestos indemostrables (J. M., I, cap. XXIII, 104 y 141 y III, 74-5 y 81 respectivamente).

Si hubiera que buscar una actitud típicamente idealista, ésta no podría ser otra para M. que la del pensamiento abstracto o puro. Parte de la tautología de su afirmación en una identidad carente de diferencias y desde allí decreta la inexistencia de todo cuanto no coincide con su previo esquema. En el fondo no prueba nada: se limita a explicitar lo que previamente se ha supuesto. O si se prefiere, más bien prueba lo contrario, como insinúa irónicamente Machado, que el mundo

---

para Machado significa justamente lo contrario: su extravío como sujeto, su desubjetivación, por anulación de la experiencia vivida; contra la sentencia clásica, «el ser y el pensar no coinciden ni por casualidad» (A. M., 30).

objetivo tiene que ser apócrifo puesto que ha brotado de la necesidad de mantener al pensamiento de acuerdo consigo mismo, «de forzarlo, en cierto modo, a que sólo vea lo *supuesto* o puesto por él, con exclusión de todo lo demás» (J. M., I cap. XXIII, 104-5 y III, 76).

No se piense, sin embargo, que M. reniega de la existencia del pensamiento lógico. Además de necesario para la vida práctica y el intercambio social, es exponente, en cuanto potencia de desrealización, del valor creativo del hombre. No se trata, pues, de abandonar la lógica, sino de reconocer sus limitaciones. Por eso los ejercicios que el maestro Mairena hace practicar a sus alumnos en clase de Retórica, no buscan otra cosa que apurar las posibilidades del pensamiento lógico, explorarlo en todas sus direcciones hasta darse de bruces con sus propios límites. Con su característico gracejo, entre burlas, como quien se extraña de su propio descubrimiento, ya lo había registrado Mairena:

> Decía mi maestro: pensar es deambular de calle en calleja, de calleja en callejón hasta dar en un callejón sin salida. Llegados a este callejón pensamos que la gracia *estaría* en salir de él. Y entonces es cuando se busca la puerta al campo (J. M., I, cap. XVIII, 82 y III, 75) [11].

El tema de la razón eleática nos lleva al centro de gravedad de la metafísica de Martín, al concepto (?) o, mejor, acto

---

[11] En el mismo sentido y con su característico gracejo, comentaba en otra ocasión Mairena a sus discípulos: «Veo con satisfacción —habla Mairena a sus alumnos— que no perdemos el tiempo en nuestra clase de Sofística. Por el uso —otros dirán abuso— de la vieja lógica, hemos llegado a ese concepto de *las cosas bien entendidas*, que será punto de partida de nuestro futuro procurar entenderlas mejor. Porque ésta es la escala gradual de nuestro entendimiento: primero, entender las cosas o creer que las entendemos; segundo, entenderlas bien; tercero, entenderlas mejor; cuarto, entender que no hay manera de entenderlas sin mejorar nuestras entendederas» (J. M., I, cap. XXVI, 121 y III, 79).

del no-ser, precisamente aquel que pretendía haber exorcizado de una vez por todas el viejo Parménides. Porque la identidad postulada o supuesta entre el pensar y el ser, sólo es posible sobre la base de la previa reducción del ser a la nada, es decir, del vaciamiento abstractivo de la realidad. Pues bien, este «ensombrecimiento del ser», constituye «la creación específicamente humana» (A. M., 32 y III, 66). Sospecho que con este apunte en torno al pensamiento homogeneizador, se le ha venido a Machado a las manos, casi sin darse cuenta, un tema de profundo calado, que va a trascender de inmediato su lugar de nacimiento y su significación primitiva. Porque, en efecto, este tratar al ser como si no fuera lo que es, e incluso en contra de lo que es, implica una dimensión de «negatividad» constitutiva, en la obra del sujeto. Se diría, en términos existenciales, que con la conciencia se produce un hiato o intervalo en la realidad, no de carácter ontológico, al modo sartriano, sino fenomenológico, en la medida en que toma distancias y somete la realidad a nueva luz, o mejor, «sombra» según la fórmula atrevida de M. (fiat umbra).

Se reduciría gravemente la trascendencia de la negatividad si se le tomara tan sólo como el producto de una actitud de la conciencia, y no como el inevitable punto de partida de todo su trabajo en cualquiera de sus dimensiones: la lógica y la estética o lírica.

Más frecuentemente, prefiere Machado interpretar la nada como obra divina, no sólo buscando poéticamente su versión en términos mitológicos, sino para subrayar que el acontecimiento de la *negación*, más allá de su sentido antropológico, debe ser tomado como perteneciendo a la misma economía del ser, como el lugar de origen de todo el trabajo de la conciencia. Al burla-veras lo expresó Abel Martín en un soneto donde el tema metafísico —nada menos que el acontecimiento de la creación—, se contagia de aire burlesco, como conviene a un «despropósito» semejante.

> Cuando el *ser que se es* hizo la nada
> y reposó, que bien lo merecía,
> ya tuvo el día noche, y compañía
> tuvo el hombre en la ausencia de la amada.

El juego conceptual, casi malabarista, se expresa íntegramente en el primer endecasílabo, para cerrarse luego, pleno de humor y de ironía en el segundo (¡qué extraña y ardua obra ésta la de «deserse» y bien se tenía merecido un buen descanso tras de tanta fatiga!).

Se trata nada menos que de una especie de «creación al revés», por decirlo de alguna forma. La tesis es perfectamente consonante, como subraya más tarde Mairena, con el panteísmo martiniano. No hay un problema del ser sino del no-ser (A. M., 50 y III, 114-15), es decir, lo que necesita explicación no es cómo surge la realidad (*in extremis* habrá que postular una realidad que no surge sino que siempre es lo que es), sino muy por el contrario, cómo surge la *irrealidad* y cuál es su función en el orden metafísico. Y no puede ser de otra manera. Si el ser o la sustancia es un pleno de conciencia en mutación o en un perpetuo flujo de heterogeneidad, ha de contar con un principio interno de negatividad que haga surgir de continuo la diferencia inmanente. Éste es el sentido del «anonadamiento del ser», su ensombrecimiento mitológico, como dice M., o bien su interno intervalo de conciencia o de subjetividad (incluso de una pluralidad de subjetividades) en cuya obra se realiza la revelación o exposición de la esencial heterogeneidad de lo que es, el proceso de una conciencia integral. En otro caso, un pleno de conciencia sería la identidad absoluta de un acto, extraño e independiente al proceso mismo del mundo.

Fiat umbra! Brotó el pensar humano.
Y el huevo universal alzó, vacío,
ya sin color, desustanciado y frío,
lleno de niebla ingrávida, en su mano.

Sólo un poeta de la genialidad de M. podría componer tan concisa y lúcidamente, un cuadro de la anti-creación, tan sólo en cuatro versos, arrancando con ese grito omnipotente de anonadamiento —el «fiat umbra!»— para darnos un universo, que no flota en la luz, sino en la niebla ingrávida [12].

El comentario de M. se queda corto, muy por debajo de su intuición. «Entiéndase —dice—: el pensar homogeneizador —no el poético, que es ya pensamiento divino—; el pensar del mero bípedo racional, el que ni por casualidad puede coincidir con la pura heterogeneidad del ser; el pensar que necesita de la nada para pensar lo que es, porque, en realidad, lo piensa como *no siendo*» (A. M., 33). Porque si es verdad que el tema originario del no-ser ha venido impuesto por el acto abstractivo e inhibitorio del pensamiento lógico, no lo es menos que trasciende con mucho a éste para convertirse en una dimensión constitutiva de la realidad —la negatividad o la nada como elemento dinámico de su proceso— [13].

---

[12] La doble metáfora de que se sirve el poeta para expresar este acto negativo de la Divinidad, es, unas veces la de borrar la pizarra («borraste el ser; quedó la nada pura. / Muéstrame ¡oh Dios! la portentosa mano / que hizo la sombra: la pizarra oscura / donde se escribe el pensamiento humano»); otras, la de la ocultación de la mirada de Dios, en términos más existenciales («Dijo Dios: brote la nada. / Y alzó la mano derecha, / hasta ocultar su mirada. / Y quedó la nada hecha» (A. M., 50 y III, 114). En ningún caso, empero, alcanza la fuerza expresiva, mito-ontológica del «fiat umbra!», como voluntad del anonadamiento.

[13] Se engaña sin duda Sánchez-Barbudo al aproximar este concepto (?) de la nada al heideggeriano (*op. cit.*, 370 ss.). Confieso que la tentación es muy fuerte, pero no debe ocultarnos las diferencias. La expresión heideggeriana: *ex nihilo omne ens qua ens fit* —antípoda

El ser no sólo necesita del no-ser para «pensarse en su totalidad», es decir, para ser considerado como un «todo» lógico con abstracción de su real mutación heterogénea, sino que más radicalmente aún, ha de contar con ella —la nada— (expresión más fuerte que el mero no-ser) como un límite inmanente que fuerza a la conciencia individual a transcenderse en canto y meditación, es decir, a buscar una forma nueva, lírica y cualificadora, de pensamiento. Estamos, sin duda, ante un pensamiento de raíz y hasta de inspiración dialéctica, aunque abortado por el peso del intuicionismo bergsoniano. Pero, en última instancia, lo que afirma M. es que el hombre se constituye como subjetividad *en y mediante la nada,* no sólo cuando piensa abstracta u objetivamente, desrealizando el ser dado en la primera, turbia e inmediata, evidencia de la vida,

> Toma el cero integral, la hueca esfera,
> que has de mirar, si lo has de ver erguido.

---

también de la proposición metafísica acerca de la creación: «ex nihilo fit ens creatum»— tiene un sentido ontológico-trascendental: la nada revela la diferencia-ontológica entre el ser y el ente y sólo desde esta previa patencia del ser puede fundarse el sentido (*Sinn*) de lo que es (*Seiendes*) (Heidegger, *Was ist Metaphysisk,* op. cit., págs. 34 y 45 ss.). En Machado, en cambio, no se trata de ninguna mística revelación del ser en el pensar esencial de la «diferencia ontológica», sino tan sólo de un proceso inhibitorio, descualificador («el cero integrado por todas las negaciones de cuanto es») que produce las apariencias objetivas de lo que es. Ciertamente, la nada de Machado va más lejos que el mero no-ser del pensamiento homogéneo, como admite Sánchez-Barbudo (*op. cit.,* págs. 376-9), adquiere una neta significación existencial; pero aún en este caso, está más próximo de Sartre —así lo ha indicado Cobos de pasada (*op. cit.,* 77)— que de Heidegger —pues como se verá, la experiencia angustiosa de la nada no revela la verdad del ser, aparte del ente, sino más bien aquella «ausencia de ser», que fuerza a la conciencia a intentar otro camino, el poético o lírico, para inmergirse en el mundo.

Hoy que es espalda el lomo de tu fiera,
y es el milagro del no ser cumplido [14].

sino cuando sufre angustiosamente la soledad o ausencia de
lo otro real y convierte esta ausencia en fuente de pensamiento lírico. Esta segunda función de la nada está sugerida, mínima pero inequívocamente, en los endecasílabos finales, en
los que, según la técnica del soneto, se resume toda la intención expresiva del mismo:

brinda, poeta, un canto de frontera
a la muerte, al silencio y al olvido.
(A. M., 33.)

¿Qué sentido puede tener aquí este «canto de frontera»?
Ante todo, se trata de una determinación existencial. Muerte,
silencio y olvido son los tres límites constitutivos (de la
vida, de la palabra y de la memoria) que revelan al hombre,
angustiosamente, su condición temporal: constituyen así la
frontera de la subjetividad finita; y la nada, existencialmente
considerada, no sería más que este *abismo* de infundamen-
tación sobre el que cuelga o en el que flota, según se prefiera
—niebla ingrávida—, la vida del hombre. De esta experiencia
angustiosa brota la perplejidad radical de lo humano y con
ella se nos viene encima, diría M., la necesidad del «canto y
la meditación» —la conversión del tiempo existencial en conciencia— como obra específicamente humana. De ahí que
Mairena pudiera escribir

la nada antes nos asombra —decía mi maestro, jugando un
poco del vocablo— que nos ensombrece, puesto que antes nos es
dado gozar de la sombra de la mano de Dios y meditar a su

---

[14] La actitud de erguido así como la conversión del «lomo animal»
en «espalda humana», indican muy claramente el carácter hominizador
de esta negatividad.

fresco oreo, que adormirnos en ella, como desean las malas sectas de los místicos, tan razonablemente condenadas por la Iglesia (J. M., I, cap. XXXI, 142 y III, 117).

Asombro que se manifiesta, como señala poco antes el texto citado, en la conciencia del mismo límite del pensamiento conceptual, y que, en lugar de convertirse en un estúpido anulamiento de las fuerzas del hombre, le mueve a una nueva singladura.

La nada está pues en la raíz misma de lo humano;

> Es preciso construir y trabajar con ella, puesto que ella se ha introducido en nuestras almas muy tempranamente, y apenas si hay recuerdo infantil que no la contenga (J. M., I, cap. XXXI, 143 y III, 118).

En el límite mismo de la conciencia finita, en la experiencia de su soledad cuando fracasa la tensión erótica del yo hacia lo otro, surge, como enseñaba Abel Martín, la autoconciencia humana. Antes sólo era una turbia evidencia del mundo en la espontaneidad de la vida. Sólo tras el fracaso del amor (tensión erótica) y por consiguiente en la experiencia de su finitud, surge una obra o una creación específicamente humana.

Pero además del sentido *existencial* primero de frontera como límite de la finitud, cabría mencionar un segundo *demarcativo*, como separación del pensamiento lógico y el poético. Del fracaso del amor —decía Martín— nace tanto el pensamiento homogéneo como la palabra lírica; aquél hacia lo universal abstracto y ésta hacia lo heterogéneo-cualitativo que sólo capta la intuición lírica [15].

---

[15] Pablo A. Cobos especifica muy acertadamente el «juego de estas dos nadas» aunque introduce un grave error al confundir el pensamiento lógico con la obra de la filosofía y contraponerla así a la lírica (*op. cit.*, 77), cuando Machado se encarga, por el contrario, de

La nada, en definitiva, o si se prefiere otro término, la negatividad inmanente, es un principio de creación; no sólo objetiva las apariencias del ser, sino que actúa además complementariamente restituyendo a la conciencia integral el cortejo cualitativo de su real aparecer. La conciencia de la finitud y la experiencia de la nada se convierten en suma en el principio de la auto-conciencia y de la creación existencial, es decir, en una lúcida lucha contra el tiempo hasta elevarlo a tiempo de palabra.

EL PENSAMIENTO POÉTICO
DE LA DIFERENCIA Y EL SER

La creencia intelectualista en la razón eleática conduce según Machado, como ya se ha visto, al desencantamiento y vaciamiento sensible del mundo.

> El pensamiento lógico —pensaba Martín— sólo se da, en efecto, en el vacío de lo sensible; y aunque es maravilloso este poder de inhibición del ser, de donde surge el palacio encantado de la lógica... con todo, el ser no es *nunca* pensado; contra la sentencia clásica: el ser y el pensar (el pensamiento homogeneizador) no coinciden ni por casualidad (A. M., 30 y 33 y III, 64 y 67).

Era preciso compensar este déficit ontológico del pensamiento abstracto, mediante una fenomenología de lo concreto o una estética de lo viviente, de «lo universal cualitativo», según el título del libro de A. Martín. Pero este viraje en el modo de pensar (muy influenciado, por otra parte, en Bergson y en el maestro Unamuno), necesitaba de una nueva creencia de sentido opuesto a la fe racionalista. Machado va a hallar-

---

subrayar la afinidad del pensamiento metafísico con la intuición poética.

la en el valor humano de la palabra poética, que llama al «tú» y se siente interpelada por él; que se admira de las presencias de la realidad, del cortejo de sus apariencias infinitas, y trata, como ya se indicó, de salvarlas de su dispersión en el tiempo. El mundo deja de ser un velo de ilusión, que oculta una sustancia inasequible, y muestra lo que hay, todo lo que hay, en la superficie variopinta de sus fenómenos, porque todo lo que es aparece [16]. Al mismo tiempo, la representación cede a la presentación directa de las cosas, a la vivencia de realidad o a su revivencia imaginativa; y el yo escéptico y solipsista del ochocientos se transforma en una criatura nueva, herida siempre de nostalgia y otredad.

> Comienza el hombre nuevo —escribirá M. en el proyecto-borrador de su Discurso de ingreso en la Academia de la Lengua— a desconfiar de aquella soledad que fue causa de su desesperanza y motivo de su orgullo. Ya no es el mundo mi representación, como era en lo más popular, la única verdad metafísica del ochocientos. Se tornó a creer en *lo otro* y en *el otro*, en la esencial heterogeneidad del ser (C., 126 y II, 77) [17].

Frente al *ethos* egolátrico de la razón, Abel Martín significa, sin duda, el comienzo explícito de esta nueva fe humanista en la palabra poética, como vínculo de comunicación y medio de patencia de la cosa misma, aunque en su meta-

---

[16] No es posible decidirse, según Machado, entre las creencias de signo opuesto: la ilusión del mundo o su mostración en verdad. Sólo cabe, pues, una opción cordial entre ellas; opción, por supuesto, no gratuita y carente de sentido, pues es claro que sólo en un mundo de verdad puede alcanzar la relación con el tú la dimensión ética de un compromiso solidario.

[17] Aunque de pasada, ha aludido M. a las raíces cristianas de esta nueva creencia metafísica en la heterogeneidad del ser, los universales del corazón, frente al *ethos* egolátrico de la razón cartesiana (C., 179 y III, 143-4).

física se presente ambigua y trágicamente, al formularse todavía desde los supuestos de la filosofía de la subjetividad. Pero, en todo caso, se trata de un yo descentrado eróticamente por la exigencia del «tú».

El nuevo modo de pensar, poético por ser traducción de esta creencia lírica o cordial, se presenta como

> una actividad de sentido inverso al del pensamiento lógico. Ahora se trata (en poesía) de realizar nuevamente lo *desrealizado*; dicho de otro modo: una vez que el ser ha sido pensado como no es, es preciso pensarlo como es; urge devolverle su rica, inagotable heterogeneidad (A. M., 31 y II, 135).

Pero si la desrealización abstractiva había sido una obra de de-subjetivación de la experiencia, la realización sensible sólo puede significar una nueva «animación» del mundo por obra de la lírica. No se trata, sin embargo, de una vuelta o recaída en la experiencia inmediata e ingenua, y mucho menos en la instintividad. La sensibilidad poética es otra forma de tomar conciencia del mundo, no mediante la representación abstracta, sino en la intuición vidente que revela la riqueza cualitativa de lo real. En verdad, estamos ante una nueva tarea del pensamiento, al que sería más correcto llamarlo, en lugar de los calificativos machadianos de «heterogéneo» y «cualificador», simplemente sensibilidad. Frente al principio de identidad, criterio de la lógica y del pensamiento formal sistemático, propone M. la entrega a la diferencia absoluta, la excentricidad del pensar que sólo puede venirle del lado sensible, vivencial e intuitivo. La conciencia poética desplaza a la razón raciocinante, como diría Unamuno, a los esquemas conceptuales manipuladores (Bergson) y en definitiva a la lógica de la identidad, que desde Platón a Hegel domina el pensamiento de Occidente (Heidegger); y entroniza en su lugar los derechos de la sen-

sibilidad —pasión e intuición— que, desde Feuerbach, constituye la nueva frontera de la filosofía. ¿No tiene acaso el
mismo sentido y hasta el mismo tono que los *Principios de
la Filosofía de Futuro* de Feuerbach el siguiente texto machadiano?:

> En nuestra lógica —habla Mairena a sus alumnos— no se
> trata de poner el pensamiento de acuerdo consigo mismo, lo
> que, para nosotros, carece de sentido; pero sí de ponerlo en
> contacto o en relación con todo lo demás (J. M., I, cap. XXV,
> 113 y III, 76).

Incluso el mismo acento anti-hegeliano de Feuerbach,
aunque eso sí, con menos acritud y dogmatismo a la hora
de fustigar la primacía ontológica de «lo uno» que acaba por
engullirse «lo diverso».

> La razón misma, se piensa (la referencia a Hegel en este
> contexto es inequívoca), no podría ponerse en marcha si, en su
> camino de lo uno a lo otro, no creyera que lo otro no podría
> ser, al fin, eliminado. Y esto parece tan cierto como... lo con-
> trario, a saber; que sin *lo otro*, lo esencial y perdurablemente
> otro, toda la actividad racional carece de sentido. De modo
> que todo el trabajo de nuestra inteligencia va acompañado de
> dos creencias contradictorias: en la existencia y en la no exis-
> tencia de lo otro (J. M., II, cap. IX, 107).

Y de nuevo aquí, la opción entre tales creencias de signo
contrapuesto, sólo puede venir de una última raíz ético-existencial: la necesidad de contar con el «tú» y estar abierto a
su llamada.

De lo uno, pues, a lo otro. La sensibilidad es siempre erótica y excéntrica, a diferencia de la egolatría racional de la
razón. No resuelve las cosas en sí misma, ni las disuelve
escépticamente, cuando no puede hincarles el diente, sino
que más bien se extravía por la selva innumerable del mundo —el mar machadiano— y se funde simpatéticamente con

la palpitación de lo real. Su marcha, como la soñadora del caminante, es la propia de una «dialéctica lírica» o mágica (de nuevo aquí el nombre está pensado frente a Hegel), «sin negaciones ni contrarios, la lógica del cambio sustancial o devenir inmóvil» (A. M., 31 y II, 136). Ni *Aufhebung* hegeliana ni tensión agónica unamunesca [18]. La dialéctica lírica se entrega báquicamente a un baile de afirmaciones, sobre las apariencias rutilantes del ser. Nada está fuera ni dentro, ni más acá o más allá, ni arriba o abajo, sino que todo está en todo, en este juego múltiple de espejos que se replican los unos a los otros, que alargan y ahondan sus perspectivas, y las alteran de continuo en un caleidoscopio infinito («el ojo que todo lo ve al verse a sí mismo»).

Más lejos aún se encuentra la dialéctica lírica del pensamiento formalizante. Éste «cuenta» cifras y calcula; aquélla cuenta una viva historia —la historia del ser— y canta sus asombros por las presencias y ausencias de lo real.

> El pensamiento poético que quiere ser creador, no realiza ecuaciones sino diferencias esenciales irreductibles; sólo en contacto con lo otro, real o aparente, puede ser fecundo (J. M., I, cap. XIV, 66 y II, 182).

Pero la única «diferencia esencial» es la de dejar de ser lo que se es para ser otra cosa, el cambio sustancial en el tiempo. Por eso mientras que el pensamiento sistemático contempla el universo *sub specie aeterni*, intemporalmente, o en el

---

[18] Como texto directamente antihegeliano, y muy afín a otros paralelos de Feuerbach, puede valer la siguiente declaración de J. M.: «En nuestra lógica se abarca tanto como se aprieta, y la comprensión de un concepto es igual a su extensión. En nuestra lógica nada puede ponerse a sí mismo. Ni nada puede ponerse más allá de sí mismo. Ni salir de sí mismo. Ni, por ende, tornar a sí mismo. En nuestra lógica no existe ni el pez pescado ni la mosca que se caza a sí misma» (J. M., I, cap. XXV, 114).

pseudo-tiempo de la deducción racional pura, la dialéctica lírica pretende «pensar en el tiempo, la pura sucesión irreversible, en la cual no es dable la coexistencia de premisas y conclusiones» (J. M., I, cap. XXV, 114). Ni reduce diferencias, ni deduce conclusiones, ni induce principios universales; seduce al tiempo y lo encanta en el sortilegio de una palabra, que es una recreación continua, poética, de su tránsito. Es a la vez un testimonio de su paso irremediable, con el cortejo de las figuras y formas que desaparecen, y una permanente reanimación de su transcurso en la nueva presencia intencional del alma. La tensión de ausencia y presencia —el tiempo vivido— constituye el principio de la dialéctica lírica. «Sí, pero no» —canta la voz irremediable de la disolución universal—. «No, pero sí», le replica aquella otra voz íntima del sueño con que trabaja la memoria y la esperanza. «Nunca más y todavía» son los tonos únicos de esta cítara de viento. Porque si es verdad que todo pasa y se esfuma en su realidad individual, también lo es que todo queda y se reproduce siempre en este caleidoscopio del alma; se apagan los reflejos individuales para encenderse otros, y a través de este baile de destellos, se alimenta la sustancia única de la conciencia del universo.

Está pues en marcha una nueva lógica de lo concreto, o un pensamiento sensible, cuyas ideas transparecen al filo de la intuición de lo individual. El universal abstracto de la lógica se sustituye por el universal concreto, que hace valer su sentido en aquella plenitud que sólo revela lo viviente. Aquí la comprehensión significativa coincide con la extensión de sus casos, como dirá más tarde Mairena (J. M., I, cap. XXV, 114). Más aún, se revela sólo en ellos y mediante ellos, como la intención interior que anima lo concreto. Frente al simbolismo abstractivo surge un nuevo simbolismo poético, en que los mismos acontecimientos remiten los unos a los otros, en un sistema fluido y libre de relaciones; se cargan de significación en un juego múltiple de referencias internas, en las que transparece, al cabo, la conciencia integral que habita el mundo.

Con razón ha hablado Gutiérrez-Girardot de un simbolismo polisémico y progresivo en el pensamiento de Machado [19]. Cada símbolo es una puerta hacia la infinitud del todo. Cada signo una voz del ser, que el poeta tiene que escuchar y descifrar en su mensaje; o una nueva apariencia que ha de ser explorada, perseguida, hasta sus más fugaces destellos. Y la poesía, un don de adivinación, «un acto vidente de afirmación de una realidad absoluta», como se atreve a opinar Mairena (J. M., I, cap. XXX, 139), pues incluso allí donde se aprehende la fugacidad de la parte, está semánticamente operando el sentido del conjunto.

Hemos accedido al pleno orden de la sensibilidad, no sólo la externa, que aprecia formas y figuras, cualidades y relaciones; también la interna o íntima, que sabe captar el sentido profundo y el ritmo interior de la cosa. «Este pensar —asegura el maestro Martín— se da entre realidades y no entre sombras; entre intuiciones, no entre conceptos» (A. M., 31 y III, 65). La emoción íntima del alma se ha trascendido en experiencia y acontecimiento, en historia que se «canta y cuenta», en un decir de todos y de cada uno. La poesía es —no lo olvidemos— «una aspiración a conciencia integral» y ésta no es más que el plexo viviente de relaciones y reflejos, la trama fantástica, casi onírica, de un mundo atravesado por el flujo de la temporalidad, que se deshace y rehace de continuo, porque nunca cesa de manar la diferencia en el seno del todo, ni se sacia la sed de alteridad de cada una de sus partes.

---

[19] Gutiérrez-Girardot, *op. cit.*, 19.

Vuelve Heráclito frente a Parménides. Y fluyen los ríos y los caminos y los sueños, en medio de la niebla ingrávida, frente a la quieta esfera parmenídica incendiada en el mediodía. Se cambia de lo uno a lo otro (la otra cosa, la otra forma de ser, la otra posibilidad), en una progresión indefinida, y se retorna siempre, no a lo uno del comienzo, sino al quieto fluir de la conciencia que como el alma, está toda en todas partes. De nuevo la paradoja se instituye en el lenguaje metafísico por excelencia. Esta es el agua viva y santa, «toda sed y toda fuente» (CLXXIII, núm. 2); el agua del amor y el conocimiento, que fluye de lo uno a lo otro, y viene a expresar la insaciable pasión de otredad que sufre lo uno.

¿Se ha trascendido realmente el solipsismo monádico por la magia del nuevo pensar poético? ¿Creía sinceramente Machado que era ésta la única vía para acceder a la plena luz de la conciencia? Es muy aventurado contestar a tan graves preguntas. La respuesta podría ser positiva —Abellán así lo ha creído— [20], a juzgar por el énfasis que pone M. en moverse a la plena luz de la intuición entre realidades, y no entre sombras. Cabría sospechar, no obstante, si la realidad intuida no está también construida, ensoñada por la ley de la reflexión del alma y si esta sed de alteridad no se reduce en el fondo al esfuerzo imposible del yo por saltar fuera de sí mismo; si el pensamiento poético, tras el fracaso del amor, no es más que otra forma subjetiva de tener el mundo —no desrealizado por la lógica, sino vivenciado por la íntima ensoñación de uno mismo—, y si, por consiguiente, la pasión de trascendencia no se consume en un juego de destellos y perspectivas —reflejos de reflejos— con que cada mónada individual sueña tener al otro en la soledad de sí misma, mientras se renueva la mónada única y heteróclita —el gran

---

[20] J. L. Abellán, *op. cit.*, 93.

caleidoscopio— del universo. El lenguaje poético reanima al
mundo y por eso también lo subjetiviza, sin que sepamos, a
ciencia cierta, si el sujeto se encuentra ya en comunión cordial con todo lo otro. La ambigüedad a la altura de Abel
Martín es ineliminable. Verdaderamente el yo está herido
en realidad por la ausencia del otro y descentrado por tanto
de sí mismo. ¿Pero ha salido Martín del «otro inmanente»
al otro trascendente y real? Parece que no. Los espejos se
depuran y filtran, pero son espejos; los sueños se hacen
inventores de realidad, pero son sueños. La sensibilidad en
suma se convierte en un arte de pasión e intuición, pero es
todavía el íntimo estremecimiento del alma, o emoción al
paso de las cosas. Sin duda, el pensamiento de Martín está
en dirección de trascender, salir de nuevo a contemplar las
estrellas, pero sin embargo, tenemos la impresión de que la
metafísica martiniana, está prendida en su propio planteamiento; la suya es la sensibilidad de una mónada (?). An-
ticipaba al principio que el universo metafísico de Machado-
Martín está bajo el signo de la tragedia. Pero no es menos
cierto —si vale tan flagrante paradoja— que está también
bajo el signo de la esperanza. Esta va de la dialéctica lírica
al diálogo socrático-cristiano. Y muy posiblemente, fue la
última singladura del último Machado-Mairena.

EL TEMA DE DIOS: EL GRAN

CERO Y EL GRAN PLENO

La metafísica martiniana concluye con un par de sonetos,
que valen como cifra de su teología panteísta y temporal.
Sería conveniente enmarcar su comentario en el tema machadiano de Dios, del cual constituyen un «fragmento», decisivo a no dudarlo, pero ininteligible fuera del conjunto del
pensamiento poético de Machado. A fin de cuentas, la teo-

logía de Abel Martín es tan sólo una etapa, la central, de este planteamiento.

En contra del parecer de Aurora de Albornoz, que sitúa el comienzo de la preocupación religiosa en la época de Baeza, en el desconsuelo de la muerte de la esposa y bajo la influencia de Unamuno [21], es preciso señalar el valor decisivo de algunos poemas de *Soledades* (S. G. O. P.) en la determinación de la actitud religiosa de madurez en Antonio Machado. Aunque en el registro poético de esta obra, Dios no constituye un tema fundamental, aparece no obstante, de modo muy significativo, en conexión con la problemática antropológica de la misma: el mundo del ensueño como reconquista de lo originario (LIX), así como la búsqueda apasionada desde el extravío de la existencia (LXXVII). Este par de poemas, a los que ya antes me he referido, marcan una experiencia decisiva de lo divino, que deja su impronta en toda su obra posterior. En el primero, velando la ensoñación religiosa en el cendal del sueño, y con una técnica anafórica que crea un clima de expectación ascendente («Anoche cuando dormía / soñé, ¡bendita ilusión!»), Dios aparece como la síntesis definitiva de los sueños del origen o renacimiento del alma: «manantial de nueva vida», que recuerda sin duda «las aguas vivas que saltan hasta la eternidad», del relato evangélico, y a la vez anticipa las «aguas del ser» de la futura metafísica martiniana; la colmena de las «doradas abejas» y su transustanciación del dolor en nueva energía espiritual y el «sol ardiente», luz y fuego, que luce en el alma.

> Anoche cuando dormía
> soñé, ¡bendita ilusión!,
> que era Dios lo que tenía
> dentro de mi corazón.
>
> (LIX.)

---

[21] Aurora de Albornoz, *op. cit.*, págs. 231-2 y 236-8.

Pocas veces la palabra «Dios» ha sonado más pura, más henchida de sentido y a la par, más distante y lejana («¡bendita ilusión!»), que en este conmovedor poema machadiano.

Un «Dios cordial», hecho sustancia de los anhelos íntimos del alma, como su principio interior de renovación y transcendimiento, que sólo se deja transparecer entre sueños, al modo de una visión luminosa de paraíso, del que se encuentra expulsada la conciencia vigil del hombre. No es preciso recurrir a ninguna influencia filosófica determinante, es una experiencia poética pura, exenta de teología; y de buscarle algún parentesco habría que ir a encontrarlo en la mejor poesía mística. Esto sí, una mística velada por la ensoñación, mantenida a distancia, casi como el envés de la otra alma escéptica y cavilosa de Machado. Quizá por eso el poema resulte de una actualidad asombrosa, como testimonio de un hombre a vuelta de teologías racionalistas y de una fe imposible, pero a la vez con el alma en carne viva de nostalgia. Dios doliendo como un mundo que se ha perdido y sólo se deja adivinar, resoñar en el sueño: y Dios urgiendo y apremiando, como la utopía de una plenitud existencial, que llama incesantemente a la vida del hombre.

En el otro poema (LXXVII), la referencia a Dios aparece igualmente al final, en el punto de cumplimiento de la intención poética, como el objeto indefinido de una búsqueda de un corazón nostálgico y solitario. En cierto modo, debe tomarse como una prolongación del anterior, en tanto que complementa su sentido. Ahora se nos describe la relación del hombre con Dios en una vigilia, tensa de perplejidad, y a la luz de otros sueños, que son como el resol de aquellas otras visiones del alma dormida.

> así voy yo, borracho melancólico,
> guitarrista lunático, poeta,

> y pobre hombre en sueños,
> siempre buscando a Dios entre la niebla.
>
> (LXXVII.)

Hay pues como una vena soterrada de inspiración que fluye del ensueño del sueño hacia el otro ensueño imaginativo-constructivo de la vigilia. Como si el alma buscara de día el paraíso que soñó en la noche, y al esfumarse la visión del Dios íntimo y cordial, hubiera dejado en el alma el «hueco» de su ausencia [22]. Pero la visión de la madrugada no ha sido en vano y el sueño de lo divino puede orientar, siquiera sea nostálgicamente, la búsqueda de sentido que es al cabo la vida del hombre. La «bendita ilusión» religiosa (¿no resuenan aquí acentos de Feuerbach?) sigue estremeciendo su alma en la vigilia, como el compendio de sus afanes y de sus ganas de ser, que han de medirse, durante el día, con el otro abismo del mar misterioso:

> ....
> en sueños lucha con Dios;
> y despierto, con el mar.
>
> (CXXXVI, núm. 28.)

que dirá Machado más tarde.

Campos de Castilla supone una prolongación de esta actitud religiosa. No es nada extraño que en su Autorretrato, en el que el poeta se cuida tanto de definir, casi a modo de una confesión, su actitud básica ante la vida, el soliloquio inte-

---

[22] J. L. Aranguren, *Esperanza y desesperanza de Dios en la experiencia de la vida de Antonio Machado*, en *Cuadernos Hispanoamericanos*, op. cit., 386. Esto explica, por otra parte, que la actitud religiosa de M. sea precisamente la del «buscador de Dios», como han subrayado ya muchos críticos, y que su «Dios del corazón» esté muy próximo, como indica Sánchez-Barbudo con acierto, a la experiencia religiosa fideísta (*op. cit.*, 326).

rior del hombre perdido en sus sueños, la búsqueda de sí
mismo se equipare al diálogo con Dios, al Dios soñado en el
fondo del propio ser y buscado luego por todas partes en
una solicitud sin reposo («quien habla solo espera hablar
a Dios un día»).

Pero esta plática nadie la escucha. Vuelven, pues, el mismo tema y hasta los mismos acentos de la ensoñación paradi-
síaca en un breve poemilla de *Proverbios y Cantares*:

> Ayer soñé que veía
> a Dios y que a Dios hablaba;
> y soñé que Dios me oía...
> Después soñé que soñaba.
>
> (CXXXVI, núm. 21.)

en el que la reduplicación del último verso —un gran acierto
expresivo— («Después soñé que soñaba») equivale a la «¡bendita ilusión!» del poema LIX. Encontramos pues, la misma
tensión entre el sueño de lo divino, irreal por su misma belleza, y la vigilia de una búsqueda imposible. El fruto de esta
tensión sería el «Dios Creador y criatura» de la «Profesión
de fe», que aunque tiene un patente influjo unamuniano, como
ha mostrado Aurora de Albornoz [23], responde, sin duda, a
una singular experiencia personal: sentir la ausencia de
Dios, inspirarse en su sueño, que me recrea, y producirlo
activamente en mi búsqueda; perseguirlo, en fin, en la mar
del mundo, donde espejea, como la tibia llamada de la
utopía en el resplandor indeciso del sueño nocturno:

> Dios no es el mar, está en el mar; riela
> como luna en el agua, o aparece
> como una blanca vela;
> en el mar se despierta o se adormece.

---

[23] Aurora de Albornoz, *op. cit.*, 240.

y a la vez inventarlo en esta persecución afanosa, hacerlo
nacer

....

de la mar cual la nube y la tormenta;
es el Criador y la criatura lo hace;
su aliento es alma, y por el alma alienta.

(CXXXVII, núm. 5.)

¿No está aquí ya toda la futura «trinidad» machadiana?
¿No es ésta la actitud más propia de un hombre que sólo
tiene a Dios en el ansia desesperanzada y en el esfuerzo
humano por hallar su rostro en el mundo? Creo que sí. Por
eso, la época de Baeza no es el comienzo de una búsqueda
religiosa en sentido estricto, como cree Aurora de Albornoz,
sino el agudizamiento de la misma tras la trágica experiencia del sin-sentido del mundo, y a la vez el enfrentamiento
entre su Dios cordial —soñado y buscado— y aquel otro
Dios de vivos y muertos, en quien se atreve a confiar la fe
religiosa.

Con su aguda sensibilidad de siempre, José Luis Aranguren nos advirtió ya, desde hace algún tiempo, sobre esta
«cercanía a Dios», dolorosa y expectante, que siente el poeta tras la muerte de su esposa. «Y es, de toda su vida, entonces, a mi entender, cuando Antonio Machado estuvo más
cerca de Dios. A Miguel de Unamuno le levantaba a la fe el
ansia de inmortalidad. A Antonio Machado, por esos años de
1912 y 1913, la dulce esperanza de recobrar, algún día, a la
amada muerta» [24]. La pasión de Dios y hasta su necesidad se
han hecho más imperiosas ante el sin-sentido de la muerte.
Pero, al mismo tiempo, este destino trágico parece convertirse, aunque oscuramente, en una cifra de un Poder más

---

[24] J. L. Aranguren, *art. cit.*, 389.

Luego, refiriéndose a Cristo,

> Él nos reveló valores universales que no son de naturaleza lógica, los nuevos caminos de corazón a corazón por donde se marcha tan seguro como de un entendimiento a otro y la ver-dadera realidad de las ideas, su contenido cordial, su vitalidad (C., 179).

El impacto de este encuentro será tan decisivo que, años más tarde, resonará todavía en las páginas de Juan de Mairena, hasta el punto de convertirse, al filo casi de la expectación de su muerte, en la experiencia definitiva de Dios. Pero en todo caso, es preciso hacer constar de inmediato, para no ser malentendido, que el alma laica de M. derivó muy pronto hacia una versión secularizada de Cristo, en la que —muy hombre moderno y de la Institución, hasta en este detalle—, el cristianismo evangélico se acabó por disolver en puro humanismo. Cristo sería la expresión suprema de la potencia del hombre, la energía de lo humano exaltándose hasta lo divino. Y por eso también la cifra del destino de lucha y esfuerzo que constituye la vida del hombre («No... a ese Jesús del madero..., sino al que anduvo en el mar») [26]. Con esta reducción humanista de la figura de Cristo, se pierde el hilo más directo para el salto a la Trascendencia religiosa, y torna de nuevo el otro Dios, «sólo del corazón» (Sánchez-Barbudo), sueño y desvelo a un tiempo, y por lo mismo transustanciado en la nostalgia y el anhelo de plenitud del corazón del hombre.

Reaparece así, la actitud religiosa de búsqueda de *Soledades* y C. C., filtrada ahora muy decisivamente por el pen-

---

[26] Discrepo de la interpretación que hace Pedro Laín de este poemilla en el que quiere ver el triunfo del Cristo resucitado, vencedor de la muerte; más bien creo, como apunta Aurora de Albornoz, que el andar sobre el mar debe ser tomado aquí en el sentido humanista y secular de triunfo del hombre (Aurora de Albornoz, *op. cit.*, 261-2).

samiento unamuniano [27]. El tema paradójico del Dios Criador-criatura de la «Profesión de fe», reaparece ahora con una inequívoca impronta unamuniana.

> El Dios que todos llevamos,
> el Dios que todos hacemos,
> el Dios que todos buscamos
> y que nunca encontraremos.
> Tres dioses o tres personas
> del solo Dios verdadero.
>
> (CXXXVII, núm. 6.)

¿Unamunerías barrocas? —como piensa Sánchez-Barbudo—. ¿Glosa a frases repetidas por don Miguel en diversas ocasiones, según Aurora de Albornoz? Puede ser. El eco de don Miguel es demasiado claro para desconocerlo. Tomo el pasaje más definitivo de todos del libro *Del sentimiento trágico de la vida*:

> El poder de crear un Dios a nuestra imagen y semejanza, de personalizar el Universo, no significa otra cosa sino que llevamos a Dios dentro, como sustancia de lo que esperamos, y que Dios nos está de continuo creando a su imagen y semejanza. (*Ensayos*, II, 903).

El texto no puede ser más explícito. Y sin embargo, una diferencia muy sutil, algo muy fino como el agudo filo de una navaja, separa aun en este caso a los dos autores. El clima unamuniano es plenamente místico-voluntarista. Creer en Dios es querer que exista, y querer algo de verdad, hasta el punto de que nos vaya la existencia en ello, es hacer por

---

[27] Hay que decir, aunque sólo sea de pasada, que el propio Unamuno, pedagogo religioso de M., por así decirlo, en la época de Baeza, no ofrecía precisamente por su voluntarismo un asidero muy firme para una fe escatológica, y sí, por el contrario, para la vivencia interiorizada, sentimental y humanista del Dios machadiano.

que sea, crearlo. Pero, justamente este esfuerzo de quererlo y de crearlo, no es más que el reconocimiento del apremio con que Dios mismo nos urge en el fondo del alma. El comentario de Unamuno desarrolla así el sentido de esta creencia.

> Querer que exista Dios y conducirse y sentir como si existiera. Y por este camino de querer su existencia, y obrar conforme a tal deseo, es como creamos a Dios; esto es, como Dios se crea en nosotros, como se nos manifiesta, se abre y se revela a nosotros (*Ensayos*, II, 904).

El texto machadiano es en su concisión mucho más implicado, y hasta de una actitud radicalmente distinta. Frente a la entusiasta afirmación unamuniana del «Dios interior, como sustancia de lo que esperamos», de tan evidente inspiración paulina, el verso machadiano «y que nunca encontraremos» dispara nuestra reflexión por otras sendas. Resulta fácil encontrar en esta trinidad la experiencia religiosa y el sentido de lo divino ya presentes en *Soledades* (G. O. P.). El Dios que llevamos en el fondo del alma no es más que nuestro propio sueño de plenitud, al que en vano buscaremos un lugar de entera realidad en este mundo. Y sin embargo, en la tensión del ensueño y la búsqueda, en el esfuerzo por la realización humanizadora del mundo, es un Dios que hacemos «a nuestra imagen y semejanza», claro está, y no a la suya, como en última instancia parece pensar el Unamuno del texto. La esperanza machadiana es más sobriamente humanista y secularizada que la de don Miguel, que todavía juega, por esta época, con una «reflexión» de Dios en la criatura y de ésta en aquél, de muy fina inspiración mística. Ciertamente M., en su empeño por «unamunizar su pensamiento», según la certera expresión de Aurora de Albornoz, ha expresado su vivencia en fórmula análoga, tal como se aprecia en un breve poemilla enviado a Unamuno:

Por todas partes te busco
sin encontrarte jamás,
y en todas partes te encuentro,
sólo por irte a buscar.

(OPP, 821.)

Pero pese al aire de familia, el sentido de la búsqueda y del encuentro parece distinto, si como me atrevo a opinar, M. no se refiere aquí a Dios como fondo ontológico del propio ser, sino tan sólo como desfondamiento del hombre, como hueco o abertura a la totalidad de su proyecto. Por otra parte, el cierre del poema agrega una nota muy peculiar. La verdad de Dios está en la trinidad de estos tres aspectos. Si los separamos se destruye y pervierte la experiencia de lo divino, ya sea en el dogmatismo visionario, ya en la pasión inútil de una búsqueda desorientada o en el frenesí de un esfuerzo que no sabe, a fin de cuentas, para qué trabaja. El «Dios en el corazón» de M. es, pues, tan «sólo un Dios del corazón» como advierte con finura Sánchez-Barbudo [28], y buscar en Machado algo así como un arraigo ontológico en Él, al modo del «intimior intimo» agustiniano, sería desquiciar las cosas.

Pedro Laín, uno de los más finos catadores e intérpretes de nuestra cultura, advirtió hace ya algún tiempo, en estos textos machadianos, no sólo la huella de Unamuno —bien patente—, sino incluso una reminiscencia de Scheler, del que por otra parte, fue también Machado un lector fervoroso.

Dios como realidad ínsita en el hombre y como creación inmanente del espíritu humano que le busca, tiene tal vez una raíz en el pensamiento de Unamuno, y coincide extrañamente con la concepción scheleriana de la divinidad [29].

[28] Sánchez-Barbudo, *op. cit.*, 326.
[29] Pedro Laín, *La Generación del 98*, Madrid, Espasa-Calpe, 1956, pág. 67, y *La espera y la esperanza*, *op. cit.*, 435. Sánchez-Barbudo se

La relación con Scheler es muy sugestiva, porque, a fin de cuentas, viene a colocar este *fondo del ser* en la misma realidad del mundo, como hará más tarde la teología panteísta y temporalista de Abel Martín.

> El ser existente por sí —escribe Scheler— sólo es un ser digno de llamarse «existencia divina», en la medida en que el curso impulsivo de la historia del universo realiza la eterna deidad en el hombre y mediante el hombre [30].

La compenetración del impulso y el espíritu —los dos elementos que componen el universo—, sólo es posible mediante la obra humana, que se constituye así en el movimiento de unificación y totalización, de la realidad.

Se ha pasado así de la «reflexión» de Dios en la criatura y de esta en Dios, propia de una teoría de la participación, a un tipo de mediación *sui generis* entre el ser originario y el trabajo del hombre. En alguna medida se está en Dios, puesto que el hombre presenta los dos elementos: el impulso omnipotente del ser originario y el espíritu o la deidad. En otro respecto se busca a Dios, como una síntesis del proceso cósmico; y en verdad se hace a Dios, o se hace Dios en el hombre, en tanto que se lleva a cabo la realidad de este proceso.

> Es la vieja idea de Spinoza, de Hegel y de otros muchos: el ser primordial adquiere conciencia de sí mismo en el hombre, en el mismo acto en que el hombre se contempla fundado en Él. Sólo hemos de reformar en parte esta idea defendida hasta ahora de un modo excesivamente intelectualista; este saberse fundado es sólo una consecuencia de la activa decisión tomada

---

mueve en esta misma dirección, aunque no la explora suficientemente (*op. cit.*, págs. 336, 338 y 340).

[30] Max Scheler, *El puesto del hombre en el cosmos*, Buenos Aires, Losada, 1968, pág. 87.

por el centro de nuestro ser de laborar en pro de la exigencia ideal de la «deitas», es una consecuencia del intento de llevarla a cabo, y, al llevarla a cabo, de contribuir a engendrar el «Dios», que se está haciendo desde el primer principio de las cosas y es la compenetración creciente del impulso con el espíritu [31].

Como se advierte fácilmente hay aquí una formulación análoga a la trinidad machadiana.

¿No sería acaso éste también el sentido de la posición unamuniana, incluso con los mismos antecedentes de Spinoza y Hegel? No es seguro afirmarlo. Pese al parecido de las fórmulas, la actitud de Unamuno parece ser una interpretación muy personal de la participación metafísico-religiosa. De hecho, Unamuno oscila entre la afirmación voluntarista de un Dios trascendente, como garante de nuestra inmortalidad, y la negación escéptica. No hay en él ni verdadera dialéctica ni tampoco, claro está, un verdadero panteísmo, pues las expresiones de más fuerte sabor no dejan de tener un sentido místico y por consiguiente metafórico; Scheler, en cambio, al menos el Scheler de *El puesto del hombre en el cosmos*, ha arbitrado una solución inmanentista y hasta, en alguna medida, dialéctica.

El parecido Machado-Scheler es en este punto innegable. Se puede afirmar que el breve poemilla machadiano anticipó un planteamiento que más tarde encontraría en Scheler una de sus direcciones capitales de desarrollo. La otra, la machadiana, tendría su formulación en la teoría de Abel Martín. Porque, si bien se repara, la teología martiniana no es más que una construcción imaginativo-metafísica, inspirada en el racionalismo armónico de Krause, que conocería M. a través de la Institución, para dar trama a su intuición poética de lo

---

[31] Max Scheler, *op. cit.*, 113.

divino. Se trata, en efecto, de una teología panteísta, en que Dios se identifica con el mundo, como totalidad, y a la vez, temporalista, en la medida en que lo divino se realiza en el proceso cósmico, mediante la obra del hombre, al modo de una conciencia absoluta.

Como es bien sabido, la oposición de M. al creacionismo es tajante y fundada en argumentos de rancio abolengo filosófico. Al aceptar el punto de vista de lo absoluto, que es el propio de lo divino, se borra toda diferencia entre Dios y el mundo. Esta es la premisa básica de la teología de Martín: «Dios es definido como el ser absoluto y, por ende, nada que *sea* puede ser su obra» (A. M., 33). El punto de vista judaico le merece a Martín unos calificativos muy duros: «sacrilegio y absurdo» lo llama, sugiriendo sin duda el rebajamiento que se produce, al pensar contradictoriamente un absoluto relativizado por su escisión o enfrentamiento al mundo. No cabe, en efecto, ni que algo subsista fuera de la totalidad del ser ni que el ser se ponga fuera, escindiéndose en sí mismo. Dios y el mundo se identifican, o como precisa más tarde Mairena,

> Dios no crea el mundo sino que el mundo es un aspecto de la divinidad, de ningún modo una creación divina. Siendo el mundo real y la realidad única y divina, hablar de una creación del mundo equivaldría a suponer que Dios se creaba a sí mismo (A. M., 50 y III, 113).

Establecido, pues, este panteísmo de base, el pensamiento poético de Martín no puede admitir una congelación del universo ni decretar una devaluación de las apariencias al modo parmenídico. El problema a explicar, como ya sabemos, no es el del ser, sino el del no-ser y en este caso el de la posibilidad de un proceso temporal intramundano; en el fondo, se trata del viejo problema del surgimiento de una «diferencia inmanente» al mismo absoluto, a que alude simbólicamente M. con la metáfora del gran cero.

La nada, en cambio, es en cierto modo una creación divina, un milagro del ser obrado por éste para pensarse en su totalidad. Dicho de otro modo: Dios regala al hombre el gran cero, la nada o cero integral, es decir, el cero integrado por todas las negaciones de cuanto es. Así, posee la mente humana un concepto de totalidad, la suma de cuanto no es, que sirve lógicamente de límite y frontera a la totalidad de cuanto es (A. M., 33).

Pero en todo caso es preciso suponer que en el fondo del ser ha surgido la conciencia humana como un «poder de negatividad», necesario para que el ser pueda ser pensado en su totalidad (pensamiento homogéneo) y a la vez experimentado en su integridad y heterogeneidad, mediante el pensamiento poético. El surgimiento mítico de la nada, como creación del ser, señala la aparición del hombre: intervalo interno o hiato en la realidad; «agujero» —dirá más tarde Sartre—; «guiño» del ser o ensombrecimiento del gran ojo, según la metáfora al «burlaveras» de Antonio Machado. Se diría que el humor sirve aquí al propósito de envelar el propio atrevimiento. No es preciso volver sobre este punto de la «nada», tratado ya ampliamente; sólo cabe añadir que con este paradójico tema de la «nada como creación divina» se da cuenta no sólo del hombre, en la doble modalidad de su pensamiento (el abstracto y el poético), sino, mediante éste, del mismo proceso mundano de la conciencia universal. La nada puede aparecer así como un símbolo de la divinidad, *in fieri*, como un acontecimiento temporal de conciencia, que no cierra su propia obra hasta delimitar completamente el ser de lo que no-es (negación extrínseca) y restituir por otra parte todas sus apariencias o manifestaciones a la intimidad de la conciencia (anulación de la negación intrínseca).

Este momento de consumación del universo, tan afín y tan distinto a la vez a la «anakefaleiosis» de Unamuno, aparece en M. como éxtasis de plenitud, mediante el nuevo símbolo martiniano del «gran pleno».

Es un mundo intacto en su verdad, consumado en su sentido, traslúcido, sin espejos ni mediaciones, en pleno esplendor de conciencia.

> Y la lógica divina,
> que imagina,
> pero nunca imagen miente
> —no hay espejo; todo es fuente—,
> diga, sea
> cuanto es, y que se vea
> cuanto ve. Quieto y activo
> —mar y pez y anzuelo vivo,
> todo el mar en cada gota,
> todo el pez en cada huevo,
> todo nuevo—,
> lance unánime su nota.
>
> (CLXVII.)

La metafísica martiniana de la sustancia heterogénea quieta y móvil a la vez, encuentra aquí su expresión lírica y conceptual más adecuada. Como en los mejores poemas de Parménides o de Heráclito, el concepto canta o el cántico concibe, como se quiera, pues en definitiva, poesía y metafísica se funden en un mismo trance.

> Es el mundo visto —imaginado— desde un punto de vista que no es el propio del hombre —comenta Sánchez-Barbudo—. No es el mundo tal como realmente se ve, desde la conciencia angustiada ante el pasar de las cosas y ante su propio e irremediable caminar hacia la muerte... sino como se vería desde fuera de uno mismo, impersonalmente, intemporalmente; esto es, como *lo vería Dios, a plena luz* [32].

---

[32] Sánchez-Barbudo, *op. cit.*, 382.

La observación de Sánchez-Barbudo, muy fina, es tan sólo una verdad a medias. Porque si éste no es, ciertamente, el punto real del hombre (o de la conciencia individual), tampoco puede decirse que sea foráneo o exterior. Es más bien un mundo visto desde dentro, desde la raíz misma de la conciencia, como una pulsación incesante de vida. Los contrarios se han resuelto en una síntesis perfecta, y con ello el tiempo y el mundo quedan consumados en el instante de totalización de su transcurso:

> Tiene amor rosa y ortiga,
> y la amapola y la espiga
> le brotan del mismo grano.

Pero esta quietud no es muerte, sino una vida renovada. El tiempo ha sido sin duda anulado, pero no orillado, consumado mejor en el instante de la totalización de su transcurso. Se diría que se abre aquí una nueva dimensión de la temporalidad (quizá afín a la intrahistoria unamuniana, pero con un sentido panteísta y secular, más que místico-escatológico). Frente a la fe nihilista de un tiempo que se consume en la nada, esta otra, afirmativa y creadora, por la que parece desembocar en la eternidad de un latido de conciencia:

> Armonía;
> todo canta en pleno día.
> Borra las formas del cero,
> torna a ver,
> brotando de su venero,
> las vivas aguas del ser.
>
> (CLXVII.)

¿Pura fantasía lúdica? Creo que no. Más bien fantasía utópica, que de algún modo alarga el trabajo de la conciencia en una visión de paraíso. Es ensoñación apocalíptica del sentido o de la conciencia integral, el nuevo rostro de Dios, que ya se presagiaba en *Soledades*, como «un símbolo de la verdad»[33]. Enfrente, por supuesto, M. hará valer la otra apocalíptica del sin-sentido o de la nada, dos creencias opuestas del corazón, tomado así por una radical incertidumbre.

Sea de ello lo que fuere, lo que queda, en última instancia, entre los dos grandes rostros de lo divino —el gran cero y el gran pleno— no es más que la creación del sentido por el hombre, en el tiempo y como ser-en-el-mundo. Una creación que necesita vivir del ensueño de lo divino, en el fondo del alma, y de su búsqueda desesperada como una doble condición para producirlo. De nuevo reencontramos la intuición esencial de la trinidad divina. Además del Dios que se sueña y el que se busca, está el Dios que se hace y que nos hace, y éste —el rostro más inmediato y próximo de Dios—, coincide enteramente para M., con la epopeya histórica del hombre.

¿Llegó M. más lejos? ¿Trascendió, de algún modo, el panteísmo y temporalismo de su teología? Parece que no, al menos de una forma inequívoca y resuelta. Hay apuntes en el pensamiento tardío de Mairena que podrían señalar en otra dirección. Son acentos inequívocamente cristianos, en los que la fe poética en el otro parece sugerir un fundamento más firme que la mera sustancia heterogénea. Un Dios de nuevo en el corazón y en la raíz, pero ahora, muy explícitamente, revelado como vínculo de comunidad. «Dios aparece como objeto de comunión cordial que hace posible la fraterna comunidad humana» (J. M., I, cap. XXXIII, 152). Como ya anticipamos, se trata del último esfuerzo de Machado por acceder plenamente a la realidad, conjugando una fe racional (nada intelectualista) con la fe lírica y cordial, de raíz cristiana, en la que habitó siempre. En este nuevo clima,

---

[33] Hutmann, *op. cit.*, 46.

no es extraño que el tema de Dios parezca adoptar una nueva fisonomía. De nuevo aparece la recusación del frío Dios aristotélico, y frente a él, como un polo de referencia ideal y como descentración absoluta de la vida, el nuevo rostro de Dios, como «*alteridad trascendente* a que todos miramos». No está, sin embargo, fuera, en una referencia metafísica-abstracta, sino dentro, en la propia raíz, como el suscitador de un diálogo con el hombre. Las expresiones de M. no pueden ser más propias ni más fecundas.

> Dios revelado, o desvelado, en el corazón del hombre es una otredad muy otra, una otredad inmanente, algo terrible, como el ver demasiado cerca la cara de Dios. Porque es allí, en el corazón del hombre donde se toca y se padece otra otredad divina, donde Dios se revela al descubrirse, simplemente al mirarnos, como un *tú de todos*, objeto de comunión amorosa, que de ningún modo puede ser un alter ego —la superfluidad no es pensable como atributo divino—, sino un Tú que es Él (J. M., I, cap. XXXIII, 153).

Difícilmente se acertaría con una expresión más justa, más viva y lúcida, de la vivencia cristiana de Dios, más allá de toda metafísica, la aristotélica o la martiniana, porque también aquí M. fue víctima de su propia fantasía especulativa. Y, sin embargo... Su decidida interpretación secularista del cristianismo, en la que se movió siempre, la falta de una explícita esperanza escatológica, y en suma la fe nihilista, tan acusada en el sin-sentido final del mundo, hacen presumir que M. no llegó nunca a alcanzar una posición espiritual diferente a la del mero humanismo.

VIII

LA ERÓTICA

Y te enviaré mi canción:
«Se canta lo que se pierde»,
con un papagayo verde,
que la diga en tu balcón.

(CLXXIV, núm. 6.)

LA EXPERIENCIA DEL AMOR FRUSTRADO

Con ser Machado un poeta enterizo, pocos aspectos de su poesía muestran tan inequívocamente como éste la íntima compenetración de la vida y la obra: No hay nada en ésta que no sea trasunto de una experiencia vivida ni aquélla puede entenderse de otro modo que como una inminente realidad poemática. De ahí que resulte tan poco convincente, a la hora de analizar la erótica machadiana, el método practicado por Zubiría de partir de la metafísica del amor, en la obra en prosa, para «rastrear» su proyección en la poesía, con el fin de evitar —dice— «toda clase de riesgos y desviaciones de interpretación» [1]. ¡Qué medida tan ex-

---

[1] Ramón de Zubiría, *La poesía de Antonio Machado*, Madrid, Gredos, 1969, pág. 104.

traña e injusta para entender a un poeta! Porque, aunque es verdad que no existe discrepancia, como ya se ha hecho notar repetidas veces, entre el filósofo y el poeta, el pensamiento filosófico al conceptualizar o en el simple trabajo de reflexión, reduce unívocamente y empobrece desde el punto de vista sentimental, el sentido de una poesía, que no fue más que la transcripción, o mejor, ensoñación lírica de la propia vida amorosa del poeta. Nuestro camino ha de ser el contrario: iluminar la poesía desde la vida, porque, a fin de cuentas, este es el poema por excelencia, e ir a buscar la clave de la erótica martiniana en el sentimiento lírico fundamental de nostalgia y ausencia, que habitó siempre al «pobre hombre en sueños» que fue Antonio Machado.

Basta una simple inspección a su vida y su obra, para que se imponga una evidencia: el fracaso del amor, pero a la vez, las finuras de un amor nostálgico siempre, desesperado a veces, a vueltas con sus recuerdos y esperanzas, a la búsqueda de un paraíso imposible: «el mutuo jardín que inventan / dos corazones al par». Me atrevería a decir que en ningún otro aspecto de su obra ha sido tan radical y decisiva la vivencia de tiempo. El amor fue para él una experiencia que nunca llegó a tiempo («amor intempestivo» —dirá el poeta refiriéndose a Guiomar—) o que se deshizo antes de tiempo, casi en flor, como la vida de la esposa-niña, dejando el alma perdida en una soledad irremediable. Su vida amorosa, su misma experiencia de la amistad, estuvo siempre cercada por la muerte, poblada de ausencias fatales, como si un extraño destino le hubiera negado al poeta el goce de «la presencia y la figura». Primero será la pérdida del amigo, en el ardor de la juventud y el verano, cuya muerte ha dejado por siempre resonando en su memoria los golpes tétricos y graves del ataúd en tierra, que luego repiten, como un eco, todos los ritmos temporales. (¿Hay también una amada muerta en *Soledades*, o es tan sólo la muerte-amada, la que espera su corazón? XII). Más tarde, a la hora del mediodía del amor, cuando era más clara y honda su presencia, la muerte de Leonor, que ha de dejar el alma de M. deshabitada, desfondada para siempre. Sus biógrafos nos han contado con toda suerte de detalles la solicitud fervorosa del esposo maduro, ocupándose de su «niña», a brazo partido con la muerte, hasta que una noche de verano se le coló en su alcoba, de puntillas, para robársela (CXXIII)... Luego, el posible desengaño en Baeza, cuando todavía encerraba un «león en el pecho» (CLV, núm. 1); y ya en el invierno de la vida, «el último sol» del amor a Guiomar, con un resplandor súbito y aborrascado de crepúsculo, antes de la llegada de la sombra. «Amargura por no haberte querido siempre» —le escribirá el poeta a su «diosa»—; y más amargura todavía por el final irremediable de aquel amor, cercado también, como todos los suyos, por la muerte:

> La guerra dio al amor el tajo fuerte.
> Y es la total angustia de la muerte,
> con la sombra infecunda de la llama
> y la soñada miel de amor tardío,
> y la flor imposible de la rama
> que ha sentido del hacha el corte frío.
>
> («Dos sonetos a Guiomar», núm. 2.)

Sí, se trata de una historia de amor hecha alma, «en distancia y ausencia», en que la palabra construye una «presencia» lírica de memoria y esperanza para lo ya perdido y para lo nunca encontrado. De ahí que el alma ensueña y recrea su experiencia amorosa, vuelve sobre ella solícitamente, como las abejas para la miel del ensimismamiento, revuelve su historia en la emoción de cada instante y la alarga en el mundo del sueño, invocando, más allá del tiempo y del espacio, una presencia absoluta.

¿Cuál fue básicamente la actitud amorosa de Machado? A guisa de introducción, cabría caracterizarla sumariamente con los siguientes rasgos: 1) amor soñado: «galán de amor soñado, amor fingido», como el poeta dice de sí mismo (CLXIV, núm. 3), pendiente de una «cita imaginaria» (CLXXXIII) y absorto en un diálogo imposible con la amada que no es más que el eco de su soliloquio interior. Podría pensarse que M. no hace más que continuar dentro de la tradición romántica del amor imposible, cargado de sueños y visiones erráticas, y consumiéndose como una llama en su propia vivencia. Es preciso indicar, en este sentido, el profundo parentesco con Bécquer:

> Vosotros, los que esperáis con ansia la hora de una cita; los que contáis impacientes los golpes del reloj lejano, sin ver llegar a la mujer amada; ... vosotros que habéis sentido las angustias, las esperanzas y las decepciones de esas crisis nerviosas, cuyas horas no pueden contarse como parte de la vida; vosotros sólo comprendéis la febril excitación en que vivo yo, que he pasado los días más hermosos de mi existencia aguardando a una mujer que no llega nunca... ¿Dónde me ha dado esa cita misteriosa? No lo sé. Acaso en el cielo, en otra vida anterior a la que sólo me liga este confuso recuerdo [2].

Antonio Machado sabía muy bien el lugar y la hora de esa cita, y lo que podría parecer en todo caso pura «pose» romántica se convirtió para él, muy a pesar suyo, en un destino personal. La transformación ético-existencial de actitudes romántico-modernistas, que hemos visto en otros momentos de su obra, vuelve también aquí a autentificar su verso. La amada imposible se ha trocado en experiencia real. Lo que echa de menos el poeta y lo que

[2] Gustavo Adolfo Bécquer, «Pensamientos», en *Obras Completas*. Madrid, Aguilar, 1969, pág. 647.

busca apasionadamente, recreando su memoria en la mina
del alma, no es una «mujer misteriosa», vagando de acá para
allá, como una quimera o un fantasma risueño, a la luz de
la luna. No. Es una mujer real, que el destino natural o social, según los casos (Leonor y Guiomar, respectivamente)
ha vuelto imposible. Por eso su conclusión es tan distinta a
la de Bécquer.

> No quiero nada...; es decir, sí quiero: quiero que me de-
> jéis solo... —le hace decir Bécquer a Manrique en su leyen-
> da—..., Cantigas..., mujeres..., glorias..., felicidad..., mentira
> todo, fantasmas vanos que formamos en nuestra imaginación y
> vestimos a nuestro antojo, y los amamos y corremos tras ellos,
> ¿para qué?, ¿para qué? Para encontrar un rayo de luna [3].

Machado, por el contrario, no persigue a una sombra, sino
una memoria estremecida, que pugna por abrirse en esperanza («Late, corazón... No todo / se lo ha tragado la tierra».
CXX). Y aún cuando falla ésta, no le «podrán quitar el dolorido sentir», como dijera Garcilaso, porque también

> esta amargura que me ahoga fluye
> en esperanza de Ella.
>
> (CXXIV.)

La ensoñación misma pierde su aire fantasmagórico becqueriano, todavía presente en *Soledades,* para hacerse una
«creación apasionada» y vidente, que desnuda la propia historia en su última verdad. Y nada hay que se pierda del todo,
si el cántico lo transfigura.

2) Se trata, en segundo lugar, de un amor trágico, engar-
zado con la muerte, de un modo indiscernible. Amar es como
morir, dejar de ser, caer hacia afuera de sí mismo sin saber
cómo recuperarse; y morir como amar, un encuentro con el

---

[3] G. A. Bécquer, *O. C.,* op. cit., 172. Cfr. Rimas XI y XV.

misterio y una avidez profunda por ver su rostro. El tiempo funde ambas impresiones en un mismo sabor de ceniza. Y confunde imágenes y sentimientos en su mágico caleidoscopio, hasta el punto de que a veces no es posible discernir, como en el poema XII, la amada muerta de la muerte que se torna amada, quizá como consuelo del tiempo, como opina Fernández Alonso[4], o quizá mejor por ser la muerte la expresión suprema del abandono y el encuentro con el misterio. En el poema «El amor y la sierra» dice:

> ¿Y vio el rostro de Dios? Vio el de su amada.
> Gritó: ¡Morir en esta sierra fría!
>
> (CLXIV.)

En todo caso es un amor que ha pasado por la prueba de la soledad de la muerte; que sólo se siente en íntima pulsación con ella, en un combate de ausencias reales y presencias soñadas, que le confiere a la vida toda su significación.

> Nadar sabe mi llama la agua fría,
> y perder el respeto a ley severa.

se había atrevido a escribir Quevedo. La ensoñación machadiana no llega a tanto, pero queda al menos, como un testimonio, humanista y apasionado del enfrentamiento del hombre con un destino misterioso.

3) Por último, como un amor escindido entre la idealidad de una presencia, hecha pura alma, y la naturalización del amor aventura. Rosales ha hecho notar muy agudamente esta tensión. «El tránsito desde el amor a los amores, o si se quiere, desde el amor espiritual al natural, está descrito —escribe en su magistral comentario a los «Recuer-

---

[4] María del Rosario Fernández Alonso, *Una visión de la muerte en la lírica española*, Madrid, Gredos, 1971, pág. 242.

dos de sueño, fiebre y duermivela»— con una propiedad y una dureza de tono difícilmente superable. No hace el poeta ninguna concesión sentimental. La brusquedad con que pasa desde un clima espiritual al clima opuesto, es verdaderamente inconcebible. *Quiere doler.* Se le advierte en la voz una cierta premura de suicidio; se le nota que quiere acabar de una vez. Quizás no tiene la literatura moderna página alguna en donde la tensión de la angustia sea tan alta, donde la hombría, la facultad de apoderarse de sí mismo, tenga expresión tan neta y dolorosa» [5]. Por lo mismo, es un amor desengañado de sí mismo, de su propia firmeza («¿Empañé tu memoria? Cuántas veces») y en última instancia desesperado, o en trance de desesperación, por la conciencia inevitable de frustración, que lo acompaña siempre. El amor soñado, de «brasa pensada y no encendida» —como dirá M.—, deja siempre como cosecha un montón de cenizas. En dos rotundos tercetos, nos ha confiado el poeta esta impresión fría y desoladora de alma deshabitada:

> Y ceniza hallará, no de su llama,
> cuando descubra el torpe desvarío
> que pendía, sin flor, fruto en la rama.
>
> (CLXV, núm. 5.)

Aunque con todo, es verdad que frente a esta tentación permanente de nihilismo («¡Oh claro, claro, claro! / Amor siempre se hiela!») la ensoñación del alma se aplica, una y otra vez, a la recreación de su actitud originaria:

> Pero aunque fluya hacia la mar ignota,
> es la vida también agua de fuente
> que de claro venero, gota a gota,
> o ruidoso penacho de torrente,

---

[5] Luis Rosales, *art. cit.*, 472.

bajo el azul, sobre la piedra brota.
Y allí suena tu nombre ¡eternamente!
(CLXV, núm. 3.)

EL EROTISMO MACHADIANO

Conviene advertir, para evitar equívocos, que erotismo se toma aquí *lato sensu*, como una proyección imaginativa de la pasión amorosa sobre el mundo, interpretado y asimilado en cuanto elemento de la propia vivencia. Quizá en el mismo sentido (o análogo) habría que entender la confesión machadiana de ser Abel Martín hombre «en extremo erótico» y «mujeriego», es decir, preocupado y hasta obsesionado por el fenómeno amoroso y por su constitutiva paradoja de alteridad e identificación; «hombre, en suma —agrega Machado—, a quien la mujer inquieta y desazona por presencia o ausencia» (A. M., 12-13). En esta experiencia paradójica de atracción e inquietud ante lo eterno femenino, como ante la doble faz de un misterio; de obsesión por un tiempo de amor, nunca logrado, y de recreación imaginativa del mismo en el mundo del ensueño, hay que ver la peculiaridad de su erotismo. Como toda su vida, como su lírica, éste responde a la actitud básica de nostalgia de un paraíso de amor perdido, que sólo se deja adivinar, reconstruir «imaginariamente» (en el doble valor equívoco de creación-ficción) por el sueño de los amantes. Es, pues, un erotismo amargo, desilusionado por lo que se ha perdido, y, a la vez, apasionado por cuanto queda todavía a merced del alma; ensimismado como un sueño y sin embargo, tenso de alteridad y grávido de fantasía.

Las afirmaciones precedentes aunque válidas en general para toda la obra de M., especifican muy particularmente el clima amoroso de *Soledades*. Aunque el tema no está en pri-

mer plano, se deja sentir como trasfondo y penetra la obra
con la dialéctica básica de ausencias y presencias, a la que
ya hemos aludido. Un encuadre muy significativo de la misma se encuentra en el poema «El poeta recuerda a una mujer
desde un puente del Guadalquivir», expurgado más tarde de
Soledades por resultar quizá demasiado explícito. La rami-
ta de almendro abandonada a la corriente es todo un
símbolo de la huida de la experiencia amorosa, de la fugacidad del tiempo del amor, dejando tan sólo el presente de
unas lágrimas, que se lleva también hacia la mar la corriente
fugitiva.

> Quiero verla caer, seguir, perderse
> sobre tus ondas limpias.
> Y he de llorar... Mi corazón contigo
> flotará en tus rizadas lejanías.
>
> (OPP, 30.)

En otro breve apunte, en que la reflexión cavilosa gana la
mano al sentimiento, surge muy clara esta conciencia de
frustración, como la nota lúgubre del bordón de la guitarra,
al apagarse la música.

> Y en toda el alma hay una sola fiesta,
> tú lo sabrás, Amor, sombra florida,
> sueño de aroma, y luego... nada; andrajos,
> rencor, filosofía.
>
> (OPP, 31.)

La experiencia erótica de *Soledades* es pues la de un
alma abandonada por el amor, y sin embargo, acaso precisamente por ello, más finamente enamorada y obsesionada
que nunca. Este sentimiento básico de soledad y ausencia
deja su huella estilística en la caracterización de la vivencia
amorosa, «mirra amarga» («Crepúsculo», OPP, 38), «sombra
de amor» (LXXX), «espina de una pasión» (XI), asociadas
siempre al adverbio «lejos» y a la llegada definitiva de las

sombras, como si el amor y la muerte estuvieran enlazados en un dúo constante. Y con todo, siempre la misma queja nostálgica en la tensión del recuerdo-ensueño por volver a vivir («Mi cantar vuelve a plañir: / 'Aguda espina dorada, / quién te pudiera sentir / en el corazón clavada'»).

Darmangeat advierte que «en M. toma el amor un aspecto fantomático» y nos recuerda un par de versos, finales, del poema XXX:

> a la revuelta de una calle en sombra
> un fantasma irrisorio besa un nardo.
>
> (XXX.)

La apreciación es muy justa. La ensoñación amorosa de *Soledades* tiene algo de espectral e irreal a un tiempo. O bien alcanza, excepcionalmente, el aspecto brillante y fantasmagórico de una alucinación («La calle copiaba, con sombra en el muro, / el paso fantasma y el sueño maduro», LII) o, por el contrario —y éste es el tono predominante—, se trata de quimeras rosadas, dulces y apacibles, de ilusiones tibias y viejos dolores, que el alma guarda en un jardín sellado, tras una verja de hierro (VI). En definitiva es siempre un amor ausente, sentido a veces angustiosamente, como una mala pesadilla (LXXVII), o bien lleno de visiones súbitas de gozo («¡el prado verde, el sol, el agua, el iris!... / ¡el agua en tus cabellos!»), que estallan como pompas de jabón (LXII). Un amor recordado o soñado (para el caso es lo mismo), revivido, en sombra y en imagen, en el «hondo cielo» del alma (LXXVIII).

«Erotismo sin mucha alegría» —agrega Darmangeat—. Me parece más precisa la calificación de Hutmann de «erotismo amargo», larvado y fúnebre según Aguirre[6], exasperado

---

6 J. M. Aguirre, *Antonio Machado, poeta simbolista*, Madrid, Taurus, 1973, pág. 289.

por la consunción del tiempo del amor, que deja por todas partes vestigios de muerte —«cauce seco», «negro crespón del campo», «fuente helada»— (XXXIII). Las «fiestas de amores», tras de su decepción, nos hacen sentir el halago tentador de la tierra, como una callada invitación a la muerte (XXVIII), y hasta los besos más ardientes dejan en los labios un sabor de ceniza (XL). Este último poema (XL), es a mi juicio el más expresivo del clima erótico de *Soledades*, porque incluso la misma presencia del amor —su posesión y disfrute— es vivenciada en él como una borrachera de muerte. Con una minuciosa técnica de contrapunto en torno a la doble actitud del poeta hacia dos hermanas —una mujer y otra niña—, el poema desarrolla un sistema de oposiciones, por medio del cual se analiza la vivencia amorosa en contraste con la inocencia de la vida. Arranca de un contrapunto, de naturaleza sensible, entre las dos hermanas, en pares de adjetivaciones bien precisas, (moreno/rubio; maduro/grácil; tórrido/fresco, etc.), en los que ya se anuncia una tensión casi de naturaleza moral:

> Tus ojos me recuerdan
> las noches de verano,
> negras noches sin luna,
> orilla al mar salado...
> Tu hermana es un lucero
> en el azul lejano.

Entra así en escena la segunda oposición del «amor-muerte», pasional y sensible, frente al «amor-vida» e inocencia, que irradia la hermana-niña.

> De tu morena gracia,
> de tu soñar gitano,
> de tu mirar de sombra
> quiero llenar mi vaso.

> Me embriagaré una noche
> de cielo negro y bajo,
> para cantar contigo
> orilla al mar salado,
> una canción que deje
> cenizas en los labios...
> De tu mirar de sombra
> quiero llenar mi vaso.
> Para tu linda hermana
> arrancaré los ramos
> de florecillas nuevas
> a los almendros blancos
> (...)
> Para tu linda hermana
> yo haré un ramito blanco.
>
>   (XL) [7].

La reiteración machadiana en sus motivos poéticos fundamentales abre el poema a nuevas referencias significativas.
Este «vaso de sombra», con lágrimas de amor y muerte, es
también, como ya sabemos, el vaso de la vida con sus aguas
de sueño, que el hombre ha de beber hasta el último trago;
lo mismo que la «linda hermana» es casi una adivinación y
como presentimiento de la futura esposa-niña, un anuncio
de las «madrecitas en flor», a las que M. vincula las promesas
del renacimiento de la vida en la pascua de primavera (CXII).
Esta es una oposición típica en el pensamiento de Machado.
Frente a la vida que nace, en el amor puro de la madre, la

---

[7] La interpretación que hace J. M. Aguirre de este poema, muy
sugestiva por cierto, supone que las dos hermanas ejemplifican no
sólo dos tipos de amor, sino dos caras de la *muerte*, en la siguiente
correlación: «*Morena*, noche-pasión-verano-muerte, temidas y desea-
das; *rubia*-alba-premonición erótica-primavera temprana-*muerte*, ama-
bles y apetecibles» (*op. cit.*, 298). Creo, sin embargo, que el contrapunto se ciñe expresamente al amor pasional, a diferencia del amor
a la virgen niña, casi una prefiguración de la futura esposa.

vida que transcurre, con aguas claras o cenagosas, según los casos, en el juego existencial de ausencia-presencia, tal como la expresa la experiencia erótica, y siempre con el mar, misterio y muerte, en su trasfondo. Sí. No nos hemos equivocado. Se trata de un erotismo habitado por la muerte, bajo su sombra, sentida como la tentación de los abismos en su equívoca llamada de plenitud y destrucción. El amor y la muerte se funden en los trémolos sombríos de la guitarra (XIV), o bien en la alada figura de un «Amor de piedra» sobre la taza de mármol (XXXII). El amor perdido, irrecuperable, se convierte así en el signo fundamental de la silenciosa llegada de la muerte, que todo lo consume; y ésta a su vez adopta el aire equívoco de una amada, que nunca se entrega del todo; destruye celosamente el tiempo del amor, para hacerse esperar en la hora de la última cita. No es extraño, pues, que el poema más erótico de *Soledades*, y posiblemente el más bello, y hasta el más metafísico, consagre esta fusión del amor y la muerte:

> Arde en tus ojos un misterio, virgen
> esquiva y compañera.
> No sé si es odio o es amor la lumbre
> inagotable de tu aljaba negra.
> **Conmigo irás mientras proyecte sombra**
> mi cuerpo y quede a mi sandalia arena.
> —¿Eres la sed o el agua en mi camino?
> Dime, virgen esquiva y compañera.
>
> (XXIX.)

El mismo dúo retorna con nueva luz (la muerte de la amada), en el ciclo breve e intenso de poesía amorosa dedicado a la memoria de Leonor (CXV-CXXVI), y que constituye una de las más altas cumbres de la lírica universal. Y de nuevo la misma actitud ante el amor, de «ausencia y de distancia», la misma apasionada ensoñación de lo ya per-

dido, la misma emoción melancólica, que ahora, de tarde
en tarde, se encrespa como un grito de rebelión («Señor, ya
me arrancaste lo que yo más quería», CXIX), o se adelgaza
como un quejido incontenible («Caminos de los campos... /
¡Ay, ya no puedo caminar con ella!», CXVIII).

Luis Felipe Vivanco ha analizado con gran finura la técnica poética de buena parte de estas composiciones. Son poemas narrativos, a veces incluso descriptivos, porque el alma
se entrega al amoroso recuento de lo inmediato presente,
pero desde la hondura de una emoción contenida, que sólo
aflora al final:

> Con el ciruelo en flor y el campo verde,
> con el glauco vapor de la ribera,
> en torno de las ramas,
> con las primeras zarzas que blanquean,
> con este dulce soplo
> que triunfa de la muerte y de la piedra,
> esta amargura que me ahoga fluye
> en esperanza de Ella...
>
> (CXXIV.)

«Los versos finales —comenta Vivanco— lo transfiguran
dándole una especie de vibración anímica que antes no tenían»[8]. El recuerdo de Leonor se pone siempre de por medio
entre el mundo exterior y el alma tiñéndolo con una luz
melancólica, indecisa, como un paisaje entrevisto por una
pupila llorosa; y la pasión contenida rebosa sin estruendo,
como un vaso de lágrimas; se derrama y materializa en las
cosas con una ternura franciscana que abraza el mundo y lo
funde en su íntima palpitación.

---

[8] Luis Felipe Vivanco, *Comentarios a unos pocos poemas de A.
Machado*, en *Cuadernos Hispanoamericanos*, op. cit., 545; pueden verse también las páginas 518 y 557.

La realidad se encuentra, pues, transfigurada por el ensueño. A veces, incluso, presenta los rasgos de un mundo
ideal, arquetípico, en el que vuelve Leonor de la muerte,
llevando al poeta de la mano hacia la azul lejanía de los
montes —otro símbolo de la intimidad misteriosa— («Soñé
que tú me llevabas / por una blanca vereda», CXXII). Otras,
en cambio, es el paraíso perdido de Soria, un mundo lejano y
sin embargo entrañable e íntimo, que la evocación hace nacer desde el fondo del alma:

> Allá, en las tierras altas,
> por donde traza el Duero
> su curva de ballesta
> en torno a Soria, entre plomizos cerros
> y manchas de raídos encinares,
> mi corazón está vagando en sueños.
>
> (CXXI.)

O bien, el mundo en torno, en su realidad objetiva inmediata, pero transido por la tonalidad sentimental:

> Los caminitos blancos
> se cruzan y se alejan,
> buscando los dispersos caseríos
> del valle y de la sierra.
> Caminos de los campos...
> ¡Ay, ya no puedo caminar con ella!
>
> (CXVIII) [9].

Paisaje hecho alma, lírica de soledades, palabra más
que nunca en el tiempo, empeñada en un doble combate,

---

[9] El tema de la soledad es por estos años obsesivo. Basten, como
botón de muestra, los siguientes pasajes: «Yo contemplo la tarde silenciosa, / a solas con mi sombra y con mi pena» (CXVIII); «Voy
caminando solo, / triste, cansado, pensativo y viejo» (CXXI); «Soledad, / sequedad. / Tan pobre me estoy quedando / que ya ni siquiera estoy / conmigo, ni sé si voy / conmigo a solas viajando» (CXXVII).

contra los poderes del olvido y la muerte, a los que se enfrenta la ensoñación desesperada, y contra la misma infinitud del sentimiento, que desborda todos los moldes expresivos. Vestigios de esta lucha se encuentran en los silencios interiores del poema (pausas, apócopes de sentido, planos implícitos, alusiones, etc.), como si la palabra desfalleciera, incapaz de nombrar lo que se ha perdido y expresar la hondura de la emoción. «Cuando el hablante brega con un instrumento imperfecto —escribe Claudio Guillén— el silencio es síntoma y factor integrante de esta lucha» [10]. Dejar hablar al silencio, hacer expresiva su misma oquedad, experimentar los límites de la palabra, y con todo, no renunciar a ella, aun cuando se adelgace o atenúe como un suspiro o un rezo (CXLI y OPP, 820), pues entonces vibra, queda y misteriosamente, la cuerda más íntima del corazón. La palabra se ahonda y afila, se desgrava de peso material, para ser tan sólo emoción y sollozo. «Es un verso —comenta Vivanco— que no tiene valor formal, o sea material, ninguno, sino solamente espiritual y emotivo» [11]. «Se le quiebra la voz» —dirá Valverde—; se le ahoga entre el cantar y el sollozo; pero así resulta más humana en su desvalimiento, y a la vez, más intensamente lírica por la concentración expresiva que en ella se produce. («Eran tu voz y tu mano / en sueños tan verdaderas».) («Vive, esperanza, quién sabe / lo que se traga la tierra».) («Ay, lo que la muerte ha roto / era un hilo entre los dos».)

Claudio Guillén ha estudiado con detalle, al filo de uno de los poemas más representativos de este ciclo, el dedicado «A José María Palacio» (CXXVI), la estilística machadiana del silencio, a base de «significantes latentes» o implícitos

---

[10] Claudio Guillén, *Estilística del silencio*, en *Antología*, Taurus, 1973, págs. 482 y 486.

[11] L. F. Vivanco, *art. cit.*, 551.

que actúan mediante una doble técnica: «la evocadora, en que se afloja la intuición verbal; y otra, alusiva, en que el poeta crea un mecanismo preciso de ampliación temática» [12]. La primera tiene como misión reducir el espesor espacio-temporal de lo pasado, es decir, «anular ausencias y distancias mediante la palabra», recreando en pinceladas sueltas, a manera de un cuadro impresionista, en interrogaciones menudas y admiraciones tensas, el mundo distante y ausente de la primavera soriana, tan contrastado con la andaluza.

> La estructura sintáctica de toda la primera parte del poema —comenta por su parte Carlos Beceiro— nos advierte, pues, de que la visión del poeta es, fundamentalmente —aparte de esas dos llamadas admirativas al sueño— la de una Soria presentida y adivinada, la Soria *posible* en primavera que el poeta puede intuir a través de su experiencia soriana. Esta Soria posible tiene un carácter virtual, de cosa sugerida o visionada, distante doblemente, por una parte, de la Soria real, la Soria «vista» sobre la que puede testificar Palacio, y, por otra, de la Soria ensoñada por el recuerdo, hallada en el fondo del alma sin confrontación precisa con los términos de la realidad [13].

Y junto a la evocación, la alusividad a un trasfondo implícito de amor y muerte, a una tragedia personal que conoce bien el amigo, supuesto tácito de la conversación, cuya clave significativa se encuentra en la exhortación final a Palacio para que visite la tumba de Leonor.

> Con los primeros lirios
> y las primeras rosas de las huertas,
> en una tarde azul, sube al Espino,
> al alto Espino donde está su tierra...
>
> (CXXVI.)

---

[12] Claudio Guillén, *art. cit.*, 484.
[13] Carlos Beceiro, «El poema 'A José María Palacio'», en *Ínsula*, XII, 1958, núm. 137, pág. 5.

Los materiales de «A J. M. Palacio» son dramáticos: situación y diálogo —comenta Claudio Guillén—, la función que desempeñan es diametralmente opuesta a la que caracteriza el teatro o la conversación cotidiana. En el teatro o en la vida las situaciones preparan o sugieren el diálogo, que puede por tanto ser más o menos *elíptico*. Nuestro poema, al revés, es *alusivo* porque el diálogo va recreando progresivamente la situación que le sirve de base... Se funda en una implícita compenetración afectiva, es una conversación truncada (o «versación», decíamos antes) en que el poeta sobreentiende la historia de una amistad [14]. Diálogos truncados de este tipo, que le dan al poema el aire íntimo y confidencial del desahogo, ya sea con el amigo ausente —Palacio o Valcarce—, con la amada muerta o con Dios mismo («Señor, ya me arrancaste lo que yo más quería», CXIX), revelan por otra parte el dramático soliloquio interior de Machado, intentando reconstruir una comunicación que se ha vuelto imposible.

> ¿No ves, Leonor, los álamos del río
> con sus ramajes yertos?
> Mira el Moncayo azul y blanco; dame
> tu mano y paseemos.
>
> (CXXI.)

Esta situación se hará mucho más apremiante en los «Sueños Dialogados», en que la quiebra del diálogo con la amada imposible,

> ....
> brilla un balcón en la ciudad: el mío,
> el nuestro. ¿Ves? Hacia Aragón lejana,
> la sierra del Moncayo blanca y rosa...
> Mira el incendio de esa nube grana,
> y aquella estrella en el azul, esposa.

---

[14] Claudio Guillén, *art. cit.*, 487.

Tras el Duero, la loma de Santana
se amorata en la tarde silenciosa.

(núm. 1.)

deja paso a la aceptación serena de la muerte-soledad —la nueva amada— («Oh soledad, mi sola compañía») («contigo, dueña de la faz velada, / siempre velada al dialogar conmigo») —la antigua virgen esquiva de *Soledades*, de la que espera el poeta la revelación del misterio— (núm. 4).

Es de nuevo el amor soñado recreado en el permanente soliloquio interior, pero ¡qué distinta esta ensoñación de aquellas otras de *Soledades*! Ahora el sueño está poblado de detalles, rezumando historia, con un recuento a veces minucioso (Cfr. el poema a Palacio) del mundo vivido en común, que queda ahora a la luz del sueño penetrado en su entera verdad. En estos sueños de amor el paisaje se desnuda para hacerse alma y todo adquiere una transparencia de realidad insospechada, como si brillara por vez última, antes de la llegada definitiva de la sombra («Sueños Dialogados», I y II). Otras veces, la ensoñación estiliza los apuntes para conferirles de este modo un valor intemporal, como si el propio sueño aspirara a ser una visión de eternidad válida para siempre (CXXII); o bien el recuerdo se adelgaza hasta no ser más que pura emoción de lo ya vivido («¡Alta paramera / donde corre el Duero niño, / tierra donde está su tierra!». «¡Oh canción amarga / del agua en la piedra!»), como en las «Canciones de tierras altas» (CLVIII), o se torna leyenda amorosa anónima en los acentos de la canción popular (CLX). La estilización se logra, pues, por dos caminos: ya sea mediante la idealización esquemática:

Soñé que tú me llevabas
por una blanca vereda,
en medio del campo verde,
hacia el azul de las sierras,

hacia los montes azules,
una mañana serena.

(CXXII.)

o bien mediante el acendramiento expresivo de la canción popular, tal como aparece en las seguidillas de las «Canciones del alto Duero»:

Molinero es mi amante,
tiene un molino
bajo los pinos verdes,
cerca del río.
Niñas, cantad:
«Por la orilla del Duero
yo quisiera pasar».

(CLX.)

Por último, es también un amor trágico, condenado a «helarse definitivamente» («¡Oh, claro, claro, claro! / Amor siempre se hiela»), según se van apagando los últimos ecos vivos de la muerte de Leonor, y el diálogo, aun en sueños, se torna radicalmente imposible. A esta luz lívida de la pesadilla, la esposa aparece como una figura de cera, fatalmente ausente y distante, sin que pueda ser rescatada por el sentimiento.

—Es ella... Triste y severa.
Di, más bien, indiferente
como figura de cera.

—Es ella... Mira y no mira.
—Pon el oído en su pecho
y, luego, dile: respira.
—No alcanzo hasta el mirador.
—Háblale.
   —Si tú quisieras...
—Más alto.
   —Darme esa flor.

¿No me respondes, bien mío?
¡Nada, nada!
Cuajadita con el frío
se quedó en la madrugada.

                                        (CLXXII, núm. 11.)

El nuevo ciclo erótico en torno a Guiomar, aun cuando
muy diferente desde el punto de vista estilístico, por estar
mediado por la teoría martiniana del objeto erótico, vuelve
a repetir en un nuevo registro —más conceptual y abstracto—,
la misma historia de un amor amargo, soñado e imposible.
Está fuera de sentido preguntarse, como hacen algunos biógrafos, acerca de la trascendencia de este último amor machadiano, estableciendo toda suerte de comparaciones ridí-
culas y extrañas con el amor maduro a la esposa [15]. Tampoco cabe evidentemente fiarse de las declaraciones del poeta, hiperbólicas, como las de todo enamorado, y pronuncia-
das en un clima de extrema exasperación sentimental [16]. Lo
único que importa, en verdad, es que fue una pasión amorosa que M. vivió íntegramente, como es propio de todo auténtico amor, con un fervor casi adolescente, según dejan tras-

---

[15] «Un amor después del Amor» —escribe Pérez Ferrero en su biografía del poeta— (*Antonio Machado*, Madrid, Austral, 1973, 208). Y
en un sentido análogo se expresa Heliodoro Carpintero al recordar la
experiencia amorosa del poeta por tierras de Soria. («Historia y
Poesía de A. Machado: Soria, constante de su vida», en *Ínsula*, páginas 352-5).

[16] «A ti y a nadie más que a ti, en todos los sentidos —¡todos!—
del amor puedo yo querer. El secreto es sencillamente que yo no he
tenido más amor que éste. Ya hace tiempo que lo he visto claro.
Mis otros amores sólo han sido sueños, a través de los cuales vis-
lumbraba yo la mujer real, la diosa. Cuando ésta llegó, todo lo demás se ha borrado. Solamente el recuerdo de mi mujer queda en mí,
porque la muerte y la piedad lo ha consagrado»... (Concha Espina,
De Antonio Machado a su grande y secreto amor —que en lo sucesivo se citará como Cartas a Guiomar—, bajo la sigla C. G., Madrid,
Gráficas Reunidas, pág. 34).

lucir algunos fragmentos epistolares, aunque con conciencia de lo «intempestivo» de aquel «último sol». En este caso, pese a la indudable realidad de los encuentros y visitas a hurtadillas, las circunstancias sociales lo obligaron a ser, una vez más, un amor soñado, recordado unas veces, adivinado otras, en un permanente canje de ausencias y presencias, siempre bajo el signo trágico de la separación.

> Así combato yo la amargura —escribe el poeta a su amada— de este momento terrible de la separación, ese principio de tu ausencia, tan violento, que es tanto como un desgarrón en las entrañas (...). Y cuando pasen estos momentos del tránsito de tu presencia a tu recuerdo, que son los verdaderamente trágicos, volveré a ser feliz con tu imagen, rememorando y recordando una por una tus palabras y tus labios y tus ojos! [17].

Las «Canciones a Guiomar» expresan la experiencia poética de este último sueño de amor, en que Hutmann ha encontrado «los acentos de un personal erotismo, donde la realidad y el sueño se funden en un mundo que no es más que la creación imaginativa de los amantes»:

> En un jardín te he soñado,
> alto, Guiomar, sobre el río,
> jardín de un tiempo cerrado
> con verjas de hierro frío.
> Una ave insólita canta,
> en el almez, dulcemente,
> junto al agua viva y santa,
> toda sed y toda fuente.
> En ese jardín, Guiomar,
> el mutuo jardín que inventan
> dos corazones al par,
> se funden y complementan
> nuestras horas. Los racimos

---

[17] C. G., 118.

de un sueño —juntos estamos—
en limpia copa exprimimos
y el doble cuento olvidamos.

(CLXXIII, núm. 2.)

«De nuevo se trata de un paisaje con todas las condiciones necesarias para la vida —comenta Hutmann— pero que ha nacido del encuentro de dos personas en el amor, para las cuales el mundo entero está sujeto a sus emociones e invenciones. Ambos, el contexto físico —el jardín— y el humano —el tiempo— están encerrados («jardín de un tiempo cerrado / con verjas de hierro frío») en el carácter del amor» [18]. El elemento visionario se hace, pues, más patente que nunca, incluso como un sustituto y compensación de la insuficiente experiencia amorosa, mediante el éxtasis ideal de los amantes. Todas las canciones a Guiomar denuncian esta hipertrofia de lo mítico. Se trata de visiones relampagueantes, súbitas, en las que el objeto erótico se impone obsesivamente, surgiendo como «una creación apasionada» frente a la ausencia y al olvido:

¡Sólo tu figura,
como una centella blanca,
en mi noche oscura!
¡Y en la tersa arena,
cerca de la mar,
tu carne rosa y morena,
súbitamente, Guiomar!
En el gris del muro,
cárcel y aposento,
y en un paisaje futuro
con sólo tu voz y el viento.

(CLXXIV.)

---

[18] Hutmann, *op. cit.*, 55.

Vuelve la «cita imaginaria», con la titánica lucha contra el tiempo, en un afán por remontar su corriente, aguas arriba, hacia un ayer soñado e imposible, en que el mundo les naciera a los amantes por vez primera y para siempre.

> Todo a esta luz de abril se transparenta;
> todo en el hoy de ayer, el Todavía
> que en sus maduras horas
> el tiempo canta y cuenta,
> se funde en una sola melodía,
> que es un coro de tardes y de auroras.
> A ti, Guiomar, esta nostalgia mía.
>
> (CLXXIII, núm. 3.)

Y a la vez, en el otro frente de combate, la lucha contra la fatalidad social, contra las condiciones restrictivas de aquel amor, representadas míticamente por un poder cósmico, casi divino, que persigue a los amantes:

> Juntos vamos, libres somos.
> Aunque el Dios, como en el cuento
> fiero rey, cabalgue a lomos
> del mejor corcel del viento,
> aunque nos jure, violento,
> su venganza,
> aunque ensille el pensamiento,
> libre amor, nadie lo alcanza.
>
> (CLXXIII, núm. 3.)

Junto a ello, hay que contar, como su segunda característica, una progresiva realización o intelectualización metafísica de la experiencia amorosa. No ya por el valor simbólico que se le asigna en algunas ocasiones (triunfo sobre el tiempo y el destino), sino sobre todo por la continua proyección de los temas propios de la erótica martiniana. Tal como ha señalado Cobos, sin merma alguna de la autenticidad de este amor, las «Canciones a Guiomar» constituyen un ejemplo poético de la metafísica martiniana, en donde no sólo se afirma el fracaso del amor, sino que se centra y precisa la afirmación en la misma almendra de la metafísica, la de la otredad, el amor como «sed metafísica de lo esencialmente otro», sed nunca saciada («dos soledades en una / ni aun de varón y mujer»)... siendo Guiomar la idealización del anhelo erótico de Martín, Mairena y Machado [19].

El sello de la tragedia está, pues, en el seno mismo de la experiencia amorosa, ya sea como su límite interno ante la imposibilidad de una satisfacción perfecta, o su limitación externa por el acoso del tiempo (amor intempestivo) y el apremio de las circunstancias sociales. La confesión de A. M. no puede ser más patética:

> Sí, yo comprendo, cuanto nos separa no es culpa tuya... Con todo has de perdonarme que yo más de una vez haya pensado en la muerte para curarme de esta sed de lo imposible (C. G., 78).

De ahí que sea también un amor amargo, con sabor a muerte, como una pasión estéril e imposible, que se consume en su misma idealidad. El poeta, clarividente hasta el fin, no ha querido ocultarse esta verdad última, que pone su vida erótica hasta el fin bajo el signo de la tragedia. Separado de Guiomar por la guerra (¡quién sabe por cuántas cosas más!), nos ha legado el poeta en versos estremecedores el último dúo del amor y la muerte:

> La guerra dio al amor el tajo fuerte.
> Y es la total angustia de la muerte,
> con la sombra infecunda de la llama
> y la soñada miel de amor tardío,
> y la flor imposible de la rama,
> que ha sentido del hacha el corte frío.
>
> («Dos sonetos a Guiomar», núm. 2.)

---

[19] Pablo A. Cobos, *op. cit.*, 104-5.

FENOMENOLOGÍA DE LA EXPERIENCIA AMOROSA

La erótica de Abel Martín ha filtrado este dolorido sentir machadiano en la forma de una «fenomenología» poética de la experiencia amorosa, que transcurre a todas las luces de la pasión y según la cadencia temporal del ciclo de las estaciones. El recurso no es nuevo en la lírica de M. Ya Hutmann ha llamado la atención sobre este método de temporalizar la vivencia, proyectándola sobre el devenir cósmico, a la vez que consigue un esquema muy simple de erotismo al fundir los estados subjetivos con las luces y los ritmos naturales. A lo largo de este proceso, el amor aparece como un sentimiento fundamental de ausencia, un echar de menos a un tú, que mantiene al alma permanentemente en vilo y en actitud de búsqueda.

Se trata —precisa A. Martín— de la forma suprema de «pretensión a lo objetivo que se da tan en las fronteras del sujeto mismo, que *parece referirse a un otro real*, objeto, no de conocimiento, sino de amor» (A. M., 14). El texto machadiano que subrayo, resulta deliberadamente impreciso, por la presencia del verbo «parecer», quizá por acomodarse mejor al carácter ambiguo de la misma experiencia amorosa; pues ésta es sentida conjuntamente como un descentramiento real del yo por referencia al tú, que no obstante, queda siempre reducido interiormente a ser tan sólo un reflejo o imagen en los espejos del alma. El signo de la tragedia se anuncia ya muy claramente desde el umbral mismo de la fenomenología amorosa, como un conflicto entre el ser y el aparecer, entre la realidad de la tendencia erótica y el carácter subjetivo e interno de sus frutos; un conflicto, en suma, entre la trascendencia del tú y la inmanencia de su reflejo en el yo, que viene a expresar la última crisis del subjetivismo romántico, en el momento mismo de su transformación hacia un nuevo universo.

En la primera estación erótica, en el orden fenomenológico, «el amor comienza a revelarse —comenta Martín— como un súbito incremento del caudal de la vida, sin que, en verdad, aparezca objeto concreto al cual tienda» (A. M., 14). No es extraño, pues, que el poeta lo haya caracterizado en el clima sentimental de la «primavera», asociada siempre en M. al renacimiento de la vida, como un símbolo de su poder misterioso e inexhaurible.

> ... Primavera
> puso en el aire de este campo frío
> la gracia de sus chopos de ribera.
>
> Los caminos del valle van al río
> y allí, junto del agua, amor espera.

¿Recuerdo emocionado de los «álamos dorados» junto al Duero: «álamos del amor cerca del agua que corre, y pasa y sueña»? Sin duda. Pero también, como ocurre en todo gran lírico, más allá del acontecimiento vivido, la hondura metafísica de la intuición: el agua de la vida, con su rumor de fuente, aparece siempre en los orígenes del amor, como una promesa de plenitud; como advierte Zubiría, la estructura del poema reside en la ecuación amor = primavera = resurrección, como símbolo de una permanente actitud espiritual [20]. Por otra parte, la metáfora del agua nos orienta ya desde el principio hacia la dialéctica interna, al anhelo erótico —transcendimiento y gozo, insatisfacción y búsqueda de plenitud—, según las propiedades del agua, viva y santa del amor, «toda sed y toda fuente».

---

[20] Ramón de Zubiría, *op. cit.*, 106.

Los distintos elementos de esta experiencia originaria transparecen a lo largo del poema. Ante todo, el sentimiento de un «otro» inmanente, que se traduce en el modo de una presencia intangible, inconcreta («¿Por ti se ha puesto el campo ese atavío / de joven, oh invisible compañera?»), y sin embargo, inmensamente activa, porque moviliza al yo desde su raíz. La presencia interior del tú, sentida como un «hueco» en el propio ser, explica dos fenómenos concomitantes a la experiencia erótica: la preexistencia del tú como ejemplar o arquetipo de búsqueda y la sensación de haberlo querido siempre.

> ¡Qué raíces tan hondas ha echado! —escribe el poeta a Guiomar hablándole de su amor—. Se diría que había estado arraigando en mi corazón toda la vida. Porque esto tiene el enamorarse de una mujer, que nos parece haberla querido siempre... ¿O será, que, acaso, tú y yo nos hayamos querido en otra vida? Entonces, cuando nos vimos no hicimos sino recordarnos. A mí me consuela pensar esto, que es lo platónico.
>
> (C. G., 117 y OPP, 822)[21].

En segundo lugar, y como surgida desde este hueco radical del alma, la búsqueda de la amada, descifrando los signos del universo, que puedan ser vestigios de su presencia («el perfume del habar», «la blanca margarita»...). De nuevo reaparece en esta búsqueda la dialéctica machadiana de presencia y ausencia, pues, si bien se observa, el «otro inmanente» está presente en la raíz del alma y sin embargo ausente como objeto inmediato; o a la inversa, que tanto da, es una ausencia objetiva acompañada de un profundo sentimiento de presencia interior, casi de orientación dinámica hacia el tú de la totalidad del ser,

---

21 Sorprende por su similitud a un texto paralelo de Ortega y Gasset recogido en *¿Qué es Filosofía?, O. C.,* VII, 433.

> ¿Tú me acompañas? en mi mano siento
> doble latido...

que comenta muy platónicamente Abel Martín:

> La amada acompaña antes que aparezca o se oponga como
> objeto de amor; es, en cierto modo, una con el amante, no al
> término, como en los místicos, del proceso erótico, sino en
> su principio (A. M., 14).

Por último, el sentimiento de comunión, en una doble vertiente: la humana o intersubjetiva y la natural o cósmica. En definitiva, como apunta Cobos, la intuición del amor «en la unitaria realidad, como un florecer o ansia germinativa que el sujeto consiente con el planeta»[22].

> ... el corazón me grita,
> que en las sienes me asorda el pensamiento:
> eres tú quien florece y resucita.

En «Rosa de fuego» —una de las piezas eróticas más logradas de la lírica española—, los elementos constitutivos de la experiencia erótica están mediados por el nuevo clima de madurez o plenitud, en el que ya se anuncia, como su envés o reverso, la amenaza de la muerte. La comunión universal se presenta ahora desde el primer verso, en la fusión total de los amantes y la naturaleza en un mismo tejido, a la vez, humano y cósmico. Es, pues, el pleno día del encuentro amoroso, en el nuevo clima pasional del «verano».

> El verano simbolista alude siempre al amor pasional —comenta J. M. Aguirre—; tal observación es muy significativa, si se tiene en cuenta que la obra simbolista y la machadiana expresan con frecuencia un evidente terror ante el amor-pasión; por otra parte, la primavera es la estación preferida de esos

---

[22] Pablo A. Cobos, *op. cit.*, 46.

poetas; sobre todo la primavera temprana que sugiere un estado premonitorio del amor, la oscura ansia erótica del joven-
adolescente, el objeto del cual es vagamente indeterminado[23].

El tránsito de la primavera al verano supone eróticamente una especificación del amor, entendido ahora en su
sentido genuino de «complementariedad» y también de avidez ontológica, casi antropofágica, en que se percibe ya el
amargo sabor a muerte.

> Pasead vuestra mutua primavera,
> y aún bebed sin temor la dulce leche
> que os brinda, hoy, la lúbrica pantera
> antes que, torva, en el camino aceche.

Este amor-pasión no supone una acepción restrictiva en
modo alguno. Machado se refiere, por el contrario, a la forma cabal o integral del amor, que ha de incluir y penetrar
la esfera pasional o sensible, como el medio más adecuado
para una comunicación intersubjetiva, en absoluta heterogeneidad. Este parece ser el sentido del comentario que
sigue:

> Abel Martín no cree que el espíritu avance un ápice en el
> camino de su perfección, ni que se adentre en lo esencial
> por apartamiento o eliminación del mundo sensible. Éste, aun-
> que pertenezca al sujeto, no por ello deja de ser una realidad
> firme e indestructible (A. M., 16).

La pretensión de M. es la de ofrecer una alternativa al
amor místico, dentro de las nuevas coordenadas de una antropología concreta, integral y viviente. De ahí que se refiera
a una nueva figura de subjetividad, esencialmente sensible,
y por ello mismo, referencial o heterológica, nostálgica de
su otro, porque la intencionalidad primaria del ser viviente

---

[23] J. M. Aguirre, *op. cit.*, 253.

—diríamos hoy— es ya de naturaleza sexual. El tema se hará más explícito en los apuntes de Mairena:

> Lo sexual en el amor tiene muy hondas raíces *ónticas*, y que una filosofía que pretenda alcanzar el ser en la existencia del hombre se encontrará con esto: el individuo humano no es necesariamente varón o hembra por razones biológicas —la generación no necesita del sexo— sino por razones metafísicas (J. M., I, cap. XXXIX, 189-190 y III, 134).

La presencia amorosa es ahora sentida como un «don de reciprocidad» («pasead vuestra mutua primavera» en concordancia con el «mutuo jardín que inventan / dos corazones al par» de las «Canciones a Guiomar») más allá, sin embargo, del mero juego psicológico de la complementariedad física. Tal como se señala en el apunte anterior de Mairena, el otro no es ni lo meramente complementario ni lo contrario del yo, ni el alter-ego ni el anti-ego, sino su heterogéneo, es decir, una transcendencia real, irreductible e ineliminable, hacia la cual se encuentra ambiguamente abierto el propio yo, en temor y temblor, como ante la doble cara —acogedora y terrorífica— del misterio.

La dialéctica ausencia-presencia, tan interior y radical al tiempo del amor, presenta ahora nuevas formas. En medio de la hora más cabal y madura de la presencia amorosa, sigue latiendo siempre la ausencia, por la misma inexhauribilidad del propio acto, que renace continuamente de sí mismo («cerca la sed y el hontanar cercano», en que vuelve a repetirse la dialéctica de saciedad e insatisfacción: «toda sed y toda fuente») así como por la irreductibilidad del «tú», incluso en la vivencia erótica. Se toca así el límite interno, constitutivo del amor, su almendra dialéctica, que tan finamente han recogido las «Canciones a Guiomar» en un lírico contrapunto:

(Uno: Mujer y varón,
aunque gacela y león,
llegan juntos a beber.
El otro: no puede ser
amor de tanta fortuna:
dos soledades en una,
ni aun de varón y mujer.)

Se trata, por otra parte, de una presencia en el tiempo, y por tanto herida de finitud en su ejercicio. La exigencia de eternidad y la limitación del tiempo del amor generan una nueva tensión interior a la experiencia amorosa. De ahí la exhortación a «aprovechad el tiempo» (presente de la inminencia), reasumiendo el tema clásico del *carpe diem*. «El imperativo que prescribe este soneto consiste en vivir, amar, entregar el ser a los magníficos estímulos que laten sobre el mundo; gozar los bienes que ahora se ofrecen antes que todo se deshaga en la muerte. Este vitalismo que informa a «Rosa de fuego» —prosigue su comentario Fernández Moreno—, no es el del paganismo clásico, ignorante aún del planteo que sobre el drama humano iba a traer el cristianismo. Detrás de la vida está la muerte; detrás del impulso, los frenos; el poema trata de convertir las amenazas en nuevos acicates para la persecución del goce. «Rosa de fuego», soneto del siglo XX, es, por todo ello, renacentista, desde su módulo formal hasta el fundamental sentido de lo perecedero que da patetismo a su intimación» [24].

---

[24] Fernández Moreno en «Rosa de fuego», *Antología*, Taurus, *op. cit.*, 434-435, y más adelante (440), subraya la tensión vida-muerte que atraviesa estos versos, sugerida por el agente simbólico «pantera». Lástima que, a mi juicio, la malentienda como una disyuntiva, cuando se trata, en verdad, de una tensión dialéctica, pues es la misma experiencia amorosa pasional la que engendra la muerte, en su doble cara de consumación o plenitud y de consunción o desgaste.

Tras los ardores simbólicos del verano, la nueva estación del «otoño», supone la aparición dolorosa de la conciencia del amor, precisamente después de constatar la imposibilidad de consumar la presencia. Representa, como ya se sabe, el momento genuino de la interpretación martiniana y, a la vez, el más consonante con la experiencia personal machadiana del amor amargo. El sentimiento de ausencia se torna dominante y decisivo en la experiencia amorosa, que recuenta ahora melancólicamente, a la luz dorada del otoño, las horas pasadas del amor, mientras se acendra y repristina la memoria.

> El tiempo que la barba me platea,
> cavó mis ojos y agrandó mi frente,
> va siendo en mí recuerdo transparente,
> y mientras más al fondo, más clarea.

Los preludios de muerte se anuncian ya en el sol poniente, como la última caricia de la luz, mientras suena de nuevo el agua del amor, pero no con rumor de fuente, sino en la íntima cadencia de un sollozo en la taza de mármol:

> ¡Cómo en la fuente donde el agua mora
> resalta en piedra una leyenda escrita:
> al ábaco del tiempo falta un hora!
> ¡Y cómo aquella ausencia en una cita,
> bajo los olmos que noviembre dora,
> del fondo de mi historia resucita!

«La amada —explica Abel Martín— no acude a la cita; es en la cita ausencia» (A. M., 17). Y aunque Machado señala a renglón seguido que «el poeta no alude a ninguna anécdota amorosa de pasión no correspondida o desdeñada», es fácil suponer, sin violencia alguna, que la clave de este sentimiento de ausencia está en la propia vida erótica de M.

con su tema dominante y obsesivo de «la amada imposible».
Tal sentimiento traduce, pues, la pérdida de una compañía
(«la amada no acompaña; es aquello que no se tiene y
vanamente se espera») y a la vez, la imposibilidad de alcanzarla por la real trascendencia metafísica del otro, «lo inconfundible con el amante, lo impenetrable, no por definición, como la primera y segunda persona de la gramática,
sino realmente» (A. M., 17).

Tras la ausencia en una cita, el alma se queda a solas, pero
no vacía; a solas con el objeto erótico, el doble intencional
del tú en la inmanencia del yo, la nueva presencia instituida
mediante el valor creativo de la ensoñación; y a solas con
su «sed de alteridad», con su necesidad irrenunciable del
otro, en una actitud dinámica de anhelo y de búsqueda, que
brota como una fuente desde la brecha de su ausencia. La
conciencia erótica surge, pues, de este dolor o conflicto constitutivo entre el objeto erótico inmanente y el tú trascendente, que se sabe inasequible [25]. La dialéctica ausencia-presencia adquiere aquí su máxima tensión, pues la experiencia
amorosa comporta una doble afirmación contradictoria: la
fe en la trascendencia real del tú, a quien amo, que es mucho
más que todos mis ensueños y expectativas; y a la vez, la
necesidad de una apropiación interior por parte del yo, que
a la postre falla siempre en su empeño. Desde esta originaria
intencionalidad erótica hacia el otro, el objeto erótico es
continuamente refutado y re-creado, en un trascendimiento
perpetuo del eros —un descentramiento permanente del yo,
que no logra nunca descansar satisfactoriamente en el tú—.
Al gozo de la presencia intersubjetiva en el mediodía de la
relación pasional, sigue ahora la evidencia dolorosa de que

---

[25] Puede compararse con la falsa apreciación que hace Pablo A.
Cobos de este pasaje (*op. cit.*, 48).

el tú es por esencia lo irreductible. Que «la amada no acompaña» no significa sólo ni primariamente que físicamente no
esté presente, sino que metafísicamente es siempre lo misterioso, lo ausente o lo que se reserva y escapa por principio.
«Empieza entonces para algunos —románticos— el calvario
erótico; para otros, la guerra erótica con todos sus encan-
tos y peligros, y para Abel Martín, poeta, hombre integral,
todo ello reunido, más la sospecha de la esencial heterogeneidad de la sustancia» (A. M., 18). Con esta declaración alcanza la erótica martiniana su más alta significación metafísica; sobre el dolor de amor, ya sea como calvario (sentimiento de angustia y soledad irrenunciables) o como guerra
o conflicto entre el yo y el tú, se impone como última verdad la sospecha de la esencial heterogeneidad del ser, es decir, de la imposibilidad de reducir lo diverso al principio
unitario y mismificante de la conciencia del yo. El eros heterológico refuta siempre y necesariamente a la razón egolá-
trica, y ésta denuncia, por su parte, la herida de la subjetividad en este «irrequietum cor», que no acierta a descansar
en su centro de gravedad metafísica.

Se comprende ahora que, por encima de todas las analogías posibles, M. señale, de pasada, la diferencia del eros
martiniano con respecto al platónico. El amor, según la bella
y sugestiva leyenda de Diotima, no está determinado por la
posesión, sino por la búsqueda; no es gozo de presencia,
sino sentimiento dinámico de ausencia, avidez ontológica de
plenitud, a la que se siente destinado, mientras rastrea sus
huellas por todos los caminos del mundo. Ni dios ni simple
mortal, sino demonio, «realidad intermediaria», en constante
transcendimiento. Y, sin embargo, pese a estas similitudes
externas, hay una diferencia capital. La dialéctica platónica
tiene siempre un sentido vertical o de ascenso ontológico, en
la que el eros actúa como su fuerza propulsora. Ahora bien,

esta energía erótica está sostenida por el principio metafísico de la participación, mediante el cual los estratos o niveles inferiores del universo remiten a los superiores e irradian, de diversas maneras, su medida ontológica de plenitud. Va así de lo sensible a lo metasensible, guiado por un principio de *koinonia* o comunidad de lo inferior en lo superior y de lo diverso en lo uno. El eros platónico tiene, pues, el sentido de una progresión incesante y supone un mundo armonioso y homogéneo en su sustancia, por comunicación de la fuerza de las esferas superiores y, en última instancia, del bien absoluto. Nada, por el contrario, más discordante ni más rico y viviente que el universo de Martín, en que lo heterogéneo triunfa sobre lo uno, abriendo el mundo en referencias inéditas y en un juego de creatividad incesante. Frente al cosmos matemático de los griegos, el mundo martiniano responde al esquema romántico de lo misterioso e inacabado. Por eso es, en última instancia, un mundo de subjetividades creadoras, irreductibles y únicas, en una dialéctica de presencias y ausencias, que compone la sinfonía inabarcable e infinita —siempre nueva— de la conciencia universal. Dicho machadianamente: «no es tampoco para Abel Martín la belleza el gran incentivo del amor, sino la sed metafísica de lo esencialmente otro» (A. M., 18). Se diría que el tema erótico se le ha desfondado al filósofo Abel Martín en las manos, y de aquel «sentimiento de soledad y ausencia» ha brotado una nueva experiencia metafísica de lo insondable y enigmático del mundo: la experiencia del misterio, a la que sólo se accede en la relación viviente de persona a persona.

Esta es, sin duda, la última y más verdadera palabra del erotismo machadiano. La estación «invernal» no hace más que explotar las consecuencias del carácter abismático del amor y a la vez —y aquí reside todo su encanto— enfrentarnos con su ambigüedad constitutiva. La dialéctica pre-

sencia-ausencia se ofrece ahora en un juego esquivo, en el
que el dolor es la última verdad.

> Así un imán que, al atraer, repele
> (¡oh claros ojos de mirar furtivo!),
> amor que asombra, aguija, halaga y duele,
> y más se ofrece cuando más esquivo.

En este último verso, tan rotundo, el juego del amor sobrepasa la mera significación psicológica (coquetería, seduc-
ción, conflicto) para alcanzar un valor absoluto, como el
acontecer mismo de lo misterioso. De la comunión imposible
y no obstante necesaria con el tú, la atención machadiana
repara ahora en el otro juego del amor, la reflexión interna
del tú en los cristales-espejos del alma.

> Si un grano del pensar arder pudiera,
> no en el amante, en el amor, sería
> la más honda verdad lo que se viera;
> y el espejo de amor se quebraría,
> roto su encanto, y rota la pantera
> de la lujuria el corazón tendría.

Aquí de nuevo, sobre el sentido obvio e inmediato de la
alteración imaginativa del tú por el ensueño posesivo del yo,
transparece una significación metafísica fundamental: la mediación que introduce en la relación intersubjetiva el hecho
del pensamiento o de la «imagen», es decir, la necesidad de
la objetivación del tú. Sólo si pudiera arder el pensar, en
este derretimiento de toda forma y apariencia, en la renuncia a tener y dominar desde el principio egolátrico de la
subjetividad, se rompería el espejo del amor, y manaría limpia y diáfana su fuente:

> no en el amante, en el amor, sería
> la más honda verdad lo que se viera.

«Quiere decir Abel Martín que el amante renunciaría a cuanto es espejo en el amor, porque comenzaría a amar en la amada lo que, por esencia, no podrá nunca reflejar su propia imagen» (A. M., 19).

El mundo, sin embargo, está entregado al poder posesivo de la «imagen» por amor de su mismo misterio. Por eso es preciso —podría concluirse machadianamente— trabajar con ella y contra ella, en un esfuerzo de interpretación semántica y de destrucción figurativa, con intención de adelgazar los cristales interiores del amor hasta la transparencia de la comunicación personal.

El tema del «invierno» introduce, por último, una reflexión ontológica de gran calado, relativa al «cierre» mismo del ciclo amoroso. ¿Ha llegado con la última hora de las sombras la soledad y el frío de la conciencia, o por el contrario, la vida latente del invierno anuncia un nuevo florecer de primavera? De nuevo la respuesta de Machado es atenerse a la ambigüedad constitutiva de la experiencia humana. El cuarto soneto de los «Sueños Dialogados» nos enfrenta así definitivamente con la soledad-misterio del mundo, en el que se percibe, como siempre, el doble rostro de la plenitud y la muerte. Se han superado definitivamente los problemas de la subjetividad narcisista, romántica, atenta a la hora de su corazón, para fijarse tan sólo en los ojos enigmáticos y terribles de la esfinge:

> Hoy pienso: este que soy será quien sea;
> no es ya mi grave enigma este semblante
> que en el íntimo espejo se recrea,
> sino el misterio de tu voz amante.
> Descúbreme tu rostro, que yo vea
> fijos en mí tus ojos de diamante.

¿Invocación última a la muerte como verdad definitiva de un mundo entregado a la imposibilidad del amor? ¿Invocación al infinito, o a la plenitud amante, cuya única puerta de acceso sería ahora la experiencia mística del desasimiento y la soledad extrema del alma? Uno no puede por menos que recordar los sutiles y misteriosos versos de «Iris de la noche». «Y tú, Señor, por quien todos / vemos y que ves las almas, / dinos si todos, un día, / hemos de verte la cara» (CLVIII, núm. 10). ¿Y si acaso, la muerte misma fuese el tributo interior a la propia vida amorosa, como cancelación última y definitiva del propio yo? No se podría decidir. Desde el clima erótico del «invierno» presentimos de un lado, con el fracaso del amor, los helores que petrifican el alma («¡Oh, claro, claro, claro! / Amor siempre se hiela»), pero, también, secretamente, en una íntima cadencia que no apagan los años, el rumor de fuente de un nuevo renacimiento:

> Pero aunque fluya hacia la mar ignota,
> es la vida también agua de fuente
> que de claro venero, gota a gota,
> o ruidoso penacho de torrente,
> bajo el azul, sobre la piedra brota.
> Y allí suena tu nombre ¡eternamente!
>
> (CLXV, núm. 3.)

Y junto al amor de Leonor, la experiencia amorosa con Guiomar acabará también con un preludio de místico renacer de primavera, porque en alguna parte, en algún tiempo, el amor siempre empieza de nuevo como una llama inextinguible:

> (................................)
> ¿Y qué esperáis de mí? Cuando a deshora
> pasa un alba, yo sé que bien quisiera
> el corazón su flecha más certera
> arrancar de la aljaba vengadora.

¿No es mejor saludar la primavera
y devolver sus alas a la aurora?

(CLXIV.)

LA TEORÍA DEL OBJETO ERÓTICO

Valdría la pena, por último, recoger brevemente la teoría
machadiana del objeto erótico. Como concluye Abel Martín,
tras de tratar lo específico de la sexualidad humana, «el
objeto erótico, última instancia de la objetividad, es también, en el plano inferior del amor, proyección subjetiva»
(A. M., 21). Las «Canciones a Guiomar», vuelven muy agudamente a retomar el mismo tema:

> todo amor es fantasía;
> él inventa el año, el día,
> la hora y su melodía;
> inventa el amante y, más,
> la amada. No prueba nada,
> contra el amor, que la amada
> no haya existido jamás.
>
> (CLXXIV, núm. 2.)

Afirmación tan contundente no ha dejado de escandalizar
a algunos por lo que parece ser la absoluta «irrealidad» del
amor [26]. Y sin embargo, nada más incierto. Conviene llamar
la atención, una vez más, entre el tú trascendente, a quien se
ama, y el objeto erótico, que sólo es su doble intencional
intrasubjetivo. En esta distinción fundamental, el amor no
inventa el tú (¿cómo podría hacerlo si el amor es ante todo
una «sed de alteridad» inextinguible?), sino su «imagen» o

---

[26] Véase Serrano Poncela, *op. cit.*, 151 y Ramón de Zubiría, *op. cit.*,
116-7.

«figura», su presencia inmanente, recreada con el poder de
la imaginación y el recuerdo. La clave de interpretación de
este pasaje la encontramos en un fragmento de la correspondencia con Guiomar.

> Hay que buscar razones para consolarse de lo inevitable
> —le escribe—. Así pienso yo que los amores, aun los más rea-
> listas, se dan en sus tres cuartas partes en el retablo de nues-
> tra imaginación. Por eso la ausencia tiene también su encanto,
> porque, al fin, es un dolor que se espiritualiza con el recuerdo
> de las presencias. Acaso —agrega el poeta— todas las diferen-
> cias entre los hombres son de memoria y fantasía. Saber re-
> cordar y saber imaginar... Mientras podamos recordar —recor-
> darnos— vivimos y la vida tiene un valor, el de nuestras imá-
> genes (C. G., 129).

No se podría expresar mejor el valor creativo de la
ensoñación, convertida ahora en la sustancia misma de la
vida humana, hecha de la materia de nuestros sueños. La
lucha contra el tiempo, y en el fondo, con la realidad que en
él aparece y desaparece —infinita y misteriosa—, constituye
también el núcleo más íntimo del amor. Y es que la presencia en el amor, aun la más cabal y pura, está siempre
asentada sobre la «ausencia» de lo misterioso. No es, pues,
un don físico de ebriedad, sino una invención imaginativa,
en lucha continua contra el poder del olvido y la muerte, y
en última instancia, contra la misma sustracción o reserva
del misterio personal.

Hay, pues, dos direcciones o sentidos, si se prefiere, de
la creación erótico-imaginativa. Según el primero, el objeto
erótico es un triunfo de la memoria contra el olvido, pero a
la vez, mediante el olvido, pues es preciso traspasarlo para
poder transcenderlo. Ya hemos aludido, a propósito de la
conciencia del tiempo, a la reflexión interna que se produce
entre ambos. Otro tanto cabe decir en relación a la expe-

riencia amorosa, «Pensaba mi maestro —escribe Juan de Mairena— (...) que el amor empieza con el recuerdo, y que mal se podía recordar lo que antes no se había olvidado. Tal pensamiento expresa mi maestro muy claramente en estos versos:

> Sé que habrás de llorarme, cuando muera,
> para olvidarme y, luego,
> poderme recordar, limpios los ojos,
> que miran en el tiempo.
> (......)».

(J. M., I, cap. VIII, 41-2.)

Mucho más concisamente, casi en un juego conceptista, reaparece el mismo pensamiento en las «Canciones a Guiomar»:

> Escribiré en tu abanico:
> te quiero para olvidarte,
> para quererte te olvido.

(CLXXIV, núm. 3.)

En ambos late la evidencia de que la presencia física es siempre insuficiente en la relación erótica. Es, de un lado, demasiado inmediata, en cuanto acontecimiento; y del otro, demasiado sensible y pasiva, demasiado azarosa, para representar la suprema forma de la comunión del alma. La imagen, por el contrario, es decir, la presencia intencional y anímica, es más pobre en detalles, y sin embargo más rica en emotividad y sentimiento, más creación apasionada contra el poder del olvido y contra la dura inercia y positividad del mundo de las cosas.

Mi maestro, suyas son las palabras que anteceden —recordaba Juan de Mairena comentando esta situación paradójica—, añadía que los verdaderos amantes se huyen tanto como se buscan; porque la presencia pone entre ellos un algo irreductible a la imagen erótica, y la ausencia, en cambio, puede reforzar esta imagen con todo el bloque psíquico influenciado por ella (J. M., II, cap. VIII, 104).

El «olvido» se constituye, pues, en el tránsito necesario entre dos formas de presencia —la física y la anímica—. Y por medio del olvido, la ausencia, como el medio propio del «alma», porque sólo a su luz de ensueño, se aleja lo inmediato y se recrea la emoción pura y la figura interior de las cosas.

> Alma es distancia y horizonte: ausencia.
> Las almas huyen para dar canciones.

Pero sobre este primer sentido de la creación del objeto erótico, como presencia anímica e intencional, hay un segundo, mucho más radical y originario, como invención de posibilidades existenciales del tú, de una íntima verdad que sólo atisban los ojos amantes. La creación tiene aquí el valor de un enfrentamiento, no ya contra los poderes de disolución del tiempo, sino contra el mismo misterio transcendente del tú, que se reserva siempre. Y los cristales del sueño se adelgazan y acendran, con vocación de espejo, que ha de reflejar parte del tesoro inagotable del otro:

> Y en vuestro sabio espejo —luz y olvido—
> algo seré también vuestra criatura.
>
> (CLXIV, núm. 3.)

El fino comentario de José Luis Cano ha consagrado esta sugestiva interpretación. «Decir que «todo amor es fantasía» que el amor «inventa» no es precisamente negar el amor. «Inventa el amante, y, más, la amada» dice Machado. Ciertamente. Todo amante inventa, crea a su amada, a su amor. Pues desde que se ama, se deja de ser lo que se era, para convertirse en otro ser, distinto al de antes (...). Y el mismo Machado confiesa a Guiomar en una carta:

> Nada de cuanto escribo me satisface, porque quisiera hacer algo que no se parezca en nada a lo que he escrito hasta aquí. Porque tú me has hecho otro hombre, con tu cariño, y ese otro no ha cantado todavía.

Es decir, cada amante se convierte en una invención del que ama» [27]. El amante inventa pues, a la amada, porque le descubre un posible y acaso mejor yo, que quizá le estaba oculto a ella misma; y se inventa a sí mismo al conferirse un nuevo tipo de existencia.

De nuevo las cartas a Guiomar nos aportan la evidencia viviente de la teoría machadiana. «El amor —le escribe— no sólo influye en nuestro presente y en nuestro porvenir, sino que también revuelve y modifica nuestro pasado ...». La existencia de los amantes está, pues, transfigurada, penetrada por un nuevo sentido, que borra y modifica todo lo anterior y hasta parece arraigarlo en un fundamento de eternidad:

> ... ¿O será que acaso —agrega Machado— tú y yo nos hayamos querido en otra vida? Entonces, cuando nos vimos no hicimos sino recordarnos. A mí me consuela pensar esto, que es lo platónico (C. G., 117).

Pero ni siquiera en este punto acusa el eros martiniano las huellas del platonismo, pues la garantía contra los poderes de la disolución, no es una eternidad que envolviera y traspasara el tiempo, sino la «creación apasionada», la única que triunfa del olvido. Las «Canciones a Guiomar» lo pregonan dramáticamente:

---

[27] J. L. Cano, *Un amor tardío de Antonio Machado: Guiomar*, en *Antología*, Taurus, *op. cit.*, 107.

asomada al malecón
que bate la mar de un sueño,
y bajo el arco del ceño
de mi vigilia, a traición,
¡siempre tú!
          Guiomar, Guiomar,
mírame en ti castigado:
reo de haberte creado,
ya no te puedo olvidar.

             (CLXXIV, núm. 1.)

IX

LA POÉTICA

Ni mármol duro y eterno,
ni música ni pintura,
sino palabra en el tiempo.
(CLXIV, «De mi cartera».)

UNA LÍRICA DEL ALMA

Ya se ha anticipado en diversas ocasiones (capítulos I y IV, parágrafos 4.º y 1.º respectivamente) que la lírica de M. es una lírica del alma. Convendría ahora precisar con algún detalle esta afirmación, porque encierra, a mi juicio, el núcleo teórico fundamental de su Poética. ¿Qué es el alma? Según un texto tardío del borrador del Discurso de Ingreso en la Academia,

> aquella cálida zona de nuestra psique que constituye nuestra intimidad, el húmedo rincón de nuestros sueños humanos, donde cada hombre cree encontrarse a sí mismo al margen de la vida cósmica universal (C., 121 y II, 71-2).

Lo «anímico» se caracteriza, pues, por lo que podríamos llamar «afección sentimental originaria», como aquella primera pulsación de conciencia, que aún no ha sido mediada

por el pensamiento-reflexivo. Aunque equívoca, la palabra
que mejor le cuadra, como señala el mismo M., es «intimidad», entendida aquí en su sentido fenomenológico más que
psicológico, como una subjetividad patética, segregada del
cosmos viviente y diferenciada de las otras almas, por la
peculiar resonancia de su cuerda emotiva. «Zona cálida» la
llama el poeta, como corresponde al fondo endotímico de la
personalidad, donde vibra y resuena la primera llamada de
las cosas; y «zona media» [1] o intermedia entre los impulsos
corporales y la dirección reflexiva del espíritu; zona, a fin de
cuentas, central, porque señala el centro de gravitación de
los fenómenos de conciencia sensible (deseos, representaciones imaginativas, pasiones, etc.), y establece el sustrato
individual de las funciones superiores de la autoconciencia.
Como precisa en «Cartas a Guiomar»:

> la lírica ha sido siempre una expresión del sentimiento, el cual
> contiene a la sensación —no a la inversa—, y se relaciona con
> las ideas; se engendró siempre en la zona central de nuestra
> psique, y nunca pretendió hablar ni a la sensibilidad ni, mu-
> cho menos, a la pura inteligencia (C. G., 62 y OPP, 1037).

No se engaña M. al creer que este concepto marca la frontera entre dos cuencas líricas distintas.

> Esta zona media que fue mucho, si no todo, para el poeta
> de ayer —agrega a renglón seguido del primer texto citado—,
> tiende a ser el campo vedado para el poeta de hoy (C., 121 y
> II, 72).

Porque en verdad, esta lírica a la que muy enfáticamente
llama de «siempre», no es más que la lírica romántica, ni

---

[1] «La cálida zona media donde lo vital humano y lo sentimental
afectivo tiene su más íntegra resonancia» («Los trabajos y los días»,
Comentario a las Poesías de Pilar Valderrama, II, 162).

pura sinestesia ni álgebra conceptual, sino figuración imaginativa del sentimiento, al filo mismo de la experiencia de
la vida. Una lírica que no habla, como se acaba de ver, ni a la
sensibilidad externa ni a la inteligencia, sino a aquella otra
sensibilidad interna y profunda, subconsciente o meta-cons-
ciente, según los casos, por la que el hombre en su irreductible intimidad, sufre la presencia del mundo y la exigencia
apremiante del otro.

Según la caracterización de M., el sentimiento realiza la
función paradójica, a primera vista, de definir el ámbito de
la intimidad —en la que el sujeto se auto-intuye como una
mónada o centro de vivenciación individual, irrenunciable
e intrasferible— y de abrir, a la vez, emotivamente, la protoimpresión de realidad, que ha de constituirse más tarde
en experiencia inmediata y cualitativa del mundo. La unidad
afectiva es, pues, anterior a la escisión consciente de sujeto-
objeto. El sujeto afectivo se siente en sus vivencias, se plas-
ma y figura en ellas, no como en un contenido que le fuera
antepuesto por la representación, sino como en la cualifi-
cación inmediata de su propio sentir. De ahí que, como ha
señalado la filosofía, el sentimiento sea afección de realidad
y auto-afección originaria de sí mismo. A esta experiencia
radical, según creo, se refería M. al hablar en el «Prólogo a
Soledades» de la «honda palpitación del espíritu; lo que
pone el alma, si es que algo pone, o lo que dice, si es que
algo dice, con voz propia, en respuesta animada al contacto
del mundo» (OPP, 51 y II, 106).

La segunda paradoja del sentimiento consiste en trascender la disyuntiva entre lo individual y lo genérico, porque todo
sentimiento, por su naturaleza cordial y prerreflexiva, esto
es, anterior a la egolatría de la razón, incluye siempre un
momento de universalidad. «Lo más hondo es lo más universal» (II, 89), según la certera expresión de nuestro poeta;

no sólo porque el otro yo es también sentido, co-sentido mejor, en la autoafección originaria de sí mismo, sino porque el «yo íntimo», denudado de todo lo anecdótico, se transfigura en un «yo fundamental»; es un texto vivo en que puede leerse y reconocerse la historia de cualquier alma. «Las ideas cordiales» o «los universales del sentimiento», como los acostumbra a llamar M., garantizan así una comunión prelógica, fundada en las mismas raíces de la vida, desde el fondo endotímico subconsciente. Esto no excluye, por supuesto, las diferencias epocales de sentimentalidad, según los valores sociales en boga y la envergadura del radio afectivo del corazón [2]. Pero cualquiera que sea éste, el corazón nunca tiene «cantos propios» y en exclusiva, porque desde su más profunda raíz es siempre solidario.

El sentimiento, por otra parte, no es ciego como suele pensarse, sino vidente. Lo inmediato psíquico, además de sentido como un dato o protoimpresión originaria, es también penetrado en su verdad, traslúcido y esplendente como aquellas perlas que Heine sacaba del mar insondable de su propia alma. Una lírica sentimental no tiene por qué ser informe y caótica; puede estar, por el contrario, iluminada por las súbitas visiones que de vez en cuando le llegan de los abismos, a modo de revelaciones de lo profundo-misterioso del propio corazón, y a su través, de la misma realidad del mundo. El sentimiento lírico se diferencia así de la sentimentalidad común, por su capacidad de ver en lo oculto y de elevar a palabra una experiencia abisal, que las más de las veces suele quedar inexpresa.

---

[2] En el capítulo XII, parágrafo 2.º se establece la diferencia entre la sentimentalidad burguesa y la socialista, así como la distinta interpretación —simbolista y sociológica, respectivamente— de los «universales del sentimiento».

Pensaba mi maestro —escribirá años más tarde Mairena— que la poesía, aun la más amarga y negativa, era siempre un acto vidente, de afirmación de una realidad absoluta, porque el poeta cree siempre en lo que ve, cualesquiera que sean los ojos con que mire. El poeta y el hombre. Su experiencia vital —¿y qué otra experiencia puede tener el hombre?— le ha enseñado que no hay vivir sin ver, que sólo la visión es evidencia y que nadie duda de lo que ve, sino de lo que piensa (J. M., I, cap. XXX, 139 y II, 190-1).

El texto citado, de una densidad poco frecuente, nos remite a una nueva dimensión. Sitúa a la poesía en continuidad con la experiencia creadora del hombre —«no hay vivir sin ver»—, y a la vez la inmerge «en las mesmas aguas vivas» de la existencia, en la corriente vital o en el fluir de lo inmediato psíquico, a modo de un río que, como ya vimos, mientras pasa cantando reverbera el paisaje exterior, que aparenta florecerle en sus ondas fugitivas.

La acción vidente de Machado —comenta López Morillas— es, por lo tanto, la percepción inmediata de una realidad fluyente y mudadiza, en cuanto dicha percepción conduce al acto creador. En el momento de la creación, nos dice, «coincidimos —(son palabras de Machado)— con la corriente de la vida, cargada de realidades virtuales que acaso no llegan nunca a actualizarse, pero que sentimos como infinitamente posibles» [3].

La intuición poética no tiene, pues, nada que ver con la representación reproductiva; es, más bien, la prolongación iluminada de la misma vida, su alumbramiento interior, como si a ésta le naciera de dentro el canto y la meditación, porque la propia palpitación de la vida se ha transustanciali

---

[3] Juan López Morillas, *Antonio Machado y la interpretación temporal de la poesía*, en *Intelectuales y Espirituales*, Madrid. Rev. de Occidente, 1961, pág. 81. Recogido también en la *Antología*, Taurus, op. cit., págs. 251-266.

zado en palabra. No hay otro modo mejor de decirlo: la lírica —sentimiento e intuición— es «palabra en el tiempo», palabra que apresa y retiene lo inmediato psíquico, que nombra lo fugitivo y momentáneo, que eterniza el instante, o al menos, así lo pretende, porque la propia vida del hombre no es más que tiempo con vocación de palabra. La poesía viene a ser así el cumplimiento de la existencia. No se trata de un oficio entre otros, sino de una permanente tarea de humanización, que tiene que elevar creadoramente a conciencia (intuición) aquella experiencia de la vida, que brota originariamente del sentimiento. Y puesto que toda la sustancia de la vida es ya de suyo temporal, en el doble sentido de «duradera» y de «histórica», la poesía es también palabra de su tiempo, o hija de él, como prefiere decir M., revelación intuitiva, no conceptual-sistemática, de lo que podríamos llamar hegelianamente el «espíritu de una época», la flor de su conciencia, antes de que madure el fruto reflexivo de su filosofía [4].

Como «palabra en el tiempo», la intuición lírica no está referida a una forma de presencia absoluta; ni pretende la inerte inmovilidad del espacio (II, 94) ni la abstracta y fría intemporalidad de la idea (II, 173). La presencia que el alma instituye es también temporal y, por lo mismo, está

---

[4] Como comenta Gutiérrez-Girardot: «La reflexión sobre sí mismo que en las *Poesías Completas* constituye el elemento sustancial de la poesía, se transforma ahora, necesariamente, en el fundamento de su idea de la temporalidad, porque la reflexión sobre el alma es reflexión sobre la duración y el tiempo en que consiste el alma como «hija» de su tiempo. La temporalidad es una temporalidad anímica, que en el mundo poetizado es simplemente la temporalidad del mundo. El siglo XIX es así, una fórmula de los dos tiempos machadianos: el del alma y el de la historia, o en su lenguaje, el de la historia del alma que es el alma de la historia: la refracción en el cristal de la interioridad, la borrosa indeterminación en el espejo de sus galerías» (*op. cit.*, 105-6).

siempre transida de negatividad, en un marco irremediable de ausencias. A esta experiencia parece referirse el célebre endecasílabo machadiano: «Alma es distancia y horizonte: ausencia» (CXXVII, bis). No hay, pues, ningún instante temporal que esté dado al alma, de una vez por todas, en presencia pura, porque lo inmediato psíquico no es nunca un estado sustantivo, a modo de un témpano de hielo en medio de la corriente, sino un devenir vital, una transición ininterrumpida entre distintos estados de conciencia. El alma, en cuanto principio de vivificación y unidad de este flujo incesante, tiene que librarlo de su dispersión y fragmentación, alimentando de continuo el sentido inmanente que lo habita; reconstruyendo, como ya vimos, sus nexos interiores, en un esfuerzo titánico por transfigurar el tiempo vivido en tiempo de palabra; «esto es —como comenta finamente J. M. Valverde— el sentirse fluyendo en el tiempo, con la memoria hecha palabra que desesperadamente nombra y da sentido a lo que se va sin remedio»[5]. Ser «alma», actuar como «alma», sólo puede significar constituirse como un centro de mediación entre las ausencias reales de lo ya sido y lo aún por ser, y la presencia intencional, que instituye el poder de la palabra. Gracias a ésta, el presente fugitivo puede ser sobreelevado a una nueva forma de presencia, lírica o mágica, mediada por la memoria y la ensoñación. De ahí que la intuición poética más que retención de lo inmediato en su nuda facticidad, sea la recreación intencional del instante que ya ha dejado de ser y la anticipación lúcida de lo que aún espera llegar a ser en el futuro.

> En verdad —escribe Mairena— lo poético es ver, y como toda visión requiere distancia, sólo hemos de perdonar al poeta, atento a lo que viene y a lo que se va, que no vea casi nunca lo que pasa, las imágenes que le azotan los ojos y que nosotros

---

[5] J. M. Valverde, *Antonio Machado, op. cit.*, pág. 60.

quisiéramos coger con las manos. Es el viento en los ojos de Homero, la mar multisonora en sus oídos, lo que nosotros llamamos actualidad (J. M., I, cap. XV, 69 y II, 183).

Con esto tocamos lo más paradójico y específico de la creación poética; es capaz de erigir una nueva forma de actualidad —la estrictamente lírica— a diferencia y como compensación de la actualidad evanescente y efímera del acontecer. La visión del alma, a fuerza de ser fiel a la misma corriente de la conciencia, se dirige a lo in-actual, a lo que ya ha dejado de ser o está aún pendiente de ser, pero sólo para transfigurarlo mágicamente en una nueva figura de presencia. Es, pues, la suya «una intuición a distancia», que recrea lo que ya no está dado en una presencia directa confiriéndole en el poema su forma cabal de realidad.

Si a esto puede llamarse idealismo, toda forma de creación es idealista, pues responde al principio de que el «poema» constituye la realidad auténtica, de que las cosas no son lo que son hasta haber sido nombradas. Pero, con el mismo derecho, podría llamarse «realismo» (no por supuesto en su forma inmediatista e ingenua), ya que toda palabra es un buceo desesperado en el abismo de lo sin-nombre, la revelación súbita y parcial de un misterio ontológico, que la deja siempre circuida con un limbo sagrado de silencios y sombras.

Desde esta última reflexión, se nos abre el acceso al carácter simbólico de la palabra —la almendra de la teoría poética de A. Machado—. Porque lo propio de la palabra es «nombrar», darnos el «nombre exacto de las cosas», como pedía Juan Ramón Jiménez a la Inteligencia: «que mi palabra sea la cosa misma, / creada por mi alma nuevamente»; la palabra es un poder de desocultación y no de encubrimiento o enmascaramiento. «Silenciar los nombres de las cosas cuando las cosas tienen nombres directos, ¡qué estupidez!»

—se atreverá a decir Machado—; pero sólo para, a renglón seguido, establecer los límites del uso adecuado del simbolismo: «Pero Mallarmé sabía también —prosigue—, y éste es su fuerte, que hay hondas realidades que carecen de nombre y que el lenguaje que empleamos para entendernos unos hombres con otros sólo expresa lo convencional, lo objetivo —entendiendo aquí por objetivo lo vacío de subjetividad, es decir, los términos abstractos en que los hombres pueden convenir por eliminación de todo contenido psíquico individual—. En la lírica, imágenes y metáforas son, pues, de buena ley cuando se emplean para suplir la falta de nombres propios y de conceptos únicos que requieren la expresión de lo intuitivo, nunca para revestir lo genérico y convencional» (C., 34 y II, 100).

El texto nos presenta el binomio central de la Poética machadiana: «nombrar» y «sugerir»; no son funciones de signo opuesto, sino complementario, de las que la primera, no obstante, goza de un carácter paradigmático, como expresión directa y propia de una intuición de realidad. El supuesto, pues, de la función nominativa sería la perfecta adecuación entre el lenguaje y el sentimiento —como afección de mundo— y con sus intuiciones originarias. Poner nombre, llamar a las cosas por su nombre no es cosa fácil, como pudiera pensarse a la ligera. La palabra lírica o protopalabra tiene que evitar el riesgo del «tópico» común, gastado en su uso y a veces hasta vaciado de sentido; y el otro, no menos grave, del nombre abstracto, como moneda de cambio lógico, en la comunicación objetiva. El pensamiento tópico y el pensamiento homogéneo presentan, aunque por diferentes motivos, una falta de subjetividad, y, paralelamente, una carencia de sentido ontológico profundo. No sirven como expresión singular de lo inmediato psíquico ni como mostración de la riqueza cualitativa del ser. La lírica tiene que realizar, pues, un trabajo de humanización y subjetivación del discurso. En el primer flanco, se trata de protegerse contra los tópicos banales, luchar contra las resistencias de las palabras —«productos espirituales»— y volver a acuñarlas, por así decirlo, con el sello de una visión personal. «Entre la palabra usada por todos y la palabra lírica —enseñaba Abel Martín— existe la diferencia que entre una moneda y una joya del mismo metal. El poeta hace joyel de la moneda» (A. M., 29 y II, 134). No es un juego caprichoso con la significación lo que aquí propone M. La dignidad de la palabra consiste en ser «significación de lo humano», es decir, del universo del hombre, en el sentido, no puramente descriptivo sino ético-crítico de este término. Esto constituye una permanente medida de verdad para cualquier menester lingüístico; la poesía, como tarea de humanización, sirve a este imperativo capital. El arte puede y debe denunciar la vaciedad y la alienación de nuestro lenguaje, allí donde éstas se encuentren, pero tiene también que aceptar sentidos ya acuñados en su valor de humanidad, para re-figurarlos con la experiencia personal del alma del poeta. «Trabaja (éste) —concluye la nota de Abel Martín— con elementos ya estructurados por el espíritu, y aunque con ellos ha de realizar una nueva estructura, no puede desfigurarlos» (A. M., 29 y II, 134; cfr. correspondientemente la actitud ante el tópico que aconseja Mairena, J. M., I, cap. XV, 70 y II, 184).

En cuanto al segundo flanco —el del pensamiento objetivo u homogéneo— la misión de la lírica es, como ya se vio (cap. VII, parágrafo 3), ofrecer una alternativa a la lógica, una actividad «de sentido inverso», en la medida en que opone a las abstracciones conceptuales, la riqueza cualitativa del mundo; o lo que es lo mismo, a los derechos del pensamiento lógico, las exigencias ineludibles de la sensibilidad. «Este pensar se da entre realidades, no entre sombras; entre intuiciones, no entre conceptos» (A. M., 31 y II, 136) —señala Abel Martín—, y su dialéctica no es la propia de la implicación lógica o la derivación deductiva (el tránsito entre conceptos), sino la «lírica» de una exploración infinita del mundo, en un «viaje» admirado y vidente entre las maravillas de las cosas. El poeta va, pues, a la caza de los nombres, como quien registra y sella una visión iluminada de los abismos.

Pero hay «hondas realidades» que no caben en las palabras; intuiciones que, por así decirlo, son inexhauribles; la sobredeterminación de su sentido crea de suyo una polisemia que rompe la univocidad del nombre propio. O dicho al modo machadiano, «la sobreabundancia y radicalidad del sentimiento desbordan los límites de la expresión». Éste y sólo éste es el lugar poético del símbolo. «Si entre el hablar y el sentir hubiera perfecta conmensurabilidad, el empleo de las metáforas sería no sólo superfluo, sino perjudicial a la expresión...». Y luego, volviéndose hacia uno de los paradigmas del simbolismo poético: «En San Juan de la Cruz, acaso el más hondo lírico español, la metáfora nunca aparece sino cuando el sentir rebosa del cauce lógico en momentos profundamente emotivos» (C., 33-4 y II, 99-100; y correspondientemente, en el «arte poético» de Mairena, A. M., 47 y II, 145). El símbolo se encuentra indisolublemente unido a la experiencia del límite de la expresión directa, de lo que no puede ser nombrado sin empobrecerlo; e inaugura un nuevo modo de decir indirecto o «alusivo», en el que las palabras se usan en textura abierta, sin perder su sentido propio —es verdad—, pero refiriéndolo a contextos emotivos e intuitivos, en que se refracta y distiende en una pluralidad indefinida de dimensiones [6]. El uso correcto del simbolismo

---

[6] Cfr. a este respecto la mención al simbolismo en el cap. I, parágrafo 1. A esta luz hay que leer, por otra parte, el análisis del simbolismo antropológico-metafísico de la temporalidad en el capítulo II.

implica, pues, según la poética de M., la experiencia del misterio, la pretensión de expresar lo inefable, no mediante una
mostración directa, que no sería posible, sino oblicuamente,
dejando que los términos de la experiencia ordinaria «sugie-
ran», más allá y sobre sí mismos, un orden latente de significación.

En este nuevo orden del discurso lírico amenaza un doble
riesgo a la palabra poética; de un lado, el fetichismo, como
reificación positiva y hasta positivista de lo absoluto, o cierre unívoco de la expresión lírica sobre un orden de realidades a la mano; del otro, el artificiosismo, como creación
de falsos enigmas, para un juego poético intrascendente (C.,
34 y II, 100). Y de nuevo aquí, nos sale al paso la gravedad
ontológica de la lírica de M., y su abierta pretensión de hu-
manizar el universo poético. El único lugar del misterio es
el propio corazón del hombre. Lo que desfonda el mundo,
lo que lo tiene permanentemente abierto en su significación,
es que lo habita una subjetividad finita o temporal, que no
puede «alcanzar verdades absolutas», sino rastrearlas o sos-
pecharlas, mientras consume su breve tiempo de palabra,
«a orillas del gran silencio».

El destino del hombre en el mundo, sobrenadando sobre
el abismo —«de arcana mar vinimos, a ignota mar iremos»—
constituye el tema dominante y obsesivo, como ya se ha indicado, del simbolismo machadiano. Esta clave temporal de
la existencia —incertidumbre y búsqueda a la vez— es lo
que se revela como el «sí mismo» —el yo íntimo y profundo— en la autoafección originaria del sentimiento. De ahí
que todo símbolo deba tener el doble valor, como ha señalado J. M. Aguirre, de «representación emocional e intuición
metafísica»[7], en la misma medida en que expresa conjunta-

---

[7] J. M. Aguirre, *op. cit.*, pág. 86.

mente el sentimiento radical del «sí mismo» y el alumbramiento —exploración, mejor, en canto y meditación— del
enigma del mundo. Esta confrontación con lo misterioso
da cuenta de los caracteres de la semántica del simbolismo.
En primer lugar, se trata de un lenguaje icónico, en el que
se produce la primera refracción del sentimiento en el orden
imaginativo. Lo intuido y experimentado en la afección no
tiene nombre propio ni presenta un rostro familiar con
los objetos del mundo. No puede ser mostrado, sino «figura-
do» en la síntesis productiva de la imaginación, que ha de
buscarle un «esquema» de apoyatura. La «imagen» presenta
una mayor libertad expresiva, por no estar vinculada expresamente ni con el orden de la sensibilidad externa ni con el
de la idea. No hace referencia a cosas ni a conceptos. Queda
así en un «intermedio» semántico, como un lenguaje intuitivo, que ni está confinado al orden empírico-positivo de lo
dado ni asociado inmediatamente con el trasmundo de las
ideas. Creo que a esto se refería M. al distinguir entre «imágenes que expresan intuiciones» y las que son «cobertura de
conceptos» y poner en las primeras la carga lírica metafórica
(A. M., 92-3 y II, 119). Pero, a la vez, por su naturaleza mediatriz, la imagen posibilita un nexo semántico flexible entre
la experiencia y la significación conceptual. A medio camino
entre ambas, sin estar asociada inmediatamente con ninguna
de ellas, la nueva significación simbólica gana, no obstante,
un halo de referencia híbrido, indeterminado, muy apto para
aludir a un acontecimiento, que por esencia, no pertenece
al orden de lo empírico-positivo ni se deja conceptualizar
adecuadamente.

En segundo lugar, se trata de «imágenes dinámicas», que
pertenecen básicamente al orden de la experiencia del tiempo
vivido. De ellas podría decirse lo que M. de la lírica de
Moreno Villa:

son imágenes en el tiempo, que han conmovido el alma del
poeta; no están en la región intemporal de la lógica —sólo la
lógica está fuera del tiempo— sino en la zona sensible y vibrante de la conciencia inmediata (A. M., 92 y II, 118).

Las imágenes radicalmente simbólicas brotan de la misma experiencia de la vida; son calas en el yo fundamental,
trasunto de una historia interior del alma que no se deja
reducir al lenguaje objetivo de la idea o del proceso físico.

>   Toda la imaginería
>   que no ha brotado del río,
>   barata bisutería.
>
>   (CLXIV, «De mi cartera».)

Su referencia significativa, como ya se ha indicado, no se
ejerce en directo, sino de un modo alusivo, dentro de un
contexto o arquitectura de sentido variable, según la diver-
sidad de relaciones originadas. Se trata de una «abreviatura
dinámica», tal como señala R. Gullón, «una abreviatura de
diferentes cosas, presentes o no, según el nivel en que la
lectura se realice» [8]. Y su modo de decir es esencialmente sugestivo, en referencia semántica abierta y sobre-determinada,
que puede ser recreada de continuo, hasta un límite de satu-
ración, en que la mejor palabra debe dejar ya paso al silencio —la única actitud coherente con la experiencia de lo misterioso—. «En términos de teoría poética bergsoniano-simbo-
lista, el silencio es inevitable —como ha indicado oportunamente J. M. Aguirre—. La intuición fundamental objeto del
poema es, por definición, innominable. Bécquer ya lo había
dicho: no hay cifra capaz de encerrarla. No es que no se
deba nombrar un objeto; es imposible hacerlo. La sugestión
es la ley» [9].

---

[8] R. Gullón, *op. cit.*, pág. 258.
[9] J. M. Aguirre, *op. cit.*, pág. 128.

HACIA LA POESÍA INTEGRAL

El texto de J. M. Aguirre nos recuerda que la poética de M. se inscribe en el espíritu del simbolismo. No cabía esperar otra cosa. Si toda poesía es «hija» de su tiempo, no puede, por menos, de ser la expresión de la «ideología y sentimentalidad» dominantes en su época (A. M., 100 y II, 126; pueden verse también J. M., I, cap. IX, 46 y II, 180). No conviene, sin embargo, olvidar que, dentro de esta matriz, actúa también en M. un principio de conciencia, al cual se debe, en última instancia, la transformación de la sensibilidad simbolista en una clara dimensión ontológica. Ésta se deja sentir en su interés, muy temprano, por la «estructura interna» del poema, como declara a Juan Ramón (OPP, 994 y II, 84), es decir, en la búsqueda de una línea de constructividad que organice el material intuitivo, y en la aspiración a una nueva forma de objetividad lírica —«esa nueva objetividad a que hoy se endereza el arte y que yo persigo hace veinte años», como declara enfáticamente a Giménez Caballero (OPP, 921 y II, 155)—, al abrigo de los excesos desintegradores del subjetivismo. Es, sin duda, en las «Reflexiones sobre la lírica», donde este propósito alcanza su formulación más nítida y coherente. En el fondo, el comentario al libro *Colección* de José Moreno Villa es tan sólo, como ya estamos acostumbrados en M., una oportunidad para desarrollar su propia teoría poética. Hay, pues, que traducir a «estilo directo» lo que a primera vista parece ser una simple anotación crítica al margen de la poesía de otro.

> Yo creo ver en su lírica una tendencia a la ponderación y al equilibrio. Sin embargo, el hombre de su tiempo que reacciona justamente contra los excesos de románticos y simbolistas, *se*

acusa en él por una actitud vigilante y una preocupación cons-
tructiva, que parece inclinarse más a reforzar el esquema lógico que a la corriente emotiva de sus versos (A. M., 96 y II, 122).

La frase que he subrayado puede servir, mejor que ninguna otra, para indicarnos el camino poético que recorre M.
para trascender el confinamiento espiritual del subjetivismo
decadente. Sólo a esta luz cobran sentido sus críticas al
«simbolismo» —reducido siempre a sus fenómenos más corrosivos y desintegradores en los epígonos— y su intento de
orientarse hacia una poesía integral, que pudiera expresar
la totalidad —afectiva e intelectual— de la experiencia humana.

Como definición de esta nueva actitud puede valer el breve poemita con que he abierto este capítulo:

> Ni mármol duro y eterno,
> ni música ni pintura,
> sino palabra en el tiempo.
>
> (CLXIV, «De mi cartera») [10].

La lírica del alma, «palabra en el tiempo», se sitúa aquí
entre dos posiciones extremas, que aluden al parnasianismo
y simbolismo respectivamente. El primero es básicamente
arquitectura, en la medida en que los elementos externo-
formales definen el poema como una «cosa» intemporal, en
un cuño geométrico puro, cuya perfección formal pretende
hacerse valer para siempre. En definitiva el parnasianismo
ha procedido a una «espacialización» del material poético, al
modo de la realidad externa, en la que es posible encontrar
los esquemas definidores del pensamiento conceptual abs-

---

[10] Este aforismo poético no supone simplemente la «negación del
parnasianismo», como cree J. M. Aguirre (*op. cit.,* 146), sino de las
dos teorías poéticas modernistas: La simbolista y la parnasiana tal
como apunta Aurora de Albornoz (*Antología,* II: *Literatura y Arte,*
op. cit., 28).

tracto. Machado ha sabido ver correctamente el fenómeno, al referirse a la «línea» parnasiana, que pretendía ser, por sí misma, cantora. Pero, «la línea tampoco puede cantar. No es este su oficio. Ni la línea ni el concepto cantan. No pertenecen al mundo sonoro ni siquiera al mundo sensible. Nada tienen que ver con lo inmediato psíquico. Su mayor encanto es el de su frialdad, el de su pureza, el de su alejamiento» (A. M., 105, y II, 131). Se diría que en el verso parnasiano la temporalidad es eliminada en beneficio de la «palabra», entendida ahora en la acepción *lógico-conceptual estricta,* como medio de «objetividad pura».

Machado estuvo siempre muy lejos de semejante tentación. Su formación poética arranca del simbolismo, al que le reconoce el mérito de haber reaccionado oportunamente contra la «pura objetividad de la orfebrería parnasiana» (OPP, 895 y II, 115). El riesgo, no obstante, de la actitud simbolista, con su retracción en la intimidad y la apelación a los estados sentimentales subconscientes y a la intuición emotiva, es justamente el contrario: disolver la «palabra» en el tiempo o en la mera sensibilidad interior del cambio de las vivencias. Es a esto a lo que llama ahora «música» —la melodía íntima de la pulsación vivencial en un estado anterior a la organización consciente—. Y no es que la música no tenga su propia estructura —la típica de la frase musical simbolista— sino que ésta no alcanza a definirse íntegramente como «palabra» —como habla humana— sino más bien se diluye en complejos de sensaciones, en asociaciones cualitativas libres (sinestesias), que se modulan de continuo en un espacio poético absolutamente temporalizado, como el continuo musical. Las críticas machadianas al simbolismo, o por mejor decir, «a los epígonos de los simbolistas», no denuncian en el fondo otra cosa que la disolución de la palabra. «La lírica estaba enferma de subjetividad. Había pretendido expresar lo inmediato psíquico, el fluir de la conciencia individual, *lo anterior al lenguaje*, al pensamiento conceptual y a la construcción imaginativa» (OPP, 895 y II, 115; el subrayado no pertenece al texto). La objeción, por llamarla de alguna manera, se repite constantemente, quizá como una «mala espina» de subjetivismo que se hubiera enconado en la conciencia poética del propio Machado. Así, en otro momento, vuelve a declarar:

> el simbolismo llegó a prescindir del adjetivo definidor, el adjetivo homérico (...) y del esquema genérico, para darnos la sensación actual y la impresión viva de un objeto único, o el temblor momentáneo de un alma singular. A mi entender —agrega M.— hacía un sacrificio excesivo con un propósito demasiado trivial. Sacrificio desmesurado y empresa destinada al fracaso (OPP., 892 y II, 113-4; pueden verse también A. M., 94 y II, 119-120).

Resulta fácil identificar este fracaso con lo que ha llamado M. «el estado comatoso cerebral, con el sólo propósito de remediar (?) el caos anterior a la conciencia clara, informada por la representación y el concepto» (OPP, 895 y II, 115). La frase musical venía a ofrecer así una organización rítmica de sensaciones e impresiones, una pura secuencia dinámica de estados de conciencia, e incluso de sub-conciencia, distinta totalmente de lo que entiende M. por la claridad y la integridad de la palabra. «De la musique avant toute chose», decía Verlaine. Y no olvidemos —recuerda M.— que la música de Verlaine no era ya la pura aritmética sonora de los clavicémbalos setecentistas, sino algo más y algo menos, la caótica melodía infinita wagneriana del *orgue de Barbarie* (C., 115-6 y II, 66. Pueden verse también, A. M., 98 y II, 124). Sin duda, la crítica es excesivamente rigurosa y hasta enfática. Pero aun reducida a sus verdaderas proporciones, siempre quedaría la objeción de que la intuición poéticometafísica del mundo se disuelve en puro «impresionismo» y el yo íntimo se esfuma y desintegra en mero «estado musical».

Se comprende, por otra parte, que la alternativa poética de M. consista en reconquistar el valor genuino de la palabra. La nueva actitud aparece formulada precisamente, como podía esperarse, en el contexto de la crítica al simbolismo. «Rehabilitemos la palabra en su valor integral. Con la palabra se hace música, pintura y mil cosas más; pero, sobre todo, se habla. He aquí una verdad de Perogrullo que comenzábamos a olvidar» (OPP, 893 y II, 114). Es este sentido de la palabra como «habla», es decir, como viviente comunicación con el otro hombre sobre las cosas mismas, el que orienta definitivamente la reflexión poética de Machado. La tarea de humanización, más que de subjetivización, del discurso poético se impone ahora con claridad meridiana. La teoría poética ha encontrado su estrella polar: el retorno al mundo humano. Pocas veces en la historia de la literatura ha tenido la vocación humanista del arte una formulación tan precisa: *El que no habla a un hombre, no habla al hombre; el que no habla al hombre, no habla a nadie.* Si bien se observa esta actitud no es enteramente nueva; estaba ya desde el comienzo mismo como una soterrada vena de inspiración, esperando su oportunidad para aflorar explícitamente a la conciencia. La búsqueda de la «voz viva» frente a los «ecos inertes» del «Prólogo» a *Soledades* de 1917, se movía en esta misma dirección (cfr. cap. I, pr. 1). Y el soliloquio interior del Autorretrato de *Campos de Castilla.*

> Converso con el hombre que siempre va conmigo
> —quien habla solo espera hablar a Dios un día—.
>
> (XCVII.)

no era más que un atajo para conseguir idéntico propósito. Hablar consigo sólo puede hacerlo quien lleva consigo al otro, o quien se desdobla como otro, poniéndose en su lugar, en una relación dialéctica que no es más que el reflejo interiorizado de un diálogo genuino. Por eso es en el fondo una espera y preparación a hablar con Dios, como ideal de la comunicación perfecta. El motivo reaparece de nuevo, con más brío y esplendor que nunca, en el «arte poética» de Mairena, elevado a la categoría de un principio universal de la praxis humana:

> Ningún espíritu creador —añade Mairena— en sus momentos realmente creadores pudo pensar más que en el hombre, en el hombre esencial que ve en sí mismo y que supone en su vecino (A. M., 48, y II, 147).

Este nuevo clima de objetividad e intersubjetividad, en definitiva, de abierta comunicación, es calificado en una nota sobre «Gerardo Diego, poeta creacionista», como *«poesía integral,* totalmente humana, expresable en román paladino y que fue, en todo tiempo, la poesía de los poetas» (OPP, 895-896 y II, 116). Y, por tanto, el método poético para lograrlo, no puede ser otro que una permanente aspiración a conciencia.

> Para llegar a ella —añade M.— forzoso es abandonar también cuanto hay de supersticioso en este culto a las imágenes líricas. No olvidemos los fines por los medios. Imágenes, conceptos, sonidos, nada son por sí mismos; de nada valen en poesía cuando no expresan hondos estados de conciencia (OPP., 896 y II, 116).

La poesía sigue siendo entendida como «palabra en el tiempo», pero manteniendo un perfecto equilibrio entre los dos miembros del binomio, para que no bascule hacia el intemporalismo conceptista de la nueva lírica —un nuevo flanco de ataque— ni caiga el platillo hacia el lado del temporalismo de la mera vivencia. La poesía integral como «palabra en el tiempo», sólo puede ser una palabra de *su* tiempo, afincada en el aquí y el ahora, y también, claro está, una palabra de *su* pueblo, brotando del «habla viva» o de la inspiración popular. La poesía pura se le antoja, por el contrario, un empeño imposible.

> Podría existir, pero yo no la conozco. Creo que más de una vez intentó el poeta algo parecido y que siempre alcanzó a dar frutos del tiempo —ni siquiera los mejores— recomendables, a última hora, por su impureza (A. M., 105 y II, 132).

De la poesía pura, como de la filosofía pura, y de todo lo puro en general, en estado superlativo, podría decirse, a fin de cuentas, lo que Unamuno del «agua químicamente pura», que es impotable. Ésta viene a ser la posición de M. «También el arte se ahoga entre superlativos. Son musas estériles, cuando se las confina entre cuatro paredes» (A. M., 106 y II, 132). Sea de ello lo que fuere, porque no es este el momento de entrar en una cuestión de tanto litigio, la poesía integral señala una vuelta temática y estilística hacia la lírica popular y el folklore. El consejo a Gerardo Diego de «oír la lengua pura y viva» se transforma en un hacer viva la lengua, por inmersión consciente, no erudita ni reflexiva, en las «mismas aguas de la vida», es decir, en el corazón y sentir popular. La actitud de Juan de Mairena aún era más rotunda: «Si vais para poetas, cuidad vuestro folklore. Porque la verdadera poesía la hace el pueblo» (J. M., II, cap. L, 53). Es cierto, como ha mostrado J. M. Aguirre, que con esto [11] no hacía más que prolongar una línea de inspiración ya

---

[11] J. M. Aguirre, *op. cit.*, págs. 71-72 y 76 y sigs.

presente en el simbolismo, pero con todo conviene advertir que ahora sirve a un propósito de «temporalización», esto es, circunstancialización esencial de la palabra humana, como habla de una comunidad, frente a la «destemporalización», que tanto le displacía en los nuevos poetas. De ahí que la «palabra en el tiempo» responda ahora al doble imperativo «de la temporalidad» y la «esencialidad» (OPP, 54 y II, 167) o por decirlo de otra manera, de la intuición emotiva y la categoría intelectual. La palabra no puede consumirse en el chisporroteo de las nudas vivencias, por muy hondas que pretendan ser éstas. Ni congelarse en el mundo abstracto de la lógica. Ella brota de la vida, como su conciencia interior, que ha de devolverle a la pulsación temporal de las vivencias el valor de su genuina significación humana. «Eternizar el instante» quiere decir hallar su sentido inmanente, convertirlo en «palabra», que retenga la luz fugaz de cualquier hora en una experiencia de humanidad, cuyo sentido, en el propio tiempo y no al margen de él, pueda valer, merezca valer, para siempre.

De acuerdo con este doble imperativo, el poema requerirá el concurso de elementos intuitivos y constructivos —fluidos y temporales los unos y arquitectónicos conceptuales los otros—, para que en su conjunto definan la integridad de la palabra. «No es la lógica lo que el poeta canta sino la vida, aunque no es la vida la que da estructura al poema, sino la lógica» (A. M., 95 y II, 121). No se trata de una renuncia, sino de una conquista. La única forma de preservar lo «inmediato psíquico», de evitar su fragmentación y evanescencia, es retenerlo, por así decirlo, o mejor, proyectarlo, en el universo intemporal de la significación.

> Lo inmediato psíquico, la intuición que pretende sugerir el poeta lírico de todos los tiempos es algo, ciertamente, singular, que vaga azorado en nuestro espíritu mientras no encuentra

un cuadro lógico donde insertarse. Pero esta nota *sine qua non* de todo poema, necesita, para ser expresada y reconocida, el fondo de imágenes genéricas y familiares, sobre el cual destaque su singularidad, su vibración, única y momentánea (OPP, 893 y II, 114).

Las imágenes que «expresan conceptos» —que no es lo mismo que su cobertura conceptista— y aquellas otras que «expresan intuiciones» se entrelazan en la urdimbre del poema, de modo que éste resulte ser, en verdad, una creación de la experiencia total del hombre, una génesis viviente de sentido, al filo mismo del acaecer del propio tiempo. La realidad aparecerá entonces en su plenitud, como acontecimiento y significado; y congruentemente, la palabra humana ingresará en aquella dimensión última, en que no puede ser más que «habla» —voz que nombra las cosas y llama al hombre, convocándolo a compartir el mismo mundo humano—. El nuevo medio de la objetividad lírica —no la meramente abstracta u homogeneizadora— se convertirá en un vínculo de comunicación. Machado lo ha reconocido muy explícitamente:

> Se ignoraba, o se aparentaba ignorar, que un poema es —como un cuadro, una estatua o una catedral— antes que nada, un objeto propuesto a la contemplación del prójimo, y que no será tal objeto, que carecería en absoluto de *existencia*, si no estuviese construido sobre el pensar genérico, si careciese de lógica, si no respondiese, de algún modo, a la común estructura espiritual del múltiple sujeto que ha de contemplarlo (A. M. 94 y II, 120).

Junto a la intuición emotiva se recobra la línea y el concepto, sin caer en los excesos de la espacialización geométrica parnasiana ni en los virtuosismos formales del nuevo conceptismo. Y se deja pervivir siempre la emoción irrenunciable de lo que pasa sin remedio, de lo singular intrasferible, como la sustancia misma de la experiencia estética. La vocación o aspiración a conciencia gana también, en el terreno lírico, su definitiva batalla. Los elementos constructivos y genéricos «son tan necesarios en el poema —concluye Machado en sus «Reflexiones sobre la lírica»—, como en la vida misma, a cuya más alta jerarquía, a la conciencia del hombre, corresponde también la más alta y desesperada pretensión a lo objetivo» (A. M., 105 y II, 132). La poesía integral, como la palabra en la plenitud de su sentido, es también, como no podía ser menos, pensamiento originario —antes de su reflexión sistemática— y el pensamiento mismo se abre poéticamente desde las intuiciones cordiales del sentimiento.

«COMO HERMANOS GEMELOS»...

Se gana así el punto en que se había iniciado este estudio: la indiscernible unidad entre poesía y filosofía en la palabra integral humana. Séame permitido volver una vez más sobre ella, con el fin de valorar la originalidad de M. en el marco histórico de planteamientos afines. Me refiero a tres pensadores, coetáneos suyos, también filósofos-poetas, entre los que se mueve confusamente su propia teoría poética.

El primero, en el orden cronológico y de influencias, es el de H. Bergson, cuyos cursos siguió M. en Francia, en 1911, con motivo de su beca de ampliación de estudios. Como es bien sabido, Bergson pertenecía a aquellos filósofos que yo llamaría de tonalidad caliente, en los que prima la intuición sobre la reflexión, y los valores afectivos y sentimentales sobre los conceptuales. Esta es, por otra parte, la tonalidad dominante también en Unamuno y Heidegger, y constituye sin duda una cuerda decisiva del filósofo Machado (Abel

Martín y Mairena), aunque en él debidamente templada por una finísima ironía del más puro abolengo andaluz.

Es ya bien conocida la distinción bergsoniana entre inteligencia e intuición. Volcada la primera sobre lo exterior, responde a una finalidad técnica y pragmática de dominio del mundo. «Esto no tiene nada de sorprendente —escribe Bergson—. Nuestra inteligencia es la prolongación de nuestros sentidos. Antes de especular, es preciso vivir y la vida exige que saquemos partido de la materia, ya sea con nuestros órganos, que son útiles naturales, ya sea con los útiles propiamente dichos, que son los órganos artificiales. Mucho antes que hubiera una filosofía y una ciencia, el papel de la inteligencia era ya fabricar instrumentos y guiar la acción de nuestro cuerpo sobre los cuerpos que nos rodean. La ciencia ha llevado mucho más lejos este trabajo de la inteligencia, pero no ha cambiado su dirección» [12]. Para ello forma conceptos o esquemas de generalización, que le permitan solidificar la realidad móvil y fragmentarla en una multiplicidad abstracta de unidades, a partir de las cuales es preciso reconstruir luego una síntesis igualmente abstracta y externa.

Trabaja, pues, sobre la superficie de las cosas, en el medio homogéneo de la materia o de la cantidad, según los principios, igualmente homogéneos, de la medida y el número, y alcanza a fabricar un lenguaje simbólico, que por así decirlo, traduce a esquemas funcionales, a notaciones matemáticas o lógicas, los fenómenos exteriores. Su tendencia a la espacialización del tiempo, como medio homogéneo de desarrollo de los fenómenos de la materia, y por consiguiente, a la intemporalidad abstracta de sus esquemas operacionales (categorías), la aleja de la fluencia real del acontecer (*durée*)

---

[12] *La pensée et le mouvant*, en *Oeuvres*, Ed. du Centenaire, Paris, P. U. F., 1970, págs. 1.278-9.

de la realidad, en su dinamismo interno. Lo propio, pues, de la inteligencia es el «espíritu» pascaliano de geometría, es decir, la pretensión sistemática en el orden teórico (ciencia), como entramado categorial, fijo y unívoco, y la orientación pragmática en el orden vital (técnica), como aseguramiento y transformación del medio.

Nos estaría negado el acceso a la cara interior de la realidad, si junto al *esprit de géométrie*, por utilizar una expresión pascaliana, no existiese el *esprit de finesse*, la intuición encargada de identificarnos simpatéticamente con el desarrollo y el pulso interior de la vida. Por así decirlo, nos instala de un golpe en el elemento fluido y dinámico de la realidad, sorprendiendo su ritmo de despliegue y la dirección que anima sus procesos.

> La intuición de que hablamos —prosigue Bergson— nos lleva, por consiguiente, ante todo, sobre la duración interior. Capta, pues, una sucesión que no es yuxtaposición, sino crecimiento por dentro, la prolongación ininterrumpida del pasado en el presente que se desliza hacia el porvenir. Es la visión directa del espíritu por el espíritu, sin nada que se interponga; sin ninguna refracción a través del prisma, una de cuyas caras es espacio y la otra, lenguaje... Intuición significa, pues, ante todo, conciencia, pero conciencia inmediata, visión que se distingue apenas del objeto visto, conocimiento que es contacto e incluso coincidencia [13].

A Machado tuvo que abrirle este planteamiento, tan cordial y poético, una puerta a su vocación metafísica, junto con la posibilidad de fundar la transcendencia del arte como vía de acceso a la realidad. Pues si bien se observa, la intuición bergsoniana es hermana gemela de la intuición poética. En ambos casos se da la misma inmersión en lo profundo —cara

---

[13] *Oeuvres*, op. cit., págs. 1.272-3.

interior de lo real—, la misma identificación con el proceso y con el tiempo heterogéneo de la vida, y hasta la misma súbita revelación, casi apocalíptica, del sentido o dirección que anima el cosmos. Bergson había ya establecido esta función del arte, rompiendo los velos que se interponen entre la realidad y la conciencia, y abriendo el espacio de la dimensión metafísica. «Así ya sea pintura, escultura, poesía o música, el arte no tiene otro objeto que separar los símbolos útiles en la vida práctica, las generalidades aceptadas por convención en la sociedad, en fin todo aquello que nos enmascara la realidad, para ponernos cara a cara con la realidad misma. De un malentendido sobre este punto ha nacido el debate entre el realismo y el idealismo en el arte. El arte, no es, con toda seguridad, más que una visión más directa de la realidad» [14].

Pero junto a la influencia de Bergson, decisiva sin duda, hay que contar también la más próxima y cálida de Don Miguel que, por vía del sentimiento, había llegado a una contraposición semejante a la bergsoniana. Sin pretender ser exhaustivo, quisiera espigar tan sólo algunos pasajes unamunianos que, sin duda, dada la gran admiración de M. por su «maestro», debieron dejar huella en el pensamiento del discípulo. Aun no tomando este discipulado demasiado en serio y muy al pie de la letra, es innegable que M. tiende a pensar sus propias intuiciones, a veces muy diversas en su origen a las de Unamuno, en los términos típicos de éste y que, por pura devoción, juega a «unamunizar» su pensamiento. Esto crea no pocas ambigüedades y una corriente de «influjo y reflujo», como ha señalado muy certeramente Aurora de Albornoz [15]. Me limito a indicar tan sólo algunos puntos, no anotados hasta el momento, que yo sepa, y que debieron con-

14 *Le rire*, en *Oeuvres*, op. cit., pág. 462.
15 *La presencia de M. de Unamuno en A. Machado*, op. cit., págs. 93 y 102.

tribuir a fijar en M. la relación existente entre poesía y filosofía:

Comienza Unamuno estableciendo una distinción, que luego volveremos a encontrar en Heidegger, entre la filosofía como poema y la filosofía como sistema. La primera persigue aquella visión sintética del mundo que transparece, intuitiva y dramáticamente, en un modelo de existencia. Basta como ejemplo la propia filosofía unamuniana del quijotismo, inspirada en la concepción de la vida como hazaña heroica, tal como se nos ofrece intuitivamente en Don Quijote. Se trata, pues, de un retorno a la palabra viviente, que no explica por la lógica de las razones, sino por la fuerza personificadora del modelo, esto es, por su poder de humanización del mundo. Este uso de la palabra es propio de la poesía.

> El poeta es el que nos da —dice Unamuno— todo un mundo personificado, el mundo entero hecho hombre, el verbo hecho mundo; el filósofo sólo nos da algo de esto en cuanto tenga de poeta, pues fuera de ello no discurre él, sino que discurren en él sus razones, o mejor dicho sus palabras («Plenitud de plenitudes», *Ensayos*, I, 581-2).

Frente a este verbo personal, la filosofía como sistema no es más que un conjunto de *logoi* o argumentos, una trama orgánica de razones, cuyo sentido y desarrollo depende de la propia experiencia lingüística de un pueblo.

> Así —prosigue Unamuno— un sistema filosófico, si se le quita lo que tiene de poema, no es más que un desarrollo puramente verbal; lo más de la metafísica no es más que metalógica, tomando lógica en el sentido que deriva de logos, palabra. Suele ser un concierto de etimologías. Y hasta tal punto es así que cabe sostener que hay tantas filosofías como idiomas (*Ensayos*, I, 582).

La sugerencia de Unamuno presenta una excepcional actualidad. La lengua con su potencial significativo, subyace siempre a la filosofía. En cuanto «receptáculo de la experiencia de un pueblo y sedimento de su pensar» —nos dice *En torno al Casticismo*— (*Ensayos*, I, 51), «marca los límites y la condición posibilitante del espíritu colectivo del pueblo», el arsenal de sus vivencias y por tanto su matriz básica de significación. A la altura del *Del sentimiento trágico de la vida*, la tesis se mantiene la misma: «Una lengua, en efecto, es una filosofía potencial» (*Ensayos*, II, 1.005), suponiendo, como ha precisado Unamuno años antes, en el ensayo *En torno a la filosofía española*, que la filosofía «es la visión total del universo y de la vida, a través de un temperamento étnico» (*Ensayos*, I, 557). Una visión del mundo cuyas raíces son más patéticas que lógicas, porque «es el sentimiento (tesis que ya vimos en Machado) incluyendo el presentimiento, lo que hace las filosofías todas y lo que debe hacer la nuestra» (*Ensayos*, I, 569).

Ahora bien, dentro del marco significativo de la lengua, sólo cabe o el uso creativo de la palabra, es decir, poético, que juega espontánea y libremente con el depósito de significación disponible, o el uso sistemático que despliega y expone metódicamente los filones de significación que en él se guardan. Cada uno de ellos da lugar a un estilo de filosofar; de ahí que el filósofo bascule entre el poeta y el filólogo, entre el logos personal y creador o la recolección de *logoi* —significación ya constituida—. La suerte, pues, de la filosofía está unida al retorno de la palabra viviente de los poetas. Fuera de ella, ya no hay innovación del pensar, sino mera reiteración de lo ya pensado, esto es, el repertorio de los tópicos intelectuales dominantes en una lengua.

La conclusión parece obvia. Filósofos y poetas son «hermanos gemelos si es que no la misma cosa» (*Ensayos*, II, 735). Y es que la filosofía responde a una indeclinable exigencia: la de darnos una visión del mundo consonante con las necesidades afectivas del hombre, y por tanto, la de humanizarlo e integrarlo en una función de conciencia. «Pero la filosofía, como la poesía, o es obra de integración, de concinación, o no es sino filosofería, erudición pseudo-filosófica» (*Ensayos*, II, 742 y 857). Por otra parte, brota del sentimiento originario, de una actitud básica ante el mundo y la vida (*Ensayos*, II, 730) que, por así decirlo, dispone de antemano del circuito de la presencia y marca así los límites de la comprensión.

La poesía está implantada originariamente en esta misma raíz del sentimiento y en el mismo apetito o intención humanizadora del cosmos. Su función sería pues la de salvar la vida, integrándola en el movimiento de la conciencia. La palabra reúne indisolublemente su doble luz, como diría M., de ser vida y de ser logos. No, por supuesto, el logos racional intelectualista que, según Unamuno, milita contra la vida, sino aquella otra dimensión de conciencia que esclarece y alumbra en su sentido originario nuestra vivencia patética del mundo (*Ensayos*, II, 730-1).

Con estas indicaciones, se anticipa Unamuno a un tema que será luego dominante en la filosofía existencial. Como botón de muestra, elijo por su especial afinidad con el pensamiento de M., la corriente ontológico-existencial heideggeriana. Distingue también Heidegger, en similitud con Unamuno, una forma de pensar poético —o de poesía pensante— (*das dichterische Denken* o *das denkerische Dichten*) que, como el de los presocráticos, intenta ser una correspondencia dócil a la voz de la verdad, casi el memorial de la revelación o descubrimiento del ser. La palabra tiene, pues, aquí su fuerza originaria de hacer algo presente en su verdad. Es, pues, un pensamiento mañanero, anticipatorio, que aún no ha efectuado el poder de la reflexión conceptual de la realidad, sino que vive de la ofrenda del ser, en acogimiento

devoto y acción de gracias [16]. Su acción no es activo-repre-
sentativa, al modo de la subjetividad moderna, sino más
bien, pasiva: sufrir el acontecimiento de la *Lichtung* o iluminación del ser, como el medio de su epifanía. Lo poético
de este pensamiento es que abre el espacio libre de la presencia. O si se prefiere, lo pensante de esta poesía es que nos
trae, en sus intuiciones y símbolos, las primeras luces o inspi-
raciones originarias de toda una forma de pensamiento.

A diferencia de éste, habría otra forma de pensamiento,
de índole reflexivo-sistemática, eso que desde Platón a Hegel
se suele llamar filosofía, y que viene determinado básicamente por el predominio del sujeto sobre el objeto o por el
sometimiento de la realidad al «yugo» de la idea. Podría
llamársele «reflexivo», en cuanto supone el retorno del sujeto
concipiente sobre sí, tras haber troquelado con su impronta
la realidad del mundo. Es, pues, una doma conceptual de la
realidad, y su función consiste en reducir a ideas aquella
experiencia originaria, que abrió el pensamiento poético.
También se le puede llamar sistemático, en cuanto todo sistema, según Heidegger, ha surgido de una voluntad de poder
y pretende integrar la realidad en una fórmula conceptual
manipulable.

Es indudable que si el pensamiento reflexivo-sistemático
aparece en segundo lugar, tanto en el orden cronológico como
en el de la intención (reflexión), corresponde al pensamiento
poético la función creadora por antonomasia. Marca, pues,
el orden de lo originario: del fundamento mismo de la metafísica, que luego se encubre en ésta al reducirse entitativa-
mente, por mor del pensamiento representativo. El intento

---

[16] M. Heidegger, *Was ist Metaphysik?*, Frankfurt, Klostermann,
1965, págs. 49-51.

heideggeriano de la *Überwindung* de la metafísica tiende
pues a reinstalarse, mediante el método del «paso atrás»,
en aquella dimensión perdida de un pensar esencial, que
vuelva a restituirnos la libertad para el ser. Sólo de este pensamiento puede decirse que es hermano de la canción y
mora en montes vecinos a la poesía. No comienza con
nosotros, sino que es más bien nuestro comienzo [17].

La posición de M., a este respecto, tiene como trasfondo a
Bergson y a Unamuno y apunta, por propia cuenta, en la dirección posterior de la filosofía heideggeriana. La herencia
de Bergson está muy clara en el valor que concede M. a la
intuición como método de acceso al ser, frente a la razón
analítica y, en toda su caracterización del pensamiento poético cualificador, al que ya nos hemos referido. A su vez, la
de Unamuno —que M. conocía por su atenta lectura de *Del
Sentimiento Trágico de la Vida*, tal como le manifiesta en
carta, desde Baeza (C., 170)—, está presente en la base sentimental de la filosofía y en la función de ésta como obra de
humanización del cosmos —dos caracteres que M. hace suyos al trasvasarlos a la palabra poético-filosófica—. En cuanto a la relación entre las metáforas poéticas y la reflexión
filosófica, creo que ha de considerarse como una aportación
genuina de M. Con esto, sin duda, se anticipa a Heidegger, al
subrayar la presencia de la imaginación creadora en el origen del pensamiento.

Como ya se indicó, toda poesía encierra siempre una metafísica —el poema inevitable de las creencias radicales— y
toda metafísica se alberga en el acto subjetivo de intuición
o visión de «las creencias últimas, que tienen raíces muy
hondas». Hay, pues, una penetración recíproca: la poesía

---

[17] M. Heidegger, *Aus der Erfahrung des Denkens*, Frankfurt, G.
Neske, 1965, págs. 19 y 25.

contiene ya una metafísica, y ésta a su vez se genera siempre en una instancia poética radical de alumbramiento o visión de la realidad, de fe cordial frente al asalto de la duda. Lo que verdaderamente importa a M. de la filosofía, no es, pues, para decirlo en términos de Heidegger, su versión reflexivo-sistemática, sino la poemática o metafísica [18]. De ahí que Mairena póstumo, en un contexto heideggeriano de pensamiento, aconseje a sus discípulos, que no tomen «muy en serio las conclusiones de los filósofos, que suelen ser falsas y por supuesto nada concluyentes, sino sus *comienzos y sus visiones*, éstas sobre todo, que apenas si hay un filósofo que no las tenga... Toda la filosofía de estos ágiles y magníficos griegos —yo no sé si realmente hay otra— se contiene en unas pocas visiones esenciales, y con unos cuantos poemas del pensamiento que sobre ellas se han construido para siempre» (J. M., II, cap. X, 120 y III, 202).

LA ESTILÍSTICA DE LA TEMPORALIDAD

¿Hay en M. una efectiva concordancia entre su teoría y su práctica poética? O dicho de otro modo, ¿la reflexión poética machadiana, que se acaba de esbozar (pues «todo artista, mejor diré todo trabajador, tiene una filosofía de su trabajo, reflexiones sobre la totalidad de aquella labor a que —como maestro o aprendiz— se consagra», II, 92) responde a su propia voz lírica?

---

[18] Por eso resulta sorprendente la confusión habitual en muchos autores entre «filosofía» y «pensamiento homogéneo o abstracto» —cuando a éste lo llama específicamente M. «lógica»—; y mucho más grave aún el suponer que M. «lucha contra la metafísica», como si pretendiera liberarse de su embrujo (Cfr. J. M. Valverde, *op. cit.*, páginas 171 y 187-8).

Que M. tiene una conciencia positiva acerca de esta concordancia está fuera de toda duda. A veces incluso, como en la obertura del «Arte poética» de Juan de Mairena, lo ha expresado con un énfasis sorprendente, rayando casi en la inmodestia, si no fuese uno de sus típicos «burlaveras».

> Juan de Mairena se llama a sí mismo *el poeta del tiempo*. Sostenía Mairena que la poesía era un arte temporal —lo que ya habían dicho muchos antes que él— y que la temporalidad propia de la lírica sólo podía encontrarse en sus versos, plenamente expresada (A. M., 39 y II, 136-7).

Y no sólo su poesía, sino que hasta buena parte de sus ejercicios retóricos están destinados a mostrar a sus alumnos el logro de una expresión directa y simple, con un profundo acento de temporalidad o de experiencia vivida, de acuerdo con sus propias premisas poéticas:

> Decíamos, en suma, cuánto es la poesía palabra en el tiempo, y cómo el deber de un maestro consiste en enseñar a sus alumnos a reforzar la temporalidad de su verso (J. M., I, cap. VII, 36-7 y II, 174).

Para responder, aunque sumariamente, a la cuestión recién planteada, me parece oportuno distinguir, dentro de lo que llamo estilística de la temporalidad, entre «técnicas» y «modos», un poco a la manera de R. Gullón, aunque con un alcance y amplitud diferentes. Entiendo aquí por «modos» figuras líricas, o mejor aún, configuraciones del espacio poético, aptas para producir una fuerte impresión de temporalidad, y rebajo las «técnicas» al papel de meros instrumentos o recursos expresivos de la misma. Puede ocurrir que la frontera entre ambos, no esté a veces suficientemente clara, pero en todo caso, eso no empece a la necesidad de una distinción de esta naturaleza.

Algunos de estos «modos» han sido formulados por el mismo Machado. Así, por comenzar con alguno, el que llamo «la cadencia melódica del puro acontecer», con eliminación de todo lo anecdótico, para retener tan sólo la emoción fugitiva.

> Canto y cuento es la poesía.
> Se canta una viva historia,
> contando su melodía.
>
> (CLXIV, «De mi cartera».)

La fijación en lo anecdótico retiene siempre en la dimensión de lo inmediato y hace perder la perspectiva del trasfondo. Se hace así crónica o historia, pero en ningún caso adquiere la calidad lírica de la intuición pura de la temporalidad. La pura cadencia, sin embargo, ya no es más que ritmo de sucesividad, transición esquemática, en la que los contenidos quedan indeterminados, sugeridos apenas, para no refrenar el flujo de la corriente. Quizá el ejemplo más significativo de este «modus operandi» lírico sea el poema VIII de *Soledades* [19]. El espacio poético queda estructurado en juegos rítmicos paralelos, como un dúo musical entre la canción de los niños y el sollozo de la fuente:

> y vierten en coro
> sus almas que sueñan,
> cual vierten sus aguas
> las fuentes de piedra

---

[19] Sobre este poema había escrito el propio autor: «En mi composición «Los cantos de los niños», escrita el año 98 (publicada en 1904, *Soledades*), se proclama el derecho de la lírica a contar la pura emoción, borrando la totalidad de la historia humana. El libro *Soledades* fue el primer libro español del cual estaba enteramente proscrito lo anecdótico» (II, 93). Sobre las diversas lecturas de este poema, en términos histórico-culturales puede verse J. M. Valverde, *op. cit.*, págs. 54-60, aunque no entra en su estudio estilístico.

que, a veces, se confunden en una misma vibración única, como un estribillo:

confusa la historia
y clara la pena

cuyo «ritornello» constituye, por otra parte, una segunda línea de cadencia vertical al poema, como si volviesen indefinidamente las mismas ondas fugitivas:

Seguía su cuento
la fuente serena;
borrada la historia,
contaba la pena.

La misma estructura puede apreciarse en el poema XII, en el vago clima de indeterminación, ya apuntado, pues no se sabe bien si el poeta evoca a su amada muerta o invoca a la muerte-amada. Los ritmos horizontales corren aquí a cargo del «aura», «el viento», «las campanas», «los golpes del martillo y la azada», que en oleadas sucesivas, en superposiciones cadenciosas nos traen algún «vestigio» de la amada ausente; mientras que el estribillo, con su típica tensión dialéctica entre el «sí» y el «no», nos produce una y otra vez la misma impresión de ansiedad:

No te verán mis ojos;
¡mi corazón te aguarda!

O en el poema CLII, dedicado a Juan Ramón Jiménez, en donde el sollozo melancólico de la fuente y la canción del ruiseñor y el viento sirven de acompañamiento musical a la «dulce melodía» de un violín, que entona la canción quejumbrosa del alma del poeta:

> Era un acorde lamento
> de juventud y de amor
> para la luna y el viento,
> el agua y el ruiseñor.
> «El jardín tiene una fuente
> y la fuente una quimera...»
> Cantaba una voz doliente,
> alma de la primavera.

Una ordenación análoga encontramos en el poema XI:

> Yo voy soñando caminos
> de la tarde. ¡Las colinas
> doradas, los verdes pinos,
> las polvorientas encinas!...

en el que varios ritmos cadenciosos: la andadura del caminante, como los caminos de la tarde y los del sueño, se replican a ratos y se confunden al fin en una misma vibración-lamento de conciencia:

> «Aguda espina dorada
> quién te pudiera sentir
> en el corazón clavada».

J. M. Aguirre ha llamado la atención muy agudamente sobre la estructura musical que presenta el poema, con sus pausas y sus silencios, con la reiterada modulación de los mismos «motivos», con su «solista», que parece entonar las dos canciones que lo integran. «En él, «sueño», «tarde» y «camino» cumplen similar función a la idea musical en una partitura; incluso podría escribirse de tales imágenes como, en este caso, polifonía a tres voces. Es válido afirmar —agrega— sin exagerar la analogía, que el primer libro de Machado está construido musicalmente en el sentido de que sus poemas incluyen varios temas que se repiten, cruzan y enlazan, desarrollándose como variaciones musicales»[20].

Y si de la estructura musical pasamos a la «cinematográfica», nos salen al paso nuevos modos poéticos. Quiero referirme, en primer lugar, al procedimiento más común del lenguaje del cine, como la «yuxtaposición de escenas», donde con un mismo encuadre, se despliega un juego de variantes. «La transición deja paso a la superposición: se mezclan tiempos, sucesos, estados de ánimo. En otros momentos la yuxtaposición sirve a los modos alusivos, suprimiendo la parte del discurso que es mejor callar»[21]. Un ejemplo típico, la canción XXXVIII: «Abril florecía / frente a mi ventana». Pocos poemas machadianos nos dejan una más profunda impresión del tiempo vivido y su paso inexorable. El espacio lírico, en cambio, presenta una estructura extremadamente sencilla: el mismo cuarto de las dos hermanas con su balcón florido se nos ofrece reiteradas veces a la misma luz y hora, como el estribillo se encarga de señalar; pero cada secuencia presenta una variación, la falta de alguien, que va dejando progresivamente vacía la escena.

La tensión de lo mismo y lo diferente —núcleo de la dialéctica lírica del poema— nos produce la emoción pura del «paso» del tiempo sobre las cosas, desrealizándolas, convirtiéndolas en meras impresiones fugaces. El último encuadre del «espejo» (brillando-soñando) al fondo de la estancia, sirve al propósito de definir esta visión espectral del mundo.

Procedimiento análogo sería el de «las secuencias imaginativas», con un ritmo progresivo de imágenes sucesivas y a la vez autoimplicadas, tal como se advierte en el poema XLVIII, dedicado a «las moscas». La intención del autor

---

[20] J. M. Aguirre, *op. cit.*, pág. 140.
[21] R. Gullón, *op. cit.*, pág. 232.

queda reflejada en los dos últimos versos: «vosotras, amigas viejas, / me evocáis todas las cosas». Todas las cosas y todas las horas, prendidas en el monótono zumbido de los insectos, en torno al cual se articula la continuidad de las secuencias. Se diría que su vuelo es como el paso del tiempo, que enhebra lo diferente y lo lleva a su consunción definitiva, según se refleja en la gradación climática de la parte final del poema:

> yo sé que os habéis posado
> sobre el juguete encantado,
> sobre el librote cerrado,
> sobre la carta de amor,
> sobre los párpados yertos
> de los muertos.

recogiendo, a un nuevo nivel, y con una más profunda condensación, el despliegue inicial de las edades de la vida (la calva infantil, el primer hastío, la escuela de adolescente, la juventud dorada), convocadas todas ellas hacia la muerte.

Otras veces la secuencia deja elíptico el hilo de continuidad y se produce como una mera yuxtaposición, rapidísima, como en el poema XXII, en la que apenas sería posible notar que todas estas perspectivas, acumuladas, están abiertas por los pasos ensoñadores del caminante:

> Sobre la tierra amarga,
> caminos tiene el sueño
> laberínticos, sendas tortuosas,
> parques en flor y en sombra y en silencio;
> criptas hondas, escalas sobre estrellas;
> retablos de esperanzas y recuerdos.

O se abre, como el poema CXXVI «A J. M. Palacio», en un abanico de preguntas, de brevísimas escenas primaverales entrevistas por el alto Duero, cuya repetición, como ha señalado C. Guillén [22], produce un «dinamismo negativo» y la morosa andadura del poema; o se desarrolla en un juego de primeros planos y trasfondos, tan característicos de M., como nos sorprende en la narración, relato vivido, del poema XCVIII —«A orillas del Duero»— con su doble implicación de historia singular e historia genérica. Juegos espaciales de «cerca y lejos» que insensiblemente se trasponen a una nueva escala temporal, en una abertura histórica del espacio (XCVIII), o bien traducen el juego dialéctico de «presencia» y «ausencia» —de lo próximo y lo distante— en el orden psíquico del sentimiento (LXXIV, LXXIX y LXXX).

Dámaso Alonso con su fina sensibilidad nos ha hecho reparar en un nuevo modo estilístico de A. Machado: el de los «ámbitos iluminados», como visiones que se abren súbitamente.

> En un enorme número de casos, quizá en un 80 ó 90 por ciento de los poemas, M. nos comunica su intuición vivida —temporal y única— por medio de una representación espacial, muchas veces pictórica, a veces con rasgos del pre-impresionismo y del impresionismo pictórico prevalente en aquellos años [23].

Entre los ejemplos aducidos por el propio Dámaso, señalo por su capital importancia el poema LXII:

> Desgarrada la nube; el arco iris
> brillando ya en el cielo,
> y en un fanal de lluvia
> y sol el campo envuelto.

cuyo inicio recoge ya el mismo «modus operandi». Las anotaciones críticas de Dámaso son absolutamente pertinentes.

---

[22] *Estilística del silencio*, en *Antología*, Taurus, op. cit., pág. 474.
[23] Dámaso Alonso, *Cuatro poetas españoles*, Madrid, Gredos, 1962, pág. 172.

No es preciso expresar la temporalidad con recursos temporales; es posible, y bastante frecuente en M. como señala el crítico, una transposición al elemento del espacio, que según nuestro juicio, sería inversa y proporcional a la transposición del espacio en el tiempo, a que acabo de hacer alusión líneas más arriba.

> Curiosamente —concluye Dámaso Alonso—, cuando más intensa es la importancia del elemento «tiempo», éste está expresado por una abertura espacial: siempre un fanal luminoso y melancólico, se abre ante nuestra mirada, con adjetivo de M., «atónita» [24].

Pero, ¿por qué esta fuerte impresión de temporalidad a través del espacio, cuando de suyo éste fija y, en algún sentido, hace extática la visión? Dámaso habla de visiones que se presentan «súbitamente», pero no es esto, a nuestro juicio, lo específico de este *modus operandi*. Lo subitáneo es propio de toda visión; si ésta no se fija intemporalmente, es por su carácter intermitente de visiones que se encienden y apagan, que aparecen y desaparecen ante nuestros ojos («la imagen, tras el vidrio de equívoco reflejo, / surge o se apaga como daguerrotipo viejo», XV) que son, en el fondo, como un brevísimo destello de luz en un horizonte de sombra. El mismo M. ha dejado constancia, en los versos que a continuación subrayo, de éste carácter *fugaz* de la visión, como si fuese el parpadeo de una linterna mágica en la noche:

> ... ¡El limonar florido,
> el cipresal del huerto,
> el prado verde, el sol, el agua, el iris!...
> ¡el agua en tus cabellos!...

---

[24] Dámaso Alonso, *op. cit.*, pág. 173.

> *Y todo en la memoria se perdía*
> *como una pompa de jabón al viento.*
>
> (LXII.)

La impresión de temporalidad, si bien se observa, está aquí producida por la misma dialéctica implícita de «presencia y ausencia», traducida en el lenguaje espacial, como tensión entre lo «iluminado» y «lo oscuro». Incluso aquellas visiones aparentemente más extáticas y hasta irreales («el sol es un globo de fuego, / la luna es un disco morado»... XXIV) acaban con un murmullo de agua, como si estuvieran reflejadas y vibrantes en la corriente del tiempo: («¡El jardín y la tarde tranquila!... Suena el agua en la fuente de mármol»).

Un nuevo modo típicamente cinematográfico, consiste en la «inversión de las relaciones temporales» haciendo simultáneas en un instante perspectivas opuestas y diferentes. Carlos Bousoño ha sido el primero en llamar la atención sobre este tipo de superposiciones, el «temporal», según lo llama él [25], en uno de los más bellos sonetos machadianos, el dedicado a su padre (CLXV, núm. 4), de una doble e intensa emoción por el paso del tiempo: la del padre que ve al hijo anciano ante sí, madurando hacia la muerte, y la del hijo que sólo logra rescatar al padre joven, en una irreal reconstrucción imaginativa:

> Sus grandes ojos de mirar inquieto
> ahora vagar parecen, sin objeto
> donde puedan posar, en el vacío.
> Ya escapan de su ayer a su mañana;
> ya miran en el tiempo, ¡padre mío!,
> piadosamente mi cabeza cana.

---

[25] Carlos Bousoño, *Teoría de la expresión poética*, op. cit., página 155.

Hay, pues, un juego de miradas, de perspectivas que se cruzan «idealmente», «líricamente», en este instante único de la creación poética. Los ojos del padre, del ayer al mañana, y los del hijo de ese mañana, ya casi hoy, al ayer. Y comprendemos que la emoción de ternura no es más que el reflejo de esta doble piedad por lo nuevo que envejece tan aprisa (la del padre) y por lo bello que se nos va, se nos ha ido, sin remedio (la del hijo) y que sólo puede ser rescatado en la «presencia» lírica del alma.

La misma situación nos ofrece el poema CLXIX, al hacer simultáneas distintas experiencias del propio cuerpo:

> Hoy, con la primavera,
> soñé que un fino cuerpo me seguía
> cual dócil sombra. Era
> mi cuerpo juvenil, el que subía
> de tres en tres peldaños la escalera.
> —Hola, galgo de ayer. (Su luz de acuario
> trocaba el hondo espejo
> por agria luz sobre un rincón de osario.)
> —¿Tú conmigo, rapaz?
> —Contigo, viejo.

o en la «cita imaginaria» de las canciones a Guiomar (CLXXIII), en un «hoy de ayer», que es tan sólo nostalgia por el «ex-futuro» (en el sentido unamuniano) de un pasado irreal, reconstruido ahora o, mejor, creado, construido, en una forma única e intencional de presencia:

> Todo a esta luz de abril se transparenta;
> todo en el hoy de ayer, el Todavía
> que en sus maduras horas
> el tiempo canta y cuenta,
> se funde en una sola melodía.

Y junto al modo de las «superposiciones temporales», cabría señalar también las «situacionales», por utilizar el mismo concepto que Bousoño [26] en las que la tensión del «ayer» y el «hoy» se produce mediante la comparación de situaciones de una misma estructura, aunque separadas en el espacio-tiempo y a veces opuestas en su sentido. Entre otros ejemplos (LXXXVI, CI, CXXV, CLXXXVII), quiero señalar uno especialmente significativo (CXXVII), en el que la situación de «viaje», como unidad vivencial de comparación, permite confrontar dos experiencias contrapuestas en su valor: el viaje de ayer con la esposa ahora muerta, y otro viaje de hoy, perdido en una soledad irremediable:

> ¡Y alegría
> de un viajar en compañía!
> ¡Y la unión
> que ha roto la muerte un día!
> ¡Mano fría
> que aprietas mi corazón!

Un nuevo modo lírico temporalista sería el de la «circunstancialización del espacio poético», tan típico de los poemas narrativos machadianos, donde el señalamiento de las coordenadas del «aquí y el ahora», y la precisión en los detalles determinan unas «instantáneas», en las que la voluntad de lo concreto —primeros planos— se funde con una vaga aspiración hacia lo misterioso-indeterminado, como zona de transfondo del alma. Así, por ejemplo, en el poema, tantas veces citado, «A José María Palacio», una minuciosa reconstrucción, con técnica de impresionismo, de la lejana y tierna primavera soriana, con el sentimiento de la muerte de Leonor, en su trasfondo (CXXVI); o en el dedicado al «Maestro Azorín», por su libro *Castilla*, una verdadera joya de

---

[26] C. Bousoño, *op. cit.*, pág. 179.

creación poética de ambiente, de sobrecogedora melancolía, en la que un caballero enlutado (tal vez el propio poeta) escribe —tal vez— una carta de amor que no llegará nunca posiblemente a su destino y llora, quizá por otra, que nunca le ha de traer el correo.

> El enlutado tiene clavados en el fuego
> los ojos largo rato; se los enjuga luego
> con un pañuelo blanco. ¿Por qué le hará llorar
> el son de la marmita, el ascua del hogar?
> Cerró la noche. Lejos se escucha el traqueteo
> y el galopar de un coche que avanza. Es el correo.
>
> (CXVII.)

Quisiera referirme, por último, al modo de la condensación con todo su cortejo de variantes líricas —la operación selectiva, la alusión, la sugerencia, la elusión—, definida por R. Gullón, como «dar a la palabra un máximo de irradiación en un mínimo de espacio. La presión verbal añade sugestión y la concisión impone sobreentendidos» [27]. Es fácil advertir que se trata de un modo lírico fundamental, quizá el más consustancial a la palabra poética, como cifra de lo misterioso, o bien como «quintaesencia» selectiva del lenguaje. Por supuesto, no siempre el modo de la condensación sirve a un propósito temporalista. Muy frecuentemente puede producir el efecto contrario; el esquematismo expresivo y la fuerza selectiva suelen ser operadores eficaces de una impresión de intemporalidad; incluso, constituir el medio más idóneo para una poesía conceptual pura. Que M. usó ampliamente este modo lírico (selectivo, alusivo y elusivo a un tiempo), lo probarían no sólo sus «aforismos», burilados a cincel, sino, en sentido bien diferente, «sus canciones populares», llenas de naturalidad y gracia. La condensación, en

---

[27] R. Gullón, *op. cit.*, pág. 215.

cambio, de pretensión temporalista tiene, no obstante, una presencia de calidad en la producción machadiana. Se nota en el ciclo, ya comentado, en memoria de Leonor, de una extrema estilización, con un toque definitivo de condensación afectiva, al término de cada poema, que viene a expresar la íntima tensión interior entre la desesperación y la esperanza. Reaparece de nuevo en el ciclo de las «Canciones a Guiomar» (CLXXIII y CLXXIV), traduciendo la dialéctica temporal de ausencia-presencia en el conflicto entre el olvido y la fantasía creadora. Pero, sin duda, el poema de la condensación temporalista, por antonomasia, es el titulado «Recuerdos de sueño, fiebre y duermivela» (CLXXII), de una extrema concisión expresiva, de escenas rapidísimas y alucinantes, mezcladas y confundidas caóticamente, como en el delirio de un enfermo, y cuya clave cifrada no es otra que la historia de un amor, ya sin esperanza, condenado, como toda la vida humana, a congelarse en la muerte.

> La vi un momento asomar
> en las torres del olvido.
> Quise y no pude gritar.
> ....

Hora es ya de referirse a las «técnicas» propias de una estilística de la temporalidad, tal como aparecen empleadas por Machado. Ante todo, en orden de importancia (dejemos de lado si también de amplitud) los recursos literarios de carácter verbal y adverbial. Es asombrosa, y salta a la vista en un breve recuento, la acumulación de materia verbal, ya sea en fluido polisíndeton, para producir la impresión de un dinamismo en cascada. Así, por ejemplo:

> En donde el agua ríe y sueña y pasa (CXII)
> y ayuna y labra y siembra y canta y llora (OPP., 718)
> que corre y pasa y sueña (CXIII, núm. 8)
> El tiempo lame y roe y pule y mancha y muerde (CXLIX)

o en yuxtaposiciones, cuyo efecto de repiqueteo intensifica
la conciencia del rápido transcurso:

laboran, pasan y sueñan (II)
Todo se mueve, fluye, discurre, corre o gira;
cambian la mar y el monte y el ojo que los mira (XCVIII)
genera, siembra y labra
y su fatiga unce la tierra al cielo (CXXXII, núm. 2)
amor que asombra, aguija, halaga y duele,
y más se ofrece cuanto más esquivo (CLXVII).

En cuanto a las formas verbales, se ha llamado la atención
frecuentemente sobre el uso machadiano del imperfecto —el
tiempo del romancero— [28] con su acción durativa e incom-
pleta frente al pretérito perfecto de lo ya consumado. Como
simple muestrario de los valores poéticos de este tiempo,
quiero señalar tan sólo algunos poemas, montados predomi-
nantemente sobre él. La matización expresiva entre el imperfecto y el indefinido, pocas veces aparece tan clara y
nítida como en los poemas XXXVIII, XLVI y CLII, en un
fino contrapunto entre un pasado en profundidad, agotado
en su sentido, y otro que se despliega melódicamente, sin
consumarse nunca. El imperfecto narrativo es magistralmente usado en los poemas XIII y XCVIII, y en algunos
fragmentos, muy escasos, por cierto, del romance a la «Tierra de Alvargonzález» (CXIV, secuencia de los asesinos). Y
en cuanto al empleo estrictamente lírico, esto es, en cadencia musical, pocos ejemplos que puedan aducirse superarían

---

[28] El profesor Mairena así lo recuerda a sus alumnos: «Tal vez,
en castigo a nuestro afán de rimas superfluas nos faltó el verso
que regalan las musas al poeta, y que es el verso temporal por excelencia. Acaso ellas nos lo hubieran dictado en un simple romance
en «ía», con uso y abuso del pretérito imperfecto» (J. M., I, cap. VII,
37, y II, 175-6).

a los poemas VI, XLVI, LVI y LIX, especialmente los tres últimos, que determinan un clima de melancolía indecible. Unos breves fragmentos pueden darnos idea cabal de lo que digo:

> La tarde caía
> triste y polvorienta.
> El agua cantaba
> su copla plebeya
> en los cangilones
> de la noria lenta.
> Soñaba la mula
> ¡pobre mula vieja!
> al compás de sombra
> que en el agua sueña.
>
> (XLVI.)

La nota de angustia y ansiedad por el paso del tiempo, está captada plenamente en el uso de los imperfectos de LVI:

> Sonaba el reloj la una,
> dentro de mi cuarto. Era
> triste la noche. La luna,
> reluciente calavera,
> ya del cenit declinando,
> iba del ciprés del huerto
> fríamente iluminando
> el alto ramaje yerto...
>
> (LVI.)

O bien el trasmundo de la ensoñación aún vibrante en el alma:

> Anoche cuando dormía
> soñé, ¡bendita ilusión!,
> que un ardiente sol lucía
> dentro de mi corazón.

Era ardiente porque daba
calores de rojo hogar,
y era sol porque alumbraba
y porque hacía llorar.

(LIX.)

El gerundio, por su parte, otra forma típicamente durativa, pocas veces ha sido elevado a más alta categoría poética. La técnica de M. en su uso es realmente magistral. Se trata de dar expresión a una vibración cordial con un amplio espectro de resonancias. Los ejemplos podrían multiplicarse hasta el cansancio. Por fortuna, bastan unos pocos para darnos una idea cabal de su uso. El arquetípico quizá sea el poema XI, del que hemos dicho que constituye todo él una «frase musical»:

Yo voy soñando caminos
de la tarde. ¡Las colinas
doradas, los verdes pinos,
las polvorientas encinas!...
¿Adónde el camino irá?
Yo voy cantando, viajero
a lo largo del sendero...
—la tarde cayendo está—.

(XI.)

Otros ejemplos significativos:

La tarde está muriendo
como un hogar humilde que se apaga

(LXXX.)

Las nubes iban pasando
sobre el campo juvenil...
Yo vi en las hojas temblando
las frescas lluvias de abril.

(LXXXV.)

soñando está con sus hijos,
que sus hijos lo apuñalan;
                                    (CXIV.)

mi corazón está vagando, en sueños...
                                    (CXXI.)

Tan pobre me estoy quedando,
que ya ni siquiera estoy
conmigo, ni sé si voy
conmigo a solas viajando.
                                    (CXXVII.)

Una mención merece también, en este sentido, el futuro
de probabilidad, un tiempo preñado de lirismo y muy rico
en matices temporales. Machadianamente hablando, se trataría del futuro que corresponde al presente de la inminencia, pues señala una acción, cuyo hipotético acontecer está
en precario, casi amenazado, como un acaecimiento en vilo,
por el que siente el alma una entrañable ternura. Entre los
muchos ejemplos felices de M. («¿no huirá, como una nube
dispersa, el sueño en flor?», LXXXIV), quiero indicar el poema CXXVI, al amigo Palacio, donde los futuros de probabilidad, al combinarse con la oleada de oraciones interrogativas, determinan, como ha mostrado C. Guillén y C. Beceiro [29],
un clima de ansiedad e incertidumbre, de lírica expectación
ante el milagro de la llegada de la dulce y tierna primavera
soriana.

> Habrá trigales verdes,
> y mulas pardas en las sementeras,
> y labriegos que siembran los tardíos

---

[29] C. Guillén, *Estilística del silencio*, en *Antología*, Taurus, op. cit.,
pág. 456, y C. Beceiro, «El poema 'A J. M. Palacio'», *Insula*, XIII, 1958,
n. 137, pág. 5.

con las lluvias de abril. Ya las abejas
libarán el tomillo y el romero.
¿Hay ciruelos en flor? ¿Quedan violetas?

El poema que comentamos, nos permite apreciar otro de
los recursos más cáracterísticos de la estilística de la temporalidad machadiana: el juego de los adverbios temporales;
en este caso, en ese finísimo contrapunto del «aún» y el
«ya», en el tránsito mismo del pasado, aún reciente, todavía
real, a la inminencia de un presente, que comienza a apuntar
tímidamente en algunos vestigios.

....
¿Está la primavera
vistiendo *ya* las ramas de los chopos
del río y los caminos?...
....
Aún las acacias estarán desnudas
y nevados los montes de las sierras.

....
Por esos campanarios
ya habrán ido llegando las cigüeñas [30].

Se nota el fluir del tiempo; se percibe una llegada inminente, el sobrevenimiento de una realidad, que aún no se ha
dado su cabal forma. De ahí que el poema sea, a la vez, su
anticipación figurativa y su llamada emocional; o si se prefiere, el lugar lírico originario para una nueva forma de presencia.

───────

[30] «Un adverbio, *ya*, tal vez el más frecuentado por Machado
—comenta Zubiría—, le servía también para expresar, con un efecto
de lentitud o de inmediatez, la realización de un acontecimiento. *Ya*:
es decir, el cumplimiento de algo esperado o que se veía venir;
un pasado haciéndose lentamente un presente; y *ya*, igualmente, un
acto en plena vigencia, como inmediata realidad» (R. de Zubiría, *op.
cit.*, pág. 172).

La doble técnica de las oraciones interrogativas, salpicadas de exclamaciones menudas, y el juego adverbial ha sido ampliamente utilizada por M. Hay incluso un poema, montado todo él sobre una cadencia interrogativa, en carne viva de preguntas y expectación, que expresa muy adecuadamente el estado de alma machadiano, de «palabra en el tiempo», entre la incertidumbre y la búsqueda:

> ¿Y ha de morir contigo el mundo mago
> donde guarda el recuerdo
> los hálitos más puros de la vida,
> ....?
> ¿Y ha de morir contigo el mundo tuyo,
> la vieja vida en orden tuyo y nuevo?
> ¿Los yunques y crisoles de tu alma,
> trabajan para el polvo y para el viento?
>
> (LXXVIII.)

En otras ocasiones, basta el simple toque final de una interrogación para dejar todo el poema en vilo, expectante y fluido, al diluirlo de este modo en la corriente del tiempo:

> Hay oro y sangre... El sol murió... ¿Qué buscas,
> poeta, en el ocaso?
>
> (LXXIX.)

> ¿Lloras?... Entre los álamos de oro,
> lejos, la sombra del amor te aguarda.
>
> (LXXX.)

> ¿Qué fue de aquel mi corazón sonoro?
> ¿Será cierto que os vais, sombras gentiles,
> huyendo entre los árboles de oro?
>
> (XCI.)

> ¿Acaso como tú, y por siempre, Duero,
> irá corriendo hacia la mar Castilla?
>
> (CII.)

o bien se adopta una forma admirativa, como trasunto de un estado permanente de pasmo y extrañeza ante el encuentro con la realidad misteriosa del mundo: las «cosas de ayer» (LXXI), la angustia de un destino de caminante (LXXIX), el gozo del reencuentro con la primera luz de la infancia (LXXXVII); en otro orden de cosas, el descubrimiento de la tierra de Castilla, cuando el verso narrativo se encrespa y transfigura a veces en pura exaltación lírica, como puede apreciarse en algunos fragmentos de «Orillas del Duero» (CII) y «Campos de Soria» (CXIII).

Sobre el juego adverbial como directa expresión de la dialéctica lírica entre ausencias y presencias, ya hemos llamado la atención repetidas veces (cap. I, par. 4 y cap. IV, par. 3). Puede aparecer simplemente en la tensión del «ayer» y el «hoy» (LXXXVI, XCV, XCIX, CI, CXLI, CXLIV) sobre la que ha reparado muy oportunamente Ramón de Zubiría [31]; o en la mera modulación de las horas a su paso, según se hunde el paisaje en el tiempo:

> Lluvia y sol. Ya se oscurece
> el campo, ya se ilumina;
> allí un cerro desparece,
> allá surge una colina.
>
> (CV.)

> Fuera llueve un agua fina,
> que ora se trueca en neblina,
> ora se torna aguanieve.
>
> (CXXVIII.)

Pero donde el juego adverbial adquiere su máxima intensidad es justamente en la tensión de las alternativas propias de una palabra en el tiempo (*no, pero sí*) (XII); o bien (*sí, pero no*) (XV, XLIII) en un juego de adversaciones que

---

[31] R. de Zubiría, *op. cit.*, págs. 169-171.

a veces puede revestir una expresión estrictamente temporal: «aún no-ya sí» (CXXVI, CXLIII, CLXIV, núm. 2) o bien, «ya no-aún sí», o «todavía sí» (L), y que en el fondo, no son más que la traducción, a distintos planos anímicos, de la tensión existencial última entre la desesperación y la esperanza.

> En el ambiente de la tarde flota
> ese aroma de ausencia,
> que dice al alma luminosa: nunca,
> y al corazón: espera.
>
> (VII. Cfr. también CXX.)

Cabe concluir, sin lugar a dudas, que el uso poético de materia verbal y adverbial, en formas métricas características de la temporación, tales como el romance, la silva arromanzada —«el poema típico de Machado», según R. de Zubiría[32]—, el zéjel, constituye el recurso por excelencia de la estilística de la temporalidad machadiana.

¿Quiere esto decir que se minimicen las formas sustantivas? En modo alguno. Dámaso Alonso, en contra de planteamientos excesivamente simplistas, ha llamado la atención sobre «un predominio abrumador de sustantivos y adjetivos, con poquísimo apoyo verbal»[33]. Las «muestras» que ofrece el prestigioso poeta y crítico, son sin duda muy concluyentes y de una gran relevancia (XLVIII —«en que con poquísimos

---

[32] «Porque en efecto, esta forma que, por un lado, participaba de la balanceada alternancia de las rimas del romance —la más perfecta, según Machado—, por el otro, al hacer uso de los metros de la silva (7 y 11 sílabas), evitaba los riesgos y peligros inherentes a la unidad métrica del romance —la monotonía, el cancaneo, por ejemplo—, al diluir su uniformidad octosílaba, con lo cual, además, se ganaba mucho en flexibilidad, pudiendo entonces la andadura del poema oscilar desde la equilibrada brevedad del heptasílabo hasta la contenida elegancia del endecasílabo» (*op. cit.*, pág. 180).

[33] Dámaso Alonso, *Cuatro poetas españoles*, op. cit., págs. 162-3.

verbos, se agolpa o condensa la materia expresada por nombres y emocionadamente matizada por adjetivos»— [34], LXXVII, núm. 4). Cabe añadir que este material sustantivo, al modo como ya vimos en las formas verbales, suele aparecer a veces ligado en polisíndeton:

> cambian la mar y el monte y el ojo que los mira.
> (XCVIII.)
> de tierra y agua y viento y sol tejidos.
> («Rosa de fuego», CLXVII.)

o en mera yuxtaposición —lo más frecuente—, con una densa impresión de matices en su cadencia reiterativa:

> ¡Oh, tierra triste y noble,
> la de los altos llanos y yermos y roquedas,
> de campos sin arados, regatos ni arboledas;
> decrépitas ciudades, caminos sin mesones,
> y atónitos palurdos sin danzas ni canciones
> que aún van, abandonando el mortecino hogar,
> como tus largos ríos, Castilla, hacia la mar!
> (XCVIII.)

tan frecuente en algunos fragmentos de C. C. (cf. por ejemplo, los números 6 y 7 de «Campos de Soria», CXIII).

Incluso, aunque raros, pueden encontrarse en su obra versos enteros formados por la repetición de una sola palabra: («¡Oh, claro, claro, claro!»; «Valiente hazaña: ¡el vuelo!, ¡el vuelo!, ¡el vuelo!», CLXXII; «Oh, fría, fría, fría, fría, fría», CLXXXIX), como el resbalar de una piedra sobre una superficie líquida o el quedo repiqueteo de una cadencia, cuya resonancia se extinguiera lentamente.

---

[34] *Op. cit.*, pág. 165.

Sí. Lleva razón Dámaso Alonso. No se puede reducir la expresión de la temporalidad a un solo recurso; ni siquiera «depende de la abundancia de los verbos» [35]; puede ser simplemente un lienzo de manchas de color o un encuadre súbito o un juego de primeros planos y trasfondos. Pero pese a todo, en el fondo, siempre se trata de realidades que se despliegan y abren en el tiempo; de color, líneas y cosas, que no están fijas, en una nuda presencia, sino que aparecen o desaparecen, como una linterna mágica, o forman, como pensaba M., un dique de materia sustantiva, donde se remansa y duerme la corriente: («El adjetivo y el nombre, / remansos del agua limpia, / son accidentes del verbo / en la gramática lírica / del Hoy que será Mañana / y el Ayer que es todavía», CLXXXIII). A fin de cuentas, requieren siempre a su base, la actitud de un caminante, al que el mundo se le abre en visiones fugaces y perspectivas variables, según el ritmo lento y grave de su andadura [36].

Si volvemos a nuestra pregunta originaria sobre la concordancia de la teoría y la práctica poética machadiana, la

---

[35] *Op. cit.*, pág. 166.

[36] Sobre el «tempo lento» en Antonio Machado, suscribo plenamente las finas apreciaciones de Gerardo Diego, en un viejo artículo: «el perfil orográfico alpino de su melodía verbal», el aire enfático y la andadura monótona y pesada de sus alejandrinos y dodecasílabos. «Al ser así —concluye Gerardo Diego— el verso de Antonio Machado, no hace sino ser fiel a su vocación sentenciosa y rotunda. La riqueza mental y la profundidad cordial de su inspiración exigían pareja densidad y ahinco en la materialidad fonética y prosódica. Comparando su verso con el de su hermano Manuel sorprende su opuesto signo. El de Manuel es ligero hasta la ingravidez, aunque no precisamente frívolo. Su ligereza alada no excluye su hondura, pero siempre transparente y fluida. El de Antonio es metálico y opaco, reverbera llamas y esconde minas. Es un verso, para decirlo de una vez, enfático, porque enfático era el mismo poeta» (*Cuadernos Hispanoamericanos*, op. cit., pág. 426; posteriormente recogido en la *Antología*, Taurus, op. cit., pág. 271).

respuesta no puede ser menos que afirmativa. Es cierto que, pese a su enemiga al intelectualismo de la nueva lírica —no se olvide que la concepción maireniana del barroco no es más que un modelo teórico, deducido casi «a priori» por inversión simétrica de su propia poética temporalista— su acento temporal se fue debilitando con los años para contagiarse, como no podía ser menos, de cierto conceptualismo, bien patente en los aforismos y en la erótica de las «Canciones a Guiomar». Pero, en su conjunto y en su raíz —y esto es lo que más importa—, su lírica manaba desde la dimensión del «alma», como creo haber mostrado (no desde la sensibilidad externa ni desde el espíritu) y estuvo siempre inspirada, sostenida, por la tensión de ausencias y presencias, que constituye la dialéctica interna de una «palabra en el tiempo».

TERCERA PARTE

EL TEMA DE LA HISTORIA

X

EL TIEMPO HISTÓRICO

> Vivimos hacia el futuro, ante una inago-
> table caja de sorpresas, y el más hondo y
> veraz sentimiento del hombre es su inquie-
> tud ante la infinita imprevisibilidad del
> mañana.
>
> (J. M., II, cap. XIX, 167.)

LA PREOCUPACIÓN POR LA HISTORIA

Es de sobra conocida la afirmación azoriniana acerca de
la preocupación histórica de la generación del 98. «La historia nos tenía captados. Nos diéramos cuenta de ello o no
nos diéramos. Para los resultados finales ha sido lo mismo.
Baroja ha escrito una extensa historia de la España contemporánea. Maeztu copiaba quizá entonces los hilos invisibles
con que había de tejer su teoría histórica de la hispanidad.
En cuanto a mí, el tiempo en concreto, es decir, la Historia,
me ha servido de trampolín para saltar al tiempo en abstracto. La generación de 1898 es una generación historicista. Hacía-
mos excursiones en el tiempo y en el espacio. Visitábamos
las vetustas ciudades castellanas. Descubríamos y corrobo-

rábamos en esas ciudades la continuidad nacional» [1]. Sin entrar a discutir de momento el sentido de la historia y el alcance real de este interés, lo que resulta innegable es la existencia de una honda y apasionada preocupación. Es posible rastrear en ella dos raíces, una general que responde a la sensibilidad típica de la época, a la que aquí alude Azorín muy vagamente con el nombre de «historicismo», y singular y autóctona la otra, provocada, sin duda, por el problema de la viabilidad histórica de España.

En cuanto a la primera —la vocación temporalista del ochocientos—, Antonio Machado, el benjamín de la generación, se ha pronunciado explícitamente en un texto tardío de Mairena:

> Nuestra centuria —escribe— ha exaltado hasta el mareo la música y la poesía lírica, artes temporales por excelencia. Carece de arquitectura y estatuaria. En la pintura ha sido naturalista, impresionista, luminista; maneras temporales de ser pintor. Ha zambullido en el tiempo la Historia, que fue para los clásicos la narración de lo mítico e intemporal del hombre, y ha vertido la epopeya en la novela y el periódico, que es desgranar la hazaña intemporal desmenuzándola en sucesos de la semana y anécdotas de lo cotidiano. Su dramática no es arte, ni lírica, ni moral, sino psicologismo, que es la manera temporal del diálogo escénico. Su filosofía típica es el positivismo, un pensar de su tiempo, venido —según él— a superar una etapa metafísica y otra teológica. En política ha peleado por el progreso y por la tradición, dos fantasmas del tiempo. Su ciencia es biologismo, evolucionismo, un culto a los hechos vitales sometidos a la ley del tiempo (J. M., I, cap. XVI, páginas 73-4).

Apenas si hay algo que añadir a este vigoroso apunte, verdadero en su totalidad, pese a su esquematismo. Frente

---

[1] Azorín, *Madrid*, cap. XIX, 863, en *Obras Selectas*, Madrid, Biblioteca Nueva, 1969.

al naturalismo del setecientos, dominado por una metafísica sustancialista del ser, a pesar de los primeros tanteos de la conciencia histórica en la Ilustración (Vico, Voltaire, Montesquieu, Hume, Kant, etc.) [2], el ochocientos representa el triunfo definitivo de la metafísica del devenir —esquema explicativo último, que se extiende tanto al orden natural como al humano—. La categoría de «evolución» sustituye a la antigua de «sustancia» y la razón histórica gana la mano a la analítica. Ya no se trata de saber el porqué de las cosas, según su índole natural propia y *sub specie aeterni*, sino el cómo o en función de qué —su génesis y el desarrollo de su trama objetiva—. La realidad se nos aparece sumergida en el tiempo, como un proceso evolutivo infinito o un organismo viviente en desarrollo. Y el pensamiento se torna circunstanciado y concreto, apremiante como la necesidad, a la que es preciso superar, y constructivo-progresivo («las edades de la razón»), con una metodología de raíz histórica. El historicismo de inspiración hegeliana y el intuicionismo bergsoniano son las formas dominantes en filosofía. «Saber» equivale de algún modo a «llegar a ser» y por eso la realidad misma es un movimiento internamente animado, o sostenido cuando menos, por la corriente de la conciencia. Cae el intelectualismo objetivista, y la razón dialéctica o la intuición poético-mística se reparten ahora, según los casos y preferencias, el nuevo medio ontológico del «devenir», ante el cual, la razón acostumbrada a la unidad eleática, siente la turbación de la diferencia. Un último eco de estos planteamientos, pasados ya los fervores del absoluto, lo encontramos en nuestro Ortega, epígono, al fin y al cabo, del 98.

---

2 E. Cassirer, *La Filosofía de la Ilustración*, México, F. C. E., 1972. Cfr. cap. V: «La conquista del mundo histórico», págs. 222-260.

La vida es prisa y necesita con urgencia saber a qué atenerse y es preciso hacer de esta urgencia el método de la verdad.
El progresismo que colocaba la verdad en un vago mañana
ha sido el opio entontecedor de la humanidad. Verdad es lo
que ahora es verdad, y no lo que se va a descubrir en un futuro indeterminado... Como siempre ha acaecido, es preciso y
bastante en vez de azorarse y perder la cabeza, convertir en punto de apoyo aquello mismo que engendró la impresión de
abismo[3].

La otra raíz —la nacional— concierne al problema de
España, agudamente avivado tras la crisis del 98. Por supuesto, no se trata de nada nuevo. El desastre no hizo más que
agudizar un estado de conciencia, cuyos planteamientos críticos partían, cuando menos, de la Ilustración. Tal como lo
ha visto Azorín,

la literatura regeneradora, producida en 1898, hasta años después no es sino una prolongación, una continuación lógica,
coherente, de la crítica política y social que desde mucho antes
de las guerras coloniales venía ejercitándose. El desastre avivó,
sí, el movimiento; pero la tendencia era ya antigua, ininterrumpida[4].

El desastre del 98 hay que tomarlo como un hecho simbólico en la medida que denuncia la descomposición de la
«idea» imperialista de España. A través de una guerra humi-
llante, resuelta en poco más de dos meses, y una rendición
sin condiciones, se impone al pueblo español la evidencia de
la interna consunción del país, la revelación de la mentira y
la inconsistencia de las «instituciones de papel» del gobierno español, como gráficamente las califica Fernández Alma-
gro. El tratado de París, firmado al término de la guerra, ni

---

[3] Ortega, *Historia como sistema*, en *O. C.*, VI, 22.
[4] Azorín, *La generación del 98*, en *Clásicos y Modernos*, Buenos
Aires, Losada, 1959, pág. 181.

siquiera le dejaba al pueblo español el consuelo de una paz honorable. Así se convirtió en un grave problema de política interna, más aún, de supervivencia nacional, lo que parecía ser tan sólo un problema de política internacional. Más radicalmente aún que este carácter «simbólico», la crítica socio-política del desastre, más allá de la exaltación patriótica y la rendición de cuentas, descubría el carácter «sintomático» del 98: la impotencia de las clases dominantes —terratenientes agrícolas y nueva burguesía industrial— para llevar a cabo la reforma socio-política moderna de España. La cuestión ideológica acerca de la viabilidad del ser de España surge con toda acritud. Un texto primerizo de Ramiro de Maeztu nos puede dar una idea cabal del asunto:

> Al cabo ha surgido la pregunta. Al cabo, España no se nos aparece como una afirmación ni como una negación, sino como un problema. ¿El problema de España? Pues bien, el problema de España consistía en no haberse aparecido anteriormente como problema, sino como afirmación o negación. El problema de España era el de no preguntar... Unos dicen dogmáticamente que todo se arreglaría con arrojar a los descontentos de la tienda. Otros preferirían pegar fuego a la tienda, en la confianza de que espontáneamente se alzará de la tierra otra mejor... ¡Pero, no, no! Si la solución al problema de España consiste en hacer subir la conciencia española a la región de las cosas problemáticas, los medios para realizar esta ascensión han de ser igualmente problemáticos. ¿Sabe alguno de ustedes la manera de conseguir que no se hallen tan seguros de sí mismos los españoles de buena voluntad? [5].

Pocos textos definirían mejor que éste la actitud primeriza de los hombres del 98: levantar, frente a los dogmatismos de uno y otro signo, una conciencia crítica y vigilante acerca del ser y del destino de España.

---

[5] Ramiro de Maeztu, *Hacia otra España*, págs. 97-8.

En lo que respecta al problema español, como ha hecho notar Blanco Aguinaga, los jóvenes radicales del 98 no se dejaron engañar. Pese a los inevitables revestimientos ideológicos del problema, la cuestión básica era de naturaleza social. La «casta» histórica, aliada con las nuevas fuerzas burguesas frente al enemigo común del proletariado —industrial y agrícola— mantiene una ideología de defensa del orden social, planteándolo en términos de la subsistencia histórica de España como «nación» o como patria, frente a los ataques de la «anti-España». Pero el problema genuino de España estaba planteado en otros términos. Dicho sociológicamente: lo que estaba en juego no era, como querían hacerlo creer algunos, la identidad histórica de la nación sino la posibilidad de una nueva estructura social. Los jóvenes radicales del 98 acertaron plenamente con su planteamiento.

> Unamuno, Baroja, Maeztu, Azorín, Blasco Ibáñez no confundieron la realidad de base, que aquí hemos tratado de describir tan esquemáticamente, con la superficie próspera y mediocre de la vida burguesa dominante ni con las alturas nebulosas en que los intelectuales de uno u otro bando jugaban al juego de los valores. Y veremos que, con mayor o menor acierto, estos hombres trataron durante años de describir y analizar esa realidad de base llamando a las cosas por su nombre (burguesía, capitalismo, proletariado, miseria, lucha, imperialismo), desentendiéndose al igual que el proletariado dominante, de la cuestión de la «europeización» planteada según el juego impuesto de los valores [6].

En este momento —el más reciamente agresivo y original de la vida pública de la generación—, la vocación histórica de la misma adopta su expresión más genuina. El esquema básico de interpretar la historia, aun con variantes notables en el resto de la generación, lo encontramos en la distinción

---

[6] Blanco Aguinaga, *Juventud del 98*, Madrid, Siglo XXI, 1970, páginas 37-8.

unamuniana de «historia» e «intrahistoria», acuñada en los *Ensayos en torno al Casticismo* (1895). Estos persiguen, como es bien patente, una devaluación de la «casta histórica» con su interpretación conservadora-tradicionalista, del ser y del destino de España —representado un tanto ideológicamente por lo «castellano»—, en favor de la «casta eterna» que ahora se hace coincidir, según el primer Unamuno, con el papel creador y constructivo del pueblo de España (las clases bajas, agrícolas e industriales: los intrahistóricos). Hay pues que distinguir entre una historia de superficie —la de los sucesos y acontecimientos de bulto— y otra historia en profundidad, con un ritmo más lento y una pulsación más honda y decisiva, la historia de los hechos fundamentales que constituyen la vida de un pueblo. Pedro Laín ha establecido un cuadro muy preciso de estas diferencias:

> La Historia es el ámbito de los sucesos humanos y representa lo fugaz, lo ocasional, lo artificioso, lo superficial y visible de la vida del hombre. A la Historia pertenece todo cuanto distingue y aísla a unos hombres de otros, las acciones relatadas, las «castas históricas», las «naciones históricas», las literaturas, en lo que éstas tienen de histórico y mudadizo. La intrahistoria es el dominio de los hechos humanos y representa lo estable, lo permanente, lo espontáneo, lo profundo y silencioso de la vida humana. A la intrahistoria pertenece cuanto comunica y funde a unos hombres con otros, las realidades y las obras más genéricamente humanas entre todas cuantas componen la existencia de los hombres: las acciones calladas y cotidianas; la «casta íntima» de los pueblos, expresión de lo que en cada uno de ellos hay de verdaderamente humano; los «pueblos» mismos por oposición a las «naciones históricas»; las lenguas en tanto unen a los hombres en el espacio y en el tiempo [7].

---

[7] Pedro Laín, *La Generación del 98*, Madrid, Espasa-Calpe, 1956, pág. 148.

La intención originaria de Azorín no dista mucho de ésta. En él encontramos la misma reserva ante los hechos mayúsculos, de que está llena la historia, y su preferencia por los acaeceres menudos, las formas de vida, de trabajo, de diversión y convivencia; lo que le permite una historia de mayor calado, atenta a los umbrales de sensibilidad que definen una época histórica. Como eco tardío de este planteamiento, aunque ya en la fase de su deterioro ideológico, puede valer la siguiente declaración:

> Los grandes hechos son una cosa y los menudos hechos son otra. Se historian los primeros. Se desdeñan los segundos. Y los terceros forman la sutil trama de la vida cotidiana... Lo que no se historiaba, ni se novelaba ni se cantaba en poesía, es lo que la generación del 98 quiere historiar, novelar y cantar, Copiosa y viva y rica materia nacional, española, podría entrar con tales propósitos, los de la generación del 98, en el campo del arte [8].

También aquí está en juego una voluntad de sumergirse en las entrañas de la vida de los intrahistóricos, para encontrar allí el estilo inconfundible, casi la forma de ser, de pensar y sentir de una comunidad nacional, por debajo de los avatares externos y espectaculares, de que se cuida la gran historia.

Pero tomando de nuevo el hilo unamuniano, la distinción entre historia e intra-historia indica una tensión inmanente al acaecer temporal —reflejo ideológico, si se quiere, de un antagonismo básico, cuyo origen, pese a todo, es de naturaleza social, entre las clases dominantes que deciden en la historia, y la hacen y rehacen a su antojo e intereses, y las clases bajas o el «pueblo» simplemente, que determinan el

---

[8] Azorín, *Madrid*, cap. XX, OS., 865.

modo peculiar de ser y las virtualidades creadoras de una determinada comunidad. La contradicción, bajo la forma mixtificada de las diferencias axiológicas, señala pues, en última instancia, un conflicto de significación humana y social. De hecho, el esquema unamuniano, pese a su innegable inspiración idealista (pues la intrahistoria nos recuerda el *Volkgeist* romántico, junto con un supuesto espíritu noumenal, o tradición eterna, que late por debajo de los fenómenos del acaecer histórico), era de suyo dialectizable y susceptible de ser usado como herramienta crítica. En nombre de esta intrahistoria, se trataba de negar y problematizar la historia oficial de España y reinventar una línea subterránea de continuidad creadora, de inspiración populista, en que asentar, con la reforma ético-política del poder, una nueva fundación histórica. La «intrahistoria» no es pues una negación de la historia en un fácil escapismo hacia lo eterno, sino una reconstrucción de su tejido conjuntivo básico, el intento de reganar un proceso viviente de desarrollo, en el que hay que integrarse para poder transcender creadoramente la «crisis» coyuntural del presente.

Por otra parte, el esquema pretende una nueva alternativa frente al binomio clásico tradicionalismo y progresismo, dos arquetipos de la España «dogmática», según la terminología de Maeztu, por el simplismo de sus soluciones. Frente a la tradición castiza, que reifica el pasado y lo monopoliza en su sentido, y frente al vacuo progresismo europeizante, la solución unamuniana sería la de «chapuzarse en pueblo» y penetrar hasta las mismas raíces de su vitalidad para encontrar allí la posibilidad de un nuevo comienzo. Las palabras de Unamuno resultan suficientemente expresivas:

Pero si hay un presente histórico, es por haber una tradición del presente, porque la tradición es la sustancia de la historia. Ésta es la manera de concebirla en vivo, como la sustancia de la historia, como su sedimento, como la revelación de lo intrahistórico, de lo inconsciente en la historia (*Ensayos*, I, 37).

Es preciso reconocer que el lenguaje unamuniano se presta a todo tipo de mixtificaciones, incluso de fuerte sabor idealista; pero su intención genuina se deja adivinar por el contexto; líneas más abajo se identifica socialmente lo intrahistórico, de modo que pueda disiparse la ambigüedad de la expresión.

Los periódicos nada dicen de la vida silenciosa de los millones de hombres que a todas horas del día y en todos los países del globo se levantan a una orden del sol y van a sus campos a proseguir la oscura y silenciosa labor cotidiana y eterna, esa labor que, como las madréporas suboceánicas, echa las bases sobre las que se alzan los islotes de la Historia (*Ensayos*, I, 38).

Es indudable que en todo esto late una cierta mística de lo popular, pero a la vez, como lo muestra la vida política militante de Unamuno por estas fechas, una convicción democrática profunda junto con la creencia de que sólo apelando al pueblo puede lograrse una reconstrucción socio-política efectiva. Está claro, pues, que el concepto de intrahistoria no supone una reducción intimista de la historia —historia interior— sino, muy por el contrario, una historia en profundidad, creadora, sustentada sobre una base comunitaria, el pueblo, único artífice de la tradición eterna. Ésta no es una dimensión inmóvil, supuesta en la historia como su envés o la negación de su transcurso, sino una instancia creadora, que puede manar siempre de nuevo. Más allá de los planteamientos ideológicos al uso, la intrahistoria unamuniana pretendía una formulación (bien es verdad que confusa y sin poder negar su herencia en el idealismo hegeliano), del tema de la historia, sobre bases sociales. Baste sólo con añadir, como por otra parte está claro en sus escritos militantes en el socialismo, que en la lucha socio-política del pueblo veía por entonces el joven Unamuno, como la mayor parte de los jóvenes radicales de su generación, el verdadero fundamento del acontecer histórico.

Básicamente este es el esquema de la generación, que sufriría más tarde una interpretación regresiva, mística o estética, según los casos, divorciándose, cada vez más, de la base real de la historia. La perversión ideológica del mismo se produjo cuando se llevó a cabo la desconexión con el alma del pueblo, o dicho sociológicamente, cuando por distintos motivos, que no son del caso, se canceló el compromiso político de la generación —de su época juvenil— con los planteamientos radicales y la lucha revolucionaria. Lógicamente el mantenimiento del esquema en tales circunstancias sólo podía conducir a una interpretación ideológico-idealista del mismo. Como es bien sabido, a partir de la crisis espiritual del 97, la obra de Unamuno se orienta hacia un planteamiento interiorista y trágico, que expresa a su modo, la íntima contradicción del pensamiento extraviado en las tensiones sociales de la época. Se edulcora su socialismo en la forma de un humanismo trágico-heroico —«quijotesco»—, cuyo diseño he analizado ampliamente en otro sitio [9]. El compromiso político, aún sin desaparecer, se transforma en el sentido de una actitud ético-pedagógica, casi de una cruzada moral, por fundar una nueva conciencia cívica. En lugar de recibir lecciones del pueblo, Unamuno se las dicta, convertido en el oráculo del alma intrahistórica de España.

---

[9] P. Cerezo Galán, *El quijotismo como humanismo trágico-heroico*, en *Miscelánea de Estudios, op. cit.*, 205-36.

Acorde, pues, con el viraje subjetivista de toda su obra, la «intrahistoria» se degenera en el sentido de una «interioridad» de la historia, gemela de la personal, y como ella abocada a un planteamiento espiritualista y agónico de confrontación moral contra la *positividad* de la historia, es decir, contra la dura ley de los acontecimientos, que ignoran por principio todo idealismo. La oposición a la tradición se hace cada vez más formal y huera, y las diatribas contra el progreso amenazan de continuo con sumir su planteamiento en puro irracionalismo místico.

La mixtificación en Azorín ha seguido por la vía estética. Ya en el texto antes citado, al referirse a la nueva metodología histórica escribe programáticamente:

«De la Historia pasamos a la Estética en general. No se trata ya nuevamente de escribir la Historia, sino de ver la vida que es materia historiable» [10]. Y en efecto: en el deletreo azoriniano de las menudencias de la vida, casi con técnica de miniaturista —«primores de lo vulgar»—, se lleva a cabo, por una vía estética, la reproducción imaginativa de situaciones y circunstancias, que quedan todas, al fin, igualadas y equiparadas en la ensoñación sentimental. Como advierte Blanco Aguinaga,

> no entendieron los admiradores de este pintor de las cosas humildes, de este evocador de situaciones literarias (...), y parece ser que muchos no lo entienden todavía, que Azorín jamás ha pintado ni cosas ni personas concretas porque a partir de su alejamiento de la problemática española de su tiempo, huye definitivamente de toda Historia [11].

La técnica de este escamoteo nos la ha revelado, por otra parte, el mismo Azorín. Se trata de conseguir la impresión

---

[10] Azorín, OS., 865.
[11] Blanco Aguinaga, *op. cit.*, 310.

de lo eterno —no sumergiéndose, al modo unamuniano, en el corazón de la temporalidad— sino mediante la volatilización del tiempo real en el tiempo pseudo-objetivo e imaginario del eterno retorno —entendido al modo azoriniano—. Todo pasa y todo vuelve; desaparece lo individual, pero nuevos individuos y pueblos repiten incesantemente la rueda. Todas las situaciones resultan equivalentes, en última instancia, en su valor de verdad. El alma azoriniana encuentra, pues, aquella sensación de inactualidad pura [11 bis], de instante eterno, no porque esté fuera del tiempo, sino porque lo recorre en espiral, haciendo coexistentes distintas situaciones históricas. A modo de un espejo, la sensibilidad ensoñadora iguala en sus reflejos mortecinos los personajes más diversos, reducidos todos en él a la misma condición de sombras que pasan y vuelven. La metáfora y el método es del mismo Azorín; no podía expresarse de modo más explícito.

> El espejo lo va reflejando impasible todo. Ya las luces de gas lucen en todo Madrid. *El tiempo ha sido subvertido en la mente del poeta.* Los caballeros que han entrado en Lhardy, que entraron ayer, que entrarán mañana son sombras vanas. Se han esfumado ya en la eternidad. Y desde lo pretérito, aquí, en el restaurante famoso, ante el espejo, están otras sombras vueltas a la vida. La continuidad histórica se impone al artista y al pensador [12].

¡Extraña continuidad ésta que funde tiempos e individuos distantes en una misma vivencia! Y es que, en el fondo, la historia se ha reducido estéticamente a la sucesión fugaz de imágenes en el caleidoscopio del alma. Lo intrahistórico ha llevado, por otro camino, a la disolución de la historia. En este caso, a relativizarla en una mera evocación impresionista.

[11 bis] Azorín, OS., 894-5.
[12] Azorín, OS., 882. (El subrayado no pertenece al texto.)

inexorable del cambio histórico, del tránsito del ayer al hoy y de éste a un mañana nuevo.

> ¿Espera, duerme o sueña? ¿La sangre derramada
> recuerda, cuando tuvo la fiebre de la espada?
> Todo se mueve, fluye, discurre, corre o gira:
> cambian la mar y el monte y el ojo que los mira.

En los dos últimos versos, es fácil advertir una declaración de fe evolutiva, por llamarla de algún modo, que se extiende, no sólo al mundo humano, sino a la misma naturaleza, sumergida en un flujo universal.

> Maravillosos versos —comenta Darmangeat—... con un estremecimiento y fluidez incomparables: el largo alejandrino se aligera merced a una repetida articulación y se vuelve la imagen viva de una progresión indefinida del tiempo; precisamente lo que se trata de subrayar aquí es el tiempo objetivo donde ocurren los acontecimientos [16].

En realidad ese pasado no ha pasado del todo; de algún modo pervive, de la peor manera, como una historia opresiva de grandezas, como un fantasma que puebla la soledad infinita y yerma de los campos.

> ¿Pasó? Sobre los campos aún el fantasma yerra
> de un pueblo que ponía a Dios sobre la guerra.

Incluso cabe suponer, leyendo estos poemas desde las posiciones críticas de unos años más tarde, que el «hoy» de miseria es el producto de este «ayer» excesivo, de toda una vocación imperialista del destino español, que ha despoblado España, dejándola sin brazos y sementeras, sin yunques ni arados, hasta el punto de impedir su realización socio-económica como nación moderna. En cualquier caso,

---

[16] P. Darmangeat, *op. cit.*, págs. 56-7.

es evidente, por último, la necesidad de negar este presente de miseria, como condición para proseguir creadoramente la historia. Tal negación no supone una repetición arqueológica del pasado, sino precisamente la superación de su línea de desarrollo. Inaugura, por consiguiente, una nueva experiencia. Bien es verdad que en este último aspecto, la postura de M. presenta diversos matices, que van desde la incertidumbre —representada por la llegada de la noche al final del paseo (XCVIII) y la visión de la sombra errante de Caín fratricida (XCIX)— hasta el valor positivo de la esperanza, unida al trabajo histórico de las nuevas generaciones —el nuevo día, abierto al infinito—.

Los poemas permiten, por otra parte, identificar a los intrahistóricos en su real condición de vida («y en páramos malditos / trabaja, sufre y yerra») y pintarlos a una doble luz, ambivalente, como el paisaje mismo, donde a diferencia de la tensión histórica entre el ayer y el hoy, se juega con una nueva tensión «intrahistórica» o caracterológica en la que alternan el aspecto positivo (nobleza, gravedad, valor y sacrificio) y el negativo (crímenes fieros, envidia, etc.), del alma castellana. Esta ambivalencia es particularmente notable en el poema CII, en el que alcanza su expresión lírica más justa:

> ¡Oh tierra ingrata y fuerte, tierra mía!
> ¡Castilla, tus decrépitas ciudades!
> ¡La agria melancolía
> que puebla tus sombrías soledades!
> ¡Castilla varonil, adusta tierra,
> Castilla del desdén contra la suerte,
> Castilla del dolor y de la guerra,
> tierra inmortal, Castilla de la muerte!

¿Puede imaginarse un testimonio más elocuente y entrañable de ese «amor amargo» —a la vez aceptación y rechazo—

Para salvar la nueva epifanía
hay que acudir, ya es hora,
con el hacha y el fuego al nuevo día.
Oye cantar los gallos de la aurora.

EL PAISAJISMO MACHADIANO:
NATURALEZA E HISTORIA

La consideración del paisajismo machadiano, especialmente en *Campos de Castilla* (C. C.), nos ha de servir ahora para concretar los planteamientos anteriores. Pocos índices, en efecto, pueden resultar tan expresivos como éste. *Soledades G. O. P.*, responde plenamente a la concepción romántico-simbolista del paisaje como pura proyección de la vivencia anímica. La naturaleza nunca aparece por sí misma, sino tan sólo como ocasión para que se revele el espíritu, como signo o cifra del mundo interior. Ni siquiera podría decirse que el paisaje ha sido recreado por el alma; es más bien puesto o propuesto por ella, como el telón de fondo de su propia vivencia o la mínima apoyatura sensible que requiere su ensoñación. Como ejemplo característico pueden verse los poemas XI y LXXIX de *Soledades*. No hay en ellos propiamente naturaleza. Tan sólo unos cuantos elementos arquetípicos, dispuestos sabiamente con técnica impresionista, para darnos el esquema emotivo de una situación. Apenas hay materia. Los caminos de la tarde, como los de la noche, se difuminan y pierden, como la íntima vibración del alma. La nostalgia por la pasión perdida, en un caso (XI), y la amargura de la búsqueda, en el otro (LXXIX), están sugeridas por los mismos elementos sensibles, que no tienen otra función que ser el trasunto externo de la propia vivencia. Es un paisaje todo-alma, habitado por la ensoñación: («Y todo el campo un momento / se queda, mudo y sombrío, / meditando. Suena el viento / en los álamos del río», XI). Casi se diría que no es más que una figuración del ensueño, la representación plástica de la imaginación misma. Así, difícilmente encontraríamos un simbolismo más adecuado para la angustia del extravío que el yerto y desolado paisaje del poema LXXIX:

> ... ¡El viento helado,
> y la noche que llega, y la amargura
> de la distancia!... En el camino blanco
> algunos yertos árboles negrean;
> en los montes lejanos
> hay oro y sangre... El sol murió... ¿Qué buscas,
> poeta, en el ocaso?

Azorín ha sabido percibir esta técnica «creativo-imaginativa» del paisajismo machadiano: «paisaje y sentimientos —modalidad psicológica— son una misma cosa; el poeta se traslada al objeto descrito, y en la manera de describirlo nos da su propio espíritu. Se ha dicho que todo paisaje es el estado de alma y a esta objetivación del lírico se alude en dicha frase. Al grado máximo de esta objetivación llega Antonio Machado en sus poemas» [18]. Pero este comentario vale en especial para la etapa intimista de *Soledades*. En C. C. se asiste, por el contrario, a una sutil modificación de perspectivas, aun dentro mismo del proceso de animación de la naturaleza. Por supuesto, el paisaje sigue estando penetrado, animado, por la vivencia subjetiva, pero con una extraordinaria libertad, que no violenta las cosas sino que las deja ser lo que son. Y no es que no haya ensueño, sino que sus cristales se adelgazan con vocación de pupila, que lee y descifra el sentido de lo concreto e inmediato. El yo, por así decirlo, no se advierte; está por detrás del cuadro, como

---

[18] Azorín, *Clásicos y Modernos*, Buenos Aires, Losada, 1959, pág. 79.

sobre todo, una nueva disposición o actitud existencial del poeta Machado. Lo hemos visto trascender, a duras penas, el laberinto de los espejos interiores del yo-íntimo en busca de un yo-fundamental, en diálogo con el tú. Pero lo que era vocación personal de autenticidad se convirtió en Soria en un destino. El encuentro, lúcido y pleno, por aquellas tierras con su gran amor, explica que Soria se le haya hecho una tierra tan de alma («mi corazón está donde ha nacido / no a la vida, al amor, cerca del Duero»), y que su recuerdo se imponga tenaz y entrañablemente, como viniendo de la misma raíz de su existencia («Me habéis llegado al alma, / ¿o acaso estabais en el fondo de ella?»). Soria quedará por siempre asociada a una honda y radical experiencia de la vida: la de la amistad y el hogar, el único hogar del poeta. Desde esta madurez de la vida personal, en una plenitud de presencias, encuentra su sentido la comunión entrañable con una tierra y con unos hombres, hasta adivinar su propia alma.

El proceso de depuración expresiva y visión enamorada no ha sido repentino. Carlos Beceiro ha recogido y comentado muy finamente las distintas irisaciones que va teniendo en M. el tema de Castilla. Al primer contacto, surgen las «estampas sorianas» (la primera de las cuales es el poema «Orillas del Duero», incluido con el número IX en la edición de *Soledades G. O. P.* de 1907, quizá por la clara conciencia de una cierta continuidad estilística con el resto de las composiciones de aquella obra).

> Pero en ese poema no hay conceptualización alguna. Nada que nos indique una toma de posición frente a las cosas. El problema de España y de Castilla no había aparecido aún en Machado. El poeta se limita a apuntar, tras el paso del invierno, la gracia primaveral de un trozo de tierra española [20].

---

[20] Carlos Beceiro, «Antonio Machado y su visión paradójica de Castilla», en *Celtiberia*, VIII, núm. 15, 1958, pág. 129.

Ciertamente el poema presenta un «tono mucho más realista» y hasta «entusiasta», como señala Beceiro; hay un gusto por los detalles y una complacencia por lo inmediato que no es habitual en *Soledades*; el paisaje tiene más entidad y está descrito con un cariño, casi ternura, por lo concreto, que hace presagiar los mejores versos de C. C.; pero con todo, la ensoñación del alma y su proyección subjetiva son muy fuertes, pues la primavera soriana reactualiza uno de los símbolos anímicos más constantes de *Soledades*: el del renacimiento de la vida.

> Entre las hierbas alguna humilde flor ha nacido,
> azul o blanca. ¡Belleza del campo apenas florido,
> y mística primavera!
>
> (IX.)

Incluso cabría suponer que este estado interior de esperanza se acentúa en contacto con su primer destino profesional, casi como una expectativa lírica —una corazonada—, de sus tres maduros años de amor por aquellas tierras.

(«¡Chopos del camino blanco, álamos de la ribera, / espuma de la montaña / ante la azul lejanía, / sol del día, claro día! / ¡Hermosa tierra de España!»)

Otros poemas de la misma serie (CVII, CIX, CX, CXII), agrupados por Beceiro, presentan rasgos simbolistas, analizados por este autor. En torno a 1910, aparece un nuevo grupo (XCVIII, XCIX y CI) que representa ya «una toma de posición decidida ante Castilla, una concepción de la tierra castellana en relación con el problema de España, que tanto inquietó a los hombres del 98» [21]. Encontramos en ellos los rasgos típicos de la visión de Castilla del 98, en especial el clima, tenso y crítico, de los ensayos unamunianos *En torno*

---

[21] Carlos Beceiro, *art. cit.*, 133.

al casticismo. El paisaje nos parece ahora como una vía de penetración metódica en la historia [22], y como un símbolo del alma interior de Castilla, y a través de ella, de España [23]. En el primer aspecto, conviene destacar el proceso típico de la reflexión histórica machadiana. Éste no se presenta como evocación nostálgica ni como mera reconstrucción arqueológica, sino como ahondamiento crítico en el presente hasta descubrir el modo de ser de un pueblo («¡Oh tierra triste y noble, / la de los altos llanos y yermos y roquedas, / de campos sin arados, regatos ni arboledas», / ... «Hoy ve a sus pobres hijos huyendo de sus lares»). La tensión crítica, como ya vimos, le lleva a la comparación con un pasado de grandeza (la España imperial) y parece resolverse con la sugestión de un nuevo comienzo o andadura. Como precisa Blanco Aguinaga,

> en esta Castilla, como en la de todos, la presencia de imágenes del pasado histórico es dominante; sólo que con una diferencia en la que encontramos la clave de toda la originalidad de M.: el pasado histórico, por magnífico que parezca haber sido —y para Machado, como para el primer Maeztu, como para el primer Unamuno, no siempre ha sido todo lo que parece—, se le ofrece invariablemente como opresor del presente y no hay melancólica belleza que le impida pensar que, en vistas al futuro, el presente exige la destrucción del pasado. «No está el mañana, —ni el ayer— escrito» [24].

En el segundo aspecto —el del paisaje-símbolo—, vuelven a reaparecer los rasgos típicos de la visión noventayochista de Castilla. Se trata de un paisaje «heroico» (con sus tensiones de vida-muerte, nobleza y orgullo, tristeza y decrepitud: «Veréis llanuras bélicas y páramos de asceta»; «¡oh tie-

---

[22] Blanco Aguinaga, *op. cit.*, 319-20 y N. L. Hutmann, *op. cit.*, 122-4.

[23] Aurora de Albornoz, *op. cit.*, 147-50.

[24] Blanco Aguinaga, *op. cit.*, pág. 319.

rra ingrata y fuerte, tierra mía!»; «la tierra que ama el santo
y el poeta, / los buitres y las águilas caudales»), «extremoso»
o violentamente contrastado, sin transiciones ni matices,
«monoteísta» —como diría Unamuno— por la conjugación
del desasimiento ascético y la elevación espiritual o mística,
y «definidor» (luz brillante que recorta las figuras, aire agudo, ciprés hierático, etc.). Con todo, cabría decir que en los
versos de M. hay menos simbolismo que en los de Unamuno.
El paisaje castellano es menos «idea» o arquetipo del ser de
España, y más visión cordial o experiencia de sus íntimas
tensiones («¡Oh tierra ingrata y fuerte, tierra mía!»).

¿Se trata simplemente de un cliché ideológico o de un
puro «vestigio arqueológico», como supone Serrano Poncela? [25]. Creo que no. Ya Macrí ha señalado los riesgos que
acechan a esta segunda singladura de M. en C. C., «el pseu-
dorrealismo de la historia y del relato, de una parte; y el
academicismo, el arqueologismo de la reconstrucción histórica y ambiental, la documentación y ambientación pedísecua
de un romanticismo aún más falso» [26]. Pero M., a fuerza de
realismo expresivo y de atenimiento a lo presente e inmediato (la desolación y pobreza de la tierra y de sus hombres)
pudo superar, según creo, estos peligros. El paisaje no está
elaborado ideológicamente ni construido históricamente;
sino vivido por sí mismo, en un lugar y hora determinados,
con toda su pulsación elemental de vida y de presencia humana. Es innegable, como ha señalado Laín, que

> entre la pupila de estos descubridores y la faz de la tierra que
> contemplaban, un ensueño se interpuso. Veían así la tierra por-
> que con los ojos del alma la soñaban poblada de animadas som-
> bras humanas... Entre el ojo y la tierra, creado por el alma

---

[25] Serrano Poncela, *Antonio Machado, su mundo y su obra*, Buenos
Aires, Losada, 1954, págs. 175 y 185.
[26] Oreste Macrí, *op. cit.*, pág. 114.

contemplativa, vive y tiembla un ensueño de vida humana, una idea de la historia que fue, un proyecto de la historia que podría ser [27].

Pero quizá lo característico de Machado sea que la ensoñación de España no se manifestó fundamentalmente como proyección subjetiva, sino como lectura o desciframiento de la vida real, y nunca degeneró por la vía esteticista de la evasión, como en Azorín o el Unamuno tardío.

La comprobación más consistente de estas afirmaciones la encontramos en una tercera serie de poemas (CIII, CXIII, CXIV), que representan la síntesis más equilibrada y plena de la visión de Castilla. En ellos «el poeta va a descubrirnos una nueva razón de amor que sin dejar de hendir las raíces en la anterior crítica noventayochista, la trasciende para sentir la pobre tierra de Castilla, su paisaje, su sentido, su misterio latiendo al unísono con su alma» [28]. A guisa de recapitulación, recordemos la característica más acusada de esta nueva síntesis entre la visión noventayochista y la experiencia cordial y directa de lo individual-soriano. Ante todo, la presencia humana como protagonista del paisaje, infundiéndole su más hondo sentido. No es cierto, como opina Mostaza, que la figura humana no sea un elemento fundamental del paisaje [29]; en estos momentos es el rasgo capital (¡las figuras del campo sobre el cielo!). Así lo vio ya Ortega [30] y hoy, entre otros, Tuñón de Lara y Darmangeat: «Los poemas más desarrollados, las series de poemas recogen una y otra

---

[27] Pedro Laín, *La Generación del 98*, op. cit., pág. 9.
[28] Carlos Beceiro, *art. cit.*, pág. 135.
[29] Bartolomé Mostaza, *El paisaje en la poesía de A. Machado*, en *Cuadernos Hispanoamericanos*, op. cit., págs. 635-6.
[30] Ortega y Gasset, *Los versos de Antonio Machado*, en *O. C.*, I, 572-3, y en *Antología*, Taurus, op. cit., págs. 352-53; Tuñón de Lara, *op. cit.*, págs. 62 y 67 y P. Darmangeat, *op. cit.*, págs. 40 y 86.

vez los datos iniciales integrándolos en un movimiento que mezcla la realidad exterior y la aventura humana, y también la meditación». Definitivamente, el paisaje se convierte en una geórgica en «Campos de Soria», con estampas, que ya no son ni meras ensoñaciones líricas ni construcciones ideológicas, sino la palpitación directa y real de la vida (el pastoreo, la siembra, el hogar humilde, los álamos del amor, etc.).

En segundo lugar, la inmersión en la vida de los intrahistóricos, contada ahora dramáticamente en todas sus luces y horas («Campos de Soria» y «La tierra de Alvargonzález»). La valoración del hombre castellano se vuelve más positiva y fecunda, en la medida en que se va encendiendo una esperanza más directa y sobria acerca del porvenir de España.

Por último, la identificación cordial con el paisaje y paisanaje, hasta fundirse con ellos en una misma vibración de conciencia. Expresión plena de aquella actitud de «amor amargo» con que Laín ha definido a los hombres del 98.

La separación de Soria, tras la muerte de Leonor, y los años (distancia y ausencia) nos darán más tarde una visión «idealizada» y «esquemática» de Castilla; más «íntima» también, como si la tierra y sus hombres formasen ahora parte de las «galerías del alma»[31]. Como ha visto Darmangeat,

> a medida que el espectáculo de lo exterior se junta con el movimiento íntimo, el ángulo de vista se va modificando y el espectáculo cambia de forma. Pero ello no significa que tiende a desaparecer. Estilización y reflejo son los dos modos preferidos de su transformación[32].

---

[31] Carlos Beceiro, *art. cit.*, págs. 141-2.
[32] P. Darmangeat, *op. cit.*, pág. 41.

Naturalmente el paisajismo de M. sufrirá una nueva transformación con motivo de la recaída intimista y trágica, tras la muerte de Leonor; en cierto modo vuelve a interiorizarse el paisaje y a convertirse, en muchos casos, en proyección del inconsciente («Recuerdos de sueño, fiebre y duermivela») o del consciente utópico-irreal («Canciones a Guiomar»). No falta, sin embargo, el paisaje como expresión de lo telúrico y del alma del pueblo, en continuidad con los logros y las intuiciones poéticas de C. C. (CLIV).

EL TIEMPO HISTÓRICO

La reflexión temática sobre la historia sólo se producirá más tarde, suscitada por la tensión política, e intermitentemente, como es habitual en los apuntes críticos de Mairena. Su esquema de comprensión es básicamente el ya analizado con motivo del tiempo existencial. Se deja resumir, pues, en la misma fórmula: el presente creador de la inminencia, que implica la plasticidad del pasado y la orientación dinámica hacia el porvenir.

La primera afirmación que importa registrar —muy del gusto del historicismo de la pasada centuria—, es la conexión dinámica del tiempo. En la historia no rige el orden de una determinación rigurosa (pues ni siquiera el pasado es destino inamovible) ni el azar de lo absolutamente imprevisible (ya que el futuro se deja penetrar y adivinar, por obra de la fantasía y del trabajo). Tan optimista actitud acerca de la historia le lleva a M. a sostener el carácter unitario e indivisible del proceso. «Si lo miramos más de cerca, veremos que el *devenir es uno* y que es su *totalidad* (porvenir-presente-pasado) lo sometido a constante cambio» (J. M., II, cap. XI, 122). El planteamiento dialéctico que subyace a esta afirmación es evidente. Hay como un reflujo o reflexión interna a través del presente, entre el pasado y el futuro. Cada uno modifica y es modificado a la vez por el otro. En cada presente se realiza una reasunción de la historia entera, que permite la conexión dinámica del proceso.

Con este esquema pretende M., por otra parte, superar tanto el tradicionalismo como el progresismo, actitudes ambas en las que se sacrifica la espontaneidad creadora del presente, ya sea a la inercia de lo pasado o a la de lo simplemente venidero. Huelga decir que en la severa crítica de Machado, el tradicionalismo se lleva la peor parte (cfr. texto J. M., I, cap. III, págs. 18-19). La íntima contradicción que subyace al conservadurismo ha sido puesta de manifiesto. No se puede, en efecto, perdonar el pasado y añorarlo desde un presente de miseria, sin admitir a la vez que es el pasado de ese presente y por tanto la causa de los males que se condenan en el día de hoy. A no ser que se profese la creencia pesimista acerca de una decadencia fatal del tiempo histórico, al apartarse de su fundamento originario. Pero esta fe arcaizante —sugiere irónicamente Mairena— no difiere mucho de la vuelta a las cavernas. Tras estos sueños de una edad de oro perdida, sólo se esconde una voluntad de paralizar la historia, de convertirla en un fósil. En cuanto esterilizan la pasión, esencialmente humana, de cambio y de progreso, se presentan como una recaída en la inconsciencia animal. Así parece sugerirlo una carta a Unamuno, desterrado en Francia, del 15 de enero de 1929.

> Y lo más triste es que no hay inquietud ni rebeldía contra el estado actual de cosas. Las gentes parecen satisfechas de haber nacido. Nadie piensa en el mañana. Para muchos una caída en cuatro pies tiene el grave peligro de encontrar demasiado cómoda la postura. Yo, sin embargo, quiero pensar que tanta calma y tanta conformidad son un sueño malo, del cual despertaremos algún día (C., 186-7).

La fe machadiana, por el contrario, la que hemos perseguido tanto en su poética como en su metafísica, reaparece ahora en el nuevo visaje de la historia. Es la fe heraclítea en el cambio universal, como testimonio de una permanente pulsación de conciencia. Aplicada al pasado, arroja la tesis paradójica de su «plasticidad».

> Casi todo cambia —escribirá el Mairena tardío—; digamos mejor que cambia todo lo importante, y lo que parece quedar como inmutable es puro símbolo. Así pensamos al menos los hombres de fe heraclitana contra el célebre aforismo goethiano que parece afirmar todo lo contrario. Y lo que está más sometido a cambio, amigos míos, es lo que solemos llamar el pasado histórico, el cual, en cuanto vive en nuestras almas, es decir, en cuanto es algo, claro está que cambia, además y necesariamente, en función de lo que esperamos y tememos del porvenir (C., 226, y III, 112. Cfr. también, C., 191 y J. M., I, cap. XXVIII, págs. 126-7).

La tesis de la plasticidad del pretérito es, pues, esencial para la comprensión del pensamiento machadiano. Está vinculada con la de la memoria viviente, como fundamento de la acción, ya sea a nivel personal o comunitario, y naturalmente, con la posibilidad de asumir el pasado e interpretarlo en diferentes claves, frente a toda concepción monopolística de su sentido, y hasta de continuarlo por sus líneas más pregnantes de desarrollo. Un buen ejemplo de qué significa históricamente esta plasticidad nos lo ofrece el rescate del pensamiento heterodoxo, efectuado por Marcel Bataillon —cuya obra *Erasme et l'Espagne* merece un fervoroso comentario de Mairena en el número 21 de *Hora de España* (J. M., II, cap. XVII, pág. 154)—, o bien la diferente versión de la figura del Cid, ya sea desde el campo nacionalista, sobre presupuestos tradicionales, o desde el republicano, dentro de la ética democrática de la fidelidad del héroe a su pueblo (J. M., II, cap. XVII, pág. 156-8).

Pero la rebelión contra lo pasado (el pasado muerto-fósil) en tanto que condición de originalidad, no puede entenderse como absoluta desconexión y ruptura con el proceso histórico. Un progresismo vacío amenaza igualmente con disolver la originalidad creadora en la entrega pasiva a las novedades. El esquema dialéctico exige también neutralizar la tiranía de lo nuevo, la mera idolatría de lo reciente o novedoso, que en el fondo responde a una actitud igualmente pasiva y perezosa (J. M., I, cap. III, 19). La transformación radical, por el contrario, no actúa nunca en el vacío. Tiene que empalmar, si aspira a ser fecunda, con la continuidad creadora de la historia. No podía ser de otro modo en una filosofía, basada como toda la obra machadiana, en el valor de la conciencia crítica («Creo en la libertad y la esperanza», había dicho ya el poeta). El presente de la creación necesita tomar impulsos en lo pasado, negándolo en su positividad inmediata (pasado como *Vergangenes*) para prolongarlo, en cambio, en aquellas líneas más dinámicas y vivas (*das Gewesene*), las que aseguran un futuro de libertad y de conciencia. Ingeniosamente interpreta Mairena la filosofía de la historia como «profecía del pasado», que no es una profecía al revés, sino el envés de la profecía, es decir, su cara oculta o sus raíces históricas, en las que se encierra su razón de ser.

Como el arte de profetizar el pasado se ha definido burlonamente la filosofía de la historia. En realidad cuando meditamos sobre el pasado, para enterarnos de lo que llevaba dentro, es fácil que encontremos en él un cúmulo de esperanzas —no logradas pero tampoco fallidas—, un futuro, en suma, objeto legítimo de profecía. En todo caso —agrega Mairena irónicamente, quizá como contraargumento contra los incrédulos en la plasticidad de la vida—, el arte de profetizar el pasado es la actividad complementaria del arte, no menos paradójico, de preterir lo venidero, que es lo que hacemos siempre que, renunciando a una esperanza, juzgamos «sabiamente», con don Jorge Manrique, que se puede dar lo no venido por pasado (J. M., I, cap. XXIV, pág. 111 y III, 98-9).

He aquí dos tipos de fe incompatibles, que luchan por disputarse el sentido (o sinsentido) de la historia. Ninguna de las dos fue enteramente extraña al alma de M. Se diría que llevaba las dos enzarzadas, en lucha a muerte. Pero la última palabra la llevó siempre la esperanza, imponiéndose a la tentación acechante del nihilismo.

> ¡Qué importa un día! Está el ayer alerto
> al mañana, mañana al infinito;
> hombres de España: ni el pasado ha muerto,
> ni está el mañana —ni el ayer— escrito.

Como comenta Darmangeat, «este verso último merece ser destacado y no ser olvidado; nunca acaso se expresó con tanta intensidad la aptitud de la voluntad de los hombres en forjar la historia, es decir, en forjar el porvenir arrancando el presente y corrigiendo, si fuese necesario, los errores del ayer»[33].

El presente de la inminencia constituye, como ya sabemos, el nexo creador de la mediación entre el pretérito y el futuro. Lo pasado es en él reasumido y reinterpretado como condición de un nuevo proyecto de porvenir, y éste, a su vez, actúa de incitación y motivación a un tiempo, para una nueva lectura de la tradición histórica. No cabe pues, ni el culto conservadurista al pasado, reificando su sentido y obturando su impulso a trascenderse, ni el progresismo vacuo o «futurismo radical», que pretendiera comenzar siempre de nuevo. Aunque en todo caso, es evidente que el optimismo macha-

---

[33] P. Darmangeat, *op. cit.*, pág. 58.

diano se inclina sin duda por la primacía del porvenir, como conviene a un presente de creación.

Un pueblo es siempre una empresa futura, un arco tendido hacia el mañana —viene a escribir Mairena, recordando pensamientos y metáforas de cuño orteguiano—. El que este mañana nos sea desconocido no invalida la necesidad de su previo conocimiento para explicarnos todo lo demás. De modo que la verdadera historia de un pueblo no la encontraréis nunca en lo que de él se ha escrito. El hombre lleva la historia —cuando la lleva—, dentro de sí; ella se le revela como deseo y esperanza, como temor, a veces, mas siempre complicada con el futuro. Un pueblo es una muchedumbre de hombres que temen, desean y esperan aproximadamente las mismas cosas. Sin conocer alguna de ellas, no haréis nada, en historia, que merezca leerse (J. M., II, cap. XIX, 166).

El texto escrito en plena guerra civil, lleva a cabo un vuelco decisivo en la interpretación de la historia. En primer lugar, porque especifica muy claramente que su sentido tiene una clave sociológica (el sistema de necesidades y de esperanzas básicas, fundamentales, de un pueblo). Y también, porque identifica congruentemente el sujeto de la historia en una comunidad nacional, unificada más que en su pasado, en su pretensión dinámica de una misma meta, o si se prefiere, en el proyecto social acerca de su futuro. Se está superando, pues (o, al menos, así lo parece), el planteamiento ideológico de signo idealista en una doble dimensión: tanto en lo que se refiere a la intención de la historia —que no depende ahora de un «espíritu absoluto», a la hegeliana, sino del mismo proceso social de la vida—, como en la enérgica recusación del punto de vista individual o aristocrático, en que estaba encerrado el liberalismo decimonónico.

Planteamientos en este sentido ya venían de lejos, desde los tiempos de Baeza, quizá en parte suscitados por la revolución rusa del 17. En carta a Unamuno (16. 1. 1918) se impone nítidamente una línea de progreso histórico de valores específicamente sociales, orientada hacia el advenimiento de una comunidad verdaderamente humana y universal. El símbolo lo encuentra ahora en la historia bíblica del casto José: «Perdonando y amando a sus hermanos que quisieron perderle, muestra ya cómo el amor ha de tomar un día la línea transversal... su honestidad inaugura la historia humana, que no marcha de generación en generación, sino de virtud en virtud» (C., 177). Pese al carácter aún inmaduro y excesivamente espiritualista del esquema, aparecía ya el apartamiento decidido de toda concepción liberal del progreso, en términos de productividad tecnológica y de reproducción política del poder. El sentido de la historia reside, pues, en valores éticos de comunidad, aquellos que procuran una liberación real del hombre desde su inmediata situación sociológica. Cristo será el símbolo por antonomasia de esta actitud creadora, en lucha contra la ciega necesidad física y contra la positividad social (C., 179). Aunque el planteamiento presenta aquí indudablemente rasgos unamunianos, apunta ya en una dirección social que será la dominante en el M. tardío. Y Rusia, o si se prefiere, el alma eslava, se convertirá en la depositaria de los nuevos valores. La oposición Rusia-Roma comienza ya a perfilarse como la antítesis entre un cristianismo social o comunitario, de raíces cordiales o afectivas, y el cristianismo convencional y agresivo de la Roma oficial. Más tarde, el esquema se tornará más radical aún con el advenimiento del nacional-socialismo y la quiebra moral de las democracias, incapaces de defender frente a los nuevos agresores los derechos de la libertad y de la cultura. «Roma contra Moscú —se dice hoy—; yo diría mejor: Roma y Berlín las dos fortalezas paganas, la germánica y la latina, del cristianismo occidental contra el foco del cristianismo auténtico» (A. M., 121). Se explica así que, según M., el eje de la historia, por decirlo de alguna manera, haya abandonado el meridiano occidental de las democracias formales y de los nuevos imperios agresores, para instalarse místicamente en el corazón de la «santa Rusia» (?):

> Los millones de hombres con el escudo al brazo que militan contra la nueva Rusia nos dicen claramente con su actitud defensiva que es hoy Moscú el foco activo de la historia. Londres, París, Berlín, Roma, son faros intermitentes, luminarias mortecinas que todavía se transmiten señales, pero que ya no alumbran ni calientan ni han perdido toda virtud de guías universales (A. M., 117-8).

En resumen y sin que estos apuntes pretendan, en modo alguno, hacerse valer por una filosofía de la historia, creo que hay en la obra de M. vestigios suficientes de una honda reflexión sobre el acaecer histórico, la cual, aun cuando inspirada y producida en un cuadro de pensamiento idealista de confusa ascendencia hegeliano-bergsoniana, acertó a ver poéticamente, esto es, proféticamente, hacia valores y metas, que implicaban, con un nuevo planteamiento, una nueva conciencia crítica de su hora. Esta preocupación histórica, como ya vimos, se incubó muy tempranamente, tal como cabe rastrear en algunos poemas de C. C., para alcanzar su madurez reflexiva en los años de Baeza, al filo de acontecimientos decisivos para la vida europea, y encontró más tarde su expresión más característica en los apuntes de Juan de Mairena. De ahí que mientras en los demás se iban apagando los ecos de la historia en el aturdimiento de la vida o en el ensimismamiento de la ensoñación, la sensibilidad de M. se mantuvo hasta el final en carne viva, atenta a los hechos menudos como a los grandes acontecimientos, fiel en suma a su tiempo y a su circunstancia.

XI

EL PROBLEMA DE ESPAÑA

¡Qué importa un día! Está el ayer alerto
al mañana, mañana al infinito;
hombres de España: ni el pasado ha muerto,
ni está el mañana —ni el ayer— escrito.

(CI.)

LA DIALÉCTICA DE LAS DOS ESPAÑAS

El esquema «historia-intrahistoria», al aplicarse a la hermenéutica nacional concreta, desarrolla la bipolaridad de una España «oficial» y castiza, y otra España «real» popular y creadora, en la que Unamuno hace consistir la tradición eterna. ¿Reproduce sin más esta actitud el esquema ideológico de las dos Españas, o supone una manera mucho más original y crítica de enfrentarse con la realidad? La respuesta no puede ser simple. Anticipo ya desde las primeras líneas de este capítulo, que, en la generación del 98, el esquema horizontal de las dos Españas —la nacional-católica y la laica o liberal— se encuentra interferido siempre, y al fin, sustituido por un nuevo esquema vertical —la Hispania máxima y la mínima—, cuya dialéctica, como iremos viendo, genera una mayor potencia crítico-revolucionaria.

Llamo esquema «horizontal» al planteamiento del problema de España en términos puramente ideológicos, como dos tradiciones o modos de ser contrapuestos y excluyentes, pero sin explicitar aún la clave sociológica concreta de semejante contradicción. Su carácter ideológico es bien patente, en la medida en que plantea en términos de valor y como talantes existenciales antagónicos, con una típica metodología abstracta, lo que en el fondo no es más que un problema de índole social. Me atrevo a suponer que el esquema ha sido invención de las fuerzas políticas conservadoras del «antiguo régimen» —oligarquía rural con el apoyo de la nobleza y la iglesia, y más tarde con el consentimiento, o mejor complicidad, de la escasa burguesía industrial del país— y mantenido luego hábilmente, como un debate ideológico típico, con la expresa función de escamoteo y encubrimiento de la realidad social de base. La estrategia es muy simple. Tan pronto como la clase dirigente realiza una interpretación exclusivista de la tradición, en el sentido del nacional-catolicismo, y la hace valer como la única, instituyéndose su depositaria en régimen de monopolio de los valores del «alma» española, obliga a toda disensión socio-política a presentarse en el espacio de juego de la «anti-España».

El tradicionalismo nacional-católico logró así identificar su interés de grupo o clase con los intereses nacionales del país y, por consiguiente, interpretar toda alternativa política como una traición al «espíritu de la patria». El esquema comienza a apuntar en el momento del cierre ideológico y socio-político del país a la vida europea, y se acuña más tarde, en una ideología tridentina de contención del cambio social, mediante la eliminación progresiva de la libertad crítica de conciencia. Dos fueron las características más fundamentales de su institucionalización política; de un lado, el «ordenancismo» y dirigismo cultural, fundado rígidamente en el principio de autoridad y apoyado por el aparato represivo de la Inquisición, como «aduana» del casticismo, según la certera expresión de Unamuno. Del otro, el «militarismo», entendido aquí como una reglamentación castrense de la vida civil, proyectando sobre ella impropiamente, con su código de valor (orden, disciplina, fidelidad, lealtad), todo un sistema de relaciones jerárquicas. Según este rígido planteamiento, claramente integrista, la oposición se califica de «heterodoxa» y se la excluye y persigue, como un atentado contra la unidad nacional y las esencias inmutables del país. El pluralismo real se sacrifica al monismo oficial, y, en definitiva, se inicia una larga etapa de integración político-cultural del país (no social, por supuesto) sobre el rígido esquema de la «casta histórica».

> El último eco de esta funestísima doctrina —escribe Unamuno—, origen de las sucesivas mutilaciones de España, sonó en aquello que le hicieron firmar al general Despujols, siendo gobernador general de Filipinas, cuando en la orden de deportación del benemérito doctor Rizal, mártir del patriotismo ilustrado, le hacían decir que descatolizar es desnacionalizar y que una tierra por ser española, tiene forzosamente que ser católica. Doctrina desastrosísima que ha sido la causa de lo que por ahí llaman clericalismo, y doctrina tan perniciosa para el buen desarrollo del patriotismo español como para el buen desarrollo de la religiosidad cristiana (*Ensayos*, I, 819).

El texto es clarividente; sólo se engañó por desgracia Unamuno en lo de «el último eco».

No es de extrañar, pues, que cuando en las Cortes de Cádiz, al amparo de las profundas mutaciones socio-políticas de Europa, el país intente darse una constitución democrática, ésta aparezca vinculada a una nueva forma o modo de ser español —la España librepensadora y laica, de tradición liberal— y que las fuerzas del antiguo régimen la definan como la «anti-España», dando lugar a una amplia querella ideológica que ha llenado todo el siglo XIX y cuyos coletazos todavía, por desgracia, nos alcanzan en el día de hoy. Pocas disputas han traumatizado como ésta el tejido conjuntivo de la nación; han generado más malentendidos y obstruido más gravemente el proceso de reconciliación nacional. A lo largo de este debate, como ocurre siempre en la lucha, cada parte ha quedado determinada dialécticamente por su contraria y hasta adoptado las mismas tácticas; así se explica, frente al clericalismo y militarismo dominantes en la tradición castiza, el anticatolicismo militante de una buena parte de la España liberal, su voluntad de segregación al sentirse secularmente excluida y su rígida orientación progresista-europeísta, sin matices ni registros críticos, reproduciendo así indefinidamente la misma actitud dogmática y exclusiva de la otra España.

La juventud del 98 con su clara vinculación política a ideologías críticas radicales (socialismo, marxismo, anarquismo, etc.), representa el intento más lúcido para escapar a esta disyuntiva. La misma distinción unamuniana entre «historia» e «intrahistoria», pese a su inspiración idealista, no pretendía otra cosa, como ya se ha mostrado, que ofrecer una alternativa al problema de las dos Españas, alumbrando una tradición más radical y genuina, y, a la vez, más creadora y cargada de futuro que el simple binomio conservadurismo-progresismo, Otro tanto puede decirse del intento radical (Unamuno, Maeztu, Azorín, etc.), de formular el problema de España, no en el orden idealista de los valores sino en el terreno socio-político concreto de la liberación de las clases populares. Pese al repliegue interiorista e ideológico de la generación, es justo admitir que un conocimiento más directo de la realidad social llevó a los hombres del 98 a desarrollar una variante del esquema de las dos Españas,

a un nivel mucho más radical, como enfrentamiento no tanto de dos ideologías como de dos formas de vida sociales.
Pedro Laín, con su penetración característica, había llamado ya la atención sobre este hecho en su obra sobre la generación del 98.

> No es nuevo, ciertamente, el expediente de partir la historia
> de España en dos fragmentos. Desde el siglo XVIII es costum-
> bre desgarrar nuestro pasado histórico... en un fragmento cal-
> deroniano o tradicional y otro fragmento arandino o progresis-
> ta. Los conservadores se cubren con el primero y atacan al
> segundo; los modernizantes proceden a la inversa. ¿Aceptará
> Unamuno —se pregunta Laín— este esquema bipartito de nues-
> tra historia? En modo alguno. Eso equivaldría a situarse en el
> mismo plano de los polemistas del siglo XIX. Él, Ganivet y sus
> camaradas de generación intentarán partir la historia de Es-
> paña según una línea de fractura rigurosamente inédita [1].

Se trata, de un lado, de la Hispania *minor* o mínima —la
España diríamos hoy de la miseria y el subdesarrollo, la perspectiva «real» del país frente a la brillante España «oficial»—
y la Hispania máxima de las grandezas pretéritas, a cuya
pesadumbre se han rendido los deleznables muros sustenta-
dores del orden social.

> Mediante el proceso que bosquejado queda —decía Unamu-
> no— hemos venido de la *Hispania maior* a la *Hispania minor*,
> y quiera Dios que no nos lleve a la *Hispania mínima*; de las
> Españas, de que se firmaban antaño reyes, nuestros monarcas,
> a la España de hoy. Todos debemos trabajar porque ésta no se
> reduzca a media España (*Ensayos*, I, 820),

concluye gravemente Unamuno, presintiendo sin duda un
desgarramiento cívico de la convivencia.

---

[1] Pedro Laín, *La Generación del 98*, Madrid, Austral, 1956, pág. 105.

Pero a su vez, la Hispania mínima de hoy no es sólo el fruto de la Hispania máxima o imperial de ayer, sino también el punto de transición hacia una nueva España, también máxima, pero en otro sentido —la España de la cultura y del trabajo— que cabe esperar para el futuro del protagonismo político del pueblo. En cualquier caso, pese a que el nuevo planteamiento adquiere un tono predominante moral y pedagógico, encierra ya, en cierto modo, una versión del problema en clave socio-política. Aunque el nuevo esquema sigue siendo de naturaleza ideológica, no cabe duda que encierra más posibilidades críticas que el anterior, al trasmutar la querella entre tradición y progreso en otra más radical entre clases dominantes —casta histórica— y pueblo o clases bajas, víctimas de la dominación. Al hacer coincidir en este pueblo la necesidad real —el estado de miseria— con la capacidad creadora —tradición eterna y humanista—, se aseguraba, por otra parte, una transformación crítico-revolucionaria del país.

Machado, tanto por tradición familiar como por su educación en la Institución Libre de Enseñanza, aparece inserto dentro de la España liberal y laica. Viniendo, sin embargo, de esta tradición, se esfuerza ya desde el principio, posiblemente bajo la influencia del primer Unamuno (el de los *Ensayos en torno al casticismo*), en radicalizar sus planteamientos y liberarse progresivamente —batalla que constituyó toda su existencia— de sus formulaciones abstractas e idealistas. Ecos claros del radicalismo del 98 encontramos ya en un trabajo mañanero titulado «Nuestro patriotismo y la marcha de Cádiz». La misma crítica a los tópicos patrióticos al uso y el mismo fervor por el esfuerzo creador del hombre —por el hombre del trabajo—, delatan un inconfundible cuño unamuniano.

Somos hijos de una tierra pobre e ignorante, de una tierra donde todo está por hacer. He aquí lo que sabemos. Y preferimos esta triste verdad a las estrofas fanfarronas de aquel poeta... Sabemos que la patria es algo que se hace constantemente por la cultura y el trabajo. El pueblo que la descuida o la abandona, la pierde, aunque sepa morir. Sabemos que no es patria el suelo que se pisa sino el suelo que se labra; que no basta vivir sobre él sino para él: que allí donde no existe huella del esfuerzo humano no hay patria, ni siquiera región, sino una tierra estéril, que tanto puede ser nuestra como de los buitres o de las águilas que sobre ella se ciernen (OPP, 845-6).

Más tarde, la adopción del punto de vista de los intrahistóricos en C. C. le va a conducir a formulaciones críticas que trascienden con mucho el esquema horizontal clásico. Bien es verdad que éste subsiste de algún modo y a veces el binomio conservadurismo-progresismo se presenta casi como un esquema inevitable a la dialéctica histórica, susceptible de ser aplicado, no sólo a España (C., 167), sino a cualquier otro país (así, por ejemplo, las dos Francias, la católica y la liberal y laica, de las que escribe a Unamuno en 1915) (C., 172-3). Pero, en última instancia, se impone siempre el nuevo esquema vertical, la oposición diametral y definitiva entre la Hispania mínima —el país real sofocado por la ramplonería y la vacuidad de la Restauración—, que M. ha sancionado en versos, a los que Pedro Laín no ha dudado en calificar de «los más atroces que jamás se hayan escrito sobre la realidad de la vida española»[2].

> Esa España inferior que ora y bosteza,
> vieja y tahúr, zaragatera y triste;
> esa España inferior que ora y embiste,
> cuando se digna usar de la cabeza,

---

[2] Pedro Laín, *La Generación del 98*, op. cit., 99.

a la que opone, existencial y sociológicamente, la España del cincel y de la maza.

> Una España implacable y redentora,
> España que alborea
> con un hacha en la mano vengadora,
> España de la rabia y de la idea.
>
> (CXXXV.)

El nuevo esquema comporta claramente la radicalización socio-política del problema en términos de confrontación total (crisis de generaciones, cambio de modos de vida, etc.), y al mismo tiempo, explicita la dialéctica de la negación, que ya hemos analizado en otros poemas machadianos: una España niega a la otra, en oposición irreductible, que ha de pasar por la experiencia crítica de un agudo conflicto interno («Como la náusea de un borracho ahíto / de vino malo, un rojo sol corona / de heces turbias las cumbres de granito»). El tema reaparece en otros poemas con acentos más inequívocos, casi como una profecía de una contienda civil: el vino malo se convertirá en sangre y el carnaval y la farsa política del país se tornarán en una macabra orgía de muerte:

> Y es hoy aquel mañana de ayer... Y España toda,
> con sucios oropeles de Carnaval vestida
> aún la tenemos: pobre y escuálida y beoda;
> mas hoy de un vino malo: la sangre de su herida.
>
> (CXLIV.)

Éste será ya el esquema definitivo acerca del problema de España. Brevemente podríamos describirlo en tres pasos, enlazados con la necesidad de un proceso dialéctico: 1) la desesperación total de España —de la España de la oquedad y de la muerte, personificada en el rostro marchito del señorito andaluz— (CXXXI y CXXXIII). En este sentido, el pensamiento crispado del 98 enlazaba, como ya se sabe, con el gesto desesperado y trágico de Larra, que recordará, años más tarde, Juan de Mairena con una profunda simpatía:

> Su suicidio fue, en cambio, un acto maduro de voluntad y de conciencia. Anécdotas aparte, Larra se mató porque no pudo encontrar la España que buscaba, y cuando hubo perdido toda esperanza de encontrarla (J. M., II, cap. IX, 110).

2) Pero M., desde su extremo escepticismo, no renuncia; la esperanza de una España nueva y futura, se le abre paso desde los abismos de su desesperación. A través de la muerte, el poeta vislumbra el «nuevo día», al que convocaba con «el hacha y el fuego» al maestro Azorín (CXLIII), la tierra dorada de promisión, que habrá de ser el patrimonio de las nuevas generaciones:

> Tú, juventud más joven, si de más alta cumbre
> la voluntad te llega, irás a tu aventura
> despierta y transparente a la divina lumbre,
> como el diamante clara, como el diamante pura.
>
> (CXLIV.)

Si bien se observa, las razones de esta intrépida esperanza histórica de M. no son otras que su fe en el valor creativo del pueblo. No es tanto una apuesta por la juventud en cuanto tal, sino por los humildes intrahistóricos, en los que M. encarna románticamente, como su maestro Unamuno, todo lo que de fresco y puro y creativo puede encontrarse en España; un texto poco conocido nos da el sentido inequívoco de esta apuesta: «Si algún día tuvierais que tomar parte en una lucha de clases, no vaciléis en poneros de parte del pueblo, que es el lado de España, aunque las banderas populares ostenten los lemas más abstractos» (I, 119). 3) Por último, la necesidad de una revolución integral, como la única salida al conflicto interior y a la tensión agónica entre la desesperación y la esperanza. Pero, sobre este punto, hemos de volver morosamente en el próximo capítulo.

LOS ELEMENTOS CRÍTICOS DEL
PENSAMIENTO MACHADIANO

A tenor de lo ya expuesto, puede decirse que la crítica machadiana progresa desde el esquema ideológico al social. Esto permite, de un lado, una progresiva identificación del objeto de la crítica: del «hombre» de España a la España de la Restauración y más concretamente, a la clase dominante, representada arquetípicamente por el señorito; y del otro, una progresiva valoración del mundo de los intrahistóricos, que va desde el «hombre de Castilla» al concepto híbrido, entre romántico y sociopolítico, de «pueblo».

La primera etapa de la crítica social, todavía dentro formalmente de los planteamientos del 98, está representada por la primera edición de *Campos de Castilla* (1912). Se trata fundamentalmente de una crítica ideológico-moral en términos de «alma» o de *ethos* del hombre español, aunque en algún momento deja traslucir la raíz social de su diagnóstico. El planteamiento de la cuestión en tales términos, es, como ya se sabe, un residuo del romántico *Volkgeist*, la tendencia a hablar de psicología de los pueblos o de caracterología nacional, como cuño de una determinada personalidad histórica. De este modo, se encubren las raíces sociales del problema y en vez de ofrecer una tipología de clases sociales, con sus diferencias específicas (económicas, culturales, etc.), se presenta como destino psicológico o como constante temperamental. Incluso el enfrentamiento crítico con este «alma castiza», al modo como lo hizo Unamuno, fija aún más, de alguna manera, los caracteres del estereotipo. A esta reducción se suma una segunda: la centración en el hombre castellano, como prototipo hispánico, por el papel agresivo y unificador que ha jugado Castilla en la historia de España. La mixtificación ideológica del esquema explica la ambigüedad de la crítica, que no identifica claramente su objeto, y a la vez, la ambivalencia de la pintura del estereotipo, visto a una doble luz, de hombre nefando y de feos vicios —producto de una tierra escasa y de una historia excesiva— y de hombre aguerrido y fuerte, noble —la cara positiva de lo intrahistórico, que puede tomar el relevo político para la nueva singladura de España—. La ambivalencia del retrato salta a la vista en los pares análogos de caracteres, con una clara connotación de antítesis: (+ / —: sobriedad/ pobreza; nobleza/tristeza; esfuerzo/indolencia; fortaleza/ fiereza; generosidad/envidia); en cuanto a la ambigüedad de la actitud del retratista, está muy bien caracterizada en esa identificación dolorosa («Oh tierra ingrata y fuerte, tierra mía») a la que Pedro Laín llamó con gran acierto «amor amargo» [3].

Decía antes que la crítica social subyace implícita a los planteamientos de tipo caracterológico. Tomemos, como ejemplo, las tres características del alma española, esto es, castellana, más constantes en la generación del 98: la tristeza como sentimiento metafísico radical; la envidia como actitud intersubjetiva básica, y la indolencia. No es difícil, en efecto, adivinar las condiciones sociales en que se ha producido tal síndrome. Esta raíz infraestructural está especialmente patente en el poema de «Alvargonzález» [4], que debe

---

[3] Véase también el poema CXIII, núm. 7.

[4] Sobre la estructura de este poema y sus motivos temáticos fundamentales pueden verse los trabajos de P. Darmangeat, «El poema

ser leído como un poema a la tierra, con una determinada clave sociológica de interpretación, que nos da el tono y el clima de los poemas sociales de *Campos de Castilla*:

> ¡Oh tierras de Alvargonzález,
> en el corazón de España,
> tierras pobres, tierras tristes,
> tan tristes que tienen alma!
> Páramo que cruza el lobo
> aullando a la luna clara
> de bosque a bosque, baldíos
> llenos de peñas rodadas,
> donde roída de buitres
> brilla una osamenta blanca;
> pobres campos solitarios
> sin caminos ni posadas,
> ¡oh pobres campos malditos,
> pobres campos de mi patria!
>
> (CXIV.)

Recordemos el propósito de M. en esta obra, según declara el prólogo de 1917: «Mis poemas miran a lo elemental humano, al campo de Castilla y al libro primero de Moisés, llamado Génesis» (es decir, al drama originario de la vida del hombre en su ocupación y disfrute de la tierra). No es extraño, pues, que aquí los *Campos de Castilla* sean los protagonistas, tal como reza el título; conviene advertir, no obstante, que se trata de la tierra más en su caracterización sociológica que estrictamente física. Lo manifiesta muy claramente la adjetivación dominante de los poemas, típica, por otra parte, de todo el 98: tierra yerma, desolada, miserable, madrastra («la madre en otro tiempo fecunda en capi-

---

de Alvargonzález», en *Salinas, Guillén, Machado*, op. cit., págs. 79-108, y Carlos Beceiro, *La tierra de Alvargonzález*, en *Clavileño*, VII, núm. 41, Madrid, 1956, págs. 36-46.

tanes / madrastra es hoy apenas de humildes ganapanes»),
con frecuentes despojos de muerte. No es, pues, el vergel del
paraíso, la tierra maternal del primer regazo, sino la tierra
extraña del exilio y del pecado, la tierra de entrañas duras y
estériles, por la que arrastra el hombre un destino de servidumbre. La caracterización social de la misma constituye
el «leit motiv» de toda esta obra machadiana. Valga por todos
el fragmento siguiente:

> ¡Oh, tierra triste y noble,
> la de los altos llanos y yermos y roquedas,
> de campos sin arados, regatos ni arboledas;
> decrépitas ciudades, caminos sin mesones,
> y atónitos palurdos sin danzas ni canciones
> que aún van, abandonando el mortecino hogar,
> como tus largos ríos, Castilla, hacia la mar!
>
> (XCVIII.)

Años antes (1902), ya Miguel de Unamuno había llamado
la atención sobre el tremendo drama de servidumbre y
liberación, que se juega, día tras día, en los campos de
España.

> Hasta que el hombre no se emancipe de su madre material,
> la tierra, que le rechupa sudor y sangre; hasta que no se sacu-
> da las cadenas con que la historia le ha adscrito a la gleba;
> hasta que no movilice la propiedad territorial y haga de la
> agricultura una libre industria; hasta tanto, no llegará a ver
> por completo el campo con ojos del alma que bebe su reposo
> y en su sosiego se mete; no la llegará a ver como madre [5].

Este planteamiento subyace por entero a «La tierra de Alvargonzález», creando las tensiones fundamentales que constituyen los nudos temáticos de la obra. Es, pues, una
«historia de la tierra» casi un mito de lo eterno y lo elemen-

[5] Apud Aurora de Albornoz, *op. cit.*, 184.

tal humano, salmodiado por un coro anónimo —las voces y los llantos de la naturaleza—, que acompaña la tragedia, al par que nos ofrece la clave de su interpretación. La urdimbre profunda no son tanto los acontecimientos menudos de cada día, jubilosos o tristes, como las actitudes básicas de relación, determinadas por la posesión de la tierra. Las relaciones críticas de tensión, que subyacen al crimen del padre y al posterior enfrentamiento de los hermanos (la herencia de la tierra, la división de la misma, la emigración o abandono, la vuelta del indiano para instalarse en la heredad que compra, etc.), constituyen los nudos temáticos de la obra [6].

El planteamiento se hace bien explícito desde la misma obertura del poema:

> Siendo mozo Alvargonzález,
> dueño de mediana hacienda,
> que en otras tierras se dice
> bienestar y aquí opulencia...

Para plantear casi a continuación el problema de la lucha fratricida y del destino de toda la familia, en función de esta «hacienda mediana» e insuficiente:

> La codicia de los campos
> ve tras la muerte la herencia;
> no goza de lo que tiene
> por ansia de lo que espera.
> El menor, que a los latines
> prefería las doncellas
> hermosas y no gustaba
> de vestir por la cabeza,
> colgó la sotana un día
> y partió a lejanas tierras.
> La madre lloró; y el padre
> diole bendición y herencia.

---

[6] Puede verse una situación paralela en el poema CVIII de C. C., titulado «El criminal».

Otro tanto puede decirse de los valores fundamentales, típicos de una cultura agraria, que determinan, por así decirlo, el sentido de la obra; la productividad de la tierra está representada en la pareja antinómica de «fecundidad/ esterilidad», que aquí adquiere una especial significación ética. La tensión psicológica y moral queda muy bien ejemplificada en los fragmentos siguientes:

> A la otra orilla del Duero
> canta una voz lastimera:
> «La tierra de Alvargonzález
> se colmará de riqueza,
> y el que la tierra ha labrado
> no duerme bajo la tierra.»

augurando una edad dorada de fecundidad para los campos malditos por el crimen. Mientras que el trabajo de los hijos parricidas no tiene más recompensa que la muerte:

> Por el oriente,
> la luna llena, manchada
> de un arrebol purpurino,
> lucía tras de la tapia
> del huerto.
> Martín tenía
> la sangre de horror helada.
> La azada que hundió en la tierra
> teñida de sangre estaba.

La misma tensión aparece, de otra manera, bajo la forma del trabajo-productivo y el vicio. En cuanto al primero está significado en el poema doblemente: en la figura del padre, que ya muerto, vuelve como un fantasma bondadoso a labrar los campos del hijo menor, tal como anunciaba la copla lastimera de la fuente; y en la familia próspera y feliz del indiano, que reproduce así cíclicamente, al término del poema, el punto en que éste se había iniciado («Feliz vivió Alvargonzález / en el amor de su tierra»). Por el contrario, la codicia se ve pagada con la esterilidad («A los dos Alvargonzález / maldijo Dios en sus tierras, / y al año pobre siguieron / largos años de miseria») y al fin sólo engendra la miseria y el crimen.

La tensión dramática definitiva, el clímax sentimental de la tragedia se encuentra, a mi parecer, en aquella patética escena de invierno, con los tres hermanos solos frente a un hogar mortecino (la destrucción de la familia), cuya lumbre viene misteriosamente a alimentar la sombra del padre muerto.

> Los tres hermanos contemplan
> el triste hogar en silencio;
> y con la noche cerrada
> arrecia el frío y el viento.
> —Hermanos, ¿no tenéis leña?,
> dice Miguel.
> —No tenemos,
> responde el mayor.
> Un hombre,
> milagrosamente, ha abierto
> la gruesa puerta cerrada
> con doble barra de hierro.
> El hombre que ha entrado tiene
> el rostro del padre muerto.
> Un halo de luz dorada
> orla sus blancos cabellos.
> Lleva un haz de leña al hombro
> y empuña un hacha de hierro.

Estos dos versos finales, todo un símbolo del trabajo, y a la vez, del doble rostro paterno —protección y venganza— determinan, por así decirlo, el desenlace de la tragedia. Esta sombra tenaz no dejará de proteger al indiano y de perseguir, como una mala pesadilla, la conciencia de los hijos parricidas. Junto a la tierra madre-madrastra, que impone un destino inflexible a sus hijos, el padre-trabajo aparece siempre como la otra alternativa posible, la única, frente a los odios y la codicia. La liberación de la servidumbre sólo tiene una puerta abierta: el trabajo que redime de la necesidad por medio de ella; la otra —la historia cainita de envidias y muertes— queda sellada con el silencio de la Laguna Negra:

> ....
> agua pura y silenciosa
> que copia cosas eternas;
> agua impasible que guarda
> en su seno las estrellas.
> ¡Padre! gritaron; al fondo
> de la laguna serena
> cayeron, y el eco, ¡padre!
> repitió de peña en peña.

Desde esta clave sociológica es preciso interpretar el «alma» castellana que, más que una constante de carácter psíquico, viene a señalar un aciago destino social. La envidía, por ejemplo —una de las características del hombre español más señaladas por el 98—, está producida, como se acaba de señalar en el poema de «Alvargonzález», por la mezquindad de un medio físico y social —pobreza heredada y consentida— que obliga a actitudes sociales de agresividad, competencia, desconfianza recíproca, es decir, al *bellum omnium contra omnes*. La intuición poética ha plasmado este destino en una imagen definitiva, que vale por todos los textos de su generación:

> Veréis llanuras bélicas y páramos de asceta
> —no fue por estos campos el bíblico jardín—;

son tierras para el águila, un trozo de planeta
por donde cruza errante la sombra de Caín.
                                                    (XCIX.)

Lo mismo cabe decir de la tristeza, sentimiento fundamental que tiñe a los hombres y a las tierras en una misma
tonalidad gris-ceniza, quizá como admonición de su fatal destino de muerte. Los hombres del 98 la han analizado con
gran penetración.

La tristeza castellana implica la resignación y aceptación pasivas de un destino social, impuesto políticamente; la
pérdida de la alegría secular y la aparición de una misantro-
pía, que tiende a la relativización de todo esfuerzo, en la
creencia de que, al fin y al cabo, nada vale la pena, si no
puede liberarnos de la servidumbre; la vacuidad, en fin, de
la vida y el culto a la muerte —espíritu tétrico de un cato-
licismo, piensa Azorín, centrado en las postrimerías—, como
la única salida liberadora de una vida sórdida de miserias.

No es difícil advertir, en todos estos síntomas, el síndrome del pensamiento trágico, como la escisión interna entre
el querer y el poder, entre la idealidad del mundo de los
valores y la ciega positividad de una realidad social adversa,
donde naufragan las más bellas esperanzas. En el fondo,
pues, de este talante de tristeza, no hay más que una raíz
estructural de pobreza y de servidumbre socio-política. Nadie lo ha expresado mejor, dentro de la generación, que su
poeta:

> Hoy ve sus pobres hijos huyendo de sus lares;
> la tempestad llevarse los limos de la tierra
> por los sagrados ríos hacia los anchos mares;
> y en páramos malditos trabaja, sufre y yerra.
>   (XCIX.)

La misma indolencia y haraganería, no es tanto de carácter temperamental como social, pues sus causas fundamentales habría que buscarlas en la devaluación social del trabajo por las clases altas, junto a una depreciación religiosa del mismo, como condena o remisión de una culpa; es la ideología típica de una infraestructura social, que no permite el desarrollo del mundo laboral ni una conciencia positiva del mismo; se debe, en definitiva, a la falta de una revolución burguesa a tiempo, que le diera al país el carácter de una nación moderna. No es pues de extrañar que las dos actitudes dominantes en la tradición española, dentro de la infraestructura de un país agrícola, desolado por las guerras y la rapiña interior, hayan sido las del héroe y las del pícaro, antitéticas sin duda, pero sólo como el anverso y reverso de la misma moneda. En la ausencia del burgués, han prosperado el idealismo abstracto del héroe y el aventurero, que confían en cambiar de suerte por un golpe de arrojo o de fortuna, y el realismo pragmático, y a veces grosero, del pícaro, que ha elegido, por su parte, vivir de la explotación de los vicios y las miserias de las clases pudientes. El producto, a fin de cuentas, un pueblo de ganapanes, domesticado por la ley y el espectáculo de la muerte:

> Un pueblo, carne de horca, la severa justicia aguarda que castiga al malo (CVIII).

A partir de la etapa de Baeza, ha hecho notar Tuñón de Lara un despegue del 98, manifiesto sobre todo en la mayor radicalización de la crítica y en la búsqueda de nuevas formas expresivas y temáticas:

> Es período también de hondo trasiego en el hondón intelectual de don Antonio, que se traduce en una extensa gama de creaciones: el alquitaramiento de sus «Proverbios y Cantares»,

que traslucen una profunda meditación, la búsqueda y descubrimiento del tema andaluz, en fondo y forma, de su poesía; y la elaboración de su teoría de la sentimentalidad colectiva, el armazón también de su visión del realismo y de sus importantes reflexiones sobre la cultura [7].

Creo que la vuelta a Andalucía, en contacto con una sociedad donde las diferencias sociales son más estridentes, ha puesto a M. en condiciones de superar la ambigüedad típica del 98. Este efecto de clarificación se deja notar tanto en la diferenciación, aunque esquemática, de las clases sociales (el pueblo frente al señorito), como en la identificación precisa del objeto de la crítica: la España de la Restauración, y en especial, las clases sociales detentadoras del poder. La segunda edición de C. C., de 1917, recoge algunos elementos capitales de esta segunda etapa. La caracterización de la España de la Restauración, con su atonía y marasmo, con su falsa apariencia de bienestar («Arcadia del presente», «tarde pragmática y dulzona») ocultando la inconsistencia real del país y hasta el trágico conflicto que alberga en su seno, es todo un acierto expresivo. La «Hispania mínima» nunca ha sido pintada con más verismo. Pero, junto a esta crítica de fondo al estado sonambulesco del país, sobresale una pintura excepcional de la oligarquía decadente de la tierra —«el señorito andaluz» y el «hombre de casino provinciano»—, que personifican la «élite» política decadente de una España ruralizada y embrutecida por el sopor de la inconsciencia.

En especial, la pintura del hombre de casino —uno de los más bellos ejemplares de retratos salidos del taller de don Antonio—, ha logrado en una perfecta síntesis expresiva, de-

---

[7] Tuñón de Lara, *Antonio Machado, poeta del pueblo*, Madrid, Península, 1967, págs. 93 y 105.

jar transparecer el alma de una época y de una clase en unos cuantos rasgos de valor arquetípico:

> Este hombre del casino provinciano
> que vio a Carancha recibir un día,
> tiene mustia la tez, el pelo cano,
> ojos velados por melancolía;
> bajo el bigote gris, labios de hastío,
> y una triste expresión que no es tristeza,
> sino algo más y menos: el vacío
> del mundo en la oquedad de su cabeza.

La tristeza de los campos castellanos se ha hecho aquí más grave y lacerante, más metafísica, porque no es la tristeza del pobre ganapán de pueblo, luchando de sol a sol, sino aquella otra que engendran la banalidad y el tedio de la vida:

> Lo demás, taciturno, hipocondríaco,
> prisionero en la Arcadia del presente,
> le aburre; sólo el humo del tabaco
> simula algunas sombras en su frente.
>
> (CXXXI.)

Las «Coplas por la muerte de don Guido» vuelven de nuevo sobre el tema (la hipocresía, la insustancialidad y el ocio parasitario de las clases dominantes de la España rural), entrevisto ahora —y en esto reside su gran acierto— a través del rígido formalismo de la muerte, pero en unos jocosos versos de pie quebrado, con ritmo popular. Uno no puede menos de recordar, a la vista de estos tipos, aquel texto de la correspondencia con Unamuno en los años de Baeza: «Ferocidad de guante blanco y pillería de casa grande; he ahí los futuros enterradores de nuestra patria» (C., 174). Quizá eso explica la ironía del poema y el tono zumbón a la hora de dar tierra a uno de estos pícaros distinguidos y formales.

Buen don Guido, ya eres ido
y para siempre jamás...
Alguien dirá: ¿Qué dejaste?
Yo pregunto: ¿Qué llevaste
al mundo donde hoy estás?
....
Buen don Guido y equipaje,
¡buen viaje!...
y el allá, caballero,
se ve en tu rostro marchito,
lo infinito:
cero, cero.

Y tras la vida vacía del señorito calavera, del buen señor don Guido después, piadoso cofrade y hombre de orden, la máscara tétrica y formal del difunto viene a cerrar toda la farsa de la existencia. La decadencia gana así su caracterización más propia: la mascarada de la muerte.

¡Oh fin de una aristocracia!
La barba canosa y lacia
sobre el pecho;
metido en tosco sayal,
las yertas manos en cruz,
¡tan formal!
el caballero andaluz.

(CXXXIII.)

El diagnóstico no puede ser más preciso. Se trata de la consunción de una forma de vida, y con ella, de un modo de hacer o mejor de deshacer y envilecer a España: El «pasado efímero», título que vale por todo un tratado de sociología política, se cierra con una honda reflexión:

Este hombre no es de ayer ni de mañana,
sino de nunca; de la cepa hispana
no es el fruto maduro ni podrido,

es una fruta vana
de aquella España que pasó y no ha sido,
esa que hoy tiene la cabeza cana.

(CXXXI.)

Pero el poeta no se hacía falsas ilusiones sobre la extinción de la casta de los don Guido:

....
aún tendrá largo parto de varones
amantes de sagradas tradiciones
y de sagradas formas y maneras.

Será preciso, como ya vimos, un desenlace trágico para despertar de esta mala pesadilla. De nuevo, una carta a Unamuno nos pone sobre aviso:

Aquí, en apariencia al menos, no pasa nada. Y lo más triste es que no hay inquietud ni rebeldía contra el estado actual de cosas. Las gentes parecen satisfechas de haber nacido. Nadie piensa en el mañana. Para muchos una caída en cuatro pies tiene el grave peligro de encontrar demasiado cómoda la postura. Yo, sin embargo, quiero pensar que tanta calma y tanta conformidad, son un sueño malo, del cual despertaremos algún día... (C., 186-7).

Paralela a la crítica social, y casi con igual evolución, se encuentran los breves apuntes críticos a la vida religiosa, el segundo soporte del sistema socio-político de la Restauración. El trasfondo de la crítica responde, sin duda, a los supuestos laicos y anticlericales del liberalismo, en que fue educado don Antonio, pero su intención trasciende hacia un planteamiento de orden social, a la vez que, ¡curiosa paradoja!, posibilita un acercamiento en profundidad a la cuestión religiosa.

El primer testimonio de la misma aparece en C. C. (1912), bajo el significativo título de «El Dios ibero» (CI), en el que se lleva a cabo una interpretación muy aguda de la religiosidad hispana típica de los medios rurales. Yo destacaría como elementos más significativos de la misma, ante todo, la caracterización de Dios como un señor feudal —proyección de la imagen social de dependencia—, déspota y autoritario, señor de horca y cuchillo, que enseñorea a su arbitrio sobre la vida y la muerte. De ahí, en segundo lugar, la ambivalencia de la actitud religiosa —mezcla de bendición y blasfemia—, como corresponde al doble rostro de Dios, de amor y de venganza. Tal ambivalencia expresa, por otra parte, las relaciones típicas del vasallaje feudal:

> Señor de la ruïna,
> adoro porque aguardo y porque temo:
> con mi oración se inclina
> hacia la tierra un corazón blasfemo.

Quiero llamar también la atención sobre un apunte interpretativo del fenómeno religioso en términos de «alienación», en la medida en que, a lo largo de todo el poema, se contrapone el poder de Dios a la impotencia humana:

> ¡Señor, por quien arranco el pan con pena,
> sé tu poder; conozco mi cadena!

incluso con una clara indicación del papel ideológico de la creencia religiosa, en tanto puede servir, en determinadas situaciones socio-políticas, a la legitimación de las diferencias sociales.

> ¡Oh dueño de fortuna y de pobreza,
> ventura y malandanza,
> que al rico das favores y pereza
> y al pobre su fatiga y su esperanza!

Fuera o no ésta la intención última de M., es indudable
que muy pocas veces se ha acertado con una pintura tan
realista y directa, y tan reflexiva y crítica a la vez, de la
práctica social-religiosa y tradicional. La reflexión histórica
subsecuente sigue el esquema que ya nos es familiar: la tensión entre el «hoy» religioso y el «ayer» de una aventura de
evangelización, en régimen de cruzada:

> Este que insulta a Dios en los altares,
> no más atento al ceño del destino,
> también soñó caminos en los mares
> y dijo: es Dios sobre la mar camino.
> ¿No es él quien puso a Dios sobre la guerra,
> más allá de la suerte,
> más allá de la tierra,
> más allá de la mar y de la muerte?

En segundo lugar, la negación de ese día de ayer en su forma
tradicional y castiza, porque sin citarlo, se supone que es
la causa de la fosilización religiosa del hoy; sólo entonces,
se podrá liberar una nueva singladura religiosa, rescatando
el vigor del viejo roble castellano para una nueva aventura.
No pide el poeta repetir la experiencia de antaño, sino encontrar una nueva expresión de Dios. Aunque no se especifican los rasgos de este nuevo rostro, por la sugestión de los
últimos versos y por otros textos posteriores, cabría suponer que se alude a una transformación ético-humanista, más
aún, social y comunitaria, del sentimiento religioso [8]. De ahí
que, en el fondo, el poema esté abierto como siempre a la
esperanza:

> Mi corazón aguarda
> al hombre ibero de la recia mano,

---

[8] Véase Aurora de Albornoz, *op. cit.*, 196.

que tallará en el roble castellano
el Dios adusto de la tierra parda.

El segundo poema de crítica religiosa (CXXXII, núm. 2) pertenece a la edición de *Campos de Castilla* de 1917 y acusa el tono, más radical y agresivo, de las creaciones de este tiempo. Relata una estampa social andaluza en la aldea de Torre de Pero Gil, siempre con el agrio contraste entre los restos de la grandeza pasada y la miseria del presente («Allá, el castillo heroico. / En la plaza, mendigos y chicuelos: / una orgía de harapos...»). Pero pronto, un vestigio religioso, la tapia de un convento —«¡Los blancos muros, los cipreses negros!»—, casi como un presentimiento de muerte, impone una tenaz reflexión, en un «leit motiv» que se convierte en el alma del poema: «... ¡Amurallada / piedad, erguida en este basurero!...». Lo restante se puede suponer: es el viejo cliché de una vida religiosa fosilizada, ajena al entorno de miseria que la ciñe, vacía y huera, porque de ella ha huido lo santo, como de un recinto de muerte. La pregunta se hace obsesiva, «Esta casa de Dios, decid, hermanos, / esta casa de Dios ¿qué guarda dentro?» Y la respuesta se deja adivinar por el silencio de muerte y el hedor de miseria que respira la aldea: «Esta piedad erguida / sobre este burgo sórdido, sobre este basurero».

La reflexión reduplica su fuerza al adquirir un carácter sociológico: la naturaleza es ubérrima («la tierra da lo suyo; el sol trabaja»), el hombre cumple con su tarea: «genera, siembra y labra / y su fatiga unce la tierra al cielo». ¿Qué falla, pues?, ¿por qué se ha perdido la inocencia? La respuesta no puede ser otra que el orden social injusto:

Nosotros enturbiamos
la fuente de la vida, el sol primero,
....

—se engendra en el pecado,
se vive en el dolor: ¡Dios está lejos!—

Pero a la vez que esta amarga lejanía de Dios desde la
práctica religiosa dominante, aquella otra cercanía de Dios,
de un Dios radical y cordial, que comienza a entreverse por
estos años en la correspondencia a Unamuno, quizá el documento más decisivo para valorar la actitud religiosa profunda de Antonio Machado. En estas cartas se encuentra la
crítica más acerba al papel de la Iglesia en el medio rural,
siempre desde una determinada clave sociológica: «Una
población rural encanallada por la Iglesia y completamente
huera —le escribe a Unamuno—. Por lo demás, el hombre
del campo trabaja y sufre resignado o emigra en condiciones tan lamentables que equivalen al suicidio» (C., 165). Y
en otro momento se pregunta: «¿cómo vamos a sacudir el
lazo de hierro de la Iglesia católica que nos asfixia?» Para
contestarse, a renglón seguido, con una sorprendente lucidez,
casi profética: «Esta Iglesia espiritualmente huera, pero de
organización formidable, sólo puede ceder al embate de
un impulso realmente religioso» (C., 167). No se equivo-
caba de nuevo el poeta. Sólo un nuevo replanteo de la cuestión religiosa, una nueva sensibilidad o sentimentalidad, si
se quiere, podía obrar el milagro de un nuevo estilo de
creencia. Por aquellos años, bajo la influencia de Unamuno,
Machado se esforzó honradamente en orientarse hacia esta
nueva luz. La aceptación de la cuestión religiosa, tomada del
maestro Unamuno, como encuestación radical del sentido de
la existencia, le llevará a descubrir los valores cordiales del
Cristianismo y su capacidad crítica y comunitaria. Años más
tarde, en otra carta —ésta de 1918— aparecen claramente las
raíces religiosas, cristianas, de esta nueva fe poética o existencial: la fe en el otro, que se llama fraternidad («el amor

al prójimo por amor del padre común») y la lucha contra
los poderes positivos: «Guerra a la naturaleza, éste es el man-
dato del Cristo, a la naturaleza en sentido material, a la suma de elementos y de fuerzas ciegas que constituyen nuestro mundo, y a la naturaleza lógica, que excluye por definición la realidad de las ideas últimas» (C., 179-80). También
aquí, la crítica más amarga se abre de nuevo a la esperanza,
como apunta tímidamente la primavera soriana, por utilizar
una imagen de Machado, tras los rigores del invierno.

LA CRÍTICA RADICAL EN JUAN DE MAIRENA

Los planteamientos críticos que acabamos de ver se
fueron agudizando con los años, al filo siempre de la coyun-
tura histórica concreta, es decir, de los conflictos sociales
de la República. La radicalización crítica se lleva a cabo
ahora, como era de esperar por los apuntes precedentes, mediante la contraposición ética y existencial de dos tipos humanos, «el señorito» y «el hombre del pueblo», elegidos un
poco arquetípicamente como representantes de las dos grandes facciones sociales en litigio. Falta una caracterización
sociológica de las mismas, pero el tono de la crítica y su
inspiración trascienden el plano ideológico para incidir en
el social de la lucha de clases. La contraposición «caracterológica» —residuos románticos todavía del *Volkgeist* o espíritu
de los pueblos— es total. No se limita tan sólo a los valores
éticos, con ser éstos los que reciben mayor tratamiento, sino
a lo que ha llamado José Luis Aranguren, «el talante existencial», entendido como un modo de ser, de habérselas con
las cosas y consigo mismo; en una palabra, de estar abierto
al mundo. Pocos testimonios resultan, por lo demás, tan con-

el pueblo. La masa es el resultado de la descualificación de lo humano y del cálculo de su valor en términos exclusivos de fuerza laboral. El cliché del hombre-masa, como precisa agudamente M., es un producto típico de la reacción; es el esquema ideológico burgués para digerir precisamente aquello que la sociedad capitalista genera: la concentración social de poblaciones carentes de toda individualidad, reducidas a no ser más que mano de obra en el mercado del trabajo. «El hombre masa no existe; las masas humanas son una invención de la burguesía, una degradación de las muchedumbres de hombres, basada en una descalificación del hombre que pretende dejarle reducido a aquello que el hombre tiene de común con los objetos del mundo físico: la propiedad de poder ser medido con relación a unidad de volumen» (OPP, 730-1 y I, 227). De ahí que la actitud dominante ante las masas sea la de su explotación; o en el mejor de los casos, la paternalista de procurarles su salvación o educación cívica, según los casos, algo así como la domesticación familiar de la bestia de carga. La recusación de M. no puede ser más explícita: «a las masas no las salva nadie; en cambio, siempre se podrá disparar sobre ellas». La nueva actitud machadiana está representada por Mairena, un pedagogo del pueblo y entre gente del pueblo, en la convicción de que lo único creador y positivo que queda en España se encuentra sólo en el alma popular. Por eso se entrega a la plática directa, a medias socrática y andaluza [10], con el hombre concreto de pueblo, para descubrir mayéuticamente, o mejor aún, para reactualizar en el diálogo y la colaboración sus mejores posibilidades. Como lema de esta nueva pedago-

---

[10] Sobre el socratismo de Mairena, convenientemente matizado por la sorna andaluza, pueden verse los estudios de Enrique Anderson Imbert, *El pícaro Juan de Mairena*, en *Antología*, Taurus, op. cit., págs. 371-5 y Gutiérrez-Girardot, *op. cit.*, págs. 113-14.

gía, no impositiva ni paternalista, sino autodirigida e integral, pudiera valer la siguiente recomendación de M., en labios de Mairena:

> nosotros no pretendemos nunca educar a las masas. A las masas que las parta un rayo. Nos dirigimos al hombre, que es lo único que nos interesa; al hombre en todos los sentidos de la palabra: al hombre in genere y al hombre individual, al hombre esencial y al hombre empíricamente dado en circunstancias de lugar y de tiempo, sin excluir al animal humano en sus relaciones con la naturaleza (J. M., I, cap. XXXVI, 170).

La «Escuela popular de sabiduría superior» —el entrañable proyecto de Mairena— no era más que la proyección de su creencia en los valores creadores y críticos del pueblo, «un pueblo a quien no acaba de entontecer una clase media, entontecida a su vez por la indigencia científica de nuestras Universidades y por el pragmatismo eclesiástico, enemigo siempre de altas actividades del espíritu» (J. M., I, cap. XXXV, 165); y su pedagogo no puede ser otro que un místico de lo popular, un humanista-cínico en su esfuerzo por subvertir los viejos hábitos de una cultura de apariencias, y a la vez, socrático-andaluz en su ingenio por «devolver su dignidad de hombre al animal humano» (J. M., I, cap. XXXVI, 169) en un medio sociológico de alienaciones crecientes.

El rescate de lo popular se lleva a cabo a través del folklore, como expresión espontánea, no mediatizada ideológicamente, del alma colectiva. Machado tiende así un puente entre el sentido romántico del folklore como «espíritu popular», cristalizado a lo largo de siglos, y el propiamente social, en cuanto voz anónima que refleja el estado real de vida de una comunidad, en un lúcido balance de sus problemas y aspiraciones, de sus desesperaciones y esperanzas. A través del folklore se advierte, por lo demás, la potencia creativa del pueblo y el valor universal de sus expresiones, que interpelan a todo hombre, en su raíz elemental-humana, es decir, más allá de intereses específicos y coyunturales. De ahí que el alma popular le aparezca como depositaria del hombre genuino. Si bien se observa, sólo se trata de reasumir la perspectiva de los intrahistóricos y la casta eterna del primer Unamuno, en el nuevo clima ético y social de las clases populares. Por eso, frente al cliché del hombre-masa, sólo cabe la réplica del hombre de pueblo, «que es, en España al menos, el hombre elemental y fundamental, el que está más cerca del hombre universal y eterno» (OPP, 730 y I, 227). A partir de esta profesión de fe humanista-democrática, se entiende todo lo demás: su conciencia acerca de la superioridad moral y existencial del pueblo (por su amor a la verdad y a la vida y su enfrentamiento valeroso, si llega el caso, con la muerte; por su sentido nativo de la dignidad humana, etc., etc.), así como sobre la calidad estética de sus creaciones culturales, para terminar con aquella conclusión estremecedora —posiblemente la página más clara y firme de un intelectual español, en su fidelidad a su propio pueblo—.

> En España lo mejor es el pueblo —escribe a David Vigodsky—... Siempre ha sido lo mismo. En los trances duros, los señoritos —nuestros *barinas*— invocan la patria y la venden; el pueblo no la nombra siquiera, pero la compra con su sangre y la salva. En España no hay modo de ser persona bien nacida sin amar al pueblo. La demofilia es entre nosotros un deber elementalísimo de gratitud (A. M., 126 y IV, 155-6).

A partir de su propia falsificación existencial, el señorito ha procedido a falsificar el conjunto de las relaciones sociales y su reflejo en el nivel de la conciencia. De un lado, presentando la cultura como un privilegio de clase, refractario a su divulgación a la masa, sin grave menoscabo de su calidad; del otro, identificando sus intereses y sistemas de creencias con los de la patria. La crítica al señoritismo tenía, pues, que llevar a la desmitologización de estas creaciones ideológicas básicas. Este empeño va a conducir a Machado a una interpretación original y revolucionaria de la cultura popular, así como a la transformación del concepto de patria, ya iniciada en años de Baeza. Ambos logros constituyen, sin duda, la herencia básica de Juan de Mairena, que habremos de analizar en el próximo capítulo.

Pero antes de acometer este tramo decisivo, no estaría de más espigar algunas reflexiones acerca de la actitud política machadiana.

EL COMPROMISO POLÍTICO

«Jamás he trabajado tanto como ahora —declaraba el poeta al ser entrevistado en 1938—. De ser un espectador de la política, he pasado bruscamente a ser un actor apasionado» (IV, 44). ¿Se engañaba acaso en estas declaraciones? ¿Qué hay detrás de ellas: la convicción de un hombre de partido, o el compromiso de un intelectual con su propia circunstancia? ¿Cuál es, en definitiva, el sentido de esta confesión?

Creo que Aurora de Albornoz plantea muy bien el problema cuando niega la existencia de un «Machado político» para reconocer, a renglón seguido, «las ideas y actividades políticas de don Antonio», siempre al filo de las circunstancias concretas del país, y en un proceso de radicalización creciente, que culmina en la guerra civil española [11]. Minimiza, en cambio, la cuestión de un modo grave Gutiérrez-Girardot al afirmar que

---

[11] Aurora de Albornoz, *Notas preliminares* al Tomo IV: *A la altura de las circunstancias*, Madrid, Edicusa, 1970, págs. 7-11.

de sus notas del Juan de Mairena póstumo no cabe deducir una teoría política, porque en ellas él no pretende esbozar un programa determinado, sino expresar una reacción a los acontecimientos políticos de su tiempo [12].

El que las notas de Mairena sean apuntes intermitentes no empobrece en nada la calidad y hasta la coherencia de un pensamiento político que, como se verá en el capítulo próximo, alcanza posiciones críticas teórico-prácticas, muy afines al socialismo español del momento. Mucho menos lo condena a ser un mero pensamiento reactivo o un reflejo, espontáneo e inmediato, del acontecer histórico. En la vida intelectual, cuando es genuina, todo crece desde dentro. Los acontecimientos son tan sólo una ocasión o un pretexto para hacer oír la propia voz; o si se prefiere, las circunstancias que requieren al intelectual de un modo inexcusable. Pero difícil sería estar a la «altura» de las mismas, según la bella expresión popular, si no se está antes a la altura de sí mismo, empeñado en un compromiso que determine desde la raíz el propio pensamiento. Y Machado, sin duda alguna, supo estarlo. Como ya he anticipado, fue uno de los pocos intelectuales que no dimitió de su oficio en momentos trágicos para la vida española. Su compromiso republicano, casi congénito, no fue sólo creciendo con los años, al juzgar por la participación progresiva en los acontecimientos políticos de la República [13], sino madurando a la vez, haciéndose más personal y lúcido, hasta llegar a identificarse, no tanto con una bandera como con el mismo pueblo de España. Tan sólo un fragmento de las C. G. se aparta, al menos aparentemente, de la radicalidad de esta trayectoria.

---

[12] Gutiérrez-Girardot, *op. cit.*, 178.
[13] Véase la enumeración que hace Aurora de Albornoz de los mismos en *Las notas preliminares*, ya citadas, págs. 17-19.

Recibí tu carta, diosa mía, el miércoles a mi vuelta de Segovia, después de tres días de trajín e insomnio por los sucesos políticos. Fuimos unos cuantos republicanos platónicos los encargados de mantener el orden y ejercer el gobierno interino de la ciudad. He aquí toda la intervención de tu poeta en el nuevo régimen, del cual he de permanecer tan alejado como del viejo (C. G., 109).

Pero José María Valverde se ha cuidado muy bien de ponerlo en solfa, como una interferencia provocada por la mentalidad conservadora y pequeño-burguesa de la poetisa en la evolución espiritual del poeta, de la que sólo se liberará más tarde, incluso con creces, con la compensación intelectual y política de los últimos apuntes.

Y cabe sospechar —concluye J. M. Valverde—, si no resulta demasiado malevolencia hacia Guiomar, que cuando Antonio Machado, desde finales de 1934, se lanzó a su gran Mairena periodístico, no lo hizo sólo como consuelo y compensación de su soledad —tras la quiebra de su relación, al parecer en el verano de 1934—, sino también gracias a esa misma quiebra, al no seguir ya cohibido por una compañía —con pretensiones de compañía intelectual y no únicamente erótica— que no podía identificarse bien con el salto adelante del pensamiento machadiano en ese momento [14].

Para clarificar esta situación, nada sería más conveniente que recordar con el mismo M. los distintos sentidos de la condición política. Porque hay, en efecto, una política de oficio, a la que siempre M. fue extraño —yo diría que por talante—, aunque supo considerarla adecuadamente, sin zalemas ni animosidad; y una política como actitud, o dicho más explícitamente, como asunción reflexiva y comunitaria —solidaria— de la condición humana; y a esta segunda

---

[14] J. M. Valverde, *Antonio Machado*, Madrid, Siglo XXI, 1975, página 251.

no se hurtó el poeta en ningún momento. Incluso en esta
última, cabe un modo específicamente intelectual de «ha-
cer-política o de estar en política», sobre el supuesto de la
responsabilidad social de la palabra; una política que está
más allá o más acá, según se prefiera, de la militancia ideológica de partido, en el sentido restrictivo del término, y
que se abre críticamente a los grandes problemas y opciones
de la propia comunidad. También aquí, Miguel de Unamuno
podría servir como mentor.

> Es don Miguel de Unamuno —escribía Machado con su esti-
> mación fervorosa de siempre— la figura más alta de la actual
> política española. Él ha iniciado la fecunda guerra civil de los
> espíritus, de la cual ha de surgir —acaso surja— una España
> nueva. Yo le llamaría el vitalizador, mejor diré, el humanizador
> de nuestra vida pública... Se dirá que esto no es política. Yo
> creo que es la más honda, la más original y de mayor funda-
> mento. Porque ¿puede haber una política fecunda sin amor al
> pueblo? ¿Y amor al pueblo sin amor al hombre, y, por ende,
> respeto a los valores del espíritu que son sus únicos privile-
> giados? (C., 159 y IV, 58-9).

El texto, sin desperdicio, puede valer, sin duda, como una
autoconfesión política del propio M., por su tendencia a
objetivarse, a verse desde fuera, e incluso a identificarse
simpatéticamente con ciertas figuras —tal es el caso de
Unamuno— de su más profunda admiración. La vía de M.
hacia la política no podía venirle, pues, de otro lado que
de su buen corazón con gotas de sangre jacobina. Y el
modelo era demasiado evidente para quedar ignorado. Sobre su admiración por Pablo Iglesias, pongo por caso, se
impondrá siempre, en la inteligencia y el afecto, la memoria
del Rector de Salamanca.

> Pero Unamuno piensa —continúa el texto machadiano— que
> mal puede el hombre invocar sus derechos sin una previa con-

ciencia de su hombría. La ingente labor política de Unamuno consiste en alumbrar esta conciencia, con su palabra y con su ejemplo, en las entrañas de su pueblo.

En esta misma dirección se inscribe la intención política del poeta Antonio Machado. Como ha visto Gutiérrez-Girardot con agudeza, «su perspectiva —la de Machado— es la de la necesidad de poetizar el mundo, la cual se resuelve, frente a la política concreta, en el postulado de la hermandad universal» [15]. Esta actitud, sin embargo, no amengua, en modo alguno, ni la calidad ni el rigor de su compromiso; más bien lo sitúa en otro orden de cosas; allí donde la política pierde toda significación técnica, para confundirse con el aliento mismo de la existencia por habitar solidariamente el mundo.

En cuanto a la política concreta, es bien conocida la acritud con que fustiga M. la «vieja política» de cartón y bambalina, de farándula, como diría Unamuno, «hueca y sin entrañas», que suelen hacer los hombres de malas tripas (J. M., I, cap. XXXVII, 177-8 y IV, 66); y el fervor, por el contrario, con que estimula a la España joven a un nuevo estilo y una nueva aventura:

> y a quien os eche en cara vuestros pocos años —replica Juan de Mairena— bien podéis responderle que la política no ha de ser, necesariamente, cosa de viejos. Hay movimientos políticos que tienen su punto de arranque en una justificada rebelión de menores contra la inepcia de los sedicentes padres de la patria (J. M., I, cap. XVI, 75 y IV, 64).

No. Decididamente M. nunca fue apolítico; nunca sucumbió a la tentación de refugiarse en sus sueños; la presión de conciencia, que actúa en toda su obra, le llevó, también

---

[15] Gutiérrez-Girardot, *op. cit.*, 178.

aquí, a reclamar los derechos de la razón y la autenticidad
en el quehacer del gobierno. Y esto en función de su respeto por la política de oficio. También es verdad que nunca
se acercó a ella con la obsesión del ambicioso o la beatería
del paleto. La política es el oficio de regir la vida pública,
como el auriga lleva su carro, según la metáfora de Alfredo
de Vigny, que recuerda M.; y por eso, importa no sólo tener los mejores dirigentes sino también, cuando hay riesgo
de partirse la crisma, «jubilar fulminantemente los coche-
ros borrachos» (IV, 57-8). Su actitud, pues, ante la cosa
pública no pudo ser más explícita. Había que sanear urgen-
temente la vía política, desde su raíz. De ahí la necesidad
de crear un nuevo «ethos» político, en que la inteligencia,
la fidelidad a la propia máscara y el valor personal («porque
más tarde o más temprano, hay que dar la cara») sustitu-
yeran al talento y la virtud mediocres (IV, 69) de la vieja
política doméstica sin estilo ni horizontes. Y como siempre
en Machado, el único principio renovador sólo podía venir
del pueblo, desde abajo, alentado por el idealismo de los
más jóvenes, a los que el profesor Mairena invita expresamente a tomar el relevo para la nueva hora de España.

> La política, señores —sigue hablando Mairena—, es una acti-
> vidad importantísima... Yo no os aconsejaré nunca el apolitis-
> mo, sino, en último término, el desdeño de la política mala que
> hacen trepadores y cucañistas sin otro propósito que el de
> obtener ganancia y colocar parientes. Vosotros debéis *hacer*
> *política*, aunque otra cosa os digan los que pretenden hacerla
> sin vosotros, y naturalmente contra vosotros (J. M., I, cap. XVI,
> 75 y IV, 63-4).

El párrafo que sigue es de una extrema matización y expresa muy claramente las calidades del pensamiento machadiano.

Sólo me atrevo a aconsejaros —prosigue Mairena— que la
hagáis a cara descubierta; en el peor de los casos, con máscara política, sin disfraz de otra cosa; por ejemplo, de literatura,
de filosofía, de religión. Porque de otro modo contribuiréis a
degradar actividades tan excelentes, por lo menos, como la política, y a enturbiar la política de tal suerte que ya no podamos
nunca entendernos (J. M., I, cap. XVI, 75 y IV, 64).

¿Quién no advertiría aquí la condena de la «politización»
de la vida, como una perversión del sentido genuino de
toda actividad? No se trata, por supuesto, de sustraer algún
ámbito a la política, sino de excluir la falsificación ideológica que, como las plantas parásitas, les robe lozanía y
autenticidad a las producciones espirituales. Si todo acto
es ya en su raíz político —viene a decir Machado— no es
preciso politizarlo, disfrazándolo de carnaval público; basta con vivirlo y realizarlo según su propia esencia y desde
la más honda y firme intencionalidad social; porque, a fin
de cuentas, el carácter político de un acto no le viene adven-
ticiamente, por su inserción en una praxis de partido, sino
de su misma verdad, según el espacio de libertad y conciencia que sea capaz de proponer para el encuentro comunitario. Por eso, cuando un acto es lo que tiene que ser y
nada más, cuando responde a la plenitud de su sentido, entonces resulta ser, a la postre, más radicalmente político
que nunca, porque ha explorado su propia vía hacia la realidad [16].

---

[16] Puede verse un texto sorprendentemente paralelo de Martín Heidegger en el que desarrolla el mismo planteamiento: «La «polis»
constituye el sitio de la historia, el allí en el cual, a partir del cual, y
para el cual acontece la historia. A semejante sitio de la historia pertenecen los dioses, los templos, los sacerdotes, las fiestas, los juegos,
los poetas, los pensadores, los gobernantes, el consejo de ancianos,
la asamblea nacional, el ejército, los barcos. No sólo todo esto pertenece a la «polis», no sólo es político lo que admite una relación con

Seguramente alguien se sentirá tentado de calificar esta
postura como idealismo político, sin reparar tal vez que la
esencia del mal idealismo consiste precisamente en lo contrario, en suplantar la realidad por la idea y determinar
olímpicamente lo que han de ser las cosas desde los «prejuicios», nunca mejor dicho, de la conciencia ideológica. Sin
embargo, nada rechazó tan enérgicamente el último M., de
palabra y de obra, como semejante idealismo. Su propia
vocación política de intelectual estuvo destinada esencialmente a trascenderlo y refutarlo. Sus declaraciones, en ese
sentido, no pudieron ser más rigurosas ni explícitas. «El
intelectual no es un virtuoso de la inteligencia» (J. M., I, cap.
III, 16 y IV, 41), que pudiera acotar su terreno de juego
más allá de las luchas concretas de los hombres. Sólo el
pensamiento abstracto piensa fuera de lugar y de hora, en
el vacío, como si pudiera tener el mundo tendido a sus
pies, *sub specie aeterni*. Pero, como replica agudamente M.,
«es más difícil estar a la altura de las circunstancias que
au dessus de la melée» (J. M., II, cap. XIII, 134 y IV, 44).
El verdadero intelectual realiza, por el contrario, su vocación política, fiel a su propia circunstancia, comprometido
en un «aquí y un ahora», dentro de una comunidad concreta,
cuya conciencia social ha de alumbrar con su propia palabra.
Ya en 1920, había reconocido M. la función esencialmente

---

el hombre de estado o con un capitán o con cuestiones de gobierno.
Antes bien, lo mencionado es político, es decir, está en el sitio de la
historia, en cuanto los poetas, por ejemplo, *sólo* son poetas, pero
entonces lo son realmente; en cuanto los pensadores *sólo* son pensadores, pero entonces, realmente; en cuanto los sacerdotes *sólo* son
sacerdotes, pero entonces lo son realmente; en cuanto los gobernantes *sólo* son gobernantes, pero entonces, realmente. *Son*: esto
significa que en cuanto hacen violencia emplean la violencia y emer-
gen, dentro del ser histórico, como creadores, como actores» (*Introducción a la metafísica*, Buenos Aires, Nova, 1956, págs. 184-5).

crítica y liberadora de la inteligencia. Frente a la matonería espiritual o el servilismo ideológico al poder constituido, el único signo autentificador del compromiso político e intelectual genuino sólo puede hallarse en la libertad social que promueve. «Un verdadero intelectual y un hombre capaz de reflexión —escribía Machado por entonces— saben muy bien que las altas actividades del espíritu son esencialmente creadoras de libertad, y que no podrán nunca aplicarse a esclavizar las voluntades ajenas» (C., 135). En directa continuidad con estas afirmaciones, el último M. fijará como función inexcusable intelectual «aumentar en el mundo el humano tesoro de la conciencia vigilante» (I, 225-6). Se cerraba así el ciclo, que se abrió en los lejanos años de Baeza, posiblemente bajo el impacto de la revolución rusa del 17 y la convicción de la decadencia inexcusable de la burguesía, y culminaría más tarde en la contribución total a la causa de la República.

Creo que estamos ahora en condiciones de responder a la cuestión con que abría este epígrafe. Si es posible un M. político, sólo lo será en cuanto intelectual, y por consiguiente, desde un compromiso activo y militante que ha de pasar siempre por el supuesto crítico de la palabra. Ciertamente, no como hombre de partido, obediente a unas consignas, sino desde aquella honda y decisiva vocación democrática, hasta populista, que hubo siempre a la raíz de su obra. En cuanto a la radicalidad de este compromiso, no puede caber la menor duda. Frente a las deserciones e inhibiciones de diverso signo, frente a los sueños utópicos y las transacciones pragmáticas, a Machado no le cupo mejor suerte que la de ser un «miliciano más con destino cultural» (IV, 43), hasta el último momento. El contenido político concreto de este compromiso merece, sin embargo, una consideración aparte.

XII

HUMANISMO Y SOCIALISMO EN A. MACHADO

¡Odio y miedo a la estirpe redentora,
que muele el fruto de los olivares
y ayuna y labra y siembra y canta y llora!

(OPP, 718.)

A punto ya de cerrar estas páginas, se impone analizar con algún detalle el esquema de la fe existencial de M., por llamarlo de alguna manera, así como su precipitado ideológico político, pues son la definición más explícita y precisa de su vida y su obra. Se trata, pues, de repasar a esta nueva luz y en una última mirada, los innumerables caminos de bosque, dispersos y sinuosos, que se han ido abriendo, acá y allá, a lo largo de nuestro recorrido. Como obertura a estas reflexiones finales, podría servirnos la confesión que recoge su Autorretrato:

Hay en mis venas gotas de sangre jacobina,
pero mi verso brota de manantial sereno;
y, más que un hombre al uso que sabe su doctrina,
soy, en el buen sentido de la palabra, bueno.

(XCVII.)

Certeramente ha captado el poeta en estos versos los dos radicales de su actitud básica: la sangre jacobina de un republicanismo radical, que le venía casi por herencia y tradición, modelado más tarde en la Institución Libre de Enseñanza [1], y el «buen corazón» en que se anuncia ya su talante hacia la fe fraterna. Conviene precisar, para evitar malentendidos, que la bondad de don Antonio poco o nada tiene que ver con la blanda sensiblería o tolerante indulgencia con que se le pinta tan a menudo. Su bondad está tejida con otras fibras; en su sentido radical y propio, bueno es quien deja ser al otro, a los otros, sin monopolizar el espacio de la existencia ni subyugarlo a sus intereses. La unidad de estos dos factores —la sangre jacobina y el corazón generoso— preserva al poeta de todo riesgo de doctrinarismo —la tentación, en definitiva, de la estrechez mental— y determina aquella actitud de libertad y disponibilidad, de capacidad, en suma, para escuchar la voz del otro y de los otros, que caracteriza tan finamente al estilo machadiano. El juego de estos dos radicales —el jacobinismo y la fe fraterna— nos va a dar, por otra parte, como iremos viendo, el síndrome existencial de su persona y su obra.

La clave metodológica para interpretar su humanismo y seguir el curso de la evolución del mismo, reside en el borrador del «Discurso de Ingreso en la Academia». Se trata de un texto tardío, de 1931, aproximadamente, que puede valer como fragmento-síntesis de su reflexión sobre la lírica, pese a su explícita declaración en contra (C. 107 y II, 57); es decir, sobre su propia actividad poética y sobre el contexto ideológico en que se encuentra inscrita. Vale, también, como autoconfesión existencial indirecta o en oblicuo, casi como

---

[1] Como nota autobiográfica de su relación con la Institución Libre de Enseñanza, puede verse el texto de la *Antología de su pensamiento*, compilada por Aurora de Albornoz, *op. cit.*, IV, pág. 43.

un testamento literario, en la medida en que en él se recoge el sentido de la evolución espiritual de su obra. Establece, por último, el proceso histórico-ideológico entre el «ayer» del individualismo romántico y el «mañana» de los nuevos valores sociales, a través de un «hoy», definido por el despertar crítico de la conciencia y la floración de una nueva sentimentalidad lírica.

> Dicho de otro modo (y con palabras del mismo poeta), cuando una pesadilla estética se hace insoportable, el despertar se anuncia como cercano. Cuando el poeta ha explorado todo su infierno, tornará, como el Dante, a *rivedere le stelle*, descubrirá, eterno descubridor de mediterráneos, la maravilla de las cosas y el milagro de la razón (C., 119 y II, 70).

Desde estos presupuestos, cabe anticipar ya que el humanismo machadiano, por darle algún nombre, se presenta como una brumosa ideología de tránsito entre el humanismo clásico burgués y el planteamiento estrictamente socialista; de ahí también su ambigüedad semántica y estilística, en formas típicas de un discurso de la tragedia, o del humor y la ironía, como ha señalado M. Verret [2], aunque, en el «último Mairena», según creo, supera desde dentro los supuestos teóricos y prácticos de la ideología burguesa y se orienta definitivamente hacia la causa popular. Por lo demás, no entraña este humanismo una concepción fija y unívoca del hombre; brota más bien de una fe existencial u opción

---

[2] «Es fácil apoyarse, en lo que a esto se refiere —escribe M. Verret—, en la obra crítica y autocrítica de los más grandes representantes modernos de estas ideologías, ya que es asombroso ver cómo, después de 75 años, el humanismo burgués no se expresa más que bajo la forma de crítica, parodia, ironía o tragedia, trátese de Thomas Mann, Musil, Svevo, Kafka, Machado, y otros personajes de menor envergadura» («Marxismo y Humanismo» en la obra colectiva *Polémica sobre Marxismo y Humanismo*, Madrid, Siglo XXI, 1968, página 163, nota 65).

metafísica (A. M., 97), como acostumbra a decir Machado, y
en este sentido, más que un credo ideológico, cabría llamarlo
mejor humanismo poético como actitud de compromiso por
la suerte concreta del hombre. Tal como lo ha visto certeramente Gutiérrez-Girardot, «su perspectiva es la de la necesidad de poetizar el mundo, la cual se resuelve, frente a la
política concreta, en el postulado de la hermandad universal» [3].

EL PUNTO DE PARTIDA EN EL
INDIVIDUALISMO ROMÁNTICO

Como ya se ha dicho, la producción originaria de Machado (me refiero a *S. G. O. P.*) se fragua en la matriz ideológica del simbolismo, y por consiguiente, se inscribe en las
coordenadas estético-culturales del individualismo neorromántico. El doble valor del símbolo, como representación
emocional y como intuición metafísica de lo arcano, la apelación a un sentimiento subconsciente, la acentuación de la
temporalidad y, en general, del medio de la sensibilidad interior, la rehumanización del arte, etc., son otros tantos caracteres que definen, según la minuciosa e irrefutable investi-
gación de J. M. Aguirre, los principios fundamentales del
simbolismo. Su conclusión no puede ser más explícita: el
idealismo, entendido aquí *lato sensu* como creencia en que
la forma poética equivale a la realidad verdadera, constituye
la metafísica implícita al simbolismo, muy afín, por otra
parte, a los presupuestos fideístas y místicos del romanticismo alemán, tan presentes en la obra machadiana [4]. No fue
otra la conclusión a la que llegó el mismo M., al hacer la
hermenéutica de su época.

[3] Gutiérrez-Girardot, *op. cit.*, 178.
[4] J. M. Aguirre, *op. cit.*, págs. 89-92.

Hijos de la segunda mitad del siglo que había puesto al sol
las raíces del ente de razón cartesiano —escribe en «Reflexiones
sobre la lírica» refiriéndose a los simbolistas— hubieran definido al hombre como un ser sensible-sentimental, volente o
ciegamente dinámico, y el poeta como un solitario, atento a su
melodía interior (A. M., 98 y II, 124).

Aunque el texto apunta en dirección a Schopenhauer,
con su espectralización del mundo como mera representación del yo íntimo, no sería difícil ampliar su referencia hacia toda forma de pensamiento irracionalista o intuicionista,
y, a fin de cuentas, a la misma filosofía bergsoniana —con su
primado de la introspección y de los estados simpatéticos
de conocimiento—, donde ha querido ver el propio J. M.
Aguirre la elaboración metafísica más precisa del estado
musical del alma [5]. En cualquiera, pues, de sus distintas versiones, desde las más lúcidas y videntes hasta las más irra-
cionalistas, el siglo XIX se presenta, en términos generales,
bajo la máscara del idealismo. Tampoco esto se le ocultó a
M., tan fino intérprete de los signos de su tiempo. Así, en el
Discurso de Ingreso en la Academia, alcanzará a ver en su
verdadera dimensión, las premisas de aquella su primera
ideología:

En el movimiento pendular que va en las artes, como en el
pensar especulativo, del objeto al sujeto, y viceversa, el ochocientos marca una extrema posición subjetiva. Casi todo él
milita contra el objeto... Todo cuanto en el siglo ensalza o em-
pequeñece al hombre, refuerza y afirma al sujeto. Individualismo se llama, en lo social y político, la nota específica del siglo XIX. La corriente individualista es un nuevo incremento de
la subjetividad... El hombre del ochocientos conserva cuanto
hay de limitativo en el idealismo kantiano, de la filosofía romántica, en general, la exaltación del devenir sobre el ser, la

[5] J. M. Aguirre, *op. cit.*, págs. 115-21.

conversión del hecho del espíritu en pura acción, transformación constante; evolución que tal es el concepto esencial del siglo. Pero, al mismo tiempo, como filosofía para andar por casa, mejor diré, como una religión no confesada, va acentuando el culto del yo sensible, de su individualidad psicológica. *L'individualité enveloppe l'infini*, había dicho Leibniz, y el siglo XX repite en varios tonos la vieja sentencia (C., 110-11 y II, 61).

La importancia del texto merece con creces la dignidad de una larga cita. Pocos pasajes resultan tan lúcidos y reflexivos como éste, a la hora de inventariar la ideología-matriz de la obra machadiana. El gran idealismo trascendentalista y absoluto se había deteriorado en las postrimerías de la centuria hasta reducirse a los límites angostos del individualismo romántico. El camino de regreso del sujeto trascendental o puro al yo psíquico singular, de la conciencia a la subconciencia o a su vago sucedáneo en la imaginación onírica, y del pensamiento dialéctico a una suerte de extraña intuición, entre intelectual y emotiva, marca los jalones más decisivos de la reducción simbolista.

A partir de este síndrome neorromántico, es fácil deducir las diversas manifestaciones del subjetivismo decadente fin de siglo en las distintas áreas de la cultura. Intimismo se llamará en poesía, con la retracción a lo «inmediato psíquico» anterior «al lenguaje, al pensamiento conceptual y a la construcción imaginativa» según declaración del mismo Machado. (OPP, 895). El arte se atomiza —dirá en otros pasajes— y se degrada al reducirse a la muda vivencia interior; acorta «el radio de los sentimientos, hasta coincidir con el radio, mucho más breve de la sensación» y devalúa los elementos racionales constructivos (C., 115 y II, 65). En definitiva, por seguir utilizando la misma metáfora machadiana, es como una bajada a los infiernos, a la noche oscura e informe de una sensibilidad enfermiza y desorientada. Se puede afirmar sin titubeos que pocos artistas han calado más hondo en la auto-inspección de su obra. Meneses será más tarde el apócrifo encargado de objetivar este período y de juzgarlo hasta en sus últimos implícitos ideológicos. «La lírica moderna —le replica a Mairena— desde el declive romántico hasta nuestros días (los del simbolismo), es acaso un lujo, un tanto abusivo, del hombre manchesteriano, del individualismo burgués, basado en la propiedad privada» (A. M., 52 y II, 148-9). El resto de las consecuencias no se deja esperar. Proyectado en el orden personal, el individualismo se presenta como solipsismo existencial o ético, con su devaluación del pensamiento genérico y el culto correspondiente a la espontaneidad del propio yo, casi como pura instintividad proteica. «La extrema individuación de las almas —precisa M. refiriéndose a este último capítulo de la metafísica romántica—, su monadismo hermético y autosuficiente, sin posible armonía preestablecida, es la gran chochez del sujeto consciente, que termina en un canto de cisne, que es, a su vez —¿por qué no decirlo?— un canto de grajo» (C., 118 y II, 69). Y en lo que respecta al orden social, dará lugar a la figura del liberalismo político, con su ostensible hipertrofia del valor del individuo como mónada espontánea y activa, y su convicción de que el cuerpo social es un producto o resultado —más armonioso que conflictivo, en todo caso—, del libre juego de las iniciativas individuales.

Sin negar, en modo alguno, que en este cuadro ideológico se inscribe, en su comienzo, la práctica literaria de M., es preciso reconocer, a renglón seguido, que en buena medida se vio protegida de los efectos deletéreos del subjetivismo extremo, gracias a su formación en la Institución Libre de Enseñanza y a la consiguiente atemperación que le produjo el krausismo; pues, aunque esta filosofía responde, en general, a la metodología de la subjetividad, tan constante en la tradición filosófica del XIX, y enlaza, por tanto, con la afirmación del papel activo y fundamental del sujeto en su relación con el mundo, supone también, en buena medida, una vuelta o reconquista de una base metafísica absoluta. Por otra parte, por su racionalismo armónico entre lo liberal y lo colectivo, y por su fuerte tendencia socializante, venía a constituir, como ha hecho constar Eloy Terrón, un puente idóneo, más que cualquier otra filosofía alemana al uso, entre las facciones extremistas democráticas y una actitud más integradora, mediante una nueva ideología de la reconciliación, a la que el mismo Terrón ha calificado con acierto de «síntesis abstracta» entre las diversas contradicciones del cuerpo social[6]. A esto hay que añadir la influencia de Unamuno, con un nuevo apremio para trascender las limitaciones internas del subjetivismo simbolista, en búsqueda, como ya se hizo constar, de una actitud lúcida de conciencia. De ahí que se inicie muy pronto en su obra —los primeros datos de reflexión crítica son ya de la temprana fecha de 1904— un proceso interior de autentificación existencial, que le va a llevar progresivamente, tal como ya se ha mostrado en los primeros capítulos, a la transformación ético-existencial de los motivos simbolistas[7]. A este proceso de «crisis del individualismo romántico», no pudo ser ajena, por otra parte, como ha señalado con gran finura J. M. Valverde, la misma desintegración del romanticismo, al poner de manifiesto la

---

[6] Eloy Terrón, *Sociología e Ideología en los orígenes de la España contemporánea*, Barcelona, Península, 1969, pág. 202.

[7] La obra de J. M. Aguirre, pese a sus muchos valores, es absolutamente ciega para este proceso interno de maduración del pensamiento de Machado; su empeño en interpretar toda la obra del poeta desde el síndrome simbolista de *Soledades*, confina a ésta gravemente en el idealismo (*op. cit.*, págs. 96, 101 y 105).

inanidad del gran *ethos* de la sinceridad personal y el des-
afuero de la soberanía del «yo»:

> Cabe señalar —escribe Valverde— el reverso de esa medalla:
> precisamente el romanticismo puso en marcha la crítica del
> Yo al tratar de liberarlo de generalidades éticas y conceptuales.
> Incluso, ya hubo prerrománticos que empezaron a sugerir la
> ambigüedad moral de cualquier «yo»: pensamos, por ejemplo,
> en Diderot, en cuyas novelas las acciones buenas pueden tener
> razones malas y viceversa, destruyéndose así la univocidad en-
> juiciable del carácter individual... Y toda la mejor línea de crí-
> ticos del espíritu del siglo xix —Kierkegaard, Marx, Nietzsche,
> Freud...—, en cierto modo, no hicieron sino poner en cuestión
> desde diversos ángulos a Su Majestad el Yo individual [8].

El caso es que la superación del individualismo simbolista
comienza ya a apuntarse en la elaboración y segunda edición
de *Soledades* (S. G. O. P., de 1907), en la medida en que los
símbolos fundamentales devienen reveladores de una dialéctica típica de conciencia (presencia/ausencia; palabra/si-
lencio; ensoñación/misterio), y, en última instancia, alcanzan
una dimensión trascendente, como expresión del combate
del hombre con el destino. *Campos de Castilla* inaugura
ya, a nuestro juicio, una nueva posición espiritual. Se ha encontrado el «yo fundamental», que puede sentirse unánime
con cualquier otro yo, desde los universales del sentimiento,
y por consiguiente, las dialécticas del yo íntimo (que en el
fondo no son más que la lucha del sentido y el sinsentido)
se trasladan a un escenario público y objetivo (el campo de
Castilla) y ganan una inmediata significación social: el com-

---

[8] J. M. Valverde, *Antonio Machado*, op. cit., 50. Sobre la línea de
la crítica radical al idealismo romántico, puede consultarse la valiosa
obra de K. Löwith, *De Hegel a Nietzsche*, Buenos Aires, Sudamericana,
1968, especialmente la segunda parte, titulada «Estudios sobre la Historia del mundo cristiano-burgués».

bate colectivo por la vida —el amor y la lumbre, el pan y la conciencia—, en un marco histórico y geográfico concreto, visto desde una perspectiva esencialmente humanista. Se ha conseguido que la poesía, más allá de fórmulas hueras y brillantes, se convierta, como le indicara el poeta, años antes, en carta a Unamuno, en un «yunque de constante actividad espiritual» en el cual se crisola y acendra la vida como acto poético de conciencia.

Paralelamente ocurre la superación del solipsismo. Ya hemos visto cómo la fe romántica decadente es una fe en la «soledad del sujeto», según M., o en su caso, «la expresión de la gran nostalgia de todas las almas» (C., 114). Juan de Mairena explicitará más tarde lúcidamente la conexión entre la ideología romántica del culto al yo y su inevitable consecuencia solipsística.

> Es evidente que cualquier posición filosófica —sensualista o racionalista— que ponga en duda la existencia real del mundo externo, convierte *eo ipso* en problemática la de nuestro prójimo... Dicho en otra forma: si nada es en sí más que yo mismo, ¿qué modo hay de no decretar la irrealidad absoluta de nuestro prójimo? (J. M., I, cap. XXXVIII, 181 y III, 127-8).

Los esfuerzos machadianos por salir de esta soledad hacia una tierra comunitaria, hacia la búsqueda de una palabra esencial, que pueda convertirse en un vínculo común, lo orientan muy tempranamente hacia las «ideas cordiales» o los «universales del sentimiento», algo que siendo propio pudiera convertirse, no obstante, en un patrimonio común. Esta tarea guía, sin duda, la rectificación progresiva de la voz poética, en la segunda edición (versión) de *S. G. O. P.* (1907), apartándola de los ecos inertes, y encuentra por último, su plena realización en el realismo dramático de C. C.

Por último, en lo que respecta al aspecto político de la ideología finisecular romántica, ya vimos cómo el liberalismo burgués estuvo siempre templado o atemperado en M. por una fuerte preocupación social. La aspiración a conciencia de su poesía es indiscernible del compromiso por poetizar el mundo mediante la palabra social. Ya se anuncia en la temprana carta a Unamuno de 1904: «no debemos huir de la vida para forjarnos una vida mejor, que sea estéril para los demás» (en _O. C. de Unamuno_, I, 1.156-7). La solidaridad e identificación con los intrahistóricos (= pueblo) se produce, como ya se sabe, a lo largo de la elaboración de C. C. que lleva precisamente en su pórtico el reconocimiento de la función social del arte genuino («...Dejar quisiera / mi verso, como deja el capitán su espada»).

EL SÍNDROME HUMANISTA DEL
PENSAMIENTO MACHADIANO

La crisis definitiva en los planteamientos ideológicos románticos y el comienzo con ello de una nueva fe existencial, hay que fecharla en la época de Baeza (1912-19). La etapa andaluza, ligada, y no por azar, a la intensificación y el cuidado de la reflexión filosófica, marcará el momento decisivo de acuñación de esta conciencia crítica. De allí data el Prólogo de 1917 a C. C., en el que se especifica como «misión del poeta, inventar nuevos poemas de lo eterno humano»; y de esta misma época, 1919 —año en que se traslada a Segovia—, la primera toma de posición explícita con respecto a la ideología subjetivista del ochocientos («pero amo mucho más la edad que se avecina, y a los poetas que han de surgir, cuando una tarea común apasione a las almas») y el reconocimiento de una decadente burguesía, que necesita de un nuevo principio de vivificación.

En la época de Baeza se reflejarán además estos esfuerzos en la forma de una nueva fe, de signo opuesto a la soledad romántica, y a la que M. gustaba llamar «fraterna», no ya por querencia de su alma jacobina, sino en explícito reconocimiento de su raíz cristiana. «Él (el Cristo) —escribe a Unamuno en 1918— nos reveló valores universales que no son de naturaleza lógica, los nuevos caminos de corazón a corazón por donde se marcha tan seguro como de un entendimiento a otro, y la verdadera realidad de las ideas, su contenido cordial, su vitalidad» (C., 179). Y en el momento de la acuñación de esta nueva conciencia, encontramos también en Baeza y en carta a Unamuno, una enérgica profesión de fe democrática, más allá de las fronteras del liberalismo.

> La juventud que hoy quiere intervenir en la política debe, a mi entender, hablar al pueblo y proclamar el derecho a la conciencia y el pan, promover la revolución, no desde arriba, ni desde abajo, sino desde todas partes (C., 173 y I, 108).

Todos estos tanteos se condensan por último en el *humanismo trágico* de Abel Martín, en el que podemos asistir al conflicto interno que genera la nueva fe en la alteridad y la heterogeneidad de lo real, al chocar con los antiguos supuestos intimistas y monadológicos del subjetivismo romántico. Bajo la expresión de «síndrome humanista» entiendo, pues, el conjunto de rasgos que caracterizan el humanismo *sui generis* de Machado en esta etapa de su acuñación. Por definición, cualquier humanismo tiene que referirse a un conjunto de valores que trasciendan el radio individual, esto es, que sean universales, y que a la vez puedan aplicarse a cualquier circunstancia determinada y situación concreta, es decir, universalizable. Este postulado genérico se desarrolla en M. en el movimiento de convergencia de dos dimensiones o vectores. El primero mira hacia lo «_elemental humano_», expresión muy significativa porque remite a un doble campo semántico: a lo fundamental o esencial humano —lo común originario— («el hombre esencial que ve en sí mismo y que supone en su vecino», A. M., 48); y conjuntamente, a lo más simple y puro, es decir, al fenómeno humano tal como se revela sin mixtificaciones en el alma popular. Puede afirmarse que este doble sentido tiene su origen, metodológicamente, de un lado, en la auto-inspección reflexiva —la inmersión en el yo fundamental y libre bergsoniano—, y del otro, en la identificación simpática con el pueblo de España. Así parece indicarlo una breve reflexión, meditación mejor, acerca del alma de Soria.

> Soria es acaso —escribe Machado— lo más espiritual de esta espiritual Castilla, espíritu a su vez de España entera. Nada hay en ella que asombre o que brille y truene; todo es allí sencillo, modesto, llano. Contra el espíritu redundante y barroco, que sólo aspira a la exhibición y al efecto, buen antídoto es Soria, maestra de castellanía, que siempre nos invita a ser lo que somos y nada más... ¿No es esto bastante? Hay un breve aforismo castellano —yo lo oí en Soria por vez primera— que dice así: _Nadie es más que nadie_... Nunca olvido al viejo pastor de cuyos labios oí ese proverbio donde, a mi juicio se condensa toda el alma de Castilla, su orgullo y su gran humildad, su experiencia de siglos y el sentido imperial de su pobreza; esa magnífica frase que yo me complazco en traducir así: por mucho que valga un hombre, nunca tendrá valor más alto que el valor de ser hombre. Soria es una escuela admirable de humanismo, de democracia y de dignidad (OPP, 951-2 y I, 56-7).

El contagio del doble sentido —el metafísico y el popular— nos hace pensar espontáneamente en el humanismo social de Rousseau. Porque, en efecto, el hombre esencial machadiano es sin duda el hombre como agente moral, «capaz de libertad y de superación de sus fatalidades zoológicas», como apunta M. (IV, 103), más allá de todas las particularidades de carácter natural; pero es también, como hombre elemental, lo originario o genuino del hombre, por encima o, si se quiere, por debajo de las otras fatalidades sociológicas, tales como determinaciones de clase, nación, casta, etc. El valor de lo humano no está dado ni por la naturaleza ni por la cultura, sino por la obra de la libertad; se trata pues de un valor genérico, que en buena medida, nos recuerda al *homo metaphysicus* de Rousseau, como agente libre, en un estado de espontaneidad y de inocencia anterior al mundo social de las alienaciones. Incluso el sentimiento roussoniano de piedad, base del de humanidad, a diferencia del carácter egoísta de la razón reflexiva [9], parece ser una anticipación de la fe fraterna a que alude M., como una muestra más de su jacobinismo. El comentario que Marie Laffranque dedica a este texto es muy lúcido:

> Rehusa —dice— implícitamente consagrar, en tanto que valores, la jerarquía, el poder, toda suerte de potencia, toda conducta de superioridad del hombre sobre el hombre. Recusa, pues, a priori, la desigualdad de personas y pone ante todo la dignidad y el respeto al otro, esta «forma de amor», que es, según Machado, «otra suerte de universalidad» [10].

Por otra parte, «lo eterno humano», pese a su sabor metafísico, no equivale a un universal abstracto, sino más bien concreto, esto es, dicho machadianamente, a unas «historias animadas —como dice de los poemas de C. C.— que sien-

---

[9] J. J. Rousseau, *Discurso sobre el origen de la desigualdad de los hombres*, en *Oeuvres complètes*, tomo III, Paris, Gallimard, 1966, págs. 141-2 y 144, respectivamente.

[10] Marie Laffranque, «Antonio Machado, un philosophe en marge», en *Penseurs Hétérodoxes du monde Hispanique*, Toulouse, 1975, pág. 233.

do suyas, viviesen, no obstante, por sí mismas». Es pues lo
humano aprehendido «en concreto», al filo de la historia, y en
circunstancias específicas, pero haciendo transparecer en
cada caso valores permanentes de humanidad. En definitiva,
lo esencial humano incorpora la historia y la experiencia
vivida, y por eso se construye, frente a todo humanismo
abstracto, al filo mismo del drama de la existencia.

El segundo movimiento se dirige hacia el «tú», pues el
hombre esencial —y aquí otra vez se impone el recuerdo de
Feuerbach— nunca se da en la soledad del yo, sino en la
compañía y el diálogo, o al menos, en la tensión y el esfuerzo por superar la propia frontera. La presencia del «tú»
introduce, en efecto, el único principio de normatividad de
la conducta, a la vez autónomo y heterónomo, puesto que
se encuentra en la raíz del yo, como sentimiento de un vacío existencial, y conjuntamente, le prescribe salir fuera o
estar en tensión constitutiva hacia el otro [11]. La necesidad y
exigencia del «tú» cumple así una pluralidad de funciones.
Descentra y desbloquea, en primer lugar, al yo propio, arran-
cándolo de su egoísmo o del culto egolátrico de su razón. En
este sentido Machado acertó a formular la oposición entre
dos clases de fe —a modo de dos opciones existenciales—:
la que responde al principio de la mismificación del yo, de
adherencia y enviscamiento en el sí mismo —la fe metafí-

---

[11] Sánchez-Barbudo ha señalado el parentesco de ciertas afirmaciones machadianas acerca del «otro» con textos de Max Scheler, aunque
«hay indicios y más que indicios —añade— de que en realidad el origen de sus ideas se remonta años atrás, hacia la época en que escribió *Campos de Castilla*, y cuando, ya publicada esta obra en 1912,
se consagró a estudiar filosofía. Sería, pues, más que aventurado afirmar que fue Scheler quien le sugirió sus ideas, como lo es afirmar
que fue Heidegger» (op. cit., 323). Comparto, sin la menor reserva, estas
observaciones que dejan constancia de la originalidad de Machado
a este respecto.

sica autológica— y aquella otra que, por el contrario, se funda en el principio de la alteración existencial o de la diferencia —la fe fraterna de las cartas a Unamuno— (C., 177-9), que se convertirá más tarde en el punto de partida de la metafísica o del pensamiento poético y heterológico de Abel Martín. La abertura hacia el «tú» garantiza además la totalización de la existencia. A esto alude otro proverbio machadiano de la misma época: «Poned atención: / un corazón solitario / no es un corazón» (CLXI, núm. 66); precisamente porque las tareas del corazón son siempre comunitarias, pretenden realizar y satisfacer la vida en común, en el encuentro amoroso del yo y el tú, y fuera de esta relación dialógica sólo queda la soledad y el resentimiento. El «tú» introduce, por último, la dimensión de lo misterioso por excelencia (ésta es la almendra metafísica del pensamiento martiniano), lo inobjetivo e inobjetivable, lo que está por definición más allá de mis cálculos y expectativas. No es, sin más, un «alter ego» —mi doble—, hecho de algún modo a mi imagen y semejanza, sino lo esencialmente otro, el irreductible a cualquier mención y a cualquier retención por parte del yo; la brecha por la que irrumpe en mi vida, fluidificándola, la llamada del misterio. De nuevo aquí el apunte machadiano vuelve a traslucir su originaria inspiración cristiana:

> Enseña el Cristo: a tu prójimo
> amarás como a ti mismo,
> mas nunca olvides que es otro.
>
> Dijo otra verdad:
> busca el tú que nunca es tuyo
> ni puede serlo jamás.
>
> (CLXI, núms. 42 y 43.)

Con toda razón ha podido encontrar Pedro Laín en estos versos la expresión más alta y fina del sentimiento de projimidad, la gran aportación del amor cristiano [12].

La nueva actitud se traducirá, en el plano emotivo, en la búsqueda de una *nueva sentimentalidad comunitaria*, frente al carácter acotado e íntimo del sentimiento burgués. Tras el reconocimiento en 1919 del fracaso histórico de la burguesía —eco evidente de la revolución de octubre del 17— M. denuncia la desorientación fundamental del mundo europeo (C., 37). Se necesita, pues, una nueva sentimentalidad, en función de los nuevos valores sociales que ya se anuncian en el horizonte: «Los sentimientos cambian a través de la historia y aún durante la vida individual del hombre. En cuanto resonancias cordiales de los valores en boga, los sentimientos varían cuando estos valores se desdoran, enmohecen o son sustituidos por otros» (C., 112-113 y II, 63) [13]. Se inicia así la búsqueda de las «ideas cordiales» o los «universales del sentimiento». La expresión machadiana es con todo ambigua, no sólo por su contexto («Prólogo» de 1917 a *S. G. O. P.*), sino por su mismo sentido, susceptible de una doble interpretación: la simbolista y la social-comunitaria. Según la primera —admirablemente expuesta por J. M. Aguirre—, en la autoinspección del yo íntimo y fundamental se encuentran las constantes existenciales del hombre: los temas de la vida, el amor y la muerte; y en este sentido respondía, sin duda, al clima espiritual de *Soledades*; pero si se tiene en cuenta el contexto global de la obra machadiana y no se olvida la inspiración social de la misma, ni se la toma como

---

[12] Pedro Laín, *Teoría y realidad del otro*, Madrid, Rev. de Occidente, 1968, I, 29 y 111 y II, 66, 214, 291.

[13] Se ha señalado reiteradas veces cómo este texto señala el punto de superación de la lírica burguesa (J. M. Valverde, *op. cit.*, 175 y Tuñón de Lara, *op. cit.*, 129 sigs.).

un añadido extraño, la expresión alcanza una nueva dimensión; parece indicar entonces las tareas comunes y los nuevos valores, que han de entrar en juego, tras de la quiebra de la sentimentalidad burguesa. Esta segunda interpretación va a ser la dominante de cara al futuro, según la precisión formulada, dos años más tarde: «pero amo mucho más la edad que se avecina y a los poetas que han de surgir cuando una tarea común apasione las almas». La duplicidad de estos dos sentidos, el simbolista-romántico y el ético-sociológico, revela hasta qué punto, sobre un mismo lenguaje, Machado opera una transformación y como conversión sutil de la actitud existencial que le subyace. Que la nueva sentimentalidad va en esta dirección aún inspirada en el sentido romántico del folklore, se desprende de otros escritos de la misma época («Problemas de la lírica» de 1917). No se trata de que en mi sentimiento se den valores universales que pueda sentir otro hombre, sino de que en mi sentimiento encuentro al otro; que es, en verdad, «nuestro» sentimiento, la afección originaria de realidad de una determinada comunidad histórica, según su modo social de existencia. Otro tanto ocurre con el lenguaje; no es mi lenguaje, con posibilidad de que lo haga suyo cualquier otro, sino «nuestro» lenguaje, un mundo público y abierto, en el que ha de ser posible acordarse con el otro sobre las cosas mismas, y habitar el mundo en común. Varía, pues, sustancialmente, el esquema de la sentimentalidad individualista burguesa: «No se puede llegar —escribe Machado— a esta simple fórmula: *mi* corazón, enfrente del paisaje, *produce* el sentimiento. Una vez producido, *por medio del* lenguaje, lo comunico» (C., 41 y II, 101-2). He subrayado en el texto los momentos que explican el modo típico de la sentimentalidad burguesa: el sujeto individual produce valores —comunicables o intercambiables instrumentalmente—, a diferencia de la nueva sentimentalidad, ya en ciernes: «nosotros» nos sentimos afectados por la realidad y habitamos el mundo en la casa común de la lengua. Los esquemas se encuentran pues invertidos, como puede verse en el siguiente esquema:

> práctica burguesa: individuación-producción-comunicación
> práctica social: comunidad-afección-común-producción y habitáculo solidario.

La opción de M. no puede ser más explícita, pese a que de hecho su práctica literaria quedase ambigua, a caballo entre las dos formas de sentimentalidad, aquí expuestas:

> Mi corazón enfrente del paisaje —prosigue el texto antes citado— apenas sería capaz de sentir el terror cósmico, porque aún este sentimiento elemental necesita, para producirse, la congoja de otros corazones entelecidos en medio de la naturaleza no comprendida. Mi sentimiento ante el mundo exterior, que aquí llamo paisaje, no surge sin una atmósfera cordial. Mi sentimiento no es, en suma, exclusivamente mío, sino más bien *nuestro*. Sin salir de mi mismo, noto que en mi sentir vibran otros sentires y que mi corazón canta siempre en coro aunque su voz sea para mí la voz mejor timbrada (C., 41-2 y II, 102.)

El tema adquiere un nuevo desarrollo en el «Diálogo Mairena-Meneses» (A. M., 52-8), donde se da por definitivamente cancelado el sentimiento burgués con sus prejuicios aristocráticos y selectos («¿le parece a Vd. —pregunta Meneses— que sentir con todos es convertirse en multitud, en masa anónima?») para proponer un sentimiento común como fusión con el alma popular. El artificio mecánico, aristón poético o máquina de trovar de Meneses —otra de las extrañas bromas machadianas— responde a la doble misión de alcanzar una objetividad suma en la expresión del sentimiento, y de reconocer la inmadurez de la nueva hora, mientras llegan los poetas del mañana [14]. Pero en todo caso, conviene advertir que el producto de este ingenio es nada menos que una copla popular; y, en consecuencia, la moraleja poética no puede ser otra que la inmersión en el folklore.

> El poeta —concluye M.— inventor y manipulador del artificio mecánico, es un investigador y colector de sentimientos elementales, un *folklorista* y un creador impasible de canciones populares, sin incurrir nunca en el *pastiche* de lo popular (A. M., 57 y II, 154).

El diálogo Mairena-Meneses abre, en definitiva, el lugar y la hora de la transición ideológica, mientras despiertan una conciencia y una sentimentalidad nuevas, esto es, comunitarias y objetivas, que no se alcanzarán, por una lógica lírica («desubjetivizada, destemporalizada y deshumanizada») (C., 121 y II, 72), al modo de los jóvenes poetas, sino mediante el ensanchamiento genérico del radio de la razón y del sentimiento. La actitud de «Reflexiones sobre la lírica» (1924) define lúcidamente la nueva situación:

> Si el soñador despierta, no ya entre fantasmas sino firmemente anclado en un trozo de lo real, será el respeto cósmico a la ley que nos obliga y nos afinca en nuestro lugar y en nuestro tiempo, la fuente de una nueva y severa emoción, que podrá tener algún día madura expresión lírica (A. M., 103 y II, 129-130).

---

14 «Antonio Machado, a partir de ahí, mira hacia un porvenir histórico de conciencia comunitaria, de ética con sentimiento de totalidad. Pero, a la vez, sabe que él no puede ser ya poeta de esa nueva era, aunque su misión haya sido hacer posibles a los poetas de ese sentir futuro. No es sólo su edad —ya en la cincuentena— lo que le limita al papel de profeta y preparador: su educación y su carácter —ya veremos cómo él mismo lo dice—, y aún su misma voz, le amarran a su juvenil mundo romántico, aunque su conciencia avance mucho más allá» (J. M. Valverde, *Antonio Machado, op. cit.,* 200).

Paralelamente acontece un ensanchamiento y profundización —radicalización, mejor— de la fe democrática, con el logro de expresiones definitivas («proclamar el derecho del pueblo a la conciencia y al pan», o «promover la revolución, no desde arriba, ni desde abajo, sino desde todas partes», etc.), que nos hacen pensar en una transformación análoga de los valores democráticos liberales. La libertad pierde su aire formal para resolverse en una conciencia crítica, que orienta progresivamente la obra de M., salvo alguna sombra pasajera, hacia una forma nueva de realismo. De ahí que la crítica machadiana tenga que aliarse con un tipo «sui generis» de escepticismo, que no es tanto una desesperación de la razón, como la recuperación de la misma, la forma de confirmarla críticamente tras una fase de pensamiento represivo y dogmático. La duda machadiana es una duda poética, es decir, una suspensión de la vigencia de las creencias ordinarias y despóticas, para hacer hueco y crear la sensibilidad de una nueva forma de fe. Ni cuenta de antemano con la seguridad de lo que busca —tal como le ocurre a la duda metódica cartesiana—, ni desespera «a priori» de cualquier certidumbre. Es el suyo un escepticismo que busca, que desbloquea el pensamiento para una nueva andadura, y que, a fin de cuentas, se protege contra los riesgos autodestructivos y corrosivos de un dogmatismo de la negación. Marie Laffranque ha llamado la atención sobre el alto valor de libertad y hasta de dinamismo ontológico que encierra esta postura [15]. Se podría decir que M. ha transformado radicalmente el modo ordinario de entender la libertad de pensamiento, que no es tanto libertad para pensar lo que se quiera, cuanto libertad para poder-pensar, para ejercer creadoramente el pensamiento por obra de su permanente autocrítica. Más tarde lo dirá Mairena de un modo defi-

---

[15] Marie Laffranque, *art. cit.*, págs. 230 y 233-4.

nitivo. «La falta de adhesión a mi propio pensamiento me libra de su maleficio» (J. M., II, cap. XIV, 140 y III, 92), es decir, de su obliteración dogmática y de su cerrazón hacia el diálogo; crea de esta manera una comunidad de búsqueda, justamente la que soñaba Mairena para la Escuela popular de Sabiduría y ya adelantada en uno de los Proverbios: «¿Tu verdad? No, la Verdad, / y ven conmigo a buscarla. / La tuya, guárdatela» (CLXI, núm. 85). Y protege por último al propio pensamiento contra el riesgo de su disolución relativista, porque siempre ha de mantenerse la sospecha de que las cosas sean de otro modo a como se las piensa. («Yo os aconsejo —dirá más tarde Mairena a sus discípulos— más bien, una posición escéptica frente al escepticismo», J. M., I, cap. XVII, 78 y III, 74). Algo así como una duda liberada de su propia aberración. Y esto por la creencia de que la duda misma ya es de suyo una potencia decisiva de creación y libertad.

Otro tanto ocurre con la igualdad, el otro valor humanista, de signo liberal. Como se ha indicado en el párrafo precedente, M. no se limita ya a interpretarlo en términos meramente jurídico-formales, sino como una abierta repulsa a todo tipo de distinción social fundada en el poder o en el privilegio («Nadie es más que nadie»). Una conversión o transformación análoga, experimenta el término «fraternidad», que más allá de su mera significación político-liberal (como comunidad cívica) se reintegra a su genuina fuente de inspiración cristiana, en cuanto conciencia de un origen y un destino o vocación común (C., 178-9 y III, 142-4). La misma suerte le cabe a otros valores típicos de la tradición liberal-burguesa; por ejemplo, el tema del progreso, que deja de ser interpretado por M. en términos puramente económicos y tecnológicos (desarrollo material —se diría hoy—), para quedar formulado sobre la nueva base de la «justicia» y la «solidaridad social» (C., 177).

EL PUNTO DE LLEGADA: LA GRAN
ESPERANZA DEL SOCIALISMO

El mañana, señores —prosigue el boceto del Discurso en
la Academia—, bien pudiera ser un retorno —nada enteramente nuevo bajo el sol— a la objetividad, por un lado, y
a la fraternidad, por el otro. Una nueva fe —porque es en
el campo de las creencias donde se plantean los problemas
esenciales del espíritu— se ha iniciado ya. Comienza el hombre nuevo a desconfiar de aquella soledad que fue causa de
su desesperanza y motivo de su orgullo (C., 126 y II, 77).

Con su habitual modestia y en estilo indirecto, como siempre, M. está aludiendo a la opción metafísica martiniana («se
tornó a creer en lo otro y en el otro, en la esencial heterogeneidad del ser», agrega líneas más abajo). Pero era preciso ir
más allá todavía, deshacer las ambigüedades y superar las
limitaciones internas del pensamiento de Abel Martín y poner las bases de la «epopeya naciente de la racionalización
del mundo». Esta será la tarea encomendada al 2.º Mairena,
cuyo estilo mental de hábil dialéctico y escéptico subversivo,
bromista y pícaro, de vuelta de toda la filosofía de Occidente y a la vez madrugando para el nuevo comienzo, nos sitúa
en un clima espiritual, muy lejos del aire entre melancólico
y trágico, a fin de cuentas metafísico y críptico, del maestro
Martín. Con Mairena el humanismo jacobino de M. alcanza
su sentido socialista. Por supuesto, el presunto socialismo
de M. es también, como todo su pensamiento, de *índole poética,* es decir, consiste más en una actitud que en una metodología crítica de la sociedad. Por lo general, esto suele ser
característica del socialismo del 98 (en su fase juvenil),
más inspirado en valores morales que en un análisis objeti-

vo de la situación y un conocimiento de las condiciones necesarias para una nueva sociedad (concepción racional de la vida y de la política; concepción democrática de la sociedad y propiedad colectiva de los medios de producción). Esto no obsta, sin embargo, a que en esta actitud encontremos unas premisas de conciencia, que permiten un desarrollo teórico posterior en sentido estricto y riguroso.

Para ordenar un tanto una cuestión ya de suyo excesivamente intrincada, no sería ocioso distinguir distintos niveles o acepciones en el socialismo de Machado.

En primer lugar, habría que señalar la nueva «actitud» cuyas raíces son abiertamente socialistas. Frente a la existencia monológica (o en soliloquio) del individualismo burgués y frente a la existencia trágicamente erótica y desengañada, en última instancia, del humanismo de Martín, Mairena representa un nuevo sentido de la vida: la existencia dialógica como un permanente ejercicio de comunicación. Evidentemente, se trata del desarrollo teórico-práctico de aquella fe en la alteridad y heterogeneidad del ser, que ya hemos analizado, convertida ahora en programa de existencia y liberada de todas sus tensiones y contradicciones internas: «una creencia en la realidad absoluta, en la existencia en sí del otro» (J. M. I, cap. XXXVIII, 183 y III, 130). Se opone así a la metafísica del «solus ipse» del individualismo y también a la del «solus ad alterum» de Martín.

Esta nueva actitud —la nueva fe socialista frente a los soliloquios de la soledad y los monólogos de la agresión—, no se reduce a un vago sentimiento de solidaridad entre los hombres, sino que constituye, por el contrario, un nuevo talante o modo de ser, unido a una nueva concepción filosófica de la existencia, como relación dialógica. En este sentido, M. distingue dos clases de diálogo, el de la complementariedad existencial, de raíz cristiana y hasta unamuniana, y

cuyo prototipo es el dúo de don Quijote y Sancho —la
disputa amorosa de dos almas en continua mediación—, «dos
mónadas autosuficientes y, no obstante, afanosas de complementariedad, en cierto sentido, creadoras y tan afirmado-
ras de su propio ser como inclinadas a una inasequible alteridad» (J. M., II, cap. XI, 126); y el diálogo racional del acuerdo objetivo, cuyo prototipo es Sócrates y cuyo método lo
ofrece la dialéctica platónica, adobada convenientemente a la
andaluza en los ejercicios sofísticos de Mairena, que pretenden en esencia explorar todos los callejones sin salida, para
abrir por último una puerta al campo [16]. Por otra parte ha
sabido descubrir la doble raíz, ética y lógica, que subyace a
la nueva fe en el otro, o si se quiere, la doble fuente de la
actitud de comunidad en el «ágape» cristiano y el «logos»
platónico, que constituyen las instancias universales del hombre —la del corazón y la de la razón dialógica—.

En cuanto a la primera, M. opone al amor egolátrico o
narcisista, el sentido pleno del amor de projimidad; los
verdaderos universales del sentimiento son, pues, patrimonio
y revelación del Cristo, según sabemos desde la época de Baeza (C., 179 y III, 144). Sin duda, el cristianismo de Mairena,
aún secularizado, persiste en la misma visión del Cristo como
el hombre-universal y del Dios, revelado en Cristo, como
el «Tú de todos», hacia el que converge el juego de alteridad
en su tensión constitutiva. Por lo que respecta a la segunda
—la raíz racional—, Mairena llega a una rehabilitación del
diálogo socrático y de sus supuestos en la realidad y objetividad de las ideas (J. M., I, cap. XV, 71 y III, 145).

La razón humana no es hija como algunos creen —enseñará
Mairena a sus discípulos— de las disputas entre los hombres,

---

[16] La doble relación dialógica presenta ciertas analogías con el
sentido de la comunicación en K. Jaspers, en el doble nivel antropológico de la «conciencia en general» y de la «existencia posible».

sino del diálogo amoroso en que se busca la comunión por el intelecto en verdades absolutas o relativas, pero que, en el peor de los casos, son independientes del humor individual (J. M., I, cap. VI, 32).

Es notable la diferencia con Martín en este respecto. Tanto el intuicionismo irracionalista como el estrecho intelectualismo han sido superados en un sentido más comprehensivo y superior de la razón, como la suprema instancia de la conciencia crítica. Una razón, por otra parte, purificada de los viejos hábitos agresivos, propios de una lógica de la dominación, y convertida, por vez primera, en conversación lúdica con aire andaluz de plaza abierta.

La nueva actitud exige, a su vez, un nuevo «ethos» —según do nivel de nuestro análisis— que, a nuestro juicio, no es más que una variante del imperativo categórico kantiano, formulado ahora más explícitamente sobre una base social o comunitaria, ya que en él se erige como fin-en-sí el hombre social o la sociedad de los hombres. «Porque si los hombres necesitan unos de otros para vivir y ello hasta el sacrificio, es claro que la suprema finalidad humana no está en el hombre —el hombre individual— sino más bien en el complejo social o agregado de hombres» (IV, 87). La repulsa al individualismo burgués no puede ser más explícita; y con ello, a la índole agresiva y polémica, competitiva en una palabra, de la ideología burguesa, atenta más al desarrollo del propio poder (toda suerte de nacionalismos e imperialismos económicos y culturales) que a la promoción de una cultura realmente genérica o universal.

Lo que se extiende y generaliza —escribirá con amargura Mairena en sus últimos años—, lo que se objetiva y, en cierto modo, se racionaliza, lo que tiende a *totalizarse*, no es el sentido fraterno de la vida, el amor de hombre a hombre, y, en cierto sentido, el culto al hombre esencial, al hombre como capaz de libertad y de superación de sus fatalidades zoológicas, sino estas fatalidades mismas, a saber: el egoísmo genésico, y la voluntad de perdurar en el tiempo, con desdeño de toda espiritualidad, su apego al interés material de la especie y, sobre todo, su capacidad para la pugna biológica y para el trabajo puramente cinético (C., 224 y IV, 102-3).

Bien es verdad que todas estas indicaciones no encontraron en Mairena un desarrollo preciso y quedan en él, más bien, como premisas de un nuevo planteamiento, y posiblemente de un tiempo futuro, a cuyos umbrales se sentía él como un profeta. Pero en todo caso, conviene registrar su firme y serena separación del pensamiento occidental moderno, por pensar que se había tornado, a partir de Descartes, agresivo y polémico, y su pretensión de buscar las fuentes originales de Occidente en el «logos» griego y en el «ágape» cristiano, fundidos ahora con un alma contemplativa y respetuosa de inspiración oriental [17]. Con lo cual alcanza su humanismo el sentido ecuménico de síntesis y alianza entre diversas culturas —preludio casi del humanismo etnológico de Lévi-Strauss—, en aquel punto en que éstas son más flexibles y libres, por no haberse fosilizado todavía en su posterior evolución. Por último, nuestro análisis tiene que abordar el tercer nivel de la «praxis política» concreta, con sus correspondientes programas ideológicos. ¿Logró M., aparte de su básico sentimiento socialista, alguna aproximación concreta a la teoría social del mismo nombre? Conviene recordar que M. nunca se comportó como un doctrinario al uso, y que, por otra parte, su conocimiento de los clásicos del socialismo es sin duda muy deficiente, quizá porque sus intereses intelectuales iban por otro sitio. Pero esto no es óbice para que pudiera comprender y valorar en

---

[17] Marie Laffranque, *art. cit.*, págs 237-9.

su real alcance el planteamiento socialista. Así lo deja traslucir en algunos textos de los últimos años. Su toma de posición crítica con respecto a la burguesía y su cultura competitiva, va acompañada a nuestro juicio, de una aceptación consciente de los nuevos supuestos sociales.

Ante todo ha de quedar claro que el socialismo es para M. una etapa inevitable hacia una nueva sociedad, basada sobre valores efectivos de solidaridad y comunicación. No puede, por consiguiente, «ser superado sin su previa realización».

> Yo no soy un verdadero socialista —le declara al semanario *Ahora*— y además, no soy joven; pero, sin embargo, el socialismo es la gran esperanza humana ineludible en nuestros días, y toda superación del socialismo lleva implícita su previa realización (IV, 52).

En el Discurso a las Juventudes socialistas, al par que precisa los motivos de esta esperanza, hay una toma de postura muy explícita acerca de elementos capitales de una praxis política de índole social.

> Veo, sin embargo, con entera claridad, que el socialismo, en cuanto supone una manera de convivencia humana, basada en el trabajo, en la igualdad de los medios concedidos a todos para realizarlo, y en la abolición de los privilegios de clase, es una etapa inexcusable en el camino de la justicia (A. M., 152 y IV, 167).

En este breve apunte quedan perfectamente identificadas las bases específicas del nuevo orden social: A) un nuevo sentido del trabajo como medio de realización, frente a la alienación del mundo laboral en el régimen capitalista. En verdad la postura de M. representa a la vez, la revaluación social del trabajo como radical condición humana y la desmitificación del trabajo-juego según la utopía marxista. Por eso M. prefiere inclinarse a la combinación trabajo-social —obligatorio para todos— y ocio creador, para huir tanto de la mística comunista del trabajo como del culto capitalista del consumo. Como comenta J. M. Valverde, «acepta la tendencia socialista a basar el orden social en el trabajo y no en la propiedad, pero a la vez, como buen andaluz, no idolatra el trabajo, según le parece que es viciosa tendencia de los alemanes (y así lo señalará más adelante a la luz de Max Scheler)» [18].

B) La afirmación del nuevo principio de la igualdad social de oportunidades ante la vida, frente al principio burgués de la igualdad de derechos o de la simple igualdad ciudadana ante la ley. Hay así una profundización de los derechos del ciudadano en los derechos del hombre, interpretados ahora en su proyección social inmediata.

C) La desaparición de las diferencias sociales y los privilegios de clase, como condición para conseguir un nuevo sentido —no distributivo y proporcional, sino comunicativo— de la justicia.

Si con todo, como hemos visto, aparecen siempre reservas o reticencias con respecto al socialismo («no soy un verdadero socialista», etc.), esto hay que atribuirlo básicamente a la «confusión» con el marxismo y a su vez, a una falsa interpretación *determinista* de éste, muy en boga en los medios intelectuales de origen idealista burgués. En este sentido, parece que M. repite el cliché unamuniano acerca del marxismo —economicismo materialista de un lado y determinismo histórico del otro—, incapaz de dar una respuesta última a los problemas del sentido de la existencia (J. M., II, cap. VI, 88-9. Cfr. también A. M., 151-2 y IV, 167). Está también por medio, su talante romántico y una educa-

---

[18] J. M. Valverde, *Antonio Machado, op. cit.*, 287.

ción demasiado «idealista» como reconoce el mismo poeta. La precisión de Gutiérrez-Girardot a este respecto es de una gran finura:

> En la mente romántica de Mairena no podían caber comunismo y dialéctica marxista, porque, para M., comunismo significaba poetización de la sociedad y marxismo, en cambio, antirromántica, objetiva, científica manera de economizar», es decir, de de-subjetivizar, y con ello, deshumanizar la sociedad [19].

La observación es muy aguda, pero no invalida, en modo alguno, ni minimiza la radicalidad de una opción política concreta. Pues en todo caso, por encima de estas reservas peculiares —más de sensibilidad que de convicción y de hábitos que de actitud—, queda claro que su compromiso político e intelectual le había llevado progresivamente al corazón mismo de la lucha social de su pueblo. La defensa de la República no era sólo la de un régimen democrático-burgués, sino la de una opción social muy concreta, que estuvo para M. del lado de las clases populares.

Encontramos reflejada esta actitud en la transformación que se opera en su fe democrática, muy formalista al comienzo, para convertirse más tarde en una confesión explícita de poder-para «el-pueblo». Y aunque realmente nunca deshizo la ambigüedad política inherente al concepto de pueblo, hay suficientes indicios para sospechar que la palabra se usa en relación con las clases sociales más bajas —campesinado, proletariado, clase media, etc.—, en abierta oposición a las clases altas, simbolizadas emblemáticamente en el «señorito». El planteamiento se mueve, pues, ahora en términos sociológicos de clase. Basten como botón de muestra los textos siguientes:

---

[19] Gutiérrez-Girardot, *op. cit.*, 179.

En España lo esencialmente aristocrático es lo popular. En los primeros meses de la guerra que hoy ensangrienta a España, cuando la contienda no había perdido aún su aspecto de mera guerra civil, yo escribí estas palabras que pretenden justificar mi fe democrática, mi creencia en la superioridad del pueblo sobre las clases privilegiadas (A. M., 108 y I, 221). El pueblo constituye, pues, lo «políticamente inenajenable» (algo muy difícil de enajenar) y lo social y culturalmente irrenunciable, por ser el depositario de los valores específicos del humanismo. («Existe un hombre del pueblo, que es, en España, al menos, el hombre elemental y fundamental y el que está más cerca del hombre universal y eterno, A. M., 114 y I, 227).

LOS TEMAS FUNDAMENTALES
DEL SOCIALISMO DE MACHADO

Aunque sólo sea sinópticamente, no quisiera dejar de mencionar los dos temas mayores, indicativos de la actitud socialista de M. Me refiero a la cultura popular y al pacifismo. Con respecto al primero ha escrito Aurora de Albornoz:

> Al tocar temas que le son más cercanos, más familiares, como el de la cultura, le vemos con una mentalidad tan moderna que me atrevo a apuntar que es uno de los primeros —y de los pocos— intelectuales españoles que entendieron —ya en los primeros lustros del siglo— el fenómeno cultural en una forma verdaderamente revolucionaria [20].

La observación es muy justa, porque no hay, en efecto, ningún tema socio-político en el que M. se nos muestre tan creadoramente original y radical a un tiempo, en plena forma de su alma jacobina.

---

[20] Aurora de Albornoz, *Notas preliminares*, al Tomo I: «Cultura y Sociedad», Madrid, Edicusa, 1970, pág. 28.

Como apunte indicativo, conviene precisar las distintas relaciones de oposición en que se inscribe el análisis machadiano de la cultura. La primera y más externa se refiere a la oposición entre cultura académica y folklore. Mientras que el primer término señala un saber ya acuñado y ajeno a los intereses reales de la vida, el segundo designa la conciencia espontánea y vivida que el pueblo tiene de sí mismo, así como el trabajo «consciente y reflexivo» —nunca erudito— que puede llevarse a cabo sobre ella. (J. M., I, cap. XXII, 101-2 y II, 50 y 197). Cada término posee, pues, una connotación distinta y contrapuesta, que podría resumirse en el binomio muerte-vida, o bien «mimetismo-originalidad», proyectados en todos los órdenes del valor (ético, político, estético, etc.), Así lo advierte Mairena a sus discípulos:

> El árbol de la cultura, más o menos frondoso, en cuyas ramas más altas acaso algún día os encaraméis, no tiene más savia que nuestra propia sangre, y sus raíces no habéis de hallarlas sino por azar en las aulas de nuestras escuelas, academias, universidades, etc., y no os digo esto para curaros anticipadamente de la solemne tristeza de las aulas, que algún día pudiera aquejaros, aconsejándoos que no entréis en ellas (J. M., II, cap. XLIV, 29).

Quizá lo que late en el fondo de este pasaje, sin lograr una formulación precisa, no es otra cosa que la vieja oposición entre «espíritu objetivo», y «base real de la vida»; si mi apreciación es justa, M. vendría a recusar algo así como una lógica independiente del fenómeno cultural, extraña al mundo real de la vida, y por consiguiente, al proceso objetivo y las condiciones sociales en las que los hombres desenvuelven su existencia.

Las consideraciones precedentes parecen confirmarse desde una segunda oposición —más radical e interna— de índole social. Se deja resumir en el esquema cultura-privilegio de clase / cultura-instrumento de liberación: El primer término, como es obvio, designa una postura aristocrática o elitista en su origen y conservadora en sus efectos sociopolíticos; «implica —añade Machado— una defensa inconsciente (?) de lo ruinoso y muerto, y más que de valores actuales, defensa de prestigios caducados» (C., 123 y II, 74); mientras que el segundo término marca el sentido liberador y crítico de la cultura, cuando se toma ésta desde «dentro del hombre» —expresión machadiana equivalente, según creo, a desde «la base real de la vida»— y en función de sus necesidades fundamentales: el pan y la conciencia.

> Pero nosotros que vemos la cultura desde dentro, quiero decir, desde el hombre mismo, no pensamos ni en el caudal, ni en el tesoro, ni en el depósito de la cultura, como en los fondos o existencias que puedan acapararse, por un lado, o, por otro, repartirse a voleo, mucho menos que puedan ser entrados a saco por las turbas. Para nosotros, defender y difundir la cultura es una misma cosa: *aumentar en el mundo el humano tesoro de la conciencia vigilante.* ¿Cómo? Despertando al dormido. Y mientras mayor sea el número de despiertos... (A. M., 112-3 y I, 225-6).

En expresiones como ésta es fácil reconocer una interpretación de la cultura como conciencia crítica de la sociedad, llamada a establecer el balance de sus aspiraciones y necesidades, y determinar los objetivos sociales de la convivencia.

La tercera y última oposición, íntimamente imbricada con las anteriores, es de carácter político y se refiere al papel que puede jugar el Estado con respecto a la cultura. La alternativa, que aquí se presenta, es o bien entenderla como un instrumento de asimilación social y contención del cambio, o por el contrario —en una perspectiva socio-política antípoda de la anterior— utilizarla como instrumento de promoción y transformación social. La primera opción origina una «cultura oficial de casta» o de sabios —casi podríamos completar la expresión machadiana, como cultura de funcionarios y burócratas de oficio; si acepta su difusión es tan sólo como coartada para el mantenimiento de aquellas formas de conciencia dominantes en el orden social. La segunda es, por el contrario, la opción típicamente popular, jacobina y hasta socialista, que M. defendió toda su vida; la cultura aristocrática o elitista se degrada y envicia por falta de inspiración, mientras que la cultura popular crece y se desarrolla por el vigor mismo de la espontaneidad creadora del pueblo (C., 44). Todas estas oposiciones se resuelven, pues, en última instancia, en la oposición social básica entre clases dominantes y pueblo, y en la conciencia bien explícita de M. de que sólo éste es el depositario de la tradición genuina y posee la energía crítica y creadora para un nuevo futuro de España (A. M., 107-111 y I, 220-4).

Las consecuencias de este planteamiento, tan revolucionario como crítico, se dejan sentir especialmente en la pedagogía maireniana, refractaria a todo paternalismo de la cultura y a cualquier forma de elitismo minoritario. J. M. Valverde ha llamado la atención sobre la distancia que lo separa en este aspecto del estilo pedagógico institucionalista, y claro está, de sus supuestos ideológicos subyacentes.

> Precisamente en *Juan de Mairena* quedará del todo claro que las ideas machadianas sobre la pedagogía, con el tiempo, han dejado de identificarse con las de la Institución Libre de Enseñanza, consagrada principalmente a «formar minorías»... Y subiendo por encima del nivel pedagógico, Antonio Machado también irá dejando atrás ese humanismo laicista y vagamente progresista, en el fondo más agnóstico que deísta, que cabe ver como carácter central de la mentalidad institucionalista [21].

---

[21] J. M. Valverde, *Antonio Machado, op. cit.*, 19.

Y no sólo en la metodología; el proyecto de una Escuela popular de Sabiduría superior, experimentum imaginarium de alguna manera inspirado en la experiencia histórica de la Universidad popular en Segovia, responde ya a un «ethos» intelectual, autocrítico y populista (J. M., I, cap. XXXVI, 168-174, 165, 182), muy distante del ambiente de cenáculo distinguido que vició siempre, cualquiera que fuese su signo, las mejores empresas pedagógicas españolas.

La segunda temática acerca del pacifismo, es quizá el exponente más claro del humanismo machadiano y donde mejor se manifiesta que éste, más que a un vago sentimiento filantrópico responde a una convicción metafísica. Marie Laffranque ha mostrado cómo el pacifismo de M. no es una reacción polémica al nacional-socialismo o fascismo, o a los movimientos populares de masas; surge, por el contrario, «en virtud de su concepción misma de la naturaleza y de la vocación de la especie humana, como de su propio destino» [22]. Y así es, en efecto, porque en la actitud pacífica se realiza y proyecta la doble raíz cordial y racional que establece M. como fundamento del hombre genérico. Más que un pensamiento reactivo, hay que ver en él la alternativa que propone Machado al *belicismo* sustancial de la cultura de Occidente, a partir sobre todo de la época moderna. Exponentes de este *belicismo* occidental de fondo, son de un lado, las ideologías o filosofías de la agresión, inauguradas con Descartes, y cuyo último vestigio sería la metafísica voluntarista e irracionalista del XIX:

> Bajo el dogma goethiano, *en el principio era la acción*, en el clima activista de nuestra vieja Europa —la continental y la británica— y de Norteamérica, el concepto de lucha como actividad vital ineluctable y, al par, como instrumento de selec-

---

22 Marie Laffranque, *art. cit.*, 243.

ción y de progreso, medra hasta convertirse en ídolo de las
multitudes (J. M., II, cap. VI, 90-1 y IV, 79).

Y del otro, el resurgir de los nacionalismos, ya sea en su
cara violenta a la alemana, o en los modales deportivos y
competitivos del pueblo inglés (J. M., II, cap. VII, 95-6).
Machado ha llamado finalmente la atención, en segundo
lugar, sobre la falacia que hay a la base de todas las ideologías guerreras.

> Se señala un hecho; después se le acepta como una fatali-
> dad; al fin se convierte en bandera. Si un día se descubre que
> el hecho no era completamente cierto, o que era totalmente
> falso, la bandera más o menos descolorida, no deja de ondear
> (J. M., I, cap. III, 18 y IV, 75).

Su tarea crítica debe pues mostrar que tal *hecho* no
cuenta con ninguna legalidad natural o metafísica; es tan
sólo un producto cultural de la historia socio-política de
Occidente; mientras que, por el contrario, puede exhi-
birse un fundamento natural, de signo contrario, en la
índole *genérica* de los actos verdaderamente humanos.
A esta reflexión llama Machado la metafísica de la paz, la
que libra al pacifismo de su perversión en un sentimiento
de tolerancia o de indiferencia, y lo convierte en una actitud
esencialmente humana. Esta metafísica, que Mairena le asigna a su maestro Martín (quizá por el valor humanista de la
tesis central de la heterogeneidad del ser, unida a la descentración de la subjetividad erótica), tiene, sin embargo,
su mejor exponente en las dos *formas del diálogo humano*
—la socrática y la cristiana—, que ya hemos descrito. Tanto el pensamiento como el corazón —dimensiones genéricas
del hombre— sólo pueden darse en un medio dialógico o
comunicativo, es decir, en la mediación recíproca del *yo*

y el tú, ya sea como acuerdo de razones o bien como ayuda mutua y complementariedad de las existencias. La guerra, por el contrario —y, en general, la actitud belicista—, pervierte a la razón humana en pura retórica y reduce el radio del corazón a agrupaciones étnicas o nacionales, a simpatías fundadas en intereses comunes, en lugar del valor genérico de la piedad (J. M., II, cap. VIII, 101).

A través de este rodeo enlazamos de nuevo con el «ethos» de la pedagogía maireniana de la no violencia y de la alteridad existencial. Una nueva pedagogía de la paz entra así en escena, basada fundamentalmente en la autocrítica permanente (para orillar todo dogmatismo), en la disponibilidad hacia el otro, en el respeto a la naturaleza, en los hábitos de la contemplación, colaboración, etc., hasta coronarse con la versión laica del mandamiento cristiano del amor.

> Yo os enseño en fin o pretendo enseñaros —escribe Mairena en directa réplica al estilo nietzscheano— el amor al prójimo y al distante, al semejante y al diferente, y un amor que exceda un poco al que os profesáis a vosotros mismos, que pudiera ser insuficiente (J. M., II, cap. VII, 100 y IV, 85).

No se crea, sin embargo, que este pacifismo implica, de algún modo, una actitud pasiva ante las injusticias o un embotamiento de la sensibilidad humana ante el dolor. Machado se ha cuidado muy mucho de deslindar la actitud de la paz a ultranza —aquella que nos lleva a cruzarnos de brazos ante la iniquidad—, de aquella otra que sabe discernir, en cada caso, los valores de solidaridad a los que sirve.

> La paz como finalidad suprema no es menos absurda que la guerra por la guerra misma —escribe—. Ambas posiciones tienden a despojarse de todo su contenido espiritual, y ambas conducen a la muerte, sin eliminar la lucha entre fieras (J. M., II, cap. XIII, 137 y IV, 90).

No es, pues, la paz un fin en sí, sino la comunidad de los hombres, y en consecuencia sólo serán realmente pacíficos los actos que crean vínculos de solidaridad. Se comprende así cómo el amante de la paz —y hasta su humanista— haya podido tener a un tiempo una postura tan explícita sobre la lucha social, y, en último extremo, adoptar un papel tan beligerante en la guerra civil española. La paz no estaba reñida para él con la «revolución inexcusable». Aunque es preciso recordar una vez más que M. no fue un temperamento político ni se movió habitualmente en el orden de la política activa, salvo en los últimos años de su vida, su radicalización fue agudizándose con los años —como ya quedó dicho— a partir de la actitud primera de republicanismo. A la altura de Baeza ya le vemos criticando severamente a los «reformistas», a los que llama saboteadores más o menos conscientes de una revolución inexcusable (C., 181-2), por intentar apagar, con su torpe pragmatismo, el fuego de la tradición radical republicana. Más tarde, toma explícito partido contra todo programa de reformas desde el poder —«revolución desde arriba»— porque toda profunda renovación sólo puede venir por la raíz (I, 63). El lema de la revolución integral está presente, por otra parte, en uno de los escritos a Unamuno desde Baeza:

> La juventud que hoy quiere intervenir en la política debe, a mi entender, hablar al pueblo y proclamar el derecho del pueblo a la conciencia y el pan, promover la revolución, no desde arriba, ni desde abajo, sino desde todas partes (C., 173).

Mucho más explícito todavía es el texto de sus declaraciones al semanario *Ahora*, con una terminante profesión de fe jacobina:

> La revolución es siempre desde abajo y la *hace el pueblo*. Una gran parte de la juventud española ha abrazado valientemente la causa popular, y España tiene hoy lo que hace mu-

cho tiempo necesitaba: Una juventud sana y enérgica, capaz de mirar serenamente al mañana; una juventud realmente joven (IV, 52).

No hay nada, por otra parte, que haga presumir que aquí el nombre de «revolución» no está usado en su verdadero sentido. Machado ha señalado la convergencia en el pueblo, tanto de la función crítica de la conciencia como del estado de miseria, que en ocasiones no le deja otra alternativa. Se conjuga así la razón con la necesidad, el poder consciente con el objetivo tener-que-hacer, y, en definitiva, el deber moral con el destino sociológico.

> Si algún día —escribe Mairena— España tuviera que jugarse la última carta, no la pongáis en manos de los llamados optimistas, sino en manos de los desesperados por el mero hecho de haber nacido. Porque éstos la jugarán valientemente, quiero decir, desesperadamente, y podrían ganarla. Cuando menos salvarían el honor, lo que equivaldría a salvar una España futura. Los otros la perderían sin jugarla, indefectiblemente, para salvar sus míseros pellejos (IV, 44).

¿Cabe una muestra más inequívoca de cuál fue, en su sentido más genuino, la opción socio-política de Machado? Aunque fuera posible calificar de «ocasionalismo» la estructura de su pensamiento político, en cuanto término medio equidistante de una política cristiana convencional y otra de signo marxista socialista, tal como apunta Gutiérrez-Girardot [23], en modo alguno se puede aplicar este término a su conducta política. También aquí, las ambigüedades de la teoría, las liquidó definitivamente la praxis. Como ya he adelantado, la vida se encargó de componer por sí sola aquel último poema machadiano, consonante con su más íntima actitud. No fue preciso que lo escribiera el poeta. Bas-

---

[23] Gutiérrez-Girardot, *op. cit.*, 179.

taba con saber vivirlo. «Que cada uno muera *de sa belle mort*» —había escrito poco antes Juan de Mairena—. Y la suya no fue en verdad otra cosa que el cumplimiento del sentido de su vida. La poetización de la sociedad convertía a la propia existencia en acto poético, en una palabra, cálida y honda, profundamente humana, que aún nos sigue hoy interpelando desde las raíces de su fe cordial. Porque «hoy es siempre todavía».

NOTA BIBLIOGRÁFICA

I) En lo que concierne a la Obra de A. Machado, se ha preferido citarla, por su comodidad de manejo y enorme difusión, según la *Ed. de Losada*, «Biblioteca clásica y contemporánea», en cinco pequeños volúmenes: I y II: Juan de Mairena (J. M., I y J. M., II). III: Poesías completas (P. C.). IV: Abel Martín y Prosas varias (A. M.). V: Los complementarios (C.), que se señalan, en abreviatura, por J. M., I; J. M., II; PC, A. M. y C., respectivamente.

Sólo en algunos casos, para completar la edición anterior, se cita por *Antonio Machado. Obras. Poesía y Prosa* (OPP), al cuidado de Aurora de Albornoz y Guillermo de Torre, Buenos Aires, Losada, 1973.

Por lo demás, muchos textos se acompañan de una *segunda cita*, según la *Antología de la Prosa de A. Machado*, compilada por Aurora de Albornoz (Madrid, Edicusa, 1970) y que presenta una amplia selección temática de su pensamiento:

a) Cultura y Sociedad (I).
b) Literatura y Arte (II).
c) Decires y Pensares filosóficos (III).
d) A la altura de las circunstancias (IV).

II) Por lo que respecta a la bibliografía machadiana, numerosísima, sólo se reseñan en el apéndice bibliográfico, que cierra este libro, las obras que han sido consultadas y citadas.

Entre los elencos bibliográficos más importantes, pueden verse, además de la selección contenida en *Antonio Machado. Obras. Poesía y Prosa*, Buenos Aires, Losada, 1973, págs. 1.094-1.163:

1) *Cuadernos Hispanoamericanos*, Madrid, 1949, núms. 11-12.
2) Oreste Macrí, *Studi introduttivi a «Poesie di A. Machado»*, Milano, Lerici, 1961.
3) Ramón de Zubiría, *La poesía de A. Machado*, Madrid, Gredos, 1969, págs. 227-264.

III) Selección bibliográfica.

Abellán, J. L., *Sociología del 98*, Barcelona, Península, 1973.
Aguirre, J. M., A. *Machado, poeta simbolista*, Madrid, Taurus, 1973.
Albornoz, A. de, *La presencia de Miguel de Unamuno en Antonio Machado*, Madrid, Gredos, 1968.
— *Notas preliminares* al tomo IV: «A la altura de las circunstancias», Madrid, Edicusa, 1970.
Alonso, Dámaso, «Poesías olvidadas de A. Machado», en *Poetas españoles contemporáneos*, Madrid, Gredos, 1969.
— *Cuatro poetas españoles*, Madrid, Gredos, 1962.
Anderson Imbert, E., «El pícaro Juan de Mairena», en *Antología. Antonio Machado*, Madrid, Taurus, 1973.
Aranguren, J. L., «Esperanza y desesperanza de Dios en la experiencia de la vida de A. Machado», en *Cuadernos Hispanoamericanos*, núms. 11-12, Madrid, 1949.
Ayala, F., «Un poema y la poesía de Antonio Machado», en *Antología. Antonio Machado*, Madrid, Taurus, 1973.
Azorín, *Obras Selectas*, Madrid, Biblioteca Nueva, 1969.
— *Clásicos y modernos*, Buenos Aires, Losada, 1959.
Bachelard, G., *El aire y los sueños*, México, F. C. E., 1958.
— *La poética del espacio*, México, F. C. E., 1965.
Beceiro, C., «El poema 'A José M.ª Palacio'», en *Ínsula*, XII, 1958.
— «Antonio Machado y su visión paradójica de Castilla», en *Celtiberia*, VIII, núm. 15, 1958, págs. 127-142.
— «La tierra de Alvargonzález», en *Clavileño*, VII, núm. 41, Madrid, 1956.
Bécquer, G. A., *Obras Completas*, Madrid, Aguilar, 1969.
Bergson, H., *Oeuvres*, Ed. du Centenaire, París, P. U. F., 1970.
Blanco Aguinaga, C., *Unamuno contemplativo*, México, Colegio México, 1959.
— *La juventud del 98*, Madrid, Siglo XXI, 1970.

Bollnow, O. F., *Hombre y espacio*, Barcelona, Labor, 1969.

Bousoño, C., *Teoría de la expresión poética*, Madrid, Gredos, 1952.

Brion, M., *La Alemania romántica*, Barcelona, Seix Barral, 1971.

Cano, J. L., «Un amor tardío de A. Machado: Guiomar», en *Antología. Antonio Machado*, Madrid, Taurus, 1973.

— «Antonio Machado, hombre y poeta en sueños», en *Cuadernos Hispanoamericanos*, núms. 11-12, Madrid, 1949.

Cassirer, E., *La filosofía de la Ilustración*, México, F. C. E., 1972.

Cerezo Galán, P., «El Quijotismo como humanismo trágico-heroico», en *Miscelánea de Estudios*, dedicados al Prof. Antonio Marín Ocete, Granada, Universidad, 1974.

Cobos, P. A., *Humor y pensamiento de A. Machado en sus apócrifos*, Madrid, Ínsula, 1972.

Darmangeat, P., *Antonio Machado, P. Salinas, J. Guillén*, Madrid, Ínsula, 1969.

Diego, Gerardo, «Tempo lento en Antonio Machado», en *Cuadernos Hispanoamericanos*, núms. 11-12, Madrid, 1949.

Espina, C., *De Antonio Machado a su grande y secreto amor*, Madrid, Gráficas Reunidas (sin año).

Fernández Alonso, M.ª R., *Una visión de la muerte en la lírica española*, Madrid, Gredos, 1971.

Goldmann, L., *El hombre y lo absoluto (Le Dieu caché)*, Barcelona, Península, 1968.

Guillén, C., «Estilística del silencio», en *Antología. Antonio Machado*, Madrid, Taurus, 1973.

Gullón, R., *Una poética para A. Machado*, Madrid, Gredos, 1970.

Gutiérrez-Girardot, R., *Poesía y prosa en A. Machado*, Madrid, Guadarrama, 1969.

Hegel, W., *Phaenomenologie des Geistes*, Hamburg, Meiner, 1952.

Heidegger, M., *Brief über den Humanismus*, Bern, Frankfurt, 1954.

— *Erläuterungen zu Hölderlins Dichtung*, Frankfurt, Klostermann, 1955.

— *Sein und Zeit*, Haye, Niemeyer, 1941.

— *Introducción a la metafísica*, Buenos Aires, Nova, 1956.

— *Aus der Erfahrung des Denkens*, Reutlingen, G. Neske, 1965.

— *Was ist Metaphysik?*, Frankfurt, Klostermann, 1965.

Hutmann, N. L., *Machado, a dialogue with time*, University of New Mexico Press, 1969.

Laffranque, M., «Antonio Machado, un philosophe en marge», en *Penseurs Hétérodoxes du monde Hispanique*, Toulouse, 1957.

Laín Entralgo, P., *La Generación del 98*, Madrid, Espasa-Calpe, 1956.

— *Teoría y realidad del otro*, Madrid, Rev. de Occidente, 1968.

— *La espera y la esperanza*, Madrid, Rev. de Occidente, 1962.

Lersch, Ph., *La estructura de la personalidad*, Barcelona, Scientia, 1972.

López-Morillas, J., *Intelectuales y espirituales*, Madrid, Rev. de Occidente, 1961.

Löwith, K., *El sentido de la Historia*, Madrid, Aguilar, 1968.

— *De Hegel a Nietzsche*, Buenos Aires, Sudamericana, 1968.

Macrí, O., *Studi introduttivi a «Poesie di A. Machado»*, Milano, Lerici, 1961.

Meyer, F., *L'Ontologie de M. de Unamuno*, Paris, P. U. F., 1955.

Mostaza, Bartolomé, «El paisaje en la poesía de A. Machado», en *Cuadernos Hispanoamericanos*, núms. 11-12, Madrid, 1949.

Orozco, E., «Antonio Machado en camino», en *Paisaje y sentimiento de la naturaleza en la poesía española*, Madrid, Edit. del Centro, 1974.

Ortega y Gasset, J., *Obras Completas*, I-XI, Madrid, Rev. de Occidente, 1964.

Pérez Ferrero, M., *Vida de Antonio Machado*, Madrid, Austral, 1973.

Predmore, R. L., *El tiempo en la poesía de A. Machado*, Publications of the Modern Language Association of America, vol. LXIII, 1948.

Ricoeur, P., *Freud, una interpretación de la cultura*, Madrid, Siglo XXI, 1970.

Rosales, L., «Muerte y resurrección de Antonio Machado», en *Cuadernos Hispanoamericanos*, núms. 11-12, Madrid, 1949.

Rousseau, J. J., *Discurso sobre el origen de la desigualdad de los hombres*, O. C., París, Gallimard, 1966.

Sánchez-Barbudo, A., *Estudios sobre Galdós, Unamuno y Machado*, Madrid, Guadarrama, 1968.

Scheler, M., *El puesto del hombre en el cosmos*, Buenos Aires, Losada, 1968.

Serrano Poncela, S., *Antonio Machado, su mundo y su obra*, Buenos Aires, Losada, 1954.

Starobinski, J., *La relación crítica (Psicoanálisis y Literatura)*, Madrid, Taurus, 1974.

Terrón, E., *Sociología e ideología en los orígenes de la España contemporánea*, Barcelona, Península, 1969.

Tuñón de Lara, M., *Antonio Machado, poeta del pueblo*, Madrid, Península, 1967.

Unamuno, Miguel de, *Obras Completas*, I-X, Madrid, Escelicer, 1966.

— *Ensayos*, I-II, Madrid, Aguilar, 1967.

Valverde, J. M., *Estudios sobre la palabra poética*, Madrid, Rialp, 1952.

— *Antonio Machado*, Madrid, Siglo XXI, 1975.

Verret, M., «Marxismo y Humanismo», en *Polémica sobre Marxismo y Humanismo*, Madrid, Siglo XXI, 1968.

Vivanco, L. F., «Comentario a unos pocos poemas de A. Machado», en *Cuadernos Hispanoamericanos*, núms. 11-12, Madrid, 1949.

Zubiría, R. de, *La poesía de Antonio Machado*, Madrid, Gredos, 1969.

ÍNDICE GENERAL

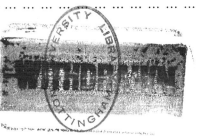